Twee succesvolle jonge auteurs slaan de handen ineen en vormen samen het nieuwe spanningsduo A.J. Kazinski. Anders Rønnow Klarlund schreef en regisseerde verschillende films en debuteerde in 2009 met een roman. Jacob Weinreich is eveneens scriptschrijver en publiceerde in 2001 zijn eerste roman. Zijn boeken voor tieners behoren tot de succesvolste van Denemarken. *De laatste goede man* is hun eerste boek bij De Geus.

FSC
Mixed Sources
Product group from well-managed forests and other controlled sources
Cert no. SCS COC 001256
www.fsc.org
© 1996 Forest Stewardship Council

A.J. Kazinski

De laatste goede man

Vertaald uit het Deens door
Femke Blekkingh-Muller

DE GEUS

Deze uitgave is tot stand gekomen met een bijdrage van The Literature Centre of The Danish Arts Council (Kopenhagen)

Oorspronkelijke titel *Den sidste gode mand*, verschenen bij Politikens Forlag

Published by agreement with Leonhardt & Høier Literary Agency A/S, Copenhagen

Omslagontwerp Mijke Wondergem
Omslagillustratie © Stoltzedesign
ISBN 978 90 445 1793 4
NUR 332

Twee noten voor de lezer

De mythe over 'Gods rechtvaardigen' waarover in deze roman wordt gesproken, is afkomstig uit de joodse Talmoed – een verzameling religieuze geschriften opgetekend in Israël en Babylon – die volgens het geloof een directe overlevering is van wat God aan Mozes heeft verteld. God heeft onder andere gezegd dat er altijd zesendertig rechtvaardige mensen op aarde zullen zijn. Deze zesendertig beschermen ons allen. Zonder hen zal de mensheid ten onder gaan.

De zesendertig weten zelf niet dat ze zijn uitverkoren.

* * *

Op 11 september 2008 werd op het hoofdkantoor van de VN in New York, onder leiding van dr. Sam Parnia, 's werelds grootste wetenschappelijke conferentie over bijna-doodervaringen gehouden. Het doel van dit congres was te debatteren over het stijgende aantal bijna-doodervaringen dat jaarlijks over de gehele wereld wordt gerapporteerd. Het gaat hierbij om rapporten over mensen die met succes zijn gereanimeerd en naderhand de ongelooflijkste fenomenen hebben beschreven – dingen die de wetenschap niet kan verklaren.

DEEL I

Het boek van de doden

O, Aarde! bedek mijn bloed niet;
En voor mijn geroep zij geen plaats.

JOB 1

Er gaan voortdurend mensen dood. Vaak in ziekenhuizen. Daarom was het plan geniaal. Simpel, op het banale af:

Alle bijna-doodervaringen die bij een arts werden gerapporteerd, moesten worden geverifieerd. Hoe? Op eerstehulpafdelingen natuurlijk. Er zat namelijk een patroon in hetgeen mensen vertelden – mensen die klinisch dood waren verklaard, mensen bij wie de ademhaling was gestopt en het hart niet meer klopte: ze zweefden omhoog. Ze hingen onder het plafond en keken naar zichzelf. Vaak konden ze details beschrijven die hun hersenen onmogelijk in een laatste doodsroes konden hebben verzonnen: dat een arts een vaas had omgestoten, wat hij of zij tegen de verpleegkundigen had geschreeuwd, wie het vertrek in en uit waren gegaan – en wanneer. Sommigen konden ook vertellen wat er in de ruimte ernaast was gebeurd. Maar het gold niet als wetenschappelijk. Daar zou nu verandering in komen.

Het onderzoek zou gebruikmaken van eerstehulpafdelingen, intensivecareafdelingen en traumacentra – de plaatsen waar het vaakst mensen werden gereanimeerd. Een deel van het wereldwijde onderzoek hield in dat er plankjes werden opgehangen, vlak onder het plafond. Op die plankjes werden afbeeldingen gelegd, afbeeldingen die naar boven waren gekeerd – onmogelijk van beneden te zien. Alleen iemand die onder het plafond hing, zou het kunnen zien.

Agnes Davidsen maakte deel uit van de Deense onderzoeksgroep. De artsen hadden om het plan gelachen, maar ze hadden zich er niet tegen verzet, zolang ze de kosten voor het aanbrengen van de plankjes maar niet hoefden te betalen. Agnes was erbij geweest op de dag dat het plankje in het Rigshospital in Kopenhagen werd gemonteerd. Ze had zelf de trap vastgehouden toen de klusjesman met de verzegelde envelop in zijn hand naar boven was geklommen en ze had zelf het licht uitgedaan voordat het zegel werd verbroken en de afbeelding op het plankje werd gelegd. Alleen het hoofdkantoor wist wat de afbeelding voorstelde. Verder wist niemand het. Op de achtergrond hoorde je het geluid van een televisie. Het ging over de voorbereidingen voor de klimaattop in Kopenhagen. De Franse president, Sarkozy, zei dat Europa niet zou accepteren dat de temperatuur op aarde met meer dan twee procent zou stijgen. Agnes schudde haar hoofd en hielp met het inklappen van de trap. Als hij het zo zei, klonk het volkomen krankzinnig, dacht ze. *Niet accepteren.* Alsof wij mensen de temperatuur van de aarde omhoog en omlaag kunnen draaien, als een thermostaat.

Ze bedankte de klusjesman en keek naar het plankje onder het plafond. Nu hoefde ze alleen maar te wachten tot het ziekenhuis belde met het bericht dat iemand in deze ruimte was gestorven.

En teruggekeerd.

1

Yonghegong-tempel, Beijing – China

Hij was niet wakker geworden door het trillen van de grond. Daar was hij wel aan gewend – de metro reed precies onder de Yonghegong-tempel door en dreigde voortdurend het driehonderdvijftig jaar oude tempelcomplex midden in de Chinese hoofdstad te laten instorten. Hij was wakker geworden doordat iets of iemand zich over hem heen had gebogen terwijl hij sliep. Naar hem had staan kijken. Hij was er zeker van.

De monnik Ling ging rechtop in bed zitten en keek rond. De zon ging nog maar net onder, de pijn had hem gedwongen om vroeg naar bed te gaan.

'Is daar iemand?' De pijn circuleerde door zijn lichaam. Hij kon niet uitmaken of het zijn rug, zijn buik of zijn borst was. Beneden op het tempelplein hoorde hij de jonge monniken praten, de laatste westerse toeristen vertrokken.

Ling trotseerde de pijn en stond op. Hij had nog steeds het gevoel dat er iemand in de kamer was, maar hij zag niemand. Hij kon zijn sandalen niet vinden en liep op blote voeten, onvast, over de stenen vloer. Het was koud. Misschien zit er ergens een bloedprop, dacht hij. Hij haalde moeilijk adem. Zijn tong was gezwollen, hij wankelde. Hij verloor bijna zijn evenwicht, maar wist op de been te blijven. Als hij nu viel, zou hij niet meer overeind kunnen komen. Hij haalde diep adem, een brandend gevoel schoot door zijn luchtpijp naar zijn longen.

'Help', probeerde hij te roepen. Maar zijn stem was te zwak, niemand hoorde hem. 'Help me.'

Ling liep de smalle, vochtige gang in en ging een andere ruimte binnen. Voorzichtig, oranjerood zonlicht viel door het raampje vlak onder het plafond naar binnen. Hij bestudeerde zijn lichaam. Er was niets te zien. Niets op zijn armen, buik of borst. Een hevige pijnscheut trok door zijn lijf, het duizelde hem. Even deed hij zijn ogen dicht. Hij gaf de strijd op en zakte weg in het duister en een grenzeloos onbehagen. Toen kreeg hij een moment rust. De pijnaanvallen kwamen in korte schokken, die telkens heviger waren dan de vorige. Hij kreeg een korte adempauze.

Zijn handen trilden toen hij de lade opentrok en hem met aarzelende bewegingen doorzocht. Eindelijk vond hij wat hij zocht: een klein, gebarsten zakspiegeltje. Hij bekeek zichzelf in het spiegeltje en zag een van angst vertrokken gezicht. Ling schoof zijn lendendoek een stukje naar beneden en hield het spiegeltje zo dat hij het onderste deel van zijn rug kon zien. Zijn adem stokte.

'Grote god', fluisterde hij terwijl het spiegeltje uit zijn hand glipte. 'Wat is dat?'

Het enige antwoord was het geluid van het spiegeltje dat kapot viel op de grond.

De ouderwetse munttelefoon aan de muur leek hem allesbehalve een verlossende engel, maar het was zijn enige kans. Hij sleepte zich erheen. Een nieuwe pijnscheut deed hem stilstaan. Het voelde als een eeuwigheid. Hij opende zijn ogen en keek naar de munttelefoon waar hij zo hartgrondig tegen was geweest. De overheid eiste dat er een munttelefoon zou worden opgehangen voor de toeristen die de tempel bezochten – als een van hen iets zou overkomen, moest er hulp bij kunnen worden geroepen. Om diezelfde reden was het telefoonnummer van de alarmcentrale met grote cijfers op de muur geschreven en stond er een potje met muntjes naast. Ling stak zijn hand uit en reikte naar het potje; hij kreeg het net te pakken, maar verloor zijn evenwicht en moest het loslaten om steun te zoeken tegen de muur. Scherven en muntjes lagen op de grond. Ling aarzelde. De gedachte alleen al dat hij zich zou moeten bukken, leek hem onoverkomelijk. Zou het bukken naar de glinsterende muntjes, die hij het grootste deel van zijn leven had geprobeerd te mijden, werkelijk een van zijn laatste handelingen op deze wereld zijn? Maar hij wilde nog niet dood, dus hij raapte met trillende handen een muntje op, stopte het in de telefoon en belde de drie cijfers die op de muur stonden. Toen wachtte hij.

'Schiet op, schiet op', fluisterde hij moeizaam.

Eindelijk klonk er een vrouwenstem: 'Alarmcentrale.'

'Jullie moeten me helpen!'

'Wat is er aan de hand? Waarvandaan belt u?'

De stem in de telefoon klonk rustig en beheerst. Bijna mechanisch.

'Ik sta in brand. Ik ...'

Ling zweeg en draaide zich om. Er was iemand, hij wist het zeker. Iemand keek naar hem. Hij wreef in zijn ogen, maar het hielp niet, hij zag niemand. Wie deed hem dit aan?

'Ik moet weten waar u bent', zei de vrouw.

'Help me ...' Elk woord dat hij zei, zond een pijnscheut vanuit zijn rug, via zijn keel naar zijn mond en gezwollen tong.

De vrouw onderbrak hem vriendelijk maar beslist: 'Wat is uw naam?'

'Ling. Ling Cedong, ik ... Help me! Mijn huid ... staat in brand!'

'Meneer Cedong ...' Ze werd ongeduldig. 'Waar bevindt u zich op dit moment?'

'Help me!'

Hij hield abrupt op. Opeens leek het alsof iets binnen in hem instortte. Alsof de wereld om hem heen een stap naar achteren deed en hem achterliet in een toestand van onwerkelijkheid. Alle geluiden verdwenen; het verspreide lachen op de binnenplaats, de stem in de telefoon. De tijd stond stil. Hij bevond zich in een nieuwe wereld. Of op de drempel van een andere wereld. Er liep een straaltje bloed uit zijn neus.

'Wat gebeurt er?' fluisterde hij. 'Het is zo stil.'

Op hetzelfde moment liet hij de telefoon los.

'Hallo?' klonk de mechanische stem uit de hoorn die aan het snoer bungelde. 'Hallo?'

Maar Ling hoorde het niet. Hij deed een paar wankele stappen in de richting van het raam en keek naar de drie glazen die in de vensterbank stonden. In een ervan zat water – misschien zou dat helpen. Hij stak snel zijn hand uit, maar greep mis. Het glas viel naar buiten en spatte uiteen op de stenen van de binnenplaats.

De monniken buiten keken op. Ling probeerde naar hen te gebaren. Hij zag hun monden bewegen, maar hij hoorde niets.

Ling proefde bloed en hij voelde dat het uit zijn neus liep. 'Mijn god', kreunde hij. 'Wat gebeurt er met me?'

Even had hij het gevoel dat hij op het punt stond te worden uitgewist. Alsof hij was gereduceerd tot een onderdeel van iemand anders droom en dat diegene nu wakker werd. Hij kon er niets tegen doen. De geluiden om hem heen waren verdwenen. Hij viel. Hij landde op zijn rug en keek op. Het was heel stil om hem heen. Toen glimlachte hij en strekte zijn hand uit naar de lucht. Daar waar een ogenblik geleden het plafond was geweest, had hij nu vrij zicht op de eerste zwak schitterende sterren aan de nachtelijke hemel.

'Het is zo stil', mompelde hij. 'Venus. En de Melkweg.'

* * *

De andere monniken stormden naar binnen en bogen zich over hem heen. Maar Ling zag hen niet. Zijn uitgestrekte hand viel slap neer. Hij had een glimlach op zijn lippen.

'Hij heeft geprobeerd te bellen.' Een van de monniken had de telefoon in zijn hand. 'De alarmcentrale.'

'Ling!' Een andere monnik – de jongste, een grote jongen nog maar – probeerde contact met hem te krijgen. 'Ling, kun je me horen?'

Geen antwoord. De jonge monnik keek op naar de anderen. 'Hij is dood.'

Ze zwegen allen. Bogen een ogenblik hun hoofd. Velen hadden tranen in hun ogen. De oudste monnik verbrak de stilte: 'Haal de Lopön. We hebben niet veel tijd.'

Een van de monniken wilde de jongen sturen, maar de oudste hield hem tegen. 'Nee, ga jij hem maar halen. De jongen heeft het nog nooit meegemaakt. Laat hem maar hier blijven zodat hij het kan meemaken.'

De monnik rende weg en de jongen keek de oudste monnik aan.

'Wat gaat er gebeuren?' vroeg hij angstig.

'Phowa. We gaan zijn bewustzijn doorsturen. Straks komt de Lopön.'

'Phowa?'

'Phowa helpt het bewustzijn verder door het lichaam en via het hoofd naar buiten. We hebben maar een paar minuten.'

'Wat gebeurt er als we het niet halen?'

'We halen het wel. De Lopön is snel. Kom, help me eens, hij kan hier niet blijven liggen.'

Niemand reageerde.

'Pak vast.' De jongen en twee andere monniken pakten Lings benen. Ze tilden hem op en legden hem op het bed.

Hij lag een beetje op zijn zij. Toen de oudste monnik hem bij zijn rug pakte om hem goed te leggen, zag hij opeens iets.

'Wat is dat?' vroeg hij.

De anderen kwamen dichterbij en keken.

'Kijk, dáár, op zijn rug.'

Ze stonden nu allemaal over de dode monnik gebogen.

'Wat is dat?' vroeg de jongen.

Niemand antwoordde. Zwijgend staarden ze naar het merkwaardige teken dat zichtbaar was geworden op de rug van de monnik Ling. Het strekte zich uit van schouder tot schouder en tot halverwege zijn rug. Het leek een tatoeage of een brandmerk.

Of alsof zijn rug was verbrand.

2

Suvarna Hospital, Mumbai – India
Drie dagen eerder had Giuseppe Locatelli een mail ontvangen. Of hij kon helpen om een overleden Indiase econoom te traceren. Giuseppe had er niet veel zin in, maar hij wilde dolgraag weg uit India en hoopte dat dit, als hij zijn taak braaf en plichtsgetrouw vervulde, een opstapje zou zijn naar een betere baan op een Italiaanse ambassade ergens anders. In de Verenigde Staten misschien. Daar droomde hij van. Washington. Of het consulaat in New York dat alle zaken die iets met de VN te maken hadden, behandelde. Alles liever dan deze stinkende straten. Daarom had hij zonder aarzeling 'ja' gezegd.

Het was een lange, moeizame rit, ook al was het nog vroeg in de ochtend. De taxi kwam maar langzaam vooruit door de nauwe straten van de sloppenwijk. Giuseppe had de eerste week in India meteen geleerd dat je de armen niet moest aankijken. Je moest ze nooit in de ogen kijken – dat was de reden dat reizigers die hier voor het eerst waren altijd een sliert bedelende kinderen achter zich aan hadden. Als je strak voor je uit keek en je ijskoud hield, lieten ze je met rust. Als je in India de straat op ging, moest je doen alsof de armoede niet bestond en pas huilen als je weer alleen was. Anders werd je kaalgeplukt.

De taxi stopte.

'Suvarna Hospital', sir.

Giuseppe betaalde de chauffeur en sprong uit de auto. Er stond een rij voor het ziekenhuis. Jezus, er stonden overal rijen in dit land. Een rij voor het strand, een rij voor het politiebureau, een rij voor elk kliniekje dat ook maar een pleister of een stuk verband had. Giuseppe baande zich een weg door de wachtenden zonder iemand in de ogen te kijken, zonder zijn omgeving zelfs maar te registreren.

Hij sprak Engels tegen de receptionist. 'Giuseppe Locatelli. Italiaanse ambassade. Ik heb een afspraak met dokter Kahey.'

Dokter Kahey trok zich niets aan van de werkdruk. Hij maakte een kalme, beheerste indruk en terwijl ze de trappen naar het mortuarium afliepen, praatte hij over Italië, over Sardinië, waar Giuseppe nog nooit was geweest. Giuseppe kon het niet laten om zijn bewondering voor de dokter, die het zo druk had, uit te spreken.

'Al die mensen buiten. Hoe moeten jullie die allemaal helpen?'

'Die zijn hier niet om behandeld te worden.' Dokter Kahey lachte minzaam. 'Maak u geen zorgen.'

'Waarom dan?'

'Ze zijn hier om hem hun respect te betonen.'

'"Hem"?'

Dokter Kahey keek Giuseppe Locatelli verwonderd aan. 'De man voor wie u hier bent. Raj Bairoliya. Hebt u niet gezien dat ze bloemen bij zich hebben?'

Giuseppe kreeg een kleur. Hij had helemaal niets gezien. Hij had strak voor zich uit gekeken, uit angst om oogcontact te maken en het slachtoffer te worden van bedelaars. Kahey ging verder in zijn karakteristieke, zangerige Indiase accent: 'Bairoliya was one of the closest advisers to mister Muhammad Yunus, the inventor of the micro loan. You know mister Yunus?'

Giuseppe schudde zijn hoofd. Maar hij had wel gehoord van het microkrediet, de lening die het voor duizenden en nog eens duizenden mensen mogelijk maakte om kleine, innovatieve bedrijfjes te beginnen.

'Yunus heeft in 2006 de Nobelprijs gekregen', zei dokter Kahey terwijl hij de schuiflade waarin de gestorven econoom lag uittrok. 'Maar die hadden ze misschien net zo goed aan Bairoliya kunnen geven.'

Giuseppe knikte. De arts trok het lijkkleed weg. De dode econoom zag er vredig uit. Zijn huid was asgrauw. Giuseppe herkende de kleur van zijn grootmoeders 'lit de parade'. Hij schraapte zijn keel en zei dat hij de Italiaanse politieafdeling wilde bellen die hem hiernaartoe had gestuurd.

'Sure, sure.'

Hij belde. Er werd onmiddellijk opgenomen.

'Tommaso Di Barbara?'

'Si.'

'Giuseppe Locatelli. Chiamo dall'ambasciata a Mumbai.'

'Si. Si!'

'Ik sta naast het lijk van Raj Bairoliya, zoals u mij heeft gevraagd.'

De stem aan de andere kant van de lijn klonk een beetje verkouden en opgewonden: 'Zijn rug. Kunt u zijn rug zien?'

Giuseppe wendde zich tot de arts, die zich even had teruggetrokken om te roken.

'De Italiaanse politie vraagt of ik de rug mag bekijken.'

'Ah. U wilt het teken zien.' Kahey haalde zijn schouders op en legde zijn sigaret in de vensterbank met de gloeiende askegel over de rand. 'Misschien kunnen jullie mij vertellen wat het is.' Hij keek Giuseppe vragend aan. 'U moet me wel even helpen.'

Giuseppe had de telefoon in zijn hand. Hij wist niet wat hij moest doen.

'We moeten hem omdraaien.'

'Bel straks maar terug', klonk het in het Italiaans, en er werd opgehangen.

'Come on. Don't be afraid. He won't hurt anyone. On three! Ready?'

Dokter Kahey grinnikte toen Giuseppe het lijk beetpakte. 'One, two, three!'

Het lijk rolde met een doffe plof op de zij, de armen vielen stijf over de rand. Giuseppe Locatelli staarde vol verbazing naar de rug van de dode man. Een teken strekte zich uit van schouder tot schouder.

'What is it?'

3

Polizia di Stato, Venetië – Italië

Tommaso Di Barbara had de hele dag op het telefoontje gewacht. Hij had bijna niets anders gedaan dan naar de telefoon staren terwijl hij vocht tegen een opkomende griep. Nu kwam het telefoontje, en het had niet op een ongelegener moment kunnen komen. Tommaso keek naar zijn telefoon terwijl zijn chef tegenover hem stond en hem verwijtend aankeek.

'Jij weet hier niets van?' vroeg zijn chef op doordringende toon. 'Een pakje uit China dat door iemand van dit bureau is besteld, via de diplomatieke post?'

Tommaso gaf geen antwoord. Hij vroeg zich af wat commissario Morante op dit tijdstip van de dag op het politiebureau deed. Die liet zich anders alleen maar zien als er belangrijk bezoek kwam. Tommaso had een onbehaaglijk gevoel. Het gevoel dat zijn dagen op dit bureau waren geteld.

Zijn chef herhaalde: 'Weet je het zeker? Iemand heeft de officiele kanalen gebruikt om te zorgen dat de Chinese autoriteiten dat pakje met dat bandje hiernaartoe zouden sturen. Via Interpol. Buiten mij om.' De adem van zijn chef rook naar Chianti en knoflook.

'Mijn dienst is begonnen', antwoordde Tommaso ontwijkend.

Hij stond op en vluchtte de regen in.

De steiger die van het politiebureau naar de politieboten liep, was het eerste wat alle prominente gasten van Venetië zagen. Als ze met de auto van het vasteland kwamen, werden ze ontvangen door commissario Morante, meegevoerd door het oude politiebureau, waar ooit monniken hadden gewoond, en aan de andere kant van het gebouw weer naar buiten geleid. Via de steiger van het politiebureau kwamen ze uit op het Canal Grande. Deze nacht waren er geen gasten. Alleen regen. Tommaso sprong in de boot, ging naar de laatste gemiste oproep in zijn telefoon en belde het nummer.

'Hallo?'

'Tommaso weer. Bent u nog steeds daar?'

'Ja, ja!' Giuseppe Locatelli klonk geschokt.

Tommaso vloekte binnensmonds. Die verdomde regen. Hij verstond er niets van. Hij drukte zijn hand tegen zijn vrije oor en luisterde.

'Ik ben nog in het mortuarium.'

'Hebt u hem omgedraaid?'

'Ja. Het is ...'

'Praat eens wat harder', schreeuwde Tommaso. 'Ik kan u niet verstaan.'

'Hij heeft een teken op zijn rug. Het ziet er heel raar uit. Het lijkt wel een ...' Tommaso viel hem in de rede: '... een tatoeage!'

'Ja.'

Flavio en de nieuwe collega uit Puglia kwamen aanrennen door de regen. Zij hadden samen met Tommaso dienst die nacht.

'Kunt u foto's maken met uw telefoon?' vroeg Tommaso.

'Ja, maar ik heb ook een camera bij me, zoals u vroeg in uw mail.'

Tommaso dacht snel na. Als hij de stemming van zijn chef juist had geïnterpreteerd, was hem misschien niet veel tijd meer gegund op dit bureau. Te weinig om te wachten op foto's die per post vanuit India hiernaartoe moesten komen.

'Fotografeer zijn rug maar met uw telefoon. Hoort u mij? Het heeft haast. Maak maar foto's van de rug in zijn geheel en close-ups – zo dichtbij als u kunt komen zonder dat de foto's onscherp worden.'

Flavio en de nieuwe deden de deur open en kwamen de stuurhut van de boot binnen. Ze begroetten Tommaso, die knikte.

'Hebt u mij begrepen?' vroeg Tommaso.

'Ja', zei Giuseppe.

'En stuur ze me dan maar via mms.'

Tommaso brak het gesprek af. Hij haalde het potje pillen uit zijn zak en slikte er twee met niets anders dan zijn eigen speeksel. Hij probeerde te bedenken wie hem zou hebben besmet. Misschien iemand in het hospice. De verpleegkundigen en nonnen die voor zijn moeder zorgden, kwamen voortdurend in contact met ziekte. De gedachte aan zijn stervende moeder zond een steek door zijn lijf vanwege zijn slechte geweten.

Santa Lucia-station, Venetië

Zijn paspoort zei dat hij uit Guatemala kwam. Het was het kleinste paspoort dat Tommaso ooit had gezien. Het was niet meer dan een doormidden gevouwen stukje karton. Geen plaats voor stempels of visa, alleen een smoezelige foto van de eigenaar, die op een indiaan leek, en een paar twijfelachtige officiële stempels van een al even twijfelachtige autoriteit aan de andere kant van de Atlantische Oceaan.

'Poco, poco', antwoordde de eigenaar van het paspoort op Tommaso's vraag of hij Italiaans sprak.

'Frans?' Ook niet.

De man sprak een beetje Engels, en Engels was nou niet direct Tommaso's sterkste punt. Daarin was Tommaso niet de enige in Italië. Zelfs zijn Engelse leraar op school had geen Engels gekend, maar Frans was er wel ingeramd. Tommaso had liever Engels geleerd, maar daar was het nu te laat voor, vond hij. Als je boven de vijfentwintig bent, is het te laat om nog iets nieuws te leren: zo was hij opgevoed door zijn vader. En als je boven de dertig bent, moet je je eigen dokter zijn. Tommaso's vader, die nooit uit Cannaregio in Venetië weg was geweest, was gestorven omdat hij had geweigerd naar een arts te gaan toen hij problemen met zijn longen kreeg. Tommaso wist het: vaders zouden wat minder invloed moeten hebben. Maar hij wist ook dat hij in veel opzichten een vermoeide kopie van zijn vader was.

Tommaso rechtte zijn rug en ving een glimp op van zijn eigen spiegelbeeld in het raampje van de treincoupé. Normaal gesproken zou hem een scherp, keurig geschoren gezicht hebben aangekeken, met doordringende ogen, licht grijzend haar en een markante kaaklijn. Deze avond zag hij er eerder uit als iets wat thuis onder de dekens hoorde te liggen. Tommaso was de eerste die toegaf dat het feit dat hij er goed uitzag een stabiele relatie in de weg had gestaan. Er waren gewoon te veel verleidingen. Maar de laatste jaren – sinds hij midden veertig was – was dat niet meer zo. Niet dat zijn uiterlijk erg was veranderd; de mensen om hem heen waren veranderd. Ze waren getrouwd en genoten van de intimiteit die ze met elkaar hadden. Tommaso zei bijna elke dag tegen zichzelf dat hij een vrouw moest zoeken. Maar deze avond zou dat niet lukken, constateerde hij toen hij opnieuw de weerspiegeling van zijn eigen gezicht zag.

'Grazie.' Tommaso knikte naar de indiaan uit Guatemala en stapte uit de trein. Op het perron controleerde hij meteen zijn telefoon. Geen nieuwe berichten. Geen afbeeldingen. Tommaso keek op de stationsklok. Dinsdag 15 december 2009. 01.18 uur. Hij wist dat het minuten, soms zelfs uren kon duren voordat een bericht dat vanuit Azië was verstuurd, binnenkwam op je mobiele telefoon. De inlichtingendiensten daar vertraagden het signaal zodat ze konden controleren wat er in kwam en uit werd gestuurd. Ze voerden strenge controles uit op de gesprekken van de mensen.

'Flavio.' Tommaso riep zijn collega. 'Flavio!'

Ze waren maar met z'n drieën deze nachtdienst, die achttien minuten geleden was begonnen, in de regen. Het hoofdbureau van politie lag schuin tegenover het station. Ze wisten dat de trein uit Triëst om half twee binnenkwam en dat daar vaak illegale immigranten uit Oost-Europa in zaten, die hun geluk wilden beproeven in het westen door voor een armzalig loontje in een of andere smoezelige keuken te gaan werken.

Flavio ging onder de stalen overkapping van het perron staan om uit de regen te zijn. Hij moest schreeuwen tegen Tommaso om boven het lawaai uit te komen: 'We laten ze gaan.'

'Waarom?'

'Zelfmoord in Murano.'

'Zelfmoord?'

'Of moord. Je weet het nooit met die eilanden.'

Flavio snoot drie keer luidruchtig zijn neus en stopte zijn zakdoek terug in zijn zak.

Tommaso keek weer op zijn telefoon. Nog steeds niets uit India. *Ben ik bang voor het antwoord?* vroeg hij zichzelf af terwijl hij naar de boot liep. Bijna alle andere keren had hij gelijk gehad. Een paar maanden geleden was er een gevonden in Hanoi. Op dezelfde manier gestorven. Hetzelfde teken. Ook iemand die goed deed.

Voordat Flavio de boot keerde op het kanaal, zag Tommaso dat er licht brandde in het kantoor van zijn chef. Tommaso wist maar al te goed wat dat betekende: commissario Morante zou de onderste steen boven halen om uit te zoeken wie de Chinese autoriteiten had verzocht om het pakje met het bandje op te sturen. Het zou niet lang duren voordat hij erachter kwam – commissario Morante was iemand die grondig te werk ging – en dan zou hij er ook achter komen dat Tommaso via Interpol waarschuwingen had laten uitgaan naar een aantal politieafdelingen in Europa. Onder andere in Kopenhagen.

4

Kopenhagen – Denemarken
Urenlang wachten in de ijzige kou in het noordwestelijk deel van de stad.

De regen roffelde hard op het dak van de politieauto in een ontspannend, monotoon ritme. De druppels werden zwaarder. Binnen afzienbare tijd zou de regen boven Kopenhagen kristalliseren en overgaan in zachte sneeuw, dacht Niels Bentzon terwijl zijn trillende vingers de op een na laatste sigaret uit het pakje probeerden te peuteren.

Door de beslagen raampjes zag de wereld om hem heen eruit als een ondoordringbare sluier van water, duister en voorbijglijdend licht van langsrijdende auto's. Hij leunde achterover en staarde in het niets. Hij had hoofdpijn en dankte hogere machten omdat de leider van het crisisteam hem had verzocht in de auto te wachten. Niels voelde zich slecht op zijn gemak in de Dortheavej. Misschien doordat de wijk ongeluk leek aan te trekken. Het zou hem niets verbazen als het in de rest van Kopenhagen droog was die nacht.

Niels probeerde zich te herinneren wat er het eerst in de straat was geweest: de Islamitische geloofsgemeenschap of het jongerencentrum. Twee organisaties die een soort open invitatie voor relschoppers met zich mee leken te brengen. Iedereen bij de politie wist het: een oproep voor assistentie in de Dortheavej in Noordwest, betekende dreiging met explosieven, demonstraties, brandstichting of gewoon geweld.

Niels was erbij geweest toen het oude jongerencentrum werd ontruimd; bijna iedere politieman uit het hele land was toen opgeroepen. Het was een zeer onaangename toestand geworden. Niels had een hekel aan dat soort situaties. Hij was in een zijstraat terechtgekomen waar hij had geprobeerd twee heel jonge mannen met heel grote knuppels te pacificeren. Niels was op zijn linkerarm en tegen zijn onderste ribben geslagen. De haat straalde van de jongemannen af, als een supernova van frustratie die zich op Niels had gericht. Toen hij een van de twee eindelijk op de grond had weten te duwen en de handboeien had omgedaan, slingerde de jongen de ergste verwensingen naar zijn hoofd. Het accent was niet mis te verstaan: hij kwam uit Rungsted; hij was een rijkeluiskind.

Maar die nacht waren het geen boze jongeren of islamisten die de straat op stelten zetten, maar een uit de dienst ontslagen militair die zijn overgebleven kruit afschoot op zijn gezin.

'Niels!'

Niels had niet gehoord dat er op het raampje werd geklopt. Zijn sigaret was nog maar voor een kwart opgerookt.

'Niels. Je mag naar binnen.'

Hij nam nog twee flinke trekken en stapte uit de auto de regen in.

De politieman, een heel jonge knul, keek hem aan. 'Wat een weer, hè.'

'Wat weten we?' Niels gooide de rest van zijn sigaret op de grond en baande zich een weg door de versperring.

'Hij heeft drie of vier schoten gelost en hij heeft een gijzelaar.'

'Wat weten we van de gijzelaar?'

'Niets.'

'Zijn er kinderen?'

'We weten niets, Niels. Leon is in het trapportaal.' Hij wees.

Dinsdag 15 december 2009

FUCK JOU!! had een eerlijk persoon op de muur vlak boven de naambordjes gekrast. Het trapportaal was vervallen en op de muren stonden getuigenissen van politieke besluiten van de afgelopen jaren: HANDEN AF VAN CHRISTIANIA, FUCK ISRAËL en DOOD AAN DE POLITIE, kon Niels nog net lezen voordat de roestige buitendeur achter hem dichtviel. Hij was doorweekt geraakt in die paar seconden.

'Regent het?'

Niels kon niet uitmaken wie van de drie politiemannen op de trap grappig probeerde te zijn.

'Is het op de tweede verdieping?'

'Yes, sir.'

Misschien lachten ze hem achter zijn rug uit toen hij verder de trap op liep. Op weg naar boven passeerde hij nog een paar heel jonge agenten met kogelvrije vesten en automatische pistolen. De wereld was er niet mooier op geworden sinds Niels ruim twintig jaar geleden van de politieschool af was gekomen. Integendeel. Je zag het aan de ogen van de jonge agenten. Hard, koud en afwijzend.

'Rustig maar, jongens, we overleven het wel', fluisterde Niels terwijl hij hen passeerde.

'Leon!' riep een van de agenten. 'De onderhandelaar komt eraan.'

Niels wist precies waar Leon voor stond. Als je Leon zou dwingen om een lijfspreuk te kiezen, zou het iets zijn als: de operatie is geslaagd, maar de patiënt is overleden.

'Is het mijn vriend Damsbo?' riep Leon vanaf de overloop voordat Niels de hoek om kwam.

'Ik wist niet dat jij vrienden had, Leon.'

Leon sprong twee treden naar beneden en keek Niels verrast aan, zijn kleine Heckler & Koch-machinepistool in beide handen geklemd.

'Bentzon? Waar hebben ze jou vandaan gehaald?'

Niels keek Leon recht in de ogen: dood en grijs – een weerspiegeling van het doorsneeweer in november.

Het was een tijd geleden dat Niels en Leon elkaar voor het laatst hadden gezien. Niels had zes maanden in de ziektewet gezeten. Leons baardstoppels waren wit geworden en zijn haargrens had zich teruggetrokken en een rimpelige open plek achtergelaten.

'Ik dacht dat ze Damsbo zouden sturen.'

'Damsbo is ziek en Munkholm is op vakantie', antwoordde Niels terwijl hij de loop van het automatische pistool wegduwde zodat het niet meer op hem was gericht.

'Kun je het wel aan, Bentzon? Het is een tijd geleden, toch? Gebruik je nog medicijnen?'

Er verscheen een arrogante glimlach op Leons lippen, toen ging hij verder: 'Ik dacht dat jij tegenwoordig vooral verkeersboetes uitschreef?'

Niels schudde zijn hoofd en probeerde niet te laten blijken dat hij buiten adem was. Hij deed net of hij diep in- en uitademde om na te denken. 'Hoe is de situatie?' vroeg hij.

'Peter Jansson, zevenentwintig jaar oud. Hij is gewapend. Irakveteraan. Ik geloof zelfs dat hij een medaille heeft gekregen. Hij dreigt dat hij zijn hele gezin zal neerschieten. Er is een collega van het leger onderweg. Misschien kan die hem zover krijgen dat hij de kinderen laat gaan voordat hij zichzelf een kogel door zijn kop jaagt.'

‘Misschien kunnen we hem er nog van afbrengen om een kogel door zijn kop te jagen?’ Niels keek hem hard aan. ‘Wat dacht je daarvan, Leon?’

‘Wanneer snap je het nou eens, Bentzon? Er zijn types die al dat geld gewoon niet waard zijn. Gevangenisstraf, invalidenpensioen, you name it.’

Niels weigerde op Leons cynische toon in te gaan en deed alsof hij de rest van zijn tirade niet hoorde: ‘Die man gaat de belastingbetaler handenvol geld kosten.’

‘En verder, Leon? Wat weten we over de flat?’

‘Twee kamers. Je komt meteen binnen in de eerste kamer, er is geen hal. We denken dat hij in de linkerkamer is. Of in de slaapkamer, achter in de flat. Er is geschoten, we weten dat er twee kinderen zijn en een vrouw. Of ex-vrouw. Misschien een kind en een pleegkind.’

Niels keek Leon vragend aan.

‘Het verhaal varieert, afhankelijk van welke buren je het vraagt. Ga je naar binnen?’

Niels knikte.

‘Hij is helaas niet helemaal achterlijk.’

‘Wat bedoel je?’

‘Hij weet dat er maar één manier is om er zeker van te zijn dat een onderhandelaar geen wapen of microfoon verbergt.’

‘Je bedoelt dat hij wil dat ik mijn kleren uittrek?’

Diepe zucht. Leon keek meewarig naar Niels en knikte. ‘Ik begrijp het als je dat niet wilt. We kunnen ook een inval doen.’

‘Nee, het is goed. Ik heb het eerder gedaan.’ Niels maakte zijn riem los.

* * *

Komende zomer werkte Niels Bentzon vijftien jaar bij de afdeling moordzaken. De laatste tien als onderhandelaar: de persoon die naar binnen wordt gestuurd als er sprake is van een gijzelingssituatie of als er iemand met zelfmoord dreigt. Het waren altijd mannen. Als de aandelen kelderden en de economen een financiële crisis voorspelden, kwamen de wapens tevoorschijn. Het verbaasde Niels altijd hoeveel wapens mensen in huis hadden. Handwapens uit de Tweede Wereldoorlog. Jachtgeweren en luchtbuksen zonder vergunning.

'Ik ben Niels Bentzon. Ik ben van de politie. Ik heb al mijn kleren uitgetrokken, zoals je hebt gevraagd. Ik ben ongewapend en ik heb geen microfoon bij me.' Voorzichtig duwde hij de deur open. 'Kun je me horen? Ik heet Niels. Ik ben van de politie en ik ben ongewapend. Ik weet dat je militair bent, Peter. Ik weet dat het moeilijk is om andere mensen te doden. Ik ben hier alleen om met je te praten.'

Niels bleef staan en luisterde. Er kwam geen enkele reactie, alleen de stank van ontwricht leven. Een paar seconden lang was Niels overgeleverd aan zijn reukvermogen: kruit.

In de verte blafte een hond. Langzaam wenden zijn ogen aan het donker. Zijn voet stootte tegen de patronen. Hij raapte er een op. Hij was nog warm. Niels kon de inscriptie aan de onderkant van het staal net onderscheiden: 9 mm. Dat kaliber kende Niels goed. Drie jaar geleden had hij zelf de eer gehad om een projectiel van Duitse makelij van dat kaliber in zijn dijbeen te ontvangen. Hij had het projectiel, dat de chirurg uit zijn been had gevist, bewaard. Het lag thuis, in de bovenste la van Kathrines secretaire. Een 9 mm-Parabellum. Het meest gebruikte kaliber ter wereld. De naam Parabellum was afkomstig uit het Latijn. Niels had het gegoogeld: *Si vis pacem, para bellum – Als je vrede wilt, bereid je dan voor op oorlog*. Dat was het motto van de Duitse wapenfabriek, Deutsche Waffen und Munitionsfabriken. Die hadden in beide oorlogen de munitie aan het Duitse leger geleverd. Wat een vrede had dat gebracht.

Niels legde de patroon terug waar hij hem had gevonden. Hij bleef even staan om zijn gedachten te ordenen. Hij moest die vervelende herinnering kwijt zien te raken voordat hij verder kon, anders zou de angst het overnemen. De kleinste trilling in zijn stem zou de gijzelnemer zenuwachtig maken. Kathrine. Hij dacht aan Kathrine. Dat moest hij niet doen, dan zou hij niet verder kunnen.

'Alles in orde, Bentzon?' fluisterde Leon ergens achter hem.

'Doe de deur dicht, Leon', antwoordde Niels hardop.

Leon gehoorzaamde. De lampen van een passerende auto wierpen licht door de ramen en Niels zag zichzelf weerspiegeld in de ruit. Bleek, angstig, naakt en weerloos. Hij had het koud.

'Ik sta in de kamer, Peter. Ik heet Niels. Ik wacht tot je tegen me praat.'

Niels was rustig. Volkomen rustig. Het onderhandelen kon een groot deel van de nacht duren, dat wist hij, maar zo veel tijd had hij meestal niet nodig. Het belangrijkste bij een gijzelingssituatie was dat je in zo kort mogelijke tijd zo veel mogelijk over de gijzelnemer te weten moest zien te komen. Dat je iets te weten kwam over de méns achter de dreiging. Pas als je de mens zag, was er hoop. Leon was een idioot. Hij zag alleen de dreiging. Daarom draaide het bij hem altijd uit op schieten.

Niels keek rond in de flat of hij sporen van de mens Peter zag. De beslissende details. Hij keek naar de foto's op de koelkast: Peter met zijn vrouw en twee kinderen. Onder de foto's van de kinderen was met magneetletters 'Clara' en 'Sofie' geschreven. En daarnaast 'Peter' en 'Alexandra'. Clara – de oudste – was een groot meisje. Een tiener. Met een beugel en puistjes. Er was een groot leeftijdsverschil tussen de twee meisjes. Sofie was niet ouder dan zes. Heel blond en mooi. Ze leek op haar vader. Clara leek niet op haar moeder of haar vader. Misschien was ze uit een eerder huwelijk. Niels haalde diep adem en liep terug naar de woonkamer.

'Peter? Zijn Clara en Sofie bij je? En Alexandra?'

'Rot op', klonk het vastberaden vanuit het achterste deel van de flat. Op datzelfde moment gaf Niels' lichaam toe aan de kou en hij begon te trillen. Peter was niet wanhopig. Hij was vastberaden. Met wanhoop kon je onderhandelen, vastberadenheid was erger. Nog een keer diep ademhalen. De strijd was nog niet verloren. *Probeer erachter te komen wat de gijzelnemer wil*. Dat was het allerbelangrijkste voor een onderhandelaar. En als hij niets wil, help hem dan een wens te bedenken – het maakt niet uit wát. Het ging er alleen om dat je zijn hersenen weer vooruit moest laten kijken. Op dit moment zaten Peters hersenen vast in hun laatste minuten, dat hoorde Niels aan de zelfverzekerde klank in zijn stem.

'Zei je iets?' vroeg Niels om tijd te rekken.

Geen antwoord.

Niels keek rond. Hij zocht nog steeds het detail dat de situatie in beweging zou kunnen brengen. Zonnebloemenbehang. Grote zonnebloemen van de vloer tot aan het plafond. De geur van vocht en hondenpis vermengde zich met iets anders. Vers bloed. Niels' ogen vonden de bron van de geur in een hoek, opgekruld op een manier die je niet voor mogelijk zou houden.

Alexandra was door twee kogels in het hart geraakt. De pols voelen, dat deden ze alleen in films, in de werkelijkheid zag je een gapend gat in een hart en een leven dat verloren was gegaan. Ze staarde Niels met wijdopen ogen aan. Niels hoorde een van de kinderen zachtjes huilen.

'Peter? Ik ben er nog. Ik heet Niels ...'

Een stem onderbrak hem: 'Je heet Niels en je bent van de politie. Ik heb je wel gehoord! En ik zei dat je moest oprotten.'

Een zware, vastberaden stem. Waar kwam hij vandaan? De badkamer? Verdomme, waarom had Leon geen plattegrond geregeld?

'Je wilt dat ik wegga?'

'Ja, sodemieter op.'

'Dat kan helaas niet. Het is mijn werk om hier te blijven totdat het voorbij is. Wat er ook gebeurt. Ik weet dat je dat begrijpt, Peter. Jij en ik doen allebei werk waarbij je moet blijven tot het einde, ook al is dat onmogelijk.'

Niels luisterde even. Hij zat nog steeds naast het lichaam van Alexandra. Ze had een stuk papier in haar hand geklemd. Haar spieren waren nog niet stijf en het was niet moeilijk om de brief uit haar hand te trekken. Niels stond op en liep naar het raam. Hij maakte gebruik van de straatverlichting. De brief was afkomstig van defensie. Een ontslagbrief. Veel te veel woorden, drie kantjes. Niels liet zijn ogen snel over de tekst gaan. *Persoonlijke problemen ... labiel ... ongelukkige voorvallen ... voorstel voor hulp en omscholing*. Een paar seconden lang had Niels het gevoel dat hij gevangenzat in de tijd. Dat hij was binnengedrongen in de laatste foto van het gezin. Hij zag de situatie voor zich: Alexandra vindt de brief. Peter is ontslagen. De enige bron van inkomsten voor het gezin. Ontslagen terwijl hij worstelde om alle ellende te verwerken die hij in dienst van de natie had gezien. Niels wist dat ze er nooit over praatten, de militairen uit Irak en Afghanistan. Zelfs de meest voor de hand liggende vraag wilden ze niet beantwoorden: Heb je geschoten? Heb je iemand gedood? Ze antwoordden altijd ontwijkend. Zou het niet eenvoudig zo zijn dat de schoten die de soldaten afvuurden, die de slagaderen en organen van hun vijanden uiteenreten, bijna evenveel schade aanrichtten in de ziel van degenen die ze hadden afgevuurd?

Peter was ontslagen. Hij was vertrokken als een man en teruggekeerd als een wrak. Alexandra kon het niet aan. Zij dacht allereerst aan de kinderen, dat is wat een moeder doet. Een militair schiet, een moeder denkt aan haar kinderen. Misschien heeft ze hem uitgescholden, tegen hem geschreeuwd. Dat hij nergens goed voor was, dat hij haar in de steek liet. En toen had Peter gedaan wat hem was geleerd: als een conflict niet op vreedzame wijze opgelost kan worden, schiet je de vijand dood. Alexandra was de vijand geworden.

Eindelijk.

Eindelijk had Niels het detail dat hij nodig had. Hij zou Peter aanspreken als militair. Hij zou hem aanspreken op zijn eergevoel, zijn mannelijkheid.

5

Murano, Venetië

Vroege winter – hoogseizoen voor zelfmoord op het Europese continent. Maar dit was geen zelfmoord. Dit was wraak. Anders zou hij geen staaldraad hebben gebruik om zich op te hangen. Het was niet bepaald moeilijk om een stuk touw te vinden op dit eiland, met al zijn botenbouwers.

Flavio was naar buiten gelopen om over te geven in het kanaal; de weduwe van de overleden glasblazer was allang verdwenen. Ze was de straat in gelopen om troost te zoeken bij de buren. Af en toe hoorde Tommaso haar jammeren. Voor het huis had zich een concentraat van de eilandbevolking verzameld. De vakbondsvertegenwoordiger van de glasblazerij, een monnik uit het San Lazzaroklooster, een buurman en een winkelier. Tommaso vroeg zich af wat de winkelier daar deed. De laatste openstaande rekening innen voordat het te laat was? Het was ongelooflijk wat de financiele crisis met mannen en hun zelfbeeld deed. Als eilandbewoner liep je nog veel meer risico: de isolatie, de gesloten samenleving, de vaste rolpatronen. Geen wonder dat Venetië ongemerkt was opgerukt naar de top van de Italiaanse zelfmoordstatistieken.

Het huis: vochtig, lage plafonds en slecht verlicht. Tommaso keek uit het raam en zag een vrouwengezicht. Ze at een sandwich. Ze keek hem schuldbewust aan, glimlachte en haalde haar schouders op. Ze kon natuurlijk best honger hebben, ook al was de glasblazer dood. Tommaso hoorde de mensen buiten praten. Vooral de vakbondsvertegenwoordiger. Over de goedkope, uit Azië geïmporteerde glazen kopieën die aan de toeristen werden verkocht. Dat betekende minder werk voor de plaatselijke bevolking. De mensen die al eeuwenlang glas produceerden en het tot een kunst hadden verheven. Het was een schande!

Tommaso keek weer naar zijn telefoon. Verdorie, waar bleven die foto's nou? De glasblazer bungelde zachtjes heen en weer. Tommaso was bang dat het staaldraad hem niet lang meer zou houden. Als zijn nekwervel was gebroken, zou de draad zich vrij snel door het vlees heen vreten en het lichaam afsnijden.

'Flavio!' riep Tommaso.

Flavio verscheen in de deuropening.

'Jij schrijft het rapport.'

'Ik kan het niet.'

'Hou je mond. Je schrijft op wat ik zeg. Ga er maar met je rug naartoe zitten.'

Flavio pakte een stoel, draaide hem naar de vochtige muur toe en ging zitten. Het rook naar roet. Alsof iemand het vuur in de haard had gedoofd met een emmer water.

'Klaar?'

Flavio had zijn notitieblok gepakt en staarde resoluut naar de muur.

Tommaso begon met het officiële gedeelte: 'Aankomst even voor twee uur. Noodoproep van de weduwe van de glasblazer, Antonella Bucati. Schrijf je?'

'Ja.'

De sirene. Eindelijk hoorde hij de sirene. Tommaso luisterde. De ambulance zette de sirene uit op het moment dat hij vanaf de lagune het slecht onderhouden kanaal op voer. De knetterende motor en het monotone geklots van de golven die een poging deden om de halfvergane beschoeiing af te breken, kondigden de komst van de ambulance enkele seconden voordat de reddingswerkers aan land sprongen aan. Het blauwe zwaailicht verlichtte de kamer met korte tussenpozen. Dat herinnerde Tommaso eraan hoe donker het in Venetië was in de winter. Het leek wel of het vocht de verspreide restjes licht uit de weinige huizen waar nog mensen woonden stal. De rest van Venetië was donker. Het grootste deel van de stad was eigendom van Amerikanen en Saoediërs, die er hoogstens twee weken per jaar waren.

Tommaso zag het op hetzelfde moment dat zijn telefoon begon te piepen: de hakken van de zwarte schoenen van de man die aan de strop bungelde, waren wit. Tommaso krabde aan een van de hakken. Het wit liet meteen los.

'Mogen we hem naar beneden halen?' Die vraag kwam van Lorenzo, de ambulancebestuurder. Tommaso had met hem op school gezeten. Ze hadden weleens met elkaar gevochten. Lorenzo had gewonnen.

'Nog niet.'

'Je gaat me toch niet vertellen dat dit moord is?' Lorenzo stond al klaar om de glasblazer met een knip naar beneden te halen.

'Flavio!' riep Tommaso. 'Als hij het lijk aanraakt, sla je hem in de boeien.'

Lorenzo stampte woedend met zijn voet op de grond.

'Zaklantaarn?' Tommaso stak zijn hand uit.

Flavio hield een hand voor zijn mond en zijn blik strak op de vloer gericht terwijl hij Tommaso de zaklantaarn aangaf. Er waren geen sporen te zien op de grond. En toch. De vloer van de keuken waar de glasblazer aan een van de balken hing, was geveegd, terwijl in de kamer de vloer heel vies was. Tommaso's telefoon piepte weer. Hij deed de achterdeur open. De moestuin stond vol onkruid. Een druivenrank stak een paar meter de lucht in. Ooit, lang geleden, had iemand geprobeerd hem langs de overkoepeling van het terras te leiden, maar die persoon had het opgegeven en de druif naar de zon toe laten groeien. Nu klom hij via het dak omhoog. In de werkplaats brandde licht. Tommaso liep met een paar stappen door de moestuin en deed de deur open. In tegenstelling tot de rest van het huis was de werkplaats opgeruimd. Heel zorgvuldig.

Weer een nieuw bericht op zijn display. Ze rolden in opgewonden golven binnen. Hij durfde er nu niet naar te kijken.

De vloer van de werkplaats was van wit beton. Tommaso krabde eraan; het oppervlak was poreus, het leek wel krijt. Hetzelfde spul dat onder de hakken van de glasblazer zat. Hij ging op een stoel zitten. Flavio riep, maar Tommaso deed alsof hij het niet hoorde. Zijn eerste vermoeden was juist geweest. Het was geen zelfmoord. Het was wraak. De wraak van de vrouw. De glasblazer was hier vermoord en door de werkplaats gesleept, waardoor de hakken van de schoenen wit waren geworden.

'Wat doe je hier?'

Tommaso keek naar Flavio, die in de deuropening stond.

'Gaat het? Je ziet er een beetje ziek uit.'

Tommaso negeerde zijn diagnose: 'We hebben de forensisch arts nodig. En de technische dienst uit Veneto.'

'Waarom?'

Tommaso veegde met zijn vinger over de vloer en hield hem demonstratief omhoog, zodat Flavio kon zien hoe wit hij was. 'Als je goed kijkt, zie je dit ook onder zijn hakken zitten.'

Het duurde een paar seconden voordat het tot Flavio was doorgedrongen.

'Moeten we de weduwe arresteren?'

'Dat zou een goed begin zijn.'

Flavio schudde zijn hoofd, zijn gezicht stond zorgelijk. Tommaso wist precies wat er gedurende die paar seconden in Flavio omging. Moedeloosheid. Het verhaal dat ze de komende uren van de weduwe zouden horen, zou een verhaal zijn van armoede, drankmisbruik, ontslag, huiselijk geweld en eilandkolder. Dat was tegenwoordig het verhaal van Venetië. Er was vast ergens een levensverzekering – of zou de weduwe van de glasblazer er gewoon genoeg van hebben gehad? Flavio belde het bureau en verzamelde de moed om de nodige arrestaties te verrichten. Tommaso zuchtte diep. Vannacht vergaat de wereld, dacht hij. Hij durfde de berichten op zijn telefoon nauwelijks te bekijken. Vier afbeeldingen van Giuseppe Locatelli uit India. Tommaso haalde zijn leesbril tevoorschijn en bestudeerde de eerste foto: het teken op de rug van de overledene. Precies hetzelfde als bij de anderen. Toen bekeek hij de close-ups van het teken op de rug.

'Zesendertig', zei hij bij zichzelf. 'Nog twee.'

6

Dortheavej, Kopenhagen

Manisch-depressief. Niels hoorde Leon fluisteren tegen de andere politieagenten aan de andere kant van de deur. Hij wist best dat dat was wat ze over hem zeiden en hij wist ook wat die term in hun woordenboek betekende: gek. Maar Niels was niet manisch-depressief. Hij was soms gewoon een beetje hyper. En soms zat hij heel erg in de put. De laatste keer dat hij in de put zat, had het een paar maanden geduurd.

Terwijl hij terugliep naar het midden van de kamer, keek Niels naar zijn blote benen. Ze trilden nog steeds; de kou maakte het moeilijk om de nodige controle over zijn lichaam te houden. Eén seconde overwoog hij of hij ervandoor zou gaan; of hij zou vluchten en Leon de situatie op de harde manier laten oplossen. Zelf had hij zijn dienstwapen nog nooit afgevuurd en dat zou hij ook nooit doen. Dat wist hij. Hij kon het niet. Misschien was dat de simpele verklaring waarom hij uiteindelijk onderhandelaar was geworden: de enige baan bij de politie waarbij je nooit een wapen droeg.

Niels schraapte zijn keel en riep: 'Peter! Denk je dat ik gek ben?' Hij deed twee stappen in de richting van de slaapkamer. 'Denk je dat ik niet weet hoe het voelt? Om een beroep zoals jij en ik te hebben?'

Hij wist dat Peter luisterde. Hij hoorde zijn ademhaling. Hij moest zijn vertrouwen winnen en proberen hem zover te krijgen dat hij de kinderen zou laten gaan.

'Mensen weten niet wat het is om iemand te doden. Ze weten niet dat het voelt alsof je jezelf ook doodt.'

Niels liet zijn woorden een paar seconden in de lucht hangen.

'Praat tegen me, Peter!' riep hij op bevelende toon. De harde klank in zijn stem verraste hem zelf ook, maar Peter was militair, hij moest een bevel krijgen.

'Ik zei: Praat tegen me, soldaat!'

'Wat wil je?' riep Peter vanuit de slaapkamer. En hij herhaalde: 'Wat wil je, verdomme?'

'Nee, Peter! Wat wil jíj? Wat wil je? Wil je hier weg? Dat kan ik heel goed begrijpen. De wereld is verrot.'

Geen antwoord.

'Ik kom nu naar binnen. Ik ben ongewapend en ik heb geen kleren aan, zoals je hebt gevraagd. Ik duw de deur langzaam open zodat je me kunt zien.'

Niels deed drie stappen naar voren.

'Nu doe ik de deur open.'

Hij wachtte een paar seconden. Het was ontzettend belangrijk dat hij zijn ademhaling onder controle had. Hij mocht geen enkele vorm van nervositeit tonen. Hij deed heel even zijn ogen dicht, opende ze weer en duwde de deur open. Hij stond in de deuropening. Op het bed lag een meisje van een jaar of veertien, vijftien. Clara. De oudste. Levenloos. Bloed op het dekbed. Peter zat in de verste hoek van de slaapkamer en keek verbaasd naar de naakte man in de deuropening. De soldaat had zijn uniform aangetrokken. Zijn blik schoot heen en weer. Hij was een gewond dier. Het jachtgeweer dat hij in zijn handen had, wees naar Niels. Tussen zijn benen stond een lege fles.

'Jij bepaalt niet wat ik moet doen', fluisterde Peter. Hij klonk niet meer zo zelfverzekerd.

'Waar is Sofie?'

Peter antwoordde niet, maar van onder het bed kwamen geluidjes. Hij liet het geweer zakken en wees met de loop naar de kleine Sofie die in elkaar gekropen onder het bed lag.

'Wij gaan hier weg', zei de soldaat terwijl hij Niels voor het eerst aankeek.

Niels hield zijn blik vast. Hij weigerde hem los te laten: 'Ja, wij gaan hier weg, maar Sofie niet.'

'Jawel, de hele familie.'

'Ik ga nu zitten.'

Niels ging zitten. Bloed van het dode meisje druppelde vanaf het voeteneinde van het bed op de grond, er kwam wat op Niels' blote voet. Er hing een zware stank van vuile lakens en alcohol. Niels liet wat tijd voorbij gaan. Peter was nog niet klaar om zijn jongste dochter dood te schieten, dat voelde hij. Er zijn veel verschillende manieren om met een gijzelnemer te onderhandelen, veel verschillende technieken. Zo veel dat Niels achter was geraakt toen zijn collega's in Amerika bij de FBI op cursus waren geweest. Niels had ook mee zullen gaan, maar zijn reisfobie had hem tegengehouden. Alleen al het idee dat hij in een duizenden kilo's wegende stalen romp op een hoogte van zo'n 40.000 voet boven de Atlantische Oceaan zou hangen, maakte het onmogelijk voor hem. Het resultaat was voorspelbaar: zijn bazen zetten Niels niet meer in. Alleen als er mensen ziek of op vakantie waren, zoals deze avond.

Volgens het handboek was de volgende stap dat hij met Peter ging onderhandelen. Hij moest hem zover zien te krijgen dat hij wensen of eisen formuleerde, het maakte niet uit wat. Gewoon iets waarmee ze tijd konden rekken en waardoor zijn hersenen zich konden ontspannen. Het mocht iets heel banaals zijn. Meer whisky of een sigaret. Maar Niels had het handboek allang losgelaten.

'Sofie!'

Niels riep nog een keer. 'Sofie!'

'Ja', hoorde hij van onder het bed.

'Je vader en ik moeten praten. Een gesprek tussen volwassenen. We willen graag alleen zijn!'

Niels liet zijn stem hard klinken, heel hard. Hij liet Peters ogen geen seconde los. Sofie gaf geen antwoord. Niels was nu Peters officier, zijn meerdere, zijn bondgenoot.

'Doe wat je vader en ik zeggen! Ga naar buiten. De gang op!'

Eindelijk hoorde Niels haar bewegen onder het bed.

'Je mag niet naar ons kijken! Ga nu naar buiten', zei Niels hard.

Hij hoorde de voetstapjes door de woonkamer gaan, de voordeur ging open en weer dicht. Nu waren alleen Niels, Peter en het dode lichaam van een tienermeisje over.

Niels nam de soldaat onderzoekend op. Peter Jansson, zevenentwintig jaar. Ontslagen militair. Een onvervalste Deense held. Peter had het geweer omgedraaid zodat de loop nu op zijn eigen kin was gericht.

De soldaat deed zijn ogen dicht. Niels kon Leon bijna horen fluisteren op de gang: 'Laat hem zijn gang gaan, Niels. Laat die idioot zijn eigen hersenen uit zijn kop blazen.'

'Waar wil je begraven worden?'

Niels was volkomen rustig. Hij sprak tegen de soldaat alsof ze heel vertrouwelijk met elkaar waren.

Peter opende zijn ogen zonder Niels aan te kijken. Hij keek omhoog, misschien was hij gelovig. Niels wist dat veel van de uitgezonden soldaten de legerpredikant vaker bezochten dan ze wilden toegeven.

'Wil je gecremeerd worden?'

De soldaat verstevigde zijn greep om het geweer.

'Is er iets wat ik tegen iemand moet zeggen? Ik ben waarschijnlijk de laatste die jou in leven ziet.'

Geen reactie van Peter. Hij ademde zwaar. Voor die laatste handeling – zichzelf doden – was kennelijk meer moed nodig dan voor het doden van zijn vrouw en dochter.

'Peter, is er iemand die ik namens jou moet opzoeken? Iemand aan wie je een laatste bericht wilt overbrengen?'

Niels praatte tegen Peter alsof hij al met een voet in de hemel stond. Voor de poort van het hiernamaals.

'De dingen die jij hebt meegemaakt in Irak, zou niemand moeten meemaken.'

'Nee.'

'En nu wil je verder.'

'Ja.'

'Dat begrijp ik heel goed. Hoe wil je dat mensen zich jou zullen herinneren? Is er iets goeds waarvoor je herinnerd wilt worden?'

Peter dacht na. Niels kon zien dat hij iets te pakken had. Voor het eerst dacht Peter aan iets anders dan zichzelf, zijn gezin en deze hele klotewereld aan flarden schieten. Niels ging door: 'Peter! geef antwoord! Je hebt iets goeds gedaan! Wat was dat?'

'Er was een familie ... in een dorpje bij Basra. Het werd hevig beschoten', begon Peter, maar Niels zag aan hem dat hij er de kracht niet meer voor had.

'Was het een Irakese familie? Heb je ze gered?'

'Ja.'

'Je hebt levens gered. Niet alleen levens genomen. Dat zullen mensen zich herinneren.'

Peter liet het geweer zakken. Even liet hij zijn verdediging zakken, als een bokser die is geraakt.

Niels reageerde razendsnel. Binnen een seconde was hij bij de soldaat en greep de loop van het geweer. Peter keek Niels verrast aan. Hij was niet van plan om los te laten. Niels gaf hem resoluut een klap tegen zijn hoofd met de achterkant van zijn hand.

'Laat los!' schreeuwde hij tegen Peter.

Eerst dacht Niels dat het Peter was die hij hoorde rochelen en kreunen, maar die zat in elkaar gedoken en zag eruit als iemand die het had opgegeven. Niels draaide zich om met het geweer in zijn handen. Het meisje bewoog.

'Leon!' riep Niels.

De agenten stormden binnen. Leon voorop, altijd voorop. Ze wierpen zich op de soldaat, al bood hij geen tegenstand. De ambulancebroeders kwamen de trap op rennen.

'Ze leeft nog!' Niels liep vlug de kamer uit. Iemand stond klaar met een deken die om hem heen werd geslagen. In de deuropening bleef hij even staan en keek om. Peter huilde. Hij stortte in. Huilen was goed, wist Niels. Als er werd gehuild, was er hoop. De ambulancebroeders hadden het meisje op een brancard gelegd en kwamen naar buiten.

Niels ging naar de keuken en dook weg in de dikke deken die naar politiehond rook. Hij liet de anderen doen wat ze moesten doen. Het gezin had gehaktballen gegeten. Met bearnaisesaus uit een pakje.

Buiten regende het nog steeds. Of was het de eerste sneeuw van het jaar? De ramen waren beslagen.

'Bentzon.'

Leon kwam naar hem toe. Hij ging heel dicht bij hem staan.

'Ik wil je iets vragen.'

Niels wachtte. Leon had een slechte adem.

'Waar denk jij eigenlijk aan?'

'Wil je dat echt weten?'

'Ja.'

Niels haalde diep adem. Leon gebruikte de pauze om de laatste gehaktbal van het gezin uit de pan te pakken. Hij wentelde hem door de saus en propte hem in zijn mond.

'Ik denk aan iets wat ik op de radio heb gehoord. Over Abraham en Isaak.'

'Ik was al bang dat je zoiets zou zeggen.'

'Je vroeg het zelf.'

Leon kauwde nog: 'Wat is daarmee? Ik ben niet zo goed op de hoogte van dat soort dingen.'

'Er was een dominee op de radio die zei dat je eigenlijk niet over dat verhaal zou moeten preken. Weet je nog hoe het gaat? God zegt tegen Abraham dat hij zijn eigen zoon moet offeren om te bewijzen dat hij gelooft.'

'Ik geef die dominee gelijk. Het klinkt als een belachelijk verhaal. Ze zouden die onzin moeten verbieden.'

'Maar doen wij niet hetzelfde? Wij sturen jonge mannen naar

een woestijnoorlog hier ver vandaan en vragen hen om zich op te offeren voor een geloof.'

Leon nam Niels een paar seconden op. Een glimlachje, een demonstratief hoofdschudden en weg was hij.

7

Charleroi Airport, Brussel – België

Mijn wraak zal verlossend zijn.

Glashelder zweefde die gedachte door Abdul Hadi's hoofd terwijl hij met verachting naar de beveiligingsbeambte keek. Als ik echt een vliegtuig wilde kapen, zou jullie lachwekkende veiligheidscontrole mij niet tegenhouden.

Maar zo eenvoudig was het niet. Hij wilde geen vliegtuig kapen en ermee het hoofdkantoor van de EU binnenvliegen. De televisie zou geen beelden uitzenden van familieleden van de passagiers die huilden en gilden als de vliegtuigmaatschappij de lijsten met de namen van de slachtoffers bekendmaakte. Deze wraak zou anders zijn, het zou een rechtvaardige wraak zijn.

De veiligheidsbeambte keek hem geïrriteerd aan. Abdul Hadi had zijn vraag de eerste keer natuurlijk ook al begrepen, maar het gaf hem kracht om de veiligheidsbeambte zijn onredelijke verzoek te laten herhalen.

'Can you take your shoes off, sir?' De veiligheidsbeambte had zijn stem verheven.

Abdul Hadi keek naar de westerse mensen die zonder hun schoenen uit te trekken door de security check van de luchthaven mochten. Hij schudde zijn hoofd en liep terug door de wonderlijke, losstaande deurpost die gaat piepen als je kleingeld in je zak hebt. Hij trok rustig en zelfverzekerd zijn schoenen uit en legde ze in de plastic bak. Misschien denken ze dat ik een mes in mijn schoen heb verstopt, net als Mohammed Atta, dacht hij voordat hij opnieuw door de poort liep. Een volgende veiligheidsbeambte riep hem naar zich toe. Dit keer was het zijn handbagage die een andere behandeling moest ondergaan dan die van de andere mensen. Achterdochtiger. Abdul Hadi keek de luchthaven rond terwijl ze zijn toilettas doorzochten. Kuifje en bonbons. Hij wist niet veel van België, maar hij wist inmiddels dat dat de twee dingen waren waar het land om bekendstond. Hij herinnerde zich ook dat er vorig jaar twee Belgische vrouwen van middelbare leeftijd waren omgekomen in Wadi Dawan. Een groep strijders van Allah had een konvooi met westerlingen aangevallen en de twee vrouwen waren daarbij gedood. Abdul Hadi schudde zijn hoofd.

Hij zou zelf nooit zonder bescherming door de Wadi Dawanwoestijn rijden.

Tegenover de winkel met taxfree artikelen hing een wereldkaart. Hij keek ernaar terwijl ze de zijvakken van zijn tas doorzochten en de batterijen uit zijn scheerapparaat haalden. Het terrorisme had een nieuwe wereldkaart gecreëerd, bedacht hij. Met New York als hoofdstad. Mumbai had ook een volledig nieuwe betekenis gekregen, evenals Madrid, de Londense metro, Sharm el-Sheik, Tel Aviv en Jeruzalem. Zijn volk had een brede kwast genomen en schilderde de wereld rood; ze creëerden een nieuwe wereldkaart, waarbij de mensen niet langer aan castagnetten dachten als ze de naam Madrid hoorden, of aan het Vrijheidsbeeld als het gesprek over New York ging. In plaats daarvan dachten ze nu aan verschrikkingen.

Weer een nieuwe beveiligingsbeambte voegde zich bij de twee die al over zijn tas heen gebogen stonden. Misschien was het een soort chef? Zonder van de inhoud van zijn tas op te kijken, vroeg hij in het Engels: 'Hebt u deze tas zelf ingepakt, sir?'

'Ja, natuurlijk, het is mijn tas.'

'Waar reist u naartoe?'

'Stockholm.'

'Werkt u daar?'

'Nee. Ik ga op familiebezoek. Ik heb een visum. Is er iets niet in orde?'

'Waar komt u vandaan, sir?'

'Uit Jemen. Is er iets niet in orde?'

De beambte gaf hem zijn tas terug, zonder ook maar de minste verontschuldiging.

Abdul Hadi stond in het midden van de vertrekhal: winkels, filmreclames en lifestylereclames. Hij voelde verachting. Het Westen en de bizarre relatie die de westerlingen hadden met veiligheid. Het is pure fictie, dacht hij. Net als de illusie over alles wat hun producten voor hen zullen doen. De reizigers denken nu dat alles goed is, dat ze veilig zijn, maar jullie zijn niet veilig! Abdul Hadi piekerde er niet over om te proberen zijn wapen een luchthaven binnen te smokkelen. Waarom zou hij het zichzelf moeilijk maken? Nee, alles was voor hem geregeld als hij op zijn bestemming zou aankomen. Hij wist waar hij naartoe moest. Hij wist wie er moest sterven en hoe hij het zou doen.

Stockholm – Delayed

Hij keek naar het beeldscherm waar de vertrektijden op stonden. Het maakte niet uit, hij had ruim de tijd. Hij zou vroeg genoeg in Stockholm landen. Iemand zou hem komen halen op het vliegveld, naar het station brengen en op de goede trein naar Kopenhagen zetten.

Hij keek naar de passagiers om hem heen en dacht weer: nee, jullie zijn niet veilig. Die gedachte maakte hem blij. Jullie mogen mijn tassen doorzoeken, jullie mogen verlangen dat ik mijn schoenen uittrek; jullie mogen zelfs verlangen dat ik al mijn kleren uittrek, zoals jullie bij de eerste tussenlanding hebben gedaan. En toch zal dat jullie niet redden.

Hij dacht aan de vernedering op de luchthaven van Mumbai. Hij was als enige uit de rij gehaald. Hij was gedwee meegelopen naar de kelderverdieping. Twee beveiligingsbeambten van de luchthaven liepen voor hem uit en twee Indiase politiemannen achter hem aan. De ruimte had geen ramen en er stonden geen stoelen, geen tafel. Hij moest zijn kleren op de grond leggen. Hij had een stoel gevraagd, de vloer was vuil. Bij wijze van antwoord hadden ze gevraagd of hij zijn vliegtuig wilde halen of problemen wilde maken. Hij overwoog om problemen te maken. Westerlingen werden nooit zo behandeld, zelfs niet als ze verdacht waren, maar hij concentreerde zich op het doel. De wraak.

Zijn gedachten gingen verder: wij zullen nooit worden geaccepteerd in jullie wereld. Getolereerd misschien, maar niet geaccepteerd. Niet op voet van gelijkheid. Hij had het daar met zijn jongste broer over gehad, vlak voordat hij vertrok. Als hij niet terugkwam, zou zijn jongste broer het hoofd van de familie worden. Daarom was zijn jongste broer ook teruggekomen uit Saoedi-Arabië, waar hij gastarbeider was geweest. Saoediërs waren bijna nog erger dan westerlingen. Decadent. Pathetisch. Leugenachtig. Iedereen wist dat hun bedekte vrouwen een toneelstuk waren. Op vrijdagavond stapten ze in een privéjet naar Beiroet. In het vliegtuig kleedden de vrouwen zich om. Ze gooiden hun boerka af en de mannen trokken Hugo Boss-pakken aan. Abdul Hadi had in de jaren voor de burgeroorlog aan de Amerikaanse universiteit van Beiroet gestudeerd. Elk weekend had hij gezien hoe de Saoediërs aankwamen, volledig getransformeerd. De vrouwen lagen in bikini op het strand en de mannen dronken en speelden Blackjack in het grote casino. Hij wist niet wie hij erger moest haten: de Saoediërs die weekend-westerling speelden in de enige stad ter wereld die daaraan wilde meewerken, of de westerlingen die hen daartoe hadden verleid met de belofte van vrijheid. Vrijheid om te proberen hetzelfde te krijgen als zij. Maar dat konden ze niet. Dat wist Abdul Hadi uit bittere ervaring. Hij was een knappe man, zeker voordat hij grijs begon te worden, maar hij maakte geen enkele kans bij de Amerikaanse meisjes aan de universiteit.

Oké, er was er één op zijn uitnodiging ingegaan. *Caroline.* Ze kwam uit Chicago. Ze wilde filmregisseur worden als ze terugging. Ze waren samen naar de bioscoop geweest en hadden *Jaws* gezien. Maar toen ze erachter kwam dat hij niet uit Libanon kwam, had ze haar belangstelling verloren. Caroline was alleen op zoek naar wat couleur locale. Iemand die haar een bedoeïenentent van binnen zou kunnen laten zien; iemand die haar het echte Libanon zou kunnen laten zien voordat ze terugging naar huis.

Stockholm – Delayed

Op de dag dat Caroline deed alsof ze hem niet herkende op de campus, had hij gezworen dat hij het nooit meer zou proberen bij de Amerikaanse meisjes. Hij woonde samen met zijn broer in een gehuurde kamer achter Hotel Commodore. Het gebouw had een zwembad op het dak waar nooit water in zat. De binnenplaats deelden ze met een privékliniek waar elke middag het menselijk afval van de schoonheidsoperaties in grote zakken naar buiten werd gedragen. De Saoedische vrouwen lieten hun vet wegzuigen en hun kromme neuzen recht maken om op Caroline en haar soort te lijken. Maar ze zouden nooit worden zoals zij. En voordat de rest van de Arabische bevolking dat inzag, zouden ze geen echte vrijheid vinden. Als je opgesloten bent in een droom waarvan je nooit deel zult uitmaken, is het een gevangenis. Daarom was het alleen maar goed dat de wereldkaart veranderd werd.

'Boardingcard, please.'

Abdul overhandigde zijn boardingpass aan de Zweedse stewardess. Ze glimlachte naar hem. Het was lang geleden dat iemand naar hem had geglimlacht.

'The airport in Stockholm is still closed because of the snow, sir', voegde ze eraan toe. Haar 'sir' klonk alsof ze het respectvol bedoelde. Niet zoals de beveiligingsbeambten die 'sir' gebruikten als vrijbrief om iemand aan een vernederende behandeling te onderwerpen. *Open your bag, sir. Take off your clothes, sir.*

'We will board as soon as they open again.'

De stewardess glimlachte nog steeds naar hem en even ging er een golfje warmte door hem heen. Nee, het maakt niet uit, dacht Abdul Hadi. Het is te weinig en te laat.

8

Carlsbergsilo, Kopenhagen

De deur van de lift gleed dicht met een zachte zucht en wachtte af wat Niels ging doen. Hij deed wat hij altijd deed: hij stak de sleutel in het sleutelgat, draaide hem om en drukte op de knop voor de twintigste etage. Hij voelde een zachte trilling in zijn middenrif terwijl de lift zijn dialoog met de zwaartekracht aanging. Het gevoel deed hem aan seks denken. Het was lang geleden.

Een paar seconden later ging de deur open en hij stapte rechtstreeks het appartement binnen. Er waren ongenode gasten, of hij was vergeten het licht uit te doen. Waarschijnlijk dat laatste, concludeerde hij bij zichzelf terwijl hij de grote woonkamer in liep. Die was net zo leeg als toen hij vertrok. En toch. Er was iemand geweest. Er hing een vage geur van ... Hij zou het morgen aan Natasja vragen die in het appartement eronder woonde. Zij had de sleutel en liet de technische dienst binnen. Als je bedacht dat het gebouw een paar jaar geleden volledig was gerenoveerd, waren er verbazingwekkend vaak problemen; met het ventilatiesysteem, de kabels, de gasleidingen.

De Carlsbergbrouwerij had de vijfentachtig meter hoge silo oorspronkelijk laten bouwen voor de opslag van mout. Toen de Koninklijke Brouwerij samenging met de andere grote brouwerijen, was de moutsilo overbodig geworden. Niels dronk eigenlijk niet veel bier meer. Zoals zo veel mensen van zijn leeftijd en zijn salarisniveau, was hij overgegaan op cabernet sauvignon. Waarom zou hij vanavond niet een half flesje nemen? Of een hele? Had hij iets te vieren of iets te betreuren? Moest hij vieren dat er overlevenden waren, of betreuren dat er een dode was. Ach, fuck it. Niels maakte een fles open, hij wist nog steeds niet hoe hij zich moest voelen.

Het was bijna twee uur 's nachts, maar Niels was niet moe. De regen striemde tegen de grote panoramaramen. Hij zette een cd van de Beatles op en draaide het volume flink hard zodat hij 'Blackbird' helemaal in de badkamer kon horen. Hij spoelde het bloed van het meisje van zijn voeten en ging toen volgens zijn vaste ritueel voor de computer zitten. Dat deed hij altijd als hij thuiskwam. En als hij opstond. Hij aarzelde voordat hij de computer aanzette. Hij miste

Kathrine. Hij miste de aanwezigheid van iemand anders in het appartement. Hij voelde zich er een vreemde als zij er niet was.

* * *

Kathrine was partner in het architectenbureau dat de silo had verbouwd tot luxe appartementen. Ze wilde het mooiste appartement voor zichzelf kopen. Ze was er helemaal verliefd op, zei ze. Natuurlijk voelde Niels zich er ook door aangetrokken. Het complex lag hoog, dat sprak hem aan. Je had er het mooiste uitzicht over Kopenhagen. Toen rook je het nog in de omgeving als de ketels van de brouwerij werden gestookt. Later was de productie van bier ergens anders naartoe verhuisd. Niels had geen idee waar naartoe. Azië misschien, net zoals zo veel andere dingen. Hij was blij dat hij niet meer elke morgen werd overspoeld door de stank van gistend gerst. Het leek wel of er een oude alcoholist in je gezicht blies.

Niels keek rond: de twee designbanken die tegenover elkaar stonden, de robuuste vierkante salontafel. In het roodachtige graniet van de tafel zat een uitsparing waar je vuur in kon maken. Met bio-ethanol. Volkomen reukloos, het verdampt volledig, had Kathrine de sceptische Niels uitgelegd. Het zag er mooi uit als je om de tafel zat met een brandend vuurtje erin. Hij had nog nooit iemand van het bureau thuis uitgenodigd. Niet dat Kathrine hem niet aanmoedigde. 'Neem toch eens een collega mee', zei ze vaak. Maar Niels kon het niet en hij kon Kathrine ook niet vertellen waarom: hij schaamde zich. Niet omdat het uitzicht in de biertoren was betaald met Kathrines geld – aan dat idee was hij intussen wel gewend – maar omdat zijn collega's zich nooit zo'n appartement zouden kunnen veroorloven. Een panorama-uitzicht van 360 graden. Als je 's avonds in het bad lag met alleen kaarsen aan, fonkelden de witte vlekjes in het Italiaanse marmer om het hardst met de lichtjes van de stad en de sterrenhemel.

* * *

Hij zette de computer aan. Zou Kathrine nog wakker zijn? Hoe laat was het in Kaapstad? Een uur later ... drie uur 's nachts dus. Op zijn lijst van vrienden die online waren, stond dat Kathrine was ingelogd, maar ze zette haar MacBook bijna nooit uit, dus dat hoefde niet te betekenen dat ze wakker was.

'Waar zullen we vanavond eens naartoe gaan?' vroeg Niels zichzelf en hij ging de lijst van onlinevrienden langs. Amanda uit Buenos Aires was ingelogd. En Ronaldo uit Mexico. In Europa was het nacht, dus er waren bijna geen Europeanen. Alleen Louis uit Malaga. Die was echt altijd online. Niels vroeg zich af of hij ook een leven buiten het computerscherm had. Niels had het gevoel dat hij zelf minder ziekelijk en minder vreemd was geworden sinds hij dit netwerk had ontdekt. Het was een wereldwijd netwerk van mensen die niet konden reizen. Mensen die eigenlijk nooit hun eigen land uit waren geweest. De fobie kende blijkbaar gradaties: Niels had zelfs gechat met mensen die hun stad niet eens uit konden. Toen had hij zich opeens heel normaal gevoeld. Hij was weleens naar Hamburg geweest en ook naar Malmö in Zweden. En naar Lübeck, op huwelijksreis. Zijn lichamelijk ongemak werd pas ter hoogte van Berlijn echt ernstig. Kathrine had hem een keer gedwongen om mee naar Berlijn te gaan, maar hij was ziek geworden en had het hele weekend getrild.

'Het gaat wel over', had ze steeds maar herhaald toen ze over Unter den Linden liepen. Maar het ging niet over. Niemand begreep het. Niemand, behalve de paar honderd mensen die bij hun netwerk waren aangesloten. Of ze déden gewoon alsof ze het niet begrepen. Want het was geen uitzonderlijke fobie. 'Air and travel phobia'. Niels had er veel over gelezen. Sommige onderzoeken zeiden dat meer dan een op de tien mensen op de wereld er in een of andere mate aan leed. Hij had ook geprobeerd om het Kathrine uit te leggen. Als hij meer dan een paar honderd kilometer van huis was, viel zijn systeem gewoon uit. Het begon met zijn spijsvertering. Hij kon niet meer poepen. Daarom kon hij nooit langer dan een weekend weg. Na zijn darmen kreeg hij problemen met zijn ademhaling en ter hoogte van Berlijn kwamen zijn spieren in opstand. In hun netwerk wisselden ze dat soort details uit. Niels wist dat het ook de oorzaak was dat hij de neiging had om depressief te zijn en soms helemaal ophield te functioneren. Omdat hij niet kon reizen en soms het gevoel had dat er een loodzwaar blok beton aan zijn lijf vastzat. Andere momenten had hij opeens heel veel energie. Dan zag hij het leven van de positieve kant – dan dachten mensen weer dat hij manisch was.

'Hi Niels!!! How are things in Copenhagen?'

Het was Amanda uit Argentinië. Ze was tweeëntwintig. Ze studeerde aan de kunstacademie en was al vijftien jaar Buenos Aires niet uit geweest. Amanda's moeder was omgekomen in een vliegtuigcrash toen Amanda zeven jaar oud was, dus in haar geval was er waarschijnlijk wel een psychologische verklaring voor de reisfobie. Bij veel andere mensen was er geen verklaring. In ieder geval niet een die Niels kende. Dat gold ook voor hemzelf. Hij had van alles geprobeerd. Psychologen, hypnose, maar er werd nooit een verklaring gevonden. Hij kon het gewoon niet.

'Hello beautiful, it is colder than where you are.'

Hij had spijt dat hij 'schoonheid' had geschreven. Dat was oudemannenachtig. Maar Amanda was echt mooi. Hij bekeek haar profielfoto. Amandelvormige ogen, een dikke bos zwart haar, volle lippen. Ze was niet zuinig geweest met de rode lippenstift toen de foto was gemaakt.

Amanda's antwoord verscheen onder in zijn beeldscherm: 'Wish I could be there and warm you.'

Niels glimlachte. Ze flirtten veel met elkaar binnen hun forum. Wat maakte het uit. Een paar honderd mensen die elkaar nooit zouden kunnen ontmoeten. En die er allemaal heel erg naar verlangden om te reizen. Ze stuurden elkaar foto's van de plek waar ze vandaan kwamen, persoonlijke verhalen, recepten. Niels had een recept voor ouderwetse Deense leverpastei online gezet. Het was een groot succes geworden. Hij had zelf het paellarecept van Louis' moeder gemaakt terwijl hij luisterde naar twaalfsnarige Spaanse gitaarmuziek – ook geleverd door Louis. Het was net of je er zelf was. Dat was het leuke van hun forum. Het ging niet om alles wat ze niet konden, zoals reizen, autorijden en vliegen. Het ging niet om hun ziekte. Het ging om alles was ze wel konden: vertellen over zichzelf, over hun land, hun cultuur. Via elkaar leerden ze de wereld kennen.

Niels wisselde wat oppervlakkigheden uit met Amanda, toen moest ze naar school. Ze beloofde dat ze een foto zou maken van haar school en het beeldhouwwerk waar ze aan werkte.

'Bye Niels. Handsome man', schreef ze en weg was ze, voordat hij de kans had om te antwoorden.

Hij wilde net afsluiten, toen Kathrine in beeld verscheen.

'Niels?'

Het beeldscherm knipperde even. Het leek wel of het tijd nodig had om te synchroniseren met zijn Afrikaanse soortgenoot.

'Slaap je niet?' Haar stem klonk een beetje traag.

'Ik ben net thuis.'

Ze stak een sigaret op en glimlachte naar hem. Het roken was iets wat ze met elkaar gemeen hadden, ze konden toch geen kinderen krijgen. Niels kon zien dat ze een beetje dronken was.

'Kun je zien dat ik gedronken heb?'

'Nee hoor. Ik zie er niets van. Ben je uit geweest?'

'Wil je de Beatles even uitzetten? Ik kan bijna niet horen wat je zegt.' Hij zette de muziek uit, draaide het beeldscherm een beetje en bekeek haar eens goed.

'Is er iets?' vroeg ze.

'Nee. Absoluut niet.'

Ze glimlachte. Niels wilde haar niet over zijn avond vertellen. Hij zag geen reden om nare dingen te delen, dat was altijd zo geweest. Hij had er een hekel aan als mensen verschrikkelijke verhalen vertelden over zieke of dode kinderen, of over verdrinking, auto-ongelukken, rampen ... waarom moesten anderen dat horen?

Kathrine stelde haar webcam in. Ze zat op dezelfde hotelkamer als ze altijd had. Op de achtergrond zag hij vaag iets fonkelen. Was dat de stad achter haar? Het maanlicht dat op de Tafelberg viel? Of misschien Kaap de Goede Hoop? Waren die lichtvlekjes schepen die over de Indische Oceaan voeren?

'Had ik je al verteld over Chris en Marylou? Dat Amerikaanse architectenechtpaar dat hier is komen wonen. Ze zijn ontzettend goed. Een van hen heeft met Daniel Libeskind gewerkt. Nou, die hielden dus een soort housewarming ... maar over een paar dagen zie je ze zelf. Ze hebben ons uitgenodigd voor zaterdag.'

Ze keek hem indringend aan.

'Dat lijkt me leuk.'

'Heb je de pillen gehaald?'

'Ja, natuurlijk.'

'Mag ik ze zien?'

Niels stond op en liep naar de badkamer. Toen hij terugkwam, had Kathrine haar witte bloes uitgetrokken, ze zat in haar bh. Niels wist best wat ze wilde.

'Is het warm daar?' vroeg hij plagerig.

'Het is hier heerlijk, Niels. Het beste klimaat dat je je kunt voorstellen. En je zult de wijn hier geweldig vinden. Laat die pillen eens zien.'

Hij hield het doosje omhoog voor de camera.

'Dichterbij.'

Hij gehoorzaamde. Kathrine las hardop: 'Diazepam. 5 mg. Werkt ontspannend bij vliegangst.'

'Allan heeft een vriend bij wie het heel goed heeft geholpen.'

'Allan?'

'Van het mobiele team.'

'Ik dacht dat jij de enige politieman was die niet tegen vliegen kon.'

'Ik kan best tegen vliegen. Ik heb alleen problemen met reizen.'

'Wat is het verschil? Neem die pillen nou maar. Neem er maar twee, terwijl ik het zie.'

Niels grinnikte en schudde zijn hoofd. Hij legde twee pilletjes op zijn tong.

'Proost.'

'Slikken, lieveling.'

Toen hij de pillen had doorgeslikt, met een half glas rode wijn, veranderde Kathrines stemming, precies zoals hij had verwacht.

'Zullen we spelen?'

'Wil je dat graag?'

'Je weet dat ik het wil. Plaag me niet zo. Trek je kleren uit.'

* * *

Kathrine was nu zes maanden in Kaapstad. In eerste instantie had ze niet weg gewild. Of eigenlijk: ze had gedaan alsof ze niet wilde. Niels begreep wel wat voor spelletje ze speelde. Hij had van het begin af aan het gevoel gehad dat haar aarzeling vooral te maken had met hem en zijn reactie. Wat zou hij zeggen als zij wegging?

Toen het besluit eenmaal was genomen, had Niels een grote opluchting gevoeld. Niet omdat hij blij was met de gedachte dat hij Kathrine een jaar zou moeten missen, hij was eerder opgelucht omdat de onzekerheid nu voorbij was. Voordat ze vertrok, had hij zich er zelfs weleens op betrapt – dat had hij haar nooit verteld – dat hij zich erop verheugde om alleen te zijn. Hij kon niet uitleggen waarom, want hij wist dat hij de eenzaamheid en het gemis absoluut niet prettig zou vinden. De laatste avond hadden ze ruzie gehad, en daarna hadden ze gevreeën op de bank. Na afloop had Kathrine gehuild en gezegd dat ze niet zonder hem kon. Ze wilde haar chef bellen om alles af te zeggen, maar het bleef natuurlijk bij gepraat.

De volgende ochtend vroeg hadden ze afscheid genomen bij de auto. De lucht was zwaar geweest van de onzichtbare regen. Niels voelde zich helemaal leeg. Het schitterde voor zijn ogen. Toen Kathrine zich naar hem toe had gebogen om hem te kussen, waren haar lippen warm en zacht geweest. Ze had iets in zijn oor gefluisterd wat hij niet goed had verstaan. Toen ze weg was, had hij zich de hele dag afgevraagd wat ze had gezegd. *Als we elkaar nooit meer zien* ... maar tegelijkertijd had hij het onverklaarbare gevoel dat het goed was dat hij de zin niet helemaal had gehoord.

* * *

'Ga eens staan zodat ik je kan zien', zei Kathrine.

Toen Niels weer naar het beeldscherm keek, was Kathrine hem voor geweest. Ze zat naakt op de stoel en was iets naar achteren geschoven zodat Niels alles kon zien wat hij miste.

'Trek maar langzaam uit, lieverd. Je bent zo mooi. Ik wil ervan genieten.'

Als het om seks ging, kwam Kathrine van een andere planeet. Een planeet waar seks niet werd geassocieerd met schaamte of gêne, of verlegenheid. Hij vond dat geweldig, al moest hij zijn eigen grenzen ervoor verleggen. Kathrine had hem geleerd om van zijn eigen lichaam te houden. Niet dat er iets mis was met zijn lichaam. Integendeel. Niels was goed gebouwd: lang zonder mager te zijn, stevig zonder op een worstelaar te lijken. Het haar op zijn borst was grijs geworden, maar dat vond Kathrine mooi, ze had de transformatie met veel enthousiasme gevolgd. Voordat hij haar had leren kennen, was zijn lichaam iets geweest wat onder zijn hoofd was geschroefd zodat het kon doen wat zijn hersenen het opdroegen. Kathrine had hem geleerd dat het lichaam een eigen wil heeft ... en eigen lusten. En als het om seks ging, gingen de bevelen de andere kant op. Dan stuurde het lichaam opdrachten naar het hoofd over wat het graag wilde. Dat moest je wel durven.

'Draai je eens om, ik wil je billen zien als je je broek uittrekt', commandeerde ze.

Niels ging met zijn rug naar de webcam staan en liet zijn spijkerbroek langzaam zakken, precies zoals hij wist dat zij lekker vond. Hij keek omlaag langs zijn lichaam. Hm – verrassend – hij had niet verwacht dat er na zo'n nacht nog leven zou zijn daar beneden, maar misschien toch ook weer wel. Seks en dood. *Lust en angst.*

'En laat me je nu maar eens bekijken, schatje', fluisterde Kathrine vanuit Kaapstad.

9

Het luchtruim boven Europa

Daar was ze weer, de stewardess. Ze liep door het smalle gangpad en serveerde koffie, thee, jus d'orange en pinda's. Abdul Hadi glimlachte bij het idee. Noten, koffie en thee. Dat was de belangrijkste handelswaar op de Arabische bazaars. De Europese kooplieden waren massaal naar Arabië getrokken om deze producten te kopen voor dat barre noorden van hen. Nu werden die Arabische lekkernijen aan de passagiers uitgedeeld in handige plastic verpakkingen met blonde jonge mensen erop. Achter de agressieve marketing van de westerse producten zat een motief dat geen enkele Amerikaan of Europeaan zag: het Westen verkocht vooral het beeld van zichzelf. Reclame is uitgevonden om het Westen te verkopen aan de westerlingen.

'Coffee or tea?'

Abdul Hadi keek op. Zij was het. Weer die glimlach, dat doordringende oogcontact. Ondanks het urenlange wachten op de luchthaven zag ze eruit alsof ze net was opgestaan.

'Orange juice.'

'Peanuts?'

'Please.'

Ze raakte zijn hand aan toen ze de jus d'orange voor hem op het tafeltje zette. Er ging een warm gevoel door hem heen. Het was lang geleden dat hij zoiets had gevoeld. De stewardess legde eerst een zakje pinda's op het uitklaptafeltje, maar vlak voordat ze verderging, legde ze er nog een neer. Niet snel, maar rustig en vriendelijk, en ze zei: 'Enjoy your flight, sir.'

Abdul Hadi keek om zich heen. Niemand anders in zijn buurt had twee zakjes gekregen. Bedoelde ze iets met haar toenaderingspogingen? Hij keek haar na. Dat had hij niet moeten doen, want zij draaide zich op hetzelfde moment om en keek ook naar hem. Hij voelde de warmte. Het bloed stroomde weg uit zijn hoofd om iets anders te vullen. Hij stelde zich de stewardess en zichzelf voor op een hotelkamer. Ze zou op de rand van het bed gaan zitten. Hij zou haar haren aanraken. Hij had nog nooit blond haar aangeraakt; met Carolines haar was hij er het dichtst bij geweest. Hoe zou het voelen? Zou het zachter zijn? Engelenhaar. Hij zou met zijn handpalm zachtjes over haar haren strijken terwijl zij zijn riem losmaakte. In zijn fantasie bleef hij staan terwijl zij op het bed zat en langzaam zijn geslachtsdeel vastpakte. Ze had nagellak op. Een discrete kleur rood. Was dat iets wat hij zich verbeeldde, of had ze echt nagellak op? Hij draaide zich om en probeerde te kijken waar ze was, maar ze was al een heel eind verder het smalle gangpad door. Achter hem begon een baby te krijsen. Hij probeerde haar uit zijn hoofd te zetten. Aan iets anders te denken. Aan het Westen en het leugenachtige beeld dat het van zichzelf had. Het kruit was niet meer uitgevonden door de Chinezen, maar door de Amerikanen, om de 4de juli te vieren. Het cijferstelsel dat ze gebruikten, was niet meer ontstaan in Arabië, maar in Europa. Hoeveel mensen in het Westen waren zich ervan bewust dat de wieg van de wereldcultuur op het Arabisch schiereiland had gestaan? De vertelkunst, de wiskunde, de wetenschap ... alles waar het Westen op bouwde en wat het als zijn eigendom beschouwde. Het komt allemaal bij ons vandaan, bracht Abdul Hadi zichzelf in herinnering. Bij óns.

Hij at de twee zakjes pinda's en zijn maag begon te rommelen. Het was een tijd geleden dat hij een behoorlijke maaltijd had gegeten. Als hij was geland, zou hij eerst iets gaan eten, dat beloofde hij zichzelf. Dat was ook de reden dat zijn hersenen zich zo moeilijk konden concentreren. Maar nu ging het beter. Hij dacht weer helder, zonder fantasieën over de stewardess. Eerst hebben jullie alles gestolen en je toegeëigend en vervolgens hebben jullie de rest van de wereld de toegang ontzegd. Zo is het gegaan. Het Westen is gebouwd op diefstal en onderdrukking van anderen. Dan komt er een moment dat er wordt teruggeslagen. Dat is niet meer dan rechtvaardig.

De baby achter hem krijste. Het eeuwige probleem van de onschuldige mensen. Als ik nu naar de cockpit zou gaan en het vliegtuig zou dwingen om in zee te storten of in een gebouw te vliegen, zou iedereen het hebben over de moord op onschuldige mensen, dacht Abdul Hadi. Maar dat argument klopte niet. De onderdrukking van mijn broeders wordt gefinancierd met jullie belasting, jullie geld. Ben je onschuldig als je niets anders doet dan geld geven aan de onderdrukkers? Jullie verschuilen je achter je kinderen. Zolang jullie hen als schild gebruiken, hebben jullie hen zelf in de vuurlinie geplaatst.

Hij dronk het kleine glaasje jus d'orange in een teug leeg en dacht aan zijn zusje. Ze zou nu ongeveer even oud zijn geweest als de mooie blonde stewardess, als ze nog had geleefd. Hij had jarenlang niet gedacht aan de manier waarop ze was omgekomen, maar de laatste tijd was de herinnering teruggekomen. Alsof die hem te hulp wilde schieten. Hem helpen om de diepste drijfveer en de ultieme rechtvaardigheid van de wraak te begrijpen. Abdul Hadi sloot zijn ogen en speelde zijn meest fundamentele herinnering af in zijn hoofd. Hij zat op de achterbank, samen met zijn twee broers, toen de auto de jongen raakte. Hij had niets gezien of gehoord, de weg door de woestijn was zo hobbelig dat er voortdurend harde bonken klonken als de carrosserie een steen raakte of de uitlaat over de weg schraapte. Maar zijn vader was uit de auto gesprongen en zijn moeder had gegild. Ze waren ver buiten de stad, in de Wadi Dawanwoestijn, waar die Belgische vrouwen jaren later ook om het leven waren gekomen.

'Wat gebeurt er, wat gebeurt er?' riep Abdul Hadi's broer toen hun vader uit de auto sprong.

Abduls vader had de jongen ongelukkig geraakt en hij was ter plekke overleden. Het afgrijselijke gegil lokte de rest van het dorp naar hen toe en algauw was de auto omringd door mensen. Abduls vader probeerde het uit te leggen: 'Ik zag hem niet, hij sprong opeens voor de auto. Het was zo droog en stoffig, het leek wel of ik door mist reed.'

Het gejammer werd heviger, de andere moeders stemden in. Het klonk verschrikkelijk. Een koor van verdriet steeg op naar de hemel. Abdul Hadi wist niet meer of de oude mannen van het dorp en de vader van de gedode jongen er van het begin af aan bij waren geweest, hij herinnerde zich alleen dat de volwassen mannen de deur hadden opengerukt en hem uit de auto hadden gesleurd. Hij zat aan de buitenkant, daarom hadden ze hem gepakt. Zijn vader stribbelde hevig tegen, maar hij werd vastgehouden. Er moest iemand dood. Wraak. Rechtvaardigheid. Hij keek naar zijn broertjes en zusje in de auto.

'Ik zag hem niet', huilde zijn vader.

Een paar mannen trokken zijn vaders papieren uit zijn zak. Ze lazen zijn naam hardop aan elkaar voor: 'Hadi. Hadi', zeiden ze steeds weer, alsof zijn vaders achternaam de reden was dat alles zo verkeerd was gelopen. Zijn vader riep: 'Laat mijn zoon los. Hij heeft er niets mee te maken.' De vrouwen schreeuwden van woede, de dode jongen werd opgetild. Abduls vader probeerde met zijn smeekbedes tot hen door te dringen. Toen dat niet werkte, probeerde hij te dreigen. Hij riep de namen van de mensen die hij kende bij de politie van de hoofdstad. Maar mensen uit de stad betekenen niets in de woestijn.

Ze hadden hem op zijn knieën gedwongen. Hij schreeuwde nog steeds, maar iemand knielde naast hem neer en propte zand in zijn mond. Braaksel, geschreeuw, dood. Ze legden de dode jongen weer neer, midden in de kring van mensen.

'Jouw zoon voor mijn zoon', schreeuwde de man die Abdul Hadi vasthield bij zijn keel. Hij kneep. Zijn vader keek wanhopig naar de verschrikkingen voor hem terwijl het zand en het bloed uit zijn mond liepen.

Abdul Hadi herinnerde zich dat de vader van de dode jongen de greep om zijn keel had losgelaten. In plaats daarvan pakte hij hem bij zijn arm en met zijn andere hand greep hij Abduls zusje beet.

'Je mag kiezen', riep de vader van de dode jongen tegen Abduls vader. 'De jongen of het meisje?'

Nu pas herinnerde Abdul zich dat zijn moeder begon te gillen. Had ze ook gehuild en geschreeuwd toen alleen hij voor de poort van de dood stond? Misschien heb ik het alleen niet gehoord, zei Abdul keer op keer tegen zichzelf. Er schreeuwden zo veel mensen.

'De jongen óf het meisje?'

'Het was een ongeluk ... ik smeek u.'

'Je zoon of je dochter.'

Er was een mes op het toneel verschenen. Er zat opgedroogd bloed op het lemmet. De punt van het mes werd vlak onder zijn vaders strottenhoofd gezet om hem te dwingen om een beslissing te nemen.

'Wie kies je?'

Abduls vader keek alleen naar zijn zoon toen hij antwoordde.

'Het meisje. Neem het meisje.'

10

Woensdag 16 december

Niels Bentzon was te laat wakker geworden en allesbehalve uitgerust. Hij kon zich eigenlijk best ziek melden. Hij had recht op een rustdag na zo'n nacht. Toch zat hij een kwartier later in de auto met nat haar, een beker koffie in zijn hand en een stropdas die een jongen van dertien nog beter had kunnen strikken.

Hoofdbureau van politie, Kopenhagen

Niels zag het hoofdbureau bijna niet door de haag van politiebusjes. Uit het hele land waren politiemensen opgeroepen voor de klimaattop. Over enkele uren zou de Air Force One op Deens grondgebied landen. Niels' moeder had al gebeld om te vragen of Niels hém zou ontmoeten. Of hij hém moest beschermen. Niels had zijn oude moeder moeten teleurstellen. 'Obama brengt zijn eigen leger lijfwachten mee', had hij uitgelegd. 'En zijn eigen limousine, zijn eigen eten, een kapper en een koffertje met de codes van Amerika's kernwapenarsenaal.' Niels betwijfelde of ze dat van de kernwapens had geloofd, maar hij had het gevoel dat hij haar zou hebben teleurgesteld als hij de eenvoudige waarheid had verteld: de enigen die Niels zou ontmoeten, zouden de boze demonstranten voor het congrescentrum zijn.

Hij baande zich een weg door de menigte agenten uit de provincie die naar de grote stad waren gekomen. Het leek wel een schoolreisje. Ze lachten, ze waren duidelijk blij met de verandering in hun dagelijks leventje. Vandaag hoefden ze geen snelheidsboetes uit te delen op provinciale wegen ver weg in Noord-Jutland, of voorkomen dat de vissers elkaar in de haren vlogen in de plaatselijke kroeg. Nog even en ze zouden oog in oog staan met de ATTAC-beweging, allerlei milieu- en klimaatorganisaties en een onaangename mengeling van hoogbegaafde linkse activisten en verwaarloosde kinderen die zich autonomen noemden en heel erg boos waren.

'Goedemorgen, Bentzon!'

Voordat Niels zich kon omdraaien, kreeg hij een stevige mannenklap op zijn schouder.

'Leon. Heb jij nog wat geslapen?'

'Als een blok.'

Leon keek Niels onderzoekend aan.

'Maar jij ziet er beroerd uit.'

'Het duurt altijd even voordat ik weer tot rust ben gekomen.'

'Bij mij niet.'

Leon glimlachte.

Ik mag je niet. Die gedachte drong Niels' hoofd binnen en liet hem niet meer los. Maar zo was het nou eenmaal. Niels mocht Leon niet. Het was toch buitengewoon onsympathiek dat je na een nacht met dode lichamen en neergeschoten kinderen gewoon naar huis kon gaan en kon slapen als een baby. Gelukkig onderbrak Anni hen: 'Sommersted vroeg naar je.'

'Sommersted?' herhaalde Niels terwijl hij Anni aankeek.

De secretaresse knikte. Zag hij een spoortje medelijden in haar blik?

Een persoonlijk gesprek op het kantoor van commissaris W.H. Sommersted was iets wat maar weinig politiemensen meemaakten. Volgens de verhalen die de ronde deden op het hoofdbureau, kwam je in de loop van je carrière op het hoofdbureau nooit meer dan drie keer op Sommersteds kantoor voor een persoonlijk gesprek. Als je je eerste waarschuwing kreeg, als je je tweede waarschuwing kreeg, en als je twintig minuten kreeg om je spullen te pakken en te verdwijnen. Niels was er al twee keer geweest. Twee waarschuwingen.

'Zo snel mogelijk', voegde Anni er nog aan toe en ze glimlachte uitnodigend naar Leon.

Niels trok haar mee naar de koffieautomaat.

'Vroeg hij alleen naar mij?'

'Zijn secretaresse belde. Ze vroeg of ik je naar boven wilde sturen zodra ik je zag. Hoezo? Is er iets?'

* * *

W.H. SOMMERSTED stond er in zwarte letters op de glazen deur van het kantoor. Niemand wist waar die 'H' voor stond. Misschien vond hij gewoon dat het goed klonk. Sommersted was aan het bellen. Zijn brede kaak bewoog niet als hij praatte. Niels bedacht dat hij een heel goede buikspreker zou zijn.

'Fax it immediately.' Sommersted stond op, liep naar het raam en keek naar buiten. Toen hij langs Niels liep, keek hij hem aan met een blik die geen enkele blijk van herkenning verried. Niels probeerde zich te ontspannen. Dat was moeilijk. Fuck hem als hij me ontslaat, dacht hij. Niels probeerde zich voor te stellen wat hij allemaal zou gaan doen. Zijn hoofd bleef leeg. Hij zag zichzelf alleen maar in zijn ochtendjas op de bank hangen. Hij zou de depressie over zich heen laten komen. En ervan genieten; helemaal tot de bodem gaan.

'Bentzon!'

Sommersted sloot het telefoongesprek af en strekte met een joviaal gebaar zijn arm uit.

'Ga zitten. Hoe gaat het?'

'Goed, dank u.'

'Het is echt de hel hier.'

'Dat begrijp ik.'

'De Air Force One landt over enkele ogenblikken, Kopenhagen puilt uit van de internationale topfiguren en de inlichtingendienst ziet overal terroristen. Persoonlijk denk ik dat we gewoon een beetje zenuwachtig zijn vanwege al die hoge gasten. Het zal allemaal wel loslopen.'

Sommersted snoof. Hij zuchtte diep en toen schoot hem te binnen waarom Niels eigenlijk tegenover hem zat.

'Ik ben blij dat je terug bent, Bentzon.' Hij legde zijn bril op tafel. 'Ik heb gehoord dat je je uit hebt moeten kleden. Ze worden steeds gehaaider.'

'Blijft ze leven?'

'Dat meisje? Die overleeft het wel, ja.'

Hij knikte nijdig. Zijn borstelige wenkbrauwen trokken nog wat verder naar elkaar toe en hij trok een bezorgd gezicht. Heel geloofwaardig, maar Niels trapte er niet in. Sommersted was een goede communicator. Hij had vijf jaar geleden wél de mediatraining gevolgd waar Niels voor had bedankt. Een politiechef was tegenwoordig een combinatie van presentator, politicus en hoofd personeelszaken.

'Jij kunt zo goed met mensen praten, Niels.'

'Ja?' antwoordde Niels aarzelend. Hij wist dat Sommersted zojuist een val voor hem had gezet.

'Ik meen het echt.'

'Nou, bedankt dan.'

De val klapte meteen dicht: 'Misschien iets te goed?' Zijn blik werd doordringender.

'Is dat een vraag?'

'Miroslav Stanic, onze Servische vriend. Herinner je je die nog?'

Niels schoof onrustig heen en weer op zijn stoel. Daar had hij meteen spijt van, want hij wist dat Sommersted het zou zien.

'Ik heb gehoord dat je hem bezoekt in de gevangenis. Is dat alleen die ene keer geweest?'

'Hebt u me daarvoor laten komen?'

'Die man is een psychopaat.'

Diepe zucht. Niels keek uit het raam. Hij had niets tegen pijnlijke stiltes. Terwijl Sommersted duidelijk iets van hem verwachtte, dook Miroslav Stanic op uit Niels' geheugen.

Het was een jaar of zeven, acht geleden. De Serviër zou uitgeleverd worden aan Den Haag; hij werd verdacht van oorlogsmisdaden in Bosnië. Om onverklaarbare redenen was hij in Denemarken terechtgekomen voor een humanitair verblijf, maar de Deense autoriteiten hadden al vrij snel ingezien dat ze een grote fout hadden gemaakt. Stanic was geen zielige, vervolgde Serviër, maar een voormalig kampbewaker van het beruchte kamp Omarska, die nu gratis en voor niets drie gezonde, voedzame maaltijden per dag kreeg in Restaurant Denemarken. Toen hij uitgeleverd zou worden, ging hij door het lint. Hij gijzelde twee andere vluchtelingen in het asielzoekerscentrum Sandholm. Toen Niels aankwam, eiste Miroslav Stanic een vrijgeleide om het land uit te komen, anders zou hij een van de gijzelaars de keel doorsnijden. Hij meende duidelijk wat hij zei, want hij was er bijna in geslaagd een jonge Albanese vrouw te vermoorden. Alleen een wonder, bewerkstelligd door de artsen van het Rigshospital, had haar leven gered. Na afloop hadden er overal verwijten aan Niels' adres geklonken. Vooral Leon had het op hem gemunt. Waarom had Niels die psychopaat niet gewoon een kogel door zijn kop gejaagd, had hij gevraagd. Niels had een halve dag met de Serviër onderhandeld. Miroslav Stanic had geen seconde spijt van zijn oorlogsmisdaden. Sommersted had gelijk: hij was een rasechte psychopaat. En charmant. Hij was er zelfs een paar keer in geslaagd om Niels aan het lachen te krijgen. Miroslav Stanic was bang voor de gevangenis. Voor de eenzaamheid. Maar hij begreep best dat het spel uit was, en dat hij twintig jaar achter de tralies zou gaan. Niels moest hem alleen zover zien te krijgen dat hij zich, nu hij dat inzag, ook daadwerkelijk overgaf.

Sommersted wachtte nog steeds.

'Dat had ik hem beloofd, meneer Sommersted, en omdat hij zijn gevangenisstraf in Denemarken moest uitzitten, kon ik mijn belofte houden.'

'Een belofte? Je hebt hem beloofd dat je hem zou opzoeken in de gevangenis?'

'Dat was de prijs die hij wilde in ruil voor het vrijlaten van de gijzelaars.'

'Verbreek je belofte, Bentzon. De gijzelaars zijn vrijgelaten, Stanic is veroordeeld. Weet je wat de anderen over je zeggen?'

Niels hoopte dat die vraag retorisch was.

'Weet je dat?'

W.H. Sommersted leek even een dokter die de droevige, maar onherroepelijke waarheid aan een stervende patiënt moest overbrengen.

'Dat ik manisch-depressief ben?' stelde Niels voor. 'Dat er een schroefje bij me loszit?'

'Vooral dat laatste. Ze weten niet wat ze aan je hebben, Niels. Het ene moment ben je met ziekteverlof, het volgende moment draaf je rond om alle psychopaten te bezoeken.'

Niels wilde protesteren, maar Sommersted onderbrak hem meteen: 'Maar je hebt een talent, dat staat vast.'

'Dat ik goed met mensen kan praten?'

'Je bent een goede bemiddelaar. Het lukt je bijna altijd om ze om te praten. Ik zou alleen willen dat je niet zo ...'

'Zo wat?'

'Dat je niet zo eigenaardig was. Reisfobie, manisch, bevriend met psychopaten.'

'Eén psychopaat. Zoals u het zegt klinkt het alsof ...'

Sommersted onderbrak hem: 'Kun je je niet gewoon af en toe een beetje aanpassen?'

Niels keek naar de grond. Aanpassen? Voordat hij de kans kreeg om te antwoorden, ging de commissaris verder: 'Je gaat toch bijna op vakantie?'

'Een weekje maar.'

'Oké. Luister: ik was zeer tevreden over jouw bijdrage gisteren. Wat zou je ervan vinden als we het nog een keer proberen. We beginnen met iets kleins.'

'Goed.'

'Ik heb een zaak. Niets groots. Ik wil dat je contact opneemt met een paar burgers. Je moet met ze praten.'

'U hebt net gezegd dat ik daar goed in ben.' Niels had geen zin om zijn sarcasme te verbergen.

Sommersted keek hem geïrriteerd aan.

'Met wie moet ik praten?'

'Goede mensen.'

Sommersted zocht iets in de bescheiden stapel papieren op zijn bureau en uitte intussen hoofdschuddend zijn ongenoegen over de dagelijkse stroom 'red notice'-berichten van Interpol.

'Herinner jij je nog het geluid van de telex van vroeger?'

Ja, Niels herinnerde zich nog heel goed de telex waarop updates en waarschuwingen uit het hoofdkantoor van Interpol in Lyon binnenkwamen. Die was nu vervangen door een computer. Of duizend computers. Vroeger ratelde de telex onafgebroken. Het monotone, mechanische geluid van de printer herinnerde je eraan dat de wereld steeds meer fucked-up werd. Als je inzicht wilde krijgen in alle rottigheid in de wereld, moest je gewoon twintig minuten voor die brommende machine gaan staan: seriemoordenaars, drugssmokkel, vrouwenhandel, prostitutie, trafficking met gestolen kinderen, illegale immigranten en verrijkt uranium. En in de categorie kleine vergrijpen: smokkel van bedreigde diersoorten: leeuwen, luipaarden, zeldzame papegaaien en zelfs dolfijnen. Er kwam geen einde aan de lijst. Kunstvoorwerpen en zeldzame historische objecten, Stradivariusviolen en sieraden die van de Russische tsaar waren geweest. Nog geen duizendste deel van alles wat nazi-Duitsland in de bezette landen had gestolen, was teruggevonden. Overal in bergplaatsen en kelders van Duitse gezinswoninkjes lagen nog diamanten, barnsteen en gouden sieraden uit het Byzantijnse rijk. En schilderijen van Degas en goudstaven die van Joodse families waren geweest. Er werd nog steeds naar gezocht. Je kreeg hoofdpijn als je voor de fax stond. Je kreeg zin om te schreeuwen en weg te rennen; om in zee te springen en te wensen dat we daar nooit uit tevoorschijn waren gekropen en dat de dinosaurussen nog steeds de baas waren op aarde.

Maar nu ging alles via de database van Interpol, waaraan alle lidstaten waren gekoppeld. I-24/7, heette die in alle eenvoud, en net als een 7-Elevenwinkel, ging hij nooit dicht. Tegelijk met de nieuwe technologie was ook de dreiging uitgebreid. Zelfmoordaanslagen, bioterreur, hackers, distributie van kinderporno, creditcardfraude, illegale handel in CO_2-quota, belastingfraude, witwassen van geld. En dan hebben we het nog niet eens gehad over de bestrijding van corruptie binnen de EU. Interpol had dan misschien wel een nieuw wapen om de criminaliteit mee te bestrijden, de misdadigers hadden minstens evenveel kennis van de nieuwe technologie. Misschien hadden we er helemaal niets bij gewonnen, die gedachte was al vaak door Niels' hoofd gegaan. Misschien was het wel beter toen er alleen nog maar een telex was, die dag en nacht ratelde en het driftige geluid van de printerkop de lucht doorsneed als een constante herinnering aan alle ellende in de wereld.

'Red notice', zei Sommersted toen hij eindelijk had gevonden wat hij zocht.

'Het lijkt erop dat er goede mensen worden vermoord.'

'Dat er goede mensen worden vermoord?'

'Daar ziet het naar uit. Op verschillende plaatsen in de wereld: China, India, Rusland, Amerika. Een groot aantal van de slachtoffers werkte in de liefdadigheidsindustrie. Je weet wel: ontwikkelingswerkers, artsen, hulpverleners.'

Niels las: *Red notice*. De tekst was in het Engels, in de bondige, staccato stijl die zo kenmerkend was voor Interpol: *Possible sectarian killings. First reporting officer: Tommaso Di Barbara*. Niels vroeg zich af of ze in Lyon ook zo met elkaar praatten. Robottaal.

'Vroeger hadden we geen tijd verspild aan dit soort zaken, maar nu, na die Mohammed-cartoons ... En de globalisering, wat dat dan ook mag betekenen.'

'Wat verbindt de moorden met elkaar?' vroeg Niels.

'De tekens op de rug van de slachtoffers, als ik het goed heb begrepen. Een soort merkteken. Misschien zijn het sektarische moorden? Tegenwoordig staat er bijna op elke straathoek een gek met een kromzwaard en een halve ton dynamiet om zijn middel.'

'Denkt u dat er een religieus motief is?'

'Misschien, maar wij hebben niets met het onderzoek te maken. Gelukkig. Heilige moorden, dat geeft altijd zo ontiegelijk veel papierwerk. En je moet je verdiepen in oude stoffige boeken. Wat is er eigenlijk gebeurd met hebzucht en jaloezie? Dat zijn tenminste motieven die je kunt begrijpen.'

Sommersted was even stil. Hij keek een paar lange seconden uit het raam. Niels had het gevoel dat het woord 'jaloezie' zijn gedachten op de vlucht had gestuurd. Hij had Sommersteds vrouw een paar keer gezien. Type kostschoolmeisje. Blond, een ietwat verlepte schoonheid die waarschijnlijk niet veel van de schaduwkant van het leven had gezien. Maar misschien was het niet alleen maar makkelijk om een niet-werkend meisje uit de betere kringen te zijn. Waar moest je je persoonlijke overwinninkjes en je vooruitgang vandaan halen? De bevestiging waarmee de ziel gevoed wordt? Die haalde Sommersteds vrouw uit de blikken van andere mannen, dat had Niels meteen de eerste keer dat hij haar op een receptie zag, opgemerkt. Ze stond dicht bij haar man en pakte een paar keer zijn hand, maar ze was zich voortdurend bewust van de blikken in de zaal.

'Ik wil dat jij vandaag contact opneemt met de ... laten we zeggen acht tot tien goede mensen in Kopenhagen. En dat je hun vraagt of ze iets ongewoons hebben opgemerkt. De directeur van het Rode Kruis, iets met mensenrechten en ... de plaatselijke milieumensen, dat soort organisaties. Vraag of ze extra alert willen zijn, dan hebben wij onze plicht gedaan.'

'En alle mensen die hier voor de top zijn?'

'Nee.' Sommersted lachte gemaakt. 'Ik denk dat die wel voldoende beschermd zijn. Bovendien gaan die over vier dagen allemaal weer naar huis. Ik geloof dat dit een iets langer lopende dreiging is.'

Niels liet zijn ogen rustig over de twee vellen papier gaan, ook al had Sommersted duidelijk haast om hem de deur uit te werken.

'Zijn er verdachten?'

'Bentzon, het is een voorzorgsmaatregel, verder niets.'

'Maar waarom komen ze bij ons met die zaak?'

'Luister goed: het is niets. Zie het maar als een vrije dag als dank voor je hulp vannacht. Als we dit soort vage dreigingen serieus moeten gaan nemen, komen we nergens anders meer aan toe. We hebben hier echt meer dan genoeg te doen. Als we ook maar het kleinste foutje maken, staan hier morgen drie ochtendkranten en 179 parlementariërs voor de deur die een gedetailleerde verklaring willen en een onderzoek en betere prioritering van onze taken. Ik zou hun het liefst willen vragen of ze hun bek willen houden, maar ik moet toch voor ze gaan staan en vriendelijk glimlachen en knikken als een schooljongetje bij het afdansen.'

Sommersted zuchtte overdreven en leunde achterover in zijn stoel. Hij had deze toespraak al eerder gehouden.

'Dit is mijn werkelijkheid, Bentzon: overleg met de minister en het OM, mails beantwoorden om uit te leggen waarom we niet twee minuten eerder op de plaats van het misdrijf waren, telefoontjes beantwoorden van journalisten die willen weten waarom wij ons werk zo slecht doen, want dat is hoe ze naar ons kijken.'

Sommersted wees uit het raam, naar de buitenwereld.

'Beschouw mij maar als jullie beschermer. Ik regel alles met de bloedhonden van het parlement en de krantenredacties. Jullie moeten gewoon doen wat jullie altijd hebben gedaan: boeven vangen, ze in de gevangenis smijten en de sleutel weggooien.'

Niels glimlachte. Sommersted had gevoel voor humor.

'Een voorzorgsmaatregel, Bentzon. Beschouw het als een oefening in vertrouwen. Tussen jou en mij. En prettige vakantie straks.'

11

Hoofdbureau van politie, archief, Kopenhagen

'Goede mensen?' Er lag geen spoortje sarcasme in Caspers stem, alleen oprechte nieuwsgierigheid. 'Je bent op zoek naar "goede mensen"?'

'Precies.'

Niels ging op de rand van het bureau zitten en keek rond in de klinische computerruimte. 'We moeten goede mensen vinden. Kun jij me helpen?'

Casper zat al achter zijn computer. Niels kreeg geen stoel aangeboden. Zo ging het altijd in het archief. Het kantoor leek op alle andere kantoren, alleen was het iets groter, maar toch had je het gevoel dat je was binnengedrongen in het huis van een vreemde. Je kreeg nooit koffie of een stoel aangeboden en er werden geen inleidende beleefdheden uitgewisseld. Niels wist niet goed of de archivarissen hem niet mochten of dat het gewoon een gebrek aan sociale vaardigheden was. Misschien hadden de vele jaren in de stoffige archieven, tussen de indexkaartjes, mappen en systemen, hen langzaam gedesocialiseerd en vervuld van een angst dat een vreemd lichaam, zoals Niels, hun zorgvuldig opgebouwde orde zou kunnen verstoren. Misschien waren ze bang dat alles wat door de zware, zwartgelakte deuren naar binnen kwam chaos zou brengen.

'De kunst van een goed mens zijn', zei Casper toen hij 'goed mens' had gegoogeld. Hij ging verder: 'Eerste treffer: Jezus.'

'Fijn dat we dat ook weer weten, Casper.'

Casper keek op van zijn beeldscherm, oprecht blij met Niels' compliment. Ironie werkte hier niet, bracht Niels zichzelf in herinnering. Natuurlijk niet. Ironie kan misverstanden veroorzaken, misverstanden kunnen uitmonden in indexfouten, en dan zou er een belangrijk boek, map of misschien een doorslaggevend bewijs voor altijd verloren kunnen gaan. In het archief lagen meer dan driehonderdduizend geregistreerde zaken opgeslagen. Niels was er nog nooit geweest – het was absoluut verboden terrein voor ongeautoriseerd personeel – maar de enkeling die er was geweest, beschreef het als een schatkamer van de politiegeschiedenis. Er lagen zelfs nog zaken uit de dertiende eeuw. En veel te veel onopgeloste moordzaken. Ruim honderd van na de oorlog. Natuurlijk lagen veel van de daders allang op het kerkhof en hadden ze hun straf in het hiernamaals gekregen, maar statistisch gezien liepen er nog steeds minstens veertig moordenaars vrij rond. Om maar te zwijgen over de vermiste personen. Sommigen waren weggelopen, anderen waren gewoon zo vakkundig uit de weg geruimd dat ze zelfs niet in de statistieken van onopgeloste moorden terechtkwamen.

Veel van Niels' collega's vroegen na hun pensionering toestemming om op jacht te gaan in de archieven. Hoewel je hier beneden dus geen ironie mocht gebruiken, ontkwam de plek niet aan zijn eigen hogere ironie: pas als politiemensen met pensioen waren, hadden ze genoeg tijd om het werk te doen waarvoor ze waren aangenomen. Er ging veel te veel tijd verloren met onnodig papierwerk. Rapporten die niemand las, documentatie waarin niemand geïnteresseerd was. Je kon bijna niet naar de wc gaan zonder eerst een Excelsheet te raadplegen. De afgelopen acht à tien jaar was het allemaal nog veel erger geworden. De regering had besloten dat het afgelopen moest zijn met de enorme hoeveelheid papierwerk en de onnodige bureaucratie, maar in werkelijkheid gebeurde precies het tegenovergestelde. Terwijl er op straat toch genoeg te doen was: clubhuizen van Hells Angels, bendeoorlogen, beestachtig geweld in vele gradaties, de ontruiming van het jongerencentrum en de conflicten die daaruit voortvloeiden, onaangepaste jonge immigranten die geen verschil zagen tussen een wegwerpbarbecue en de auto van de buurman, moreel afgestompte zakenlieden die voortdurend op zoek waren naar mogelijkheden voor nieuwe overnames, Oost-Europese en Arabische gangstertjes, Afrikaanse prostituees, psychisch gestoorde zielenpoten voor wie de overnachtingsplekken waren wegbezuinigd, enzovoort, enzovoort. Het was niet zo vreemd dat sommige politiemensen zich geroepen voelden om na hun pensionering door te gaan. Onder de leidinggevenden werd – half gekscherend – gefluisterd dat de regering eigenlijk een republikeinse garde zou moeten instellen, net als in het Midden-Oosten. Een klein legertje bereidwillige instrumenten dat de wensen van de regering kon uitvoeren. Zo'n garde zou de ontruiming van de vrijstad Christiania voor zijn rekening kunnen nemen en hier en daar en overal oorlog voeren tegen demonstranten. Dat zou de politie ruimte geven om te doen waar ze het best in zijn: *To protect and to serve*. Mensen beschermen en misdrijven voorkomen en oplossen.

Casper keek Niels afwachtend aan. 'Kun je iets met Jezus?'

'We moeten levende Deense mensen vinden, Casper.'

'Goede Deense mensen?'

'Ja. Goede, rechtvaardige mensen. Ik wil graag een lijst.'

'Rechters van de Hoge Raad en zo?'

'Doe nou niet net of je dom bent.'

'Kun je me niet een voorbeeld geven?'

'Het Rode Kruis', zei Niels.

'Oké, goed. Je bedoelt dus liefdadigheid.'

'Niet alleen. Óók.'

Casper draaide zich weer om naar zijn beeldscherm. Hoe oud zou hij zijn? Niet veel ouder dan tweeëntwintig. Veel jonge mensen konden al heel vroeg heel veel, vond Niels. Ze waren drie keer rond de wereld gereisd, hadden een opleiding gevolgd, spraken verschillende talen en konden zelfstandig een computerprogramma ontwerpen. Toen Niels tweeëntwintig was, kon hij een band plakken en in het Duits tot tien tellen.

'Hoeveel heb je er nodig? Het Rode Kruis, Amnesty, Interkerkelijke Noodhulp, Unicef, Pax Christi ...'

'Wat is Pax Christi?' Susanne, de oudste archivaris, keek op van haar werk.

Casper haalde zijn schouders op en opende de website. Susanne keek ontevreden naar Casper en Niels: 'En Red een Kind? Daar geef ik aan.'

'Ik zoek geen organisaties, ik zoek mensen. Goede mensen.'

'De vrouw die directeur van Red een Kind is dan?' vroeg Susanne.

Niels zuchtte diep en hij besloot bij het begin te beginnen.

'Oké: er zijn op verschillende plaatsen op de wereld goede mensen vermoord. Mensen die zich hebben ingezet voor het welzijn van anderen, voor hun rechten en levensomstandigheden.'

'Nee, we doen het anders', onderbrak Casper hem. 'We zoeken op trefwoorden.'

'Trefwoorden?'

'Referenties. De mensen die wij "heel goed" noemen, zijn altijd de mensen die de meeste media-aandacht krijgen, toch? Een internationale terrorist die de wereld rondreist om hen te vermoorden, moet zijn informatie ook ergens vandaan halen. Dat ergens, dat is het internet.'

'Natuurlijk.'

'Daarom zoeken wij – en de terroristen ook – op de trefwoorden die je nodig hebt om op de "goedheids-hitlijst" te komen. Je weet wel: milieu, derde wereld, dat soort dingen.'

Terwijl Susanne probeerde te bedenken of dat een goed idee was, ging Niels verder: 'Hulpverlening, aids, medicijnen.'

Casper knikte en ging verder: 'Klimaat. Vaccin. Kanker. Ecologie. CO_2.'

'Maar wat wil dat zeggen, wanneer ben je een goed mens?' onderbrak Susanne hen.

'Dat maakt niet uit', zei Casper. 'Het gaat erom wat anderen als goed beschouwen.'

Niels had nog meer trefwoorden bedacht: 'Onderzoek. Schoon water, nee, schoon drinkwater.'

'Ja, die is goed. Nog meer.'

Casper begon driftig op zijn toetsenbord te tikken en nu gooide ook Susanne haar scepsis overboord. 'Kindersterfte? Malaria. Gezondheid.'

'Goed!'

'Analfabetisme. Prostitutie.'

'Misbruik', bracht Niels in.

'Microkrediet, ontwikkelingswerk, vrijwillig', zei Casper.

'Regenwoud', voegde Susanne er nog aan toe, met een boos gezicht, alsof Casper en Niels persoonlijk bezig waren het regenwoud tot brandhout te hakken. Caspers vingers zweefden boven het toetsenbord, alsof het een Steinway was en hij net de laatste akkoorden van de derde van Rachmaninov had gespeeld: 'Geef me tien minuten.'

* * *

Niels bracht de wachttijd door bij de koffieautomaat. De espresso was slap. Hij haalde het niet bij de koffie van het espressoapparaat dat Kathrine vorig jaar uit Parijs had meegebracht. Niels voelde zich zwaarmoedig. Misschien kwam het door de plek. Al die onopgeloste moorden. Waarschijnlijk had Niels een grotere hekel aan onrechtvaardigheid dan dat hij hield van rechtvaardigheid. Hij kon wakker liggen van een onopgelost misdrijf – een moord, verkrachting of overval. Verontwaardiging en woede; hij werd gedreven door de energie van de onrechtvaardigheid. Maar als hij zag dat de misdadiger werd veroordeeld, als hij voor het gebouw van de rechtbank stond en toekeek hoe hij werd weggevoerd, overviel hem vaak een onverklaarbaar gevoel van leegte.

'Oké. Hoeveel namen wil je hebben?' vroeg Casper vanaf zijn plek.

Niels keek op zijn horloge. Het was even over tienen. Hij wilde graag op zijn laatst om zes uur naar huis om te pakken. Hij moest ook de pillen nog innemen. Acht uur. Een uur voor elk gesprek. Hij moest iedereen persoonlijk opzoeken. Een potentiële moorddreiging, hoe onbeduidend ook, kon je niet telefonisch overbrengen, zo redeneerde hij.

'Geef me de bovenste acht maar.'

'Zal ik het uitprinten?'

'Ja, graag.'

De printer snorde. Niels keek naar de lijst. De elite van de liefdadigheidsindustrie. *The best of the best.* Iedereen die je aansprak op straat zou de meeste van deze namen noemen.

'Zullen we ze door onze eigen database halen?' Casper keek Niels aan met iets wat op een glimlach leek. Het was verleidelijk. Dit waren de mensen die de meeste resultaten gaven als je zocht op 'trefwoorden van goedheid' – de personen die in de media kwamen om de zaak van de zwakkeren en de hulpelozen te bepleiten. Moest je uitzoeken wat er in de database van de politie over dezelfde mensen te vinden was?

'Wat vind je? Het duurt maar twee minuten.'

'Nee. Dat hoeft niet. Het gaat er toch om wat de buitenwereld van hen vindt.'

Susanne bestudeerde de lijst over Niels' schouder.

'Zie je wel, die vrouw van Red een Kind staat er ook bij', zei ze opgelucht.

'Wat doet Mærsk op die lijst?' Casper bestudeerde het zoekresultaat en schudde zijn hoofd.

'Mærsk is betrokken bij zo veel projecten over de hele wereld en in Denemarken dat zijn naam bijna overal opduikt, wat je ook zoekt. Hij betaalt zo veel belasting dat je er minstens honderd basisscholen per jaar mee kunt financieren. Maar als we hadden gezocht op de meest gehate Denen, had hij er waarschijnlijk ook bij gestaan. Zal ik hem eraf halen?'

'Ja, doe maar. Hij loopt vast niet veel risico.'

'Wie is die bovenste?' vroeg Susanne.

'Thorvaldsen?' Niels verbaasde zich over haar onwetendheid. 'Dat is de secretaris-generaal van het Rode Kruis.'

Er kwam een nieuwe lijst uit de printer. In plaats van meneer Mærsk, stond er nu een dominee die bekend was uit de media op plaats zes.

'Allemaal oude bekenden', constateerde Niels. 'Behalve nummer acht. Die ken ik niet.'

'Gustav Lund. 11.237 resultaten op de trefwoorden "redden" en "wereld". Eens kijken', zei Casper terwijl hij hem googelde. Het was een al wat oudere professor van ergens in de vijftig met een intense blik.

'Leuke man', zei Susanne droog.

'Gustav Lund, professor in de wiskunde. Kijk: heeft in 2003 de Nobelprijs gekregen, samen met twee Canadese en drie Amerikaanse collega's. Hm ... Zijn zoon heeft zelfmoord gepleegd ... hij was pas twaalf.'

'Daar word je toch geen slecht mens van?'

Niels en Casper zagen eruit alsof ze het daar niet helemaal mee eens waren.

'Waarom is hij goed?' vroeg Susanne.

'Goeie vraag.' Casper bestudeerde het beeldscherm. 'Oké, hier staat het: toen hij de prijs in ontvangst nam heeft hij gezegd dat "een wiskundige de wereld zal redden". Die zin is kennelijk overal geciteerd. Zal ik hem van de lijst halen en nummer negen op zijn plaats zetten? Dat is een klimaatwoordvoerder van ...'

'Nee, het is goed zo.' Niels bekeek de lijst. 'Er moet ook ruimte zijn voor verrassingen.'

12

Luchthaven Arlanda, Stockholm – Zweden

Toen Abdul Hadi uit het vliegtuig stapte, keek hij naar de grond in plaats van in de ogen van de stewardess. Hij kon het niet. Zij hoorde bij het Westen, ze was hun eigendom. Hij had geen enkele reden om zichzelf iets anders wijs te maken. Ze deed hem ook te veel denken aan zijn zusje, al leek ze helemaal niet op haar. Alleen wat leeftijd betreft, de leeftijd die ze nu zou hebben gehad. Achtendertig. Ze was acht geworden.

Bij de paspoortcontrole ging hij in de rij voor 'Overige nationaliteiten' staan. De EU-burgers stroomden door hun geprivilegieerde poortje. Dat waren de mensen die je kon vertrouwen. De rij van Abdul Hadi kwam niet vooruit. Hij was het gewend. 'De Oriëntexpres', had een Arabische man de rij voor overige nationaliteiten eens genoemd. Een Somalische moeder met drie kinderen voerde een hopeloos gesprek met de Zweedse douanebeambte achter het raampje. Ze zou er nooit in komen, dat zag Abdul Hadi meteen. Elke keer als hij op reis was, maakte hij diezelfde situatie mee. Niet-westerse mensen die werden teruggestuurd; problemen met een visum, de naam van een kind was anders gespeld in het paspoort dan op het vliegticket, geen retourticket, een iets te oude pasfoto: de kleinste afwijking kon een reden zijn om mensen af te wijzen. Europa was een fort – de paspoortcontrole was de ophaalbrug over de slotgracht en als je het wachtwoord niet wist, moest je terug.

De Somalische vrouw huilde. Haar kinderen hadden honger, hun huid zat strak over de beenderen van hun gezicht, wat je anders alleen bij heel oude mensen ziet. Het deed hem pijn om ernaar te kijken. Ze moest opzij en de andere mensen erlangs laten. Abdul Hadi's gezicht werd grondig bestudeerd, zowel in zijn paspoort als in het echt. Hij telde hoeveel Europeanen uit de andere rij intussen werden doorgelaten. *Vijf.* De douanebeambte haalde zijn paspoort door een of ander apparaat. *Twaalf.*

'Business?'

'Visiting family.'

'Do you have a return ticket?'

'Yes.'

'Show me please.'

Abdul Hadi keek naar de andere rij. Weer vijf – *zeventien*. De douanebeambte bestudeerde het retourticket grondig. Zonder een geldig retourticket werd je niet binnengelaten; ze wilden zeker weten dat je zo snel mogelijk weer vertrok. *Vijfentwintig*. Abdul Hadi telde tot tweeëndertig voordat hij zijn paspoort en zijn vliegticket terugkreeg, zonder een woord.

'Next!'

* * *

Hij was de enige Arabisch uitziende man die bij de uitgang stond. Hij keek naar Abdul Hadi en omgekeerd. Ze liepen naar elkaar toe.

'Abdul?'

'Ja.'

'Welkom. Ik ben Mohammed. Uw neef.'

Nu pas zag Abdul Hadi de gelijkenis. Het ovale gezicht, de kalende schedel, de dikke wenkbrauwen. Hij glimlachte. Het was jaren geleden dat hij zijn oom voor het laatst had gezien. De broer van zijn moeder had bijna twintig jaar geleden asiel gekregen in Zweden en hij had daar kinderen gekregen. Een daarvan stond nu voor hem. Hij zat goed in het vlees en was ontspannen.

'Je eet er goed van.'

'Ik ben te dik, ik weet het. Mijn vader klaagt er ook over.'

'Doe hem de groeten en breng hem mijn respect over.'

'Dat zal ik doen. Laat mij uw koffer dragen.'

Ze liepen naar de uitgang.

'Waarom is je vader me niet komen halen?'

Mohammed zocht naar woorden.

'Is hij ziek?'

'Nee.'

'Is hij bang?'

'Ja.'

Abdul schudde zijn hoofd.

'Maar we zijn met velen, we zijn een heel legioen. Een slapend legioen.'

'Ja. Een slapend legioen. En het is niet altijd makkelijk om ze wakker te krijgen', zei Abdul tegen zijn jonge neef die zo goed van de producten van het Westen had gegeten.

Op de achterbank van de auto lag een pakketje. Abdul gaf Mohammed een standje omdat hij het daar had laten liggen. Het slapende legioen was niet alleen te zwaar, het was ook klunzig.

'Dat zijn alleen de foto's', verdedigde Mohammed zich. 'De explosieven liggen in de kofferbak.'

Abdul bestudeerde de foto's van de kerk. Hij herkende hem niet. 'Weet je zeker dat dit de goede is?'

'Absoluut. Het is een van de bekendste kerken van Kopenhagen.'

Nu herkende hij de foto's die hij op internet had gezien. Het beeld van Jezus aan het houten kruis. Hij zou het jammer vinden als dat verloren zou gaan bij de explosie. Maar dat was Jezus niet, het was een figuur, niets anders dan een figuur. Het was een onderdeel van de irritante, niet te stuiten neiging van het Westen om poppen, figuren en tekeningen te maken van alles wat heilig is. Kerststalletjes, minutieuze houtsnijwerken van bijbelse motieven, standbeelden, schilderijen, er kwam geen einde aan. De mensen uit het Westen probeerden zichzelf te overtuigen met afbeeldingen; dat deden ze vroeger al en dat deden ze nu nog steeds. Alleen was het nu reclame voor hun lifestyle. Voor Hadi en zijn volk was dat anders – zij voelden het goddelijke binnen in zichzelf. Zij hoefden het niet aan iedereen te tonen. Hij keek nog een keer naar de Jezusfiguur. Een kinderachtige fascinatie, vond hij.

'We hebben de schroeven losgedraaid.' Mohammed wees naar een kelderraampje op de foto van de kerk. 'Het heeft ons drie avonden gekost, maar ze hebben ons zeker niet gezien. Alle vier de schroeven zitten helemaal los. Je kunt het zo openduwen.

Abdul Hadi's maag rommelde – hij had de afgelopen uren niets anders gegeten dan de pinda's die hij van de stewardess had gekregen. Zijn gedachten bleven even bij haar hangen; haar blonde haren, haar hand die de zijne aanraakte. Het leek wel of hij niet aan haar kon denken zonder dat hij zijn overleden zusje voor zich zag. En de jongen die was overreden door zijn vader. Twee levens; twee levens had het gekost dat hij hier nu zat. Het was niet meer dan rechtvaardig dat hij moest terugbetalen. En het had geen zin om nog langer aan de stewardess te denken. Hij wilde dat ze niet tegen hem geglimlacht had. Niet op die manier.

13

Polizia di Stato, Venetië

Het pakje lag op de tafel. Het was misschien de enige bestaande geluidsopname van wat er gebeurde op het moment dat de moorden werden gepleegd. Het was bijna onmogelijk geweest om het bandje te pakken te krijgen, maar nu was het dan toch gelukt.

Tommaso Di Barbara wreef in zijn ogen en keek naar het keurige pakketje dat op de tafel van de vergaderruimte lag. Hij had heel veel slachtoffers gevonden, maar hij had nog helemaal geen idee in welke richting hij de moordenaar moest zoeken.

Commissario Morante kwam niet alleen. Tommaso hoorde de voetstappen op de gang. Officiële voetstappen die in de maat liepen. Maat is mooi bij muziek, maar angstaanjagend als het om voetstappen gaat, dacht Tommaso. Als mensen in de maat lopen, is dat omdat ze iets moeten doen wat te erg is om in je eentje te doen. De deur ging open. De commissaris ging zitten en schonk water in voor zichzelf, het hoofd personeelszaken en iemand van het vasteland die Tommaso niet kende, toen pas keek hij Tommaso aan. Tommaso probeerde er gezond uit te zien – voorzover dat mogelijk was met koorts en hoofdpijn.

'Dat was me het nachtje wel, met de weduwe van de glasblazer.'

'Heeft ze bekend?' vroeg Tommaso.

'Ja. Vanochtend. Ze bekende pas toen de priester erbij was, samen met Flavio.'

'Was het de levensverzekering?'

'Er was geen verzekering. De commissaris schraapte zijn keel en maakte aanstalten om van onderwerp te veranderen. 'Tommaso. Ik vraag het je voor de laatste keer.'

'Ja', antwoordde Tommaso vlug.

'Ja?'

'Ja, ik heb contact opgenomen met de Chinese autoriteiten. Ik heb ze gevraagd om het bandje op te sturen. Op dat bandje staat misschien informatie die van zeer groot belang is.'

De commissaris verhief zijn stem: 'Je hebt zónder toestemming onze kanalen gebruikt om waarschuwingen uit te laten gaan naar Kiev, Kopenhagen en een hele serie andere steden.'

Tommaso luisterde niet meer. Hij vroeg zich af hoe de commissaris erachter was gekomen. Iemand had gekletst. Of ze hielden hem al langer in de gaten dan hij wist.

Toen er een korte stilte viel, probeerde Tommaso het nog een keer uit te leggen: 'Zoals ik u heb geprobeerd te vertellen: deze moorden worden gepleegd volgens een bepaald patroon en dit was niet de laatste.'

Stilte. Iemand schraapte zijn keel.

'Tommaso', zei de commissaris. 'Je hebt contact opgenomen met onze ambassade in Delhi, je hebt ze zover gekregen dat ze iemand naar Mumbai hebben gestuurd om op zoek te gaan naar aanwijzingen.'

'Geen aanwijzingen. Er was een Indiase econoom vermoord.'

De commissaris ging verder alsof Tommaso niets had gezegd: 'Je hebt de Chinese autoriteiten gevraagd om materiaal op te sturen. Je hebt contact opgenomen met Interpol.'

'Omdat zij precies zo'n zelfde zaak hadden als in Mumbai! Kijkt u naar het materiaal, dat is alles wat ik vraag. Luister naar wat ik te zeggen heb. Ik wist in het begin ook niet wat ik ervan moest denken. Het is maanden geleden dat ik de eerste foto zag die door Interpol is rondgestuurd. Eerst was het gewoon een lijk met een grote tatoeage, maar toen heb ik het materiaal nog eens goed bekeken. Ik heb Interpol gevraagd om me de foto's in de originele resolutie te sturen.'

'Je hebt ze gevraagd om meer materiaal te sturen?' De commissaris schudde haast onmerkbaar zijn hoofd.

Tommaso gaf de commissaris op en keek naar de man rechts van hem, die hij niet kende. Vast een superieur van het vasteland.

'Eerst was er één vermoorde persoon. Toen twee. En behalve het teken op hun rug hadden ze meer met elkaar gemeen. Ze verleenden op de een of andere manier hulp aan andere mensen.'

De man knikte geïnteresseerd.

'Ik heb me tot Interpol gewend, maar die wilden de zaak niet oppakken, zeiden ze. Hij was te klein. Dus toen ben ik er zelf mee aan de gang gegaan.'

'Dus toen ben je er zelf mee aan de gang gegaan?' De commissaris herhaalde hoofdschuddend wat Tommaso had gezegd.

'Ja. Toen ben ik ermee aan de gang gegaan. In mijn vrije tijd. Ik heb gewoon mijn werk gedaan. Ik heb niet één dienst overgeslagen. Ik heb het in mijn eigen tijd gedaan.'

‘Je eigen tijd! Denk je dat dit alleen om jóúw tijd gaat? Je hebt ook andermans tijd gebruikt, die van een ambassademedewerker uit Delhi bijvoorbeeld.’

‘We hebben een verantwoordelijkheid.’

De commissaris deed alsof hij Tommaso niet hoorde en ging verder: ‘Morgen krijgen we belangrijke gasten. De minister van Justitie en een gezelschap van rechters en politici. Wat denk je dat die hiervan zullen vinden?’

Tommaso vloekte inwendig. Dat was het enige wat de commissaris belangrijk vond. Het ontvangen van de eindeloze stroom prominente gasten die tegenwoordig zo’n beetje om de week de stad overspoelden. Iedereen wilde graag zijn congres of bijeenkomst in Venetië houden. Misschien voelde de commissaris dat Tommaso zijn ziekelijke ijdelheid doorzag. Hij veranderde in ieder geval van tactiek: ‘En wat dacht je van de mensen aan de andere kant van de lijn, Tommaso? Als jij een red notice uitzendt, zijn er mensen die daarop moeten reageren. Je hebt in allerlei steden mensen aan het werk gezet. In Ankara, Sligo.’

‘En Kopenhagen. Er is een patroon.’

De commissaris keek indringend naar de vreemde man van het vasteland. Steeds als Tommaso het patroon noemde, keek de commissaris hem aan. De man schraapte zijn keel en haalde beide handen door zijn haar.

‘Een patroon waar ik niet helemaal zeker van ben’, ging Tommaso verder. ‘Tussen een aantal van de moordlocaties zit ongeveer drieduizend kilometer. Ik vond het logisch om de politieautoriteiten die direct binnen die gevarenzone liggen te waarschuwen.’

Er viel een stilte. De commissaris keek weer naar de onbekende man die zijn rug rechtte en het woord nam. ‘Signor Di Barbara’, begon hij en daarna liet hij een korte stilte vallen. ‘Wij hebben begrepen dat uw moeder ernstig ziek is.’

Tommaso fronste zijn wenkbrauwen. Wat had dat ermee te maken?

‘Ja?’

‘Ze ligt in een hospice?’

‘Ja, de Franciscaner zusters zorgen voor haar.’

‘Het is niet makkelijk als je moeder op sterven ligt. Ik heb zelf een jaar geleden mijn moeder verloren.’

Tommaso keek hem vragend aan. En daarna naar de commissaris die alleen maar naar de tafel voor zich keek.

'Soms, als we onder grote druk staan, in een situatie waarin we machteloos zijn, storten we ons op krankzinnige opdrachten. Als een soort geestelijke compensatie. Een soort sublimatie. Begrijpt u wat ik wil zeggen?'

'Sorry, maar wie bent u?'

'Dokter Macetti.'

'Dokter? In wat?'

'Psychiatrie', antwoordde hij terwijl hij Tommaso recht aankeek. Toen ging hij verder: 'Het is volkomen natuurlijk en heel goed dat de hersenen een enorme golf activiteit produceren. Het is zelfs een gezondere reactie dan passiviteit. Of depressiviteit. Of vluchten in drank.' Die laatste opmerking van de psychiater was gericht aan de commissaris, die ijverig knikte.

'Denken jullie dat ik gek ben geworden?'

Ze lachten beschaamd. 'Beslist niet', zei de psychiater. 'Uw reactie is volkomen normaal.'

Tommaso richtte zijn aandacht op het pakketje op de tafel. Het was niet geopend.

'Misschien zou het beter zijn als u zich op uw moeder concentreerde?' ging de psychiater verder. 'U kunt een paar keer per week bij mij langskomen, in Veneto.'

'We hoeven het woord "schorsen" niet eens te gebruiken', zei de commissaris. 'Dat klinkt zo dramatisch. Maar ik moet je wel vragen om je bureau leeg te maken en je wapen en je identiteitskaartjes in te leveren.'

14

Deense Rode Kruis, Kopenhagen

De jonge secretaresse van het Rode Kruis had iets zenuwachtigs. Ze hield haar nervositeit goed verborgen achter een masker van vriendelijkheid en ogenschijnlijke zelfverzekerdheid, maar hij was er wel.

'Politie?'

'Niels Bentzon.'

Er verschenen bijna onzichtbare rode vlekjes in de hals van de secretaresse. Niels zag het meteen, hij was getraind in dat soort dingen.

Politieonderhandelaars waren gewone politiemensen die door psychologen en psychiaters waren opgeleid om conflicten op te lossen zonder fysiek machtsvertoon. Tijdens de allereerste cursus over de geheime taal van het gezicht, was er een nieuwe wereld voor Niels opengegaan. Ze hadden geleerd om de piepkleine beweginkjes te registreren, de dingen waar we geen controle over hebben: de pupillen, de aderen die naar de hals lopen. Ze moesten naar een film kijken zonder geluid en hadden geleerd om de gezichten te bestuderen zonder naar de woorden te luisteren.

'Meneer Thorvaldsen is over vijf minuten klaar.'

'Dank je, dat is prima.' Niels pakte een folder over een project van het Rode Kruis in Mozambique en hij ging in de kleine wachtruimte zitten.

Thorvaldsen keek heel serieus op de voorkant van de folder. Hij zag er jonger uit dan toen hij laatst op televisie was. *Malaria, burgeroorlog en gebrek aan schoon drinkwater vormen de grootste bedreigingen voor de gezondheid in Mozambique*, zei hij in de folder. Niels legde hem neer. Mozambique was hier ver vandaan.

Thorvaldsen zat aan de andere kant van de glazen wand. Hij lachte ergens om. Niels sloeg het dossier van Interpol open en haalde er een plastic mapje uit, dan zat hij tenminste niet doelloos voor zich uit te staren. Er stond een telefoonnummer op van de Italiaanse politieman die over de zaak had geschreven: *Venetië*. Vreemd, zo op het eerste gezicht waren er in Italië geen 'goede mensen' vermoord. Wel een in Rusland. In Moskou. Vladimir Zjirkov, journalist en maatschappijcriticus. Hij was overleden in de gevangenis, stond er. Niels schudde zijn hoofd. In Rusland ging alles kennelijk een beetje anders. Daar zaten de goede mensen in de gevangenis en liepen de misdadigers vrij rond. Als doodsoorzaak noemden de Russische autoriteiten een bloedprop. Hoe was die Vladimir dan op de lijst met vermoorde goede mensen terechtgekomen? Niels vond het antwoord verderop in het dossier: de lijken hadden dezelfde tatoeage. Een tatoeage die volgens een bepaald patroon was gemaakt. *A patterned tattoo*. Had Sommersted daar iets over gezegd? Niels kon het zich niet herinneren. Meer dan dat stond er niet. Nou, ja, wat maakte het uit; de zaak interesseerde Niels eigenlijk niet. Sommersted had zijn gebrek aan enthousiasme op hem overgedragen. Lieve help, er waren een paar moorden gepleegd in verre uithoeken van de wereld. En wat dan nog? In Denemarken overleden elk jaar drie- tot vierhonderd mensen in het verkeer. Veel daarvan waren kinderen. Wie maakte zich daar druk over? Was er soms een politieman aan de andere kant van de wereld die daar op dit moment aan dacht? Vast niet. Het enige wat Niels interesseerde, was dat hij bijna naar Kathrine ging. Hij zou zijn kalmerende tabletjes slikken alsof het snoepjes waren, genieten van de zon en er schijt aan hebben dat het hotel – volgens Kathrine – op een ongezellige vesting leek, met een hek van prikkeldraad eromheen en gewapende bewakers. Hij zou zich dik en rond eten aan het fantastische eten dat het goedkoop uit de Filippijnen geïmporteerde keukenpersoneel voor een armzalig loontje klaarmaakte. Met Kathrine vrijen. Genieten van haar prachtige lichaam. Genieten van het feit dat hij haar kon aanraken wanneer hij maar wilde. En even alles vergeten: Sommersted en ...

'Hallo?'

Niels had zijn telefoon in de hand. Hij had helemaal niet gemerkt dat hij had gebeld. Het leek wel of zijn vingers op eigen houtje hadden gehandeld. Op de papieren in de map was een naam omcirkeld. *Tommaso Di Barbara*. En een telefoonnummer. Had hij dat gedaan?

'Hallo?' zei de stem nog een keer.

'Tommaso Di Barbara?' vroeg Niels hardop. Hij sprak de naam vast verkeerd uit.

'Si.' De stem klonk vermoeid, een beetje uit het veld geslagen.

'Niels Bentzon, calling you from Copenhagen Homicide. I have a paper here saying that you were the first officer to ...'

'Excuse. Parla Italiano?'

'No.'

'French?'

Niels aarzelde. Hij maakte oogcontact met de secretaresse.

'Spreekt u toevallig Italiaans? Of Frans?'

'Nee.' Ze straalde. Niels had nog maar zelden iemand gezien die zo blij was dat ze geen vreemde talen sprak. Of misschien kwam het door de onverwachte aandacht. Thorvaldsen kwam zijn kantoor uit.

'Monsieur? Hallo?' zei de stem in de telefoon.

'I'll call you back later, mister Di Barbara. Okay?' Niels brak het gesprek af en stond op.

Thorvaldsen stond in de deuropening. Hij nam afscheid van zijn twee gasten.

'Houd je kaarten gesloten, we kunnen nu even geen nieuwsgierige pers gebruiken', zei hij tegen een van hen terwijl hij een hand op zijn schouder legde. 'Zijn we het met elkaar eens?'

'Hier is iemand van de politie die u even wil spreken.' De stem van de secretaresse klonk zacht en zenuwachtig.

'Politie?' Thorvaldsen draaide zich om en keek naar Niels. 'Is er iets aan de hand?'

'Nee, nee.' Niels deed een stap naar hem toe en stak zijn hand uit. 'Niels Bentzon, politie Kopenhagen.'

Thorvaldsens handdruk was stevig, zijn blik vast. Hij was een man die gewend was om serieus te worden genomen. 'Politie?' herhaalde hij.

Niels knikte. 'Het duurt niet lang.'

15

Polizia di Stato, Venetië

Tommaso schreef vlug het nummer van de Deense politieman op. Hij voelde een hevige opwinding, ondanks zijn pas verworven status: *geschorst uit dienst*. Het was de eerste keer in al die tijd dat hij zich nu met de zaak bezighield, dat er iemand had gereageerd. Hij had de deur van zijn kantoor dichtgedaan. De commissaris had hem de rest van de dag gegeven om het rapport over de weduwe van de glasblazer af te ronden. Niet dat er problemen waren bij die zaak. Er was een zuivere bekentenis. Ze had gewoon schoon genoeg gehad van de arme stakker.

Zijn werkkamer had uitzicht op het kanaal en het station. Er stond een bureau, een stoel en een tweepersoonsbank van groen imitatieleer en er was een kleine garderobekast die Tommaso niet voor kleding gebruikte. Hij deed de deur van de kast open. De commissaris had het niet gezien, daar was hij vrij zeker van – anders was hij er wel tegelijk met de schorsing over begonnen. Alle wanden van de kast waren bedekt met knipsels die betrekking hadden op de zaak. Foto's van de vermoorde mensen. Kaarten van de locaties. Bijbelcitaten. Tommaso's ideeën en gedachten over de zaak. Hij hoorde voetstappen en deed snel de deur van de garderobekast dicht. Hij wist dat ze hem in de gaten hielden.

Marina, zijn secretaresse, kwam naar zijn werkkamer toe lopen. Ze keek schuldbewust. Natuurlijk – ze hadden haar vast ook onder handen genomen. Ze klopte op de ruit.

'Binnen', zei Tommaso.

Marina stak haar hoofd om de hoek van de deur, ze deed haar best om een zo groot mogelijk deel van haar lichaam buiten te houden.

'Het ziekenhuis heeft gebeld. Je moeder heeft de hele nacht naar je gevraagd.'

'Kom even binnen, Marina.'

Ze gehoorzaamde en deed de deur achter zich dicht.

'Je hebt ze over mijn werk verteld.'

'Wat moest ik dan doen? De commissaris belde gisteravond en vroeg of ik naar het bureau wilde komen. Het was tien uur.'

Er stonden tranen in haar ogen.

'Rustig maar. Ik beschuldig je nergens van.'

'Je hebt me voor de gek gehouden.'

'Ja?'

'Ik dacht dat het bij een officiële zaak hoorde. Al die dingen die ik voor je moest vertalen.'

Ze wees naar de kast. 'Weet je wel hoeveel uur ik aan dat vertaalwerk voor jou heb besteed? Naar en uit het Italiaans en het Engels.'

'Je hebt me ontzettend geholpen. Heb je niets gezegd over ...' Hij wees op de kast.

'Ze hebben het niet gevraagd.'

'Goed zo, Marina.'

'Is het waar wat ze zeggen? Dat je gek bent geworden?'

'Gek? Wat denk je zelf?'

Marina vermande zich en probeerde Tommaso's geestelijke toestand in te schatten. Hij glimlachte. Hij had haar nodig om het pakje uit China te pakken te krijgen. 'Kijk niet zo naar me', zei hij.

'Ze zeggen dat het door je moeder komt.'

'Denk nou even na. Wie geloof je, mij of de commissaris?'

Ze dacht na. Marina was een slimme vrouw, hij had haar zelf als zijn secretaresse uitgekozen. Ze was moeder van drie kinderen, zo rond als een tonnetje, had een hart van goud en wat nog belangrijker was: ze sprak Engels. Engels was het saffraan op het gebied van taal in het ambtelijke Venetië – er waren maar weinig mensen die de taal beheersten en wie hem beheerste, liet zich er goed voor betalen. Marina's mascara was uitgelopen. Hij gaf haar een tissue en besloot niet langer op antwoord te wachten.

'Wil je een kartonnen doos voor me halen? Ik neem de zaak mee naar huis. En dan moet je nog één ding voor me doen.'

Ze schudde haar hoofd. 'Nee.'

'Jawel, Marina. Dit is belangrijk. Belangrijker dan jij en ik. Als de commissaris je vraagt of je dat pakje uit China terug wilt sturen, moet je dat niet doen.'

Ze keek hem weer met een gehoorzame blik aan. Zo zag hij het graag.

'Je moet het sturen naar degene van wie dit mobiele nummer is.'

Hij gaf haar het servetje met het telefoonnummer dat hij had opgeschreven.

'Wie is dat?'

'Een politieman uit Kopenhagen. Hij werkt ook aan de zaak. Misschien is hij wel de enige, nu ik ontslagen ben.'

'Hoe moet ik erachter komen wie hij is?'

'Bel het nummer maar en vraag het hem. Of stuur hem een sms en vraag hoe hij heet. En dan stuur je het pakje naar hem toe. Via de ambassadepost. Dat gaat het snelst.'

16

Deense Rode Kruis, Kopenhagen

'*Goede mensen*, zegt u?'

Niels kon niet uitmaken of Thorvaldsen zich vereerd voelde of bang was.

'Die vermoorde personen waren goede mensen?'

'Ja, u weet wel: kinderartsen, mensenrechtenactivisten, hulpverleners. Mensen die werkzaam zijn in uw branche.'

'De liefdadigheidsindustrie. U mag dat woord hier best gebruiken.'

Niels keek rond in het imposante kantoor. Designmeubels van Deense ontwerpers: Hans Wegener, Børge Mogensen. Echte tapijten, een breed panoramaraam, een grote ingelijste foto van Thorvaldsen, geflankeerd door Nelson Mandela en Bono, misschien op Robben Island.

'Wie staan er nog meer op die lijst?'

'Sorry?'

'Uw lijst. Wie moet u verder nog waarschuwen?'

'Dat is vertrouwelijke informatie', zei Niels.

Thorvaldsen leunde achterover en schudde bijna onmerkbaar zijn hoofd.

'De lijst die de politie heeft opgesteld van de goede mannen van het koninkrijk. Waarschijnlijk moet ik het als een eer beschouwen?'

Niels wist niet wat hij moest antwoorden. Thorvaldsen ging verder: 'Waarom denken ze dat die moorden verband met elkaar houden? Kan het geen toeval zijn?'

'Ja. Misschien wel. Maar wij houden ons niet bezig met het oplossen van de zaak.'

'Waar houden jullie je dan wel mee bezig?' Hij liet zijn opmerking volgen door een glimlachje, om niet al te sceptisch te lijken. Maar het was al te laat.

'Beschouw het als een waarschuwingslampje. Een kleintje. Belt u mij als er iets ongewoons gebeurt: inbraak, vernieling, dat soort dingen. Ik neem aan dat u de afgelopen jaren niet bent bedreigd?'

'Voortdurend.' Thorvaldsen knikte. 'De advocaten van mijn exvrouw bedreigen me dag en nacht.'

Er werd geklopt. De secretaresse kwam binnen, balancerend met een kan koffie en kopjes.

'Ik denk niet dat er koffie nodig is.' Thorvaldsen keek haar streng aan. 'We zijn bijna klaar.'

Niels zag het aan haar. Nu had ze het alweer niet goed gedaan. Haar baas was niet tevreden over haar. Hij wilde haar te hulp schieten.

'Eén kopje, graag. Dan doen jullie ook eens iets terug voor al het geld dat ik in jullie collectebus gooi.'

De secretaresse schonk in. Haar hand trilde een beetje.

'Dank u.' Niels keek haar aan. Thorvaldsen drong aan: 'Krijg ik bescherming?' Hij was nu niet langer vereerd. Hij begon bang te worden.

'Zover zijn we nog helemaal niet', zei Niels. 'We staan op de onderste trede van de gevarenladder.'

Niels glimlachte geruststellend naar Thorvaldsen. Hij wist heel goed dat zo'n zinnetje precies het tegenovergestelde effect had. Het onderbewustzijn nam niet de woorden 'op de onderste trede' in zich op, maar het woord 'gevarenladder'. Als je bang was voor ziektes, hielp het niet om erover te lezen, hoe zeldzaam ze ook waren; integendeel, het gaf alleen maar meer aanleiding tot angst. Opeens voelde Niels een onverklaarbare aandrang om Thorvaldsen te straffen. Om zijn onderbewustzijn te voeden met nog wat extra lekkers voor de komende nachten.

'De moorden worden op uiterst geraffineerde wijze gepleegd, maar op dit moment is er geen enkele reden om aan te nemen dat Denemarken het volgende doelwit zal zijn.' Niels glimlachte naar de secretaresse voordat ze het kantoor uit liep.

'Waarom bent u hier dan?'

'Voorzorgsmaatregel.'

'Als jullie denken dat ik in gevaar verkeer, moeten jullie toch voor mijn veiligheid zorgen.'

'Niet zoals het plaatje van de dreiging er op dit moment uitziet. Mocht daar verandering in komen, dan zullen wij natuurlijk de noodzakelijke maatregelen nemen. Tot dan moet u gewoon ...'

'Kalm blijven.'

'Precies.' Niels keek uit het raam. Het keek uit op het Fælledpark. Een dun laagje rijp had zich over het gras gelegd en aan de bomen gehecht – zoals op een oud schilderij waarvan de kleuren waren vervaagd.

Er viel een korte stilte. Thorvaldsens onvrede hing voelbaar in de ruimte. Niels was dan ook niet verrast toen hij zuchtte en aan een lange uiteenzetting begon: 'Moet u eens luisteren. Ik besteed elk uur van mijn leven dat ik niet slaap aan het redden van mensen in nood. Alleen al het drinkwaterproject in Oost-Afrika heeft vorig jaar naar schatting tienduizenden mensenlevens gered, en dan heb ik het nog niet gehad over de aandacht die het Rode Kruis heeft gevraagd voor de ramp in ...' Hij stopte. Hij merkte waarschijnlijk dat Niels niet luisterde. 'Het minste wat je in zo'n situatie kunt verwachten, is een beetje hulp van de kant van de overheid.'

'Ik kan u mijn telefoonnummer geven. Zoals ik al zei, u mag altijd contact met mij opnemen.'

'Dank u. Ik ken het nummer van de politie!'

Er viel opnieuw een stilte. Niels stond op.

'Dus u mag altijd bellen. Houd uw omgeving goed in de gaten.'

'Dat zal ik doen. Doe de groeten aan Amundsen van Amnesty. Ik neem aan dat hij de volgende op uw lijst is. Vraag hem maar of we ons in zijn vakantiehuisje of het mijne zullen verstoppen.'

Niels knikte en liep het kantoor uit.

Rustig maar, Thorvaldsen, dacht Niels terwijl hij naar de lift liep. Jij zit niet in de gevarenzone. Hij haalde zijn lijst tevoorschijn. De lijst van 'de goede mannen van het koninkrijk', zoals Thorvaldsen hem had genoemd.

Zorgvuldig streepte hij Thorvaldsens naam door.

17

Kongens Lyngby, Kopenhagen

Ik zou weleens willen weten waar ze al die ruimte voor nodig hebben, dacht Niels toen hij de villawijk in reed. Er was geen mens op straat. Voor de villa's stonden de kleine autootjes van de vrouwen. Vanavond zouden de grote auto's thuiskomen en ernaast parkeren.

Op het koperen plaatje dat op de helderrode voordeur zat, stond maar één naam: Amundsen. Nummer twee op de lijst. Hij hoorde geluid binnen. Voetstappen die de trap op en af liepen. Onzekere voetstappen. Niels belde nog een keer aan en klopte daarna resoluut op de oude houten deur. Er zat een flinke deuk in het midden van de deur, alsof iemand had geprobeerd om hem in te slaan. Niels werd ongeduldig.

'Schiet op.'

Hij keek over zijn schouder de straat in. Geen getuigen. Met zijn wijsvinger wipte hij de brievenbus omhoog. Hij zag nog net een paar jonge blote vrouwenbenen de trap op rennen. Er klonk gefluister. Niels richtte zich op, precies op het moment dat de deur openging. Amundsen had jeugdig, blond golvend haar dat bijna tot op zijn schouders hing en helderblauwe ogen.

'Wat kan ik voor u doen?'

'Christian Amundsen?'

'Ja?'

'Niels Bentzon, politie Kopenhagen. Ik heb geprobeerd om u op het kantoor van Amnesty in de stad te treffen, maar daar zeiden ze dat u ziek thuis was.'

Amundsen keek verward over zijn schouder en antwoordde toen: 'Nou ja, ziek, ziek. Iedereen heeft toch weleens een dagje vrij nodig. Is er iets met de auto?'

'Ik heb ook geprobeerd u te bellen. Mag ik tien minuten binnenkomen?'

'Waar gaat het over?'

* * *

Niels bekeek de ingelijste foto's aan de muren: Amundsen in Afrika, met zijn armen om twee vrijgelaten gevangenen geslagen. Amundsen in Azië, voor een gevangenis, te midden van een groepje blije Aziaten.

'Dat is in Myanmar.' Amundsen kwam binnen.

'Birma?'

'Politieke gevangenen. Ik heb er drie jaar over gedaan om ze vrij te krijgen uit de Insein gevangenis. Een van de allerergste gevangenissen ter wereld.'

'Dat moet een belangrijke dag zijn geweest.'

'En denkt u dat ik asiel voor ze heb kunnen krijgen in Denemarken?'

'Niet als u het zo vraagt.'

'Uiteindelijk heeft de Australische regering ze opgenomen. Na hevige druk, onder andere van ons.'

Het meisje wier benen Niels al had mogen bewonderen, kwam binnen met een blad met thee. Ze droeg nu een spijkerbroek. Een strakke spijkerbroek. Ze had mooie, rode lippenstift op die heel goed paste bij haar gladde Aziatische haar. Ze was vast niet ouder dan twintig. Er hing een elektrisch geladen spanning tussen haar en Amundsen. Niels had het gevoel dat hij midden in hun slaapkamer stond.

'Dit is Pinoy. Ze werkt bij ons als au pair.'

'Hallo', zei ze. 'Thee?'

Aardige stem, onderdanig en toch zelfstandig.

'Graag.'

'Pinoy werd ook vervolgd door de overheid. Ze heeft twee keer in de gevangenis gezeten. Toch is het ons niet gelukt om haar als vluchteling hiernaartoe te halen. Maar als au pair konden we haar wel het land in krijgen. Aan die regel wordt niet getornd. Nee, de betere klassen moeten hun goedkope arbeidskrachten kunnen houden.'

'Om terug te komen op de zaak', begon Niels, maar Amundsen onderbrak hem: 'Het is zo langzamerhand de enige manier om nog mensen dit land binnen te krijgen. We proberen er zo veel mogelijk te helpen.'

Niels wachtte even zodat Amundsens verklaring kon verdampen.

'Zoals ik al zei: u hoeft zich geen zorgen te maken. U moet alleen bellen als u iets ongewoons opmerkt: inbraak, vernieling, opengebroken sloten, mysterieuze telefoontjes.'

'Dat soort dingen heb ik absoluut niet meegemaakt. Het klinkt wel heel erg extreem. Dat iemand goede mensen zou vermoorden.'

Amundsen reageerde op het geluid van een auto die voor het huis parkeerde.

'Daar zijn de kinderen. Wilt u even wachten?'

Voordat Niels kon antwoorden, was Amundsen de kamer al uit gelopen. Door het raam zag hij Amundsens hoogzwangere vrouw die twee jonge kinderen uit de auto tilde ... Niels keek de gang in en ving Amundsens blik op. Het Aziatische meisje stond naast hem; ze keek boos. Vlak voordat de deur openging, fluisterde hij iets tegen haar. Vrolijke kinderen, glimlachjes en oprechte omhelzingen. Niels gebruikte de wachttijd opnieuw om naar de foto's van Amundsens overwinningen te kijken. Er hing een ingelijst artikel aan de muur: 'Amnesty voorkomt uitzetting Jemenieten'.

'Het spijt me.' Amundsen stond met een kind op zijn arm in de deuropening. Hij was een verwarde man die het evenwicht probeerde te bewaren tussen zijn natuurlijke behoeftes en alle goede dingen die zijn superego graag wilde uitrichten. Niels glimlachte naar het jongetje.

'Geeft helemaal niets. Zoals ik al zei: belt u maar als u iets ongewoons ziet. Er is geen reden tot ongerustheid.'

Amundsen nam Niels' kaartje aan.

'Ik ben niet ongerust. Wilt u mijn mening horen?'

'Ja?'

'U zoekt op de verkeerde plaatsen.'

'Hoezo?'

'In mijn branche zult u de goede mens niet vinden. Veel te veel ego en te veel media-aandacht.'

'Maar ik hoef de goede mens niet te vinden. Ik moet alleen de mensen waarschuwen die een mogelijke gek als "goed" zou kunnen beschouwen.'

Amundsen aarzelde even. Hij keek Niels rustig aan. 'Weet u dat zeker?'

* * *

Amundsen zat alleen in zijn werkkamer. De agent was weer vertrokken. Het was geen prettig bezoek geweest. Het leek wel of de politieman dwars door zijn leven heen had geprikt. Door al de leugens. Waarom had hij hem niet over de anonieme telefoontjes verteld? Over de telefoon die 's nachts ging en er weer op werd gegooid? Over die keer dat er een fles kapot was gesmeten tegen de voordeur. Amundsen kon de klap nog horen. De fles was in duizend stukjes uiteengespat en had een blijvende deuk achtergelaten in de voordeur. Tussen de glasscherven had hij het zegel gevonden dat om de hals van de fles had gezeten. Amarula Cream. Amundsen kende dat merk wel, het was een Afrikaanse roomlikeur, zoete troep met een olifant op het etiket. Hij was een keer heel erg dronken geweest van de Amarula in Sierra Leone. Of was het Liberia? Zou die fles tegen zijn deur iets met een van die zaken te maken hebben? Sierra Leone – het voorportaal van de hel: afgrijselijke misdaden, armoede, honger, ziekte, corruptie, krankzinnige dictators en een niet-bestaand rechtssysteem dat het werk van Amnesty bemoeilijkte. Het was onmogelijk om geen fouten te maken als je in die regio opereerde. En met fouten maak je vijanden.

Eén voorval in het bijzonder had veel indruk gemaakt. Een paar jaar geleden was Amundsen samen met een paar andere Amnesty-directeuren naar Sierra Leone gegaan. Ze wilden een crisiscentrum voor kindsoldaten opzetten. Amundsen had twee jongens ontmoet die in de dodencel zaten, veroordeeld voor afgrijselijke moordpartijen in hun eigen dorp. Een van de jongens had zijn eigen broertje doodgeschoten. Hij was zelf twaalf geweest. De rest van de familie eiste dat de jongen zou worden terechtgesteld. Amundsen had nog nooit zo'n eenzaam mens ontmoet. Het land, het leger dat hem had gekidnapt, zijn familie, de sociale autoriteiten, als je die zo kon noemen – hadden hem stuk voor stuk in de steek gelaten om te sterven. Amnesty had meer dan honderdduizend handtekeningen verzameld. Amundsen had ze persoonlijk aan de president van hun hoogste rechtbank overhandigd. Het was een farce. Hun rechtszaal was de voormalige feestzaal van een verlaten hotel. Waar de pikzwarte rechter de belachelijke witte pruik vandaan had gehaald, wisten alleen de goden. En de goden waren al heel lang geleden vertrokken uit West-Afrika. Het opruimen van deze hel op aarde werd overgelaten aan Amnesty, het Rode Kruis en Artsen zonder Grenzen. Dit was werkelijk een plaats waarop de uitdrukking 'hopeloos tekortschieten' van toepassing was.

De andere jongen had zijn familie nog achter zich. Hij was

gekidnapt toen hij acht was. Toen Amundsen de jongen leerde kennen, was hij tien. Hij was in twee maanden getraind om een moordmachine te worden. Ze oefenden op kinderen. Ze oefenden door op andere kinderen te schieten die ook waren gekidnapt. Óf je werd doodgeschoten door de volwassen sergeant, óf je haalde zelf de trekker over. Mike, zoals de jongen werd genoemd, had heel snel geleerd wat drugs konden doen. Hoe belangrijk het was om je zintuigen te verdoven. Zonder drugs zou hij gek zijn geworden en zichzelf hebben doodgeschoten. Amundsen zou zijn eerste ontmoeting met de jongen nooit vergeten. Hij had verwacht dat het erg zou zijn, maar de werkelijkheid was nog veel erger. Hij zag een jongen die een junk was geworden om de hel te overleven. Een klein jongetje dat rillend en zwetend in zijn cel zat en alleen maar dacht en sprak over zijn volgende shot. Amundsen had intensief contact gehad met de familie van de jongen. Misschien had hij hun te veel hoop gegeven. Beide jongens waren geëxecuteerd op een smerige binnenplaats van de gevangenis. Natuurlijk. Alle verhalen uit Sierra Leone eindigen met de dood.

De moeder had het Amundsen verweten. Hij had het niet goed gedaan, hij moest maar snel naar huis gaan. Hij herinnerde zich nog de woorden die ze hem achterna had geroepen: 'Jouw salaris wordt betaald met de dood van mijn zoon.'

Amundsen dacht vaak aan die woorden. Ze hadden indruk gemaakt. Het was een onrechtvaardige koppeling, zei hij tegen zichzelf. Hij vocht toch zeker voor hén. Het was toch juist zijn werk om hoop te geven. Maar dat begreep de moeder niet. Haar woorden bleven door zijn hoofd spoken.

Jouw salaris wordt betaald met de dood van mijn zoon.

18

Binnenstad, Kopenhagen

Niels haalde de lijst weer tevoorschijn. *Severin Rosenberg.* De een-na-laatste. Daarna moest hij alleen nog Gustav Lund bezoeken, de joker op de lijst, de wiskundige die de Nobelprijs had gekregen. Het sprak Niels wel aan dat er een dark horse op de lijst stond en niet alleen maar goedbedoelende mediadarlings. Dat sterkte hem in zijn gevoel dat de lijst echt een serieuze poging deed om de góéde mensen te zoeken: mensen die andere manieren hadden gevonden om te helpen dan meedoen aan klimaatdemonstraties en fakkeloptochten door de stad.

Niels had geen tijd gehad om research te doen. Hij wist ongeveer net zo veel als iedereen die de afgelopen jaren de kranten had gelezen, namelijk dat Severin Rosenberg regelmatig uitgeprocedeerde asielzoekers onderdak had geboden in zijn kerk. 'De Vluchtelingenpriester', werd hij in de media genoemd. Een deel van de politieke rechtervleugel had openlijk zijn afkeuring jegens hem uitgesproken, en met hen een groot deel van de bevolking. Maar Severin Rosenberg liet zich daardoor niet ontmoedigen en hij bleef pal achter zijn standpunt staan: naastenliefde is naastenliefde. Daarin kon je geen gradaties aanbrengen zodat het alleen maar gold voor blonde mensen met blauwe ogen. Je had de plicht om mensen in nood te helpen. Niels had hem regelmatig zien optreden in televisiedebatten. De heer Rosenberg was op hem overgekomen als een intelligente, ietwat wereldvreemde idealist die door het vuur zou gaan voor zijn geloof. Tweeduizend jaar geleden zou hij in het Colosseum voor de leeuwen zijn geworpen. Hij zou zijn vervolgd, net als de andere christenen die geloofden in het delen van liefde en aardse goederen. Rosenberg had iets naïefs. Dat sprak Niels wel aan.

Maar kerken vond Niels saai. Als je er één had gezien, had je ze allemaal gezien. Dat had hij altijd al gevonden, maar Kathrine had een zwak voor de grote, goddelijke ruimtes. Ze had hem ook een keer mee naar binnen gesleept in Rosenbergs kerk in de binnenstad, de Helligåndskirke, tijdens de Nacht van de Cultuur. Een koor had Latijnse hymnen gezongen en een schrijver met een lange baard had iets over de kerk verteld. Het enige wat Niels zich nog kon herinneren, was dat hij dienst had gedaan als hospitaalklooster. Tijdens de Middeleeuwen, toen Kopenhagen zich begon te manifesteren als Europese metropool, kwamen er veel reizigers naar de stad: ridders, rijkelui en kooplieden. Dat nieuwe verkeer betekende meer prostituees en meer onechte kinderen. De pasgeboren baby's werden vaak meteen na de geboorte gedood. Er is toen een nieuwe vleugel aan de Helligåndskirke gebouwd die de status van hospitaalklooster kreeg, zodat de ongewenste moeders een plek hadden waar ze hun kinderen naartoe konden brengen.

Niels parkeerde de auto op de stoep en keek naar de kerk. Zeshonderd jaar later brachten de inwoners van Kopenhagen nog steeds hun kinderen hiernaartoe. Het klooster was een kinderdagverblijf geworden.

Hij bleef een poosje in de auto zitten en keek naar de lucht. De zon deed zijn best om door een dun laagje witgrijze wolken heen te dringen. Hij keek naar de mensen die langsliepen in de straat. Een jonge moeder met een buggy. Een ouder echtpaar dat elkaars hand vasthield alsof ze een verliefd jong stelletje waren. Het was een mooie winterdag in Kopenhagen. *Hopenhagen*, zoals de stad was omgedoopt ter ere van de klimaattop.

Niels stak het plein over en zag meteen de patrouillewagen die op de stoep geparkeerd stond. Hij hoorde al van verre een mannenstem die tekeerging tegen de agenten. Hij had de onmiskenbare nasale klank van een spraakcentrum dat was aangetast door vele jaren zwaar drugsgebruik. De agenten hielden de verslaafde aan beide armen vast.

'Fuck off, man, ik heb het niet gedaan!'

Niels kende hem wel. Hij had hem zelfs een keer gearresteerd, jaren geleden. Hij was een van de vele paria's van Kopenhagen. Een stuk onkruid van wie iedereen zich afkeert in een zinloze mengeling van medelijden en afschuw. De junk rukte zich los en begon aan een komische vlucht voor de twee agenten. Hij wankelde weg op zijn magere spillepoten. Het was zijn dag niet; hij liep regelrecht in Niels' armen.

'Hé, hé. Kalm aan.'

'Shit, man, laat me los!'

Niels verstevigde zijn greep om de armen van de junk totdat de agenten er waren. Het was niet veel meer dan vel en botten.

Hij had het gevoel dat ze ieder moment doormidden konden breken. Hij had niet lang meer te leven, zijn adem stonk al naar dood. Niels moest zijn gezicht afwenden terwijl de zielenpoot zijn laatste krachten gebruikte om de wereld om hem heen uit te foeteren.

'Doe maar een beetje voorzichtig met hem', instrueerde Niels toen hij hem overdroeg aan de jonge agenten en zijn politielegitimatie liet zien. Een van de twee wilde de verslaafde op de koude stoeptegels duwen om hem de handboeien om te doen.

'Dat is toch niet nodig', zei Niels. De junk keek naar Niels zonder blijk van herkenning. 'Wat heeft hij gedaan?'

'Hij wilde inbreken in de kelder onder de kerk.'

'Dat heb ik niet gedaan!' schreeuwde de verslaafde. 'Luister dan naar me, man. Ik zocht alleen een plekje om te scoren.'

Niels keek op zijn horloge. Hij liep achter op zijn schema, hij had geen tijd om uit te zoeken wat er was gebeurd. Tenminste, niet als hij voor zes uur de lijst afgewerkt wilde hebben. En dat wilde hij. De zielenpoot bleef maar doorgaan: 'Waar moeten wij dan naartoe? Hè? Waar moeten we in godsnaam naartoe om te scoren?'

De handboeien sloten met een ongevaarlijke klik om de magere polsen van de junk. Niels zag zijn tatoeage: een rode slang en een paarse draak die elkaar vastpakten rondom een paar tekens waarvan Niels de betekenis niet kende. Maar hij was nog relatief vers; de kleuren waren nog niet vervaagd of half uitgewist, zoals bij een oude tatoeage. Het was ook geen amateuristische tatoeage uit de gevangenis. Het was een stukje vakwerk. Een klein kunstwerkje.

Het kelderraampje was inderdaad losgeschroefd en er lag een gebruikte spuit naast. Niels gooide de spuit in de vuilnisbak. Andermans bloed was niet echt zijn ding. Er lag ook een schroef in een spleet tussen twee tegels. Hij peuterde hem ertussenuit en probeerde of hij in het scharnier van het raampje paste. Hij paste. De jonge agent stond achter hem.

'Hebben jullie hem gefouilleerd?'

'Ja.'

'Hebben jullie een schroevendraaier gevonden?'

'Nee.'

Niels liet hem de schroef zien. 'Hij heeft dat raampje niet losgeschroefd. Daar heeft hij de kracht niet eens voor.' De agent haalde zijn schouders op. Het kon hem niets schelen. Hij zei: 'Als er verder niets is, nemen we hem mee naar het bureau.'

Niels luisterde niet. Hij dacht aan de tatoeage van de junk. Waarom zou een verslaafde, voor wie het al moeilijk genoeg was om de duizend kronen die hij dagelijks voor zijn drugs nodig had bij elkaar te schrapen, tienduizend kronen uitgeven aan een nieuwe tatoeage?

* * *

De kelder onder de Helligåndskirke, Kopenhagen

Dominee Rosenberg leek op de figuur die Niels op de televisie had gezien. Een lange, iets te zware man met spaarzame haargroei en een licht gebogen houding. Zijn gezicht was rond, zoals een lachende zon op een kindertekening, maar achter de dikke brillenglazen schemerde de ernst in zijn diepliggende ogen.

'Het gebeurt een paar keer per jaar.'

Ze stonden in de kelder onder het kantoor van de kerk. De ruimte was grotendeels leeg. Een paar stoelen, een paar stoffige dozen en een kast met een stapel folders. Verder niets.

'Het zijn meestal verslaafden of dakloze zielenpoten die opeens het idee krijgen dat de kas van de kerk uitpuilt van het contante geld. Ze zijn wel brutaler geworden. Meestal gebeurt het 's nachts. Het is nog nooit eerder op klaarlichte dag gebeurd.'

'Hebt u niets verdachts gezien? Iemand rond zien sluipen?'

'Nee. Ik zat op mijn kantoor. U kent het wel, hatemails beantwoorden, het verslag van de kerkenraadsvergadering lezen, ik zal u de details besparen.' Niels ontmoette de ogen van de dominee. Hij glimlachte. Mensen vertelden de politie altijd meer dan er werd gevraagd.

'Mist u iets?'

Rosenberg keek een beetje moedeloos naar de aardse goederen van de kerk: klapstoelen, kartonnen dozen; spullen die langzaam in rommel veranderen.

Niels keek rond. 'Wat is er achter die deur?'

Hij wachtte het antwoord niet af, maar liep ernaartoe en opende hem. Hij keek in een kleine, donkere ruimte. De tl-balken namen ruim de tijd om aan te gaan. Er stonden nog meer tafels en klapstoelen. In een van de hoeken lag een stapel oude matrassen.

'Woonden ze hier?' Niels draaide zich om.

Rosenberg kwam dichterbij.

'Gaat u me daar nu voor arresteren?'

Misschien sprak er kritiek op de politie uit zijn blik. Dominee Rosenberg had van de vochtige keldermuur een tentoonstellingswand gemaakt: zwart-witfoto's uit de tijd dat er vluchtelingen in de kerk woonden. Een getuigenis. Niels keek naar hun gezichten: angst. En hoop. De hoop die dominee Rosenberg hun had gegeven.

'Hoeveel waren het er?'

'Twaalf was het maximale aantal. Het was niet bepaald een luxehotel, maar ze klaagden nooit.'

'De Palestijnen?'

'En de Somaliërs, de Jemenieten, de Soedanezen en een Albaniër. Als het tenminste waar was wat ze zeiden. Sommigen waren niet erg mededeelzaam als het om dat soort zaken ging. Maar daar hadden ze waarschijnlijk hun redenen voor.'

Niels keek hem aan. Ze stonden slechts een paar centimeter bij elkaar vandaan, maar de afstand voelde groter. Er hing een onzichtbaar schild om de dominee heen. Een privécirkel die sterker leek te zijn dan bij de meeste andere mensen. Tot hier en niet verder. Dat verbaasde Niels niet. Hij had het wel vaker gezien bij mensen die geacht werden vertrouwelijkheid en aandacht te bieden. Psychologen, psychiaters, artsen. Het was waarschijnlijk een soort onbewust overlevingsmechanisme.

'Ik gebruik deze ruimte voor de voorbereiding op de belijdenis. Het is een beetje een ongemakkelijke, maar wel effectieve les in functionele medemenselijkheid.'

Rosenberg deed het licht uit. Niels stond in het pikkedonker.

'Ik vertel de jonge mensen die belijdenis gaan doen over de nacht dat de politie kwam. De vluchtelingen hielden elkaar vast, sommigen huilden, maar ze waren moedig, hoewel ze wisten wat hun te wachten stond. Ik vertel ze hoe uw collega's de deur van de kerk insloegen, ze konden de zware schoenen over de vloer van de kerk horen gaan en daarna de trap af.'

Niels bleef nog even alleen in het donker staan. Hij hoorde zijn eigen ademhaling.

'Maar ze zijn hier niet binnengegaan?'

'Nee. Jullie zijn hier niet binnengegaan. Jullie hebben het opgegeven.'

Niels wist heel goed dat de politie het niet had opgegeven. De politiek was gezwicht voor de druk vanuit de bevolking. Toen Rosenberg het licht weer had aangedaan, bekeek Niels de foto's. Hij probeerde zich voor te stellen hoe het was geweest.

'Zijn het er niet meer dan twaalf, op deze foto?' Niels telde met zijn ogen. Op een van de foto's stonden duidelijk meer vluchtelingen dan op de andere foto's. Rosenberg stond in de deuropening. Hij wilde Niels graag weg hebben.

'Ja. Er zijn er een paar verdwenen.'

'Verdwenen?'

Niels registreerde onmiddellijk Rosenbergs onzekerheid.

'Ja, een paar uit Jemen. Die zijn ervandoor gegaan.'

'Hoe?'

'Dat weet ik niet. Ze wilden liever proberen om zichzelf te redden.'

Niels zag het meteen.

Dominee Rosenberg loog.

* * *

De kerk was helemaal leeg. Bijna. Een organist oefende telkens weer dezelfde passage. Dominee Rosenberg leek zich geen zorgen te maken over de informatie die Niels hem verschafte.

'Goede mensen, zegt u? Wat voor goede mensen?'

'Mensenrechtenactivisten, ontwikkelingswerkers, dat soort.'

'Wat is dit voor wereld? Nu worden de goeden vermoord.'

'U moet gewoon even nadenken voordat u iemand binnenlaat en een beetje voorzichtig zijn.'

Hij gaf Niels een stapel gezangenboeken.

'Ik ben bang dat ik helemaal niet in de gevarenzone zit.'

Dominee Rosenberg moest lachen bij het idee. Hij herhaalde: 'Als het om goede mensen gaat, zit ik zeker niet in de gevarenzone, dat kan ik u verzekeren. Ik ben een zondaar.'

'We denken ook niet dat u in gevaar bent, maar toch.'

'Er was eens een man die bij Luther op bezoek ging. De oude Luther.'

'De man die ons tot protestanten heeft gemaakt?'

'Ja, die.' Rosenberg lachte weer en keek Niels aan alsof hij een kind was. 'Die man zei tegen Luther: "Ik heb een probleem. Ik heb er goed over nagedacht en weet u waar ik achter ben gekomen? Ik heb nog nooit gezondigd. Ik heb nog nooit iets gedaan wat niet mag." Luther keek de man een poosje aan. Kunt u bedenken wat hij antwoordde?'

Niels had het gevoel dat hij weer in het voorbereidingsklasje voor zijn belijdenis zat. Dat was geen leuke herinnering. 'Dat hij een gelukkig mens was?'

Rosenberg schudde triomfantelijk zijn hoofd. 'Dat hij dan maar snel moest beginnen met zondigen, want dat God er is om de zondaars te redden, niet de mensen die al verlost zijn.'

De organist stopte even. Er kwamen een paar toeristen binnen. Ze bekeken de kerk met een plichtmatige nieuwsgierigheid. Rosenberg had Niels nog meer te vertellen, dat was duidelijk, maar hij wachtte tot de echo van het orgel via het plafond was weggezweefd uit de kerk.

'De joden hebben een mythe over "de goede mensen". Kent u die?'

'Ik heb me nooit zo geïnteresseerd voor religie.'

Niels hoorde zelf hoe het klonk en voegde er verontschuldigend aan toe: 'Zeg ik tegen een dominee.'

Rosenberg ging verder alsof Niels niets had gezegd, bijna alsof hij op een zondagochtend op de kansel stond: 'Die mythe gaat over zesendertig goede mensen die de mensheid in stand houden.'

'Zesendertig. Waarom zesendertig?'

'Joodse letters hebben getalwaarde. De letters van het woord "leven" zijn bij elkaar opgeteld 18, daarom is 18 een heilig getal.'

'18 plus 18 is 36. Dan is dat waarschijnlijk dubbel heilig?'

'Voor een man die zich nooit heeft geïnteresseerd voor religie bent u snel van begrip.'

Niels glimlachte en voelde een kinderlijke trots.

'Hoe zijn ze daarachter gekomen?'

'Wat bedoelt u?'

'Dat God die zesendertig mensen op aarde heeft gezet?' Niels onderdrukte een ongelovig lachje, maar dominee Rosenberg zag het in zijn ogen.

'Dat heeft hij aan Mozes verteld.'

Niels keek naar de grote schilderijen. Engelen en demonen, doden die uit het graf kruipen, de zoon die aan een houten kruis genageld is. Niels had veel gezien in de twintig jaar dat hij politieman was. Te veel. Hij had Kopenhagen in alle richtingen doorkruist op jacht naar bewijzen en motieven voor misdaden; hij had elk donker, duister hoekje van de menselijke geest doorzocht en dingen gevonden die hem misselijk maakten als hij er alleen maar aan dacht. Maar hij had nog nooit ook maar een splintertje bewijs gevonden dat er een hiernamaals bestaat.

'Dat was op de berg Sinaï. Mozes liep de berg op en ontving de instructies van God. Die leven wij nog steeds na. Ze hebben zelfs zo veel invloed, dat onze wetgeving erop is gebaseerd. "Gij zult niet doden."'

'Dat heeft nog nooit iemand tegengehouden.'

Rosenberg haalde zijn schouders op en ging verder: 'Heb uw naasten lief. Gij zult niet stelen. U kent de tien geboden natuurlijk.'

'Ja, inderdaad.'

'Het is zelfs uw werk om te zorgen dat men zich aan Gods tien geboden houdt, dus misschien bent u wel meer bij het grote plan betrokken dan u zelf weet.' Dominee Rosenberg glimlachte plagerig naar Niels. Niels moest wel lachen. Rosenberg was goed. En getraind. Hij had vele jaren ervaring met het aanpakken van ongelovigen.

'Ja, misschien wel', antwoordde Niels en toen ging hij verder: 'En wat zei God tegen Mozes?'

'Dat hij voor elke generatie zesendertig goede, rechtvaardige mensen op aarde heeft gezet om op de mensheid te passen.'

'En die moeten rondtrekken om mensen te bekeren?'

'Nee, want ze weten het zelf niet.'

'Dus de goeden weten niet dat ze goed zijn?'

'De goeden weten niet dat ze goed zijn. Alleen God kent hun identiteit. Maar zij waken over ons.' Hij pauzeerde even. 'Dit is een belangrijk verhaal in het joodse geloof, zoals ik al zei. Als u met een deskundige wilt praten, moet u naar de synagoge in de Krystalgade gaan.'

Niels keek op zijn horloge en dacht aan Kathrine, zijn pillen en de vliegreis van de volgende dag.

'Is het echt zo onvoorstelbaar?' ging de dominee verder. 'De meeste mensen erkennen toch wel dat er slechtheid bestaat in de wereld. Slechte mensen. Hitler. Stalin. Waarom niet het tegenovergestelde? Zesendertig mensen die Gods weegschaal de andere kant op moeten laten gaan. Hoeveel druppels goedheid zijn er nodig om de slechtheid onder controle te houden? Misschien slechts zesendertig?'

Er viel een stilte. Rosenberg pakte de gezangenboeken uit Niels' handen en zette ze op hun plaats in de kast bij de uitgang. Niels gaf Rosenberg een hand. Hij was de eerste van de lijst die Niels graag een hand wilde geven. Misschien werd hij toch beïnvloed door de heilige ruimte.

'Zoals ik al zei: ik zou graag willen dat u gewoon de normale voorzichtigheid betracht.'

Dominee Rosenberg hield de deur open voor Niels. Buiten: mensen, kerstmuziek, rinkelende belletjes, auto's, lawaai en een razende, chaotische wereld. Niels keek hem aan en vroeg zich af waarover de dominee had gelogen in de kelder.

'In zijn grafrede voor Gerald Ford noemde Kissinger de overleden president een van de zesendertig goede mensen. Iemand heeft ook Oscar Schindler genoemd. En wat dacht u van Gandhi. En Churchill?'

'Churchill? Kun je mensen een oorlog in sturen en toch goed zijn?'

Rosenberg dacht even na.

'Er kunnen situaties ontstaan waarin het goed is om het verkeerde te doen, maar dan ben je niet langer goed. Dat is toch waar het om draait in het christendom: wij kunnen pas met elkaar leven als we hebben geaccepteerd dat zonde een van de basisvoorwaarden is.'

Niels keek naar de vloer van de kerk.

'Nu heb ik u vast helemaal weggejaagd. Daar zijn wij priesters goed in.' Hij barstte uit in een vriendelijke lach.

'Ik heb uw nummer opgeslagen in mijn telefoon', zei Niels. 'Ik kan het zien als u belt. Wilt u mij beloven dat u zult bellen als er iets gebeurt?'

Niels liep terug naar zijn auto. Bij het kelderraam bleef hij staan. Er klopte iets niet. Het kelderraam. De verslaafde, de tatoeage, Rosenbergs leugen. Maar er klopte zo veel niet, dacht hij. Dingen hielden niet altijd verband met elkaar. De logica liep mank. Dat was de vloek van de politie. De mens was leugenachtig. Je moest díé leugen zien te vinden die niet gewoon een zonde bedekte, maar een misdaad.

19

Ospedale Fatebenefratelli, Venetië

De non was afkomstig van de Filippijnen. Zuster Magdalena van de Orde van het Heilig Hart. Tommaso mocht haar graag. Ze was een mooi, glimlachend gezicht dat de ongeneeslijk zieken hielp bij hun vertrek uit deze wereld. Het pas gerestaureerde hospice lag ten noorden van de oude Joodse wijk. Tommaso kon er vanuit het Getto in een paar minuten naartoe lopen. De wijk werd nog steeds het Getto genoemd, ook al had dat woord tegenwoordig een andere betekenis. Het kwam dus eigenlijk hiervandaan: het woord 'getto' betekende ijzergieterij in het Italiaans. Honderden jaren geleden was de smid van Venetië in dit deel van de stad gevestigd, samen met de Joden. Op zeker moment werden de Joden er opgesloten. De poort ging op slot zodat ze niet in de rest van Venetië konden komen en de wijk kreeg de naam het Getto. Later zouden er vele stadswijken in de wereld naar worden genoemd. Die hadden met elkaar gemeen dat mensen er niet uit konden.

Magdalena riep Tommaso zachtjes bij zijn naam toen hij het hospice binnenkwam. 'Meneer Di Barbara?' Er heerste een weldadige rust op deze plek. Niemand verhief hier ooit zijn stem, alsof de mensen werden voorbereid op de eeuwige stilte waar ze binnenkort deel van zouden uitmaken.

'Uw moeder heeft vannacht veel pijn gehad. Ik heb de hele nacht bij haar gezeten.'

Ze keek hem aan met haar mooie ogen. Het was primitief van hem om zo te denken, maar hij kon het niet laten: waarom moest zij een non zijn, ze was zo knap?

'U hebt een goed hart, zuster Magdalena. Mijn moeder boft maar dat ze iemand heeft zoals u.'

'En een zoon zoals u.'

Ze meende wat ze zei – daar twijfelde Tommaso geen moment aan – maar toch speelde zijn slechte geweten op, met de precisie van een uurwerk.

'Vanaf nu heb ik meer tijd.' Hij aarzelde. Waarom zou hij het haar vertellen? 'Ik ben geschorst van mijn werk.'

Ze pakte zijn hand. 'Misschien is dat een cadeau.'

Hij moest een lachje onderdrukken. Een cadeau?

'Uw moeder heeft om u geroepen.'

'Dat vind ik vervelend. Ik had nachtdienst.'

'Het leek wel of ze zich ongerust maakte over u. Ze had het steeds maar over iets wat u niet moest betalen.'

'Betalen?'

'Het ging over geld dat u niet mocht betalen. Dat was gevaarlijk.'

Tommaso keek haar vragend aan. 'Heeft mijn moeder dat gezegd?'

'Ja. Ze zei het steeds weer: "Niet betalen, Tommaso – het is gevaarlijk."'

* * *

Zuster Magdalena keek Tommaso Di Barbara na terwijl hij door de gang liep met een boodschappentas aan zijn ene hand en een grote doos onder zijn andere arm. Hij had iets verlorens, dacht ze, zoals hij daar langs de acht kamers liep die het enige hospice van Venetië rijk was. Tommaso's moeder lag in de achterste kamer, met uitzicht op de binnenplaats. Afgezien van een eenzame palmboom, hadden de bomen hun blad verloren. Op de gang hadden ze kerstversiering opgehangen. Slingers en een paar lichtsnoeren rondom het portret van Maria en de pasgeboren verlosser.

Zuster Magdalena luisterde altijd heel goed naar de laatste boodschappen van stervenden. Ze wist uit ervaring dat mensen die al met één been aan de andere kant stonden, soms een glimp konden zien van de toekomst – het hiernamaals. Meestal sloegen de stervenden alleen wartaal uit, maar niet altijd. Magdalena zorgde al voor ongeneeslijk zieken vanaf het moment dat ze was toegetreden tot de Orde van het Heilig Hart, nu vijftien jaar geleden. Ze had veel gezien en gehoord en ze wist dat je niet alles kon afdoen als onzin.

In haar vorige leven – zo dacht ze er vaak aan – was zuster Magdalena prostituee geweest, maar God had haar gered. Daar twijfelde ze niet aan. Ze had zelfs een bewijs: de kwitantie van de fiets die ze had weggebracht voor reparatie.

In Manilla had ze een voormalige Amerikaanse piloot als vaste klant gehad. Hij had zich op de Filippijnen gevestigd en maakte zijn pensioen op aan een combinatie van meisjes en drank. Hij had gevochten in de Vietnamoorlog en droeg de littekens op zijn lichaam; op zijn buik en zijn benen, en waarschijnlijk ook op zijn ziel. Hij was stervende. Het was geen waardige dood. Hij was er nooit in geslaagd om zijn lusten onder controle te krijgen. Magdalena moest elke dag komen om hem af te zuigen. Hij betaalde er natuurlijk voor, maar naarmate de kanker zijn lichaam verder aantastte, duurde het steeds langer voordat hij klaarkwam.

Dat was voordat ze Magdalena heette – het was een andere tijd, zij was een ander mens. De oude piloot had een tijdje een café gehad, waarschijnlijk vooral om een alibi te hebben voor zijn drankmisbruik. Daar had Magdalena hem ontmoet. Nu was hij ziek en zou hij eenzaam sterven.

Maar toen gebeurde er iets wat haar leven zou veranderen. De laatste keer dat ze de piloot bezocht, had hij wartaal gesproken. Hij had Magdalena's hand vastgegrepen. 'Je moet daar niet heen gaan', had hij gezegd. Eerst had ze hem getroost en 'stil maar' gezegd en 'het komt wel goed'. Maar hij had aangedrongen. 'Je moet daar niet heen gaan.' En toen had hij haar het gebouw beschreven dat tegenover het Shaw Boulevard Station lag, vlak om de hoek van het huis waar Magdalena een kamer huurde. Op de begane grond was een fietsenmaker gevestigd. Groene luiken, afbladderende lichtblauwe verf die verried dat het gebouw ooit pastelkleurig was geweest.

Een dag later was hij dood. Een week later stortte het gebouw tegenover het Shaw Boulevard Station in. Magdalena had haar fiets naar de fietsenmaker op de begane grond gebracht om hem te laten repareren, maar ze had hem niet durven ophalen. Negentien mensen waren om het leven gekomen.

Ze was toegetreden tot de Orde van het Heilig Hart, en ze had een nieuwe naam aangenomen: Magdalena – de hoer die door Jezus was gered van de steniging.

Sinds die dag zat ze zes dagen per week naast stervende mensen. De ene week 's nachts, de andere overdag. Ze had één vrije dag. Die gebruikte ze om te slapen en *Friends* te kijken.

Zuster Magdalena had de hoofdarts van het hospice over haar ervaring verteld, maar zonder de minder keurige details. De arts had geglimlacht en haar een klopje op haar hand gegeven. Hoeveel bewijs heeft een mens nog meer nodig? had ze zichzelf gevraagd. De oude piloot had het gebouw van de fietsenmaker nog nooit gezien. In die buurt kwamen geen buitenlanders. Toch had hij het heel gedetailleerd kunnen beschrijven. Je moet luisteren naar de stervenden, hoe grote zondaars ze ook zijn geweest, dacht ze vaak. De piloot had gevochten in een oorlog. Hij had mensen gedood, hij dronk en hij sloeg de meisjes die hij kocht voor seks. Toch had God zijn mond gekozen om tot haar te spreken en haar te redden. Je moet luisteren naar de stervenden.

Zuster Magdalena hoopte dat Tommaso Di Barbara ook naar zijn stervende moeder zou luisteren.

* * *

Tommaso's moeder was niet wakker. Haar mond was open. Ze snurkte zachtjes. Tommaso zette de plastic tas met boodschappen op het kleine fornuis en de doos met de moordzaken op de grond. Eerst had hij de zaken verstopt in de kast op zijn kantoor en nu zaten ze in een kartonnen doos die Marina voor hem het bureau uit had gesmokkeld; alsof ze waren gedoemd om lichtschuw te blijven – zaken waar niemand over wilde horen.

Tommaso had pittige salami, tomaten en knoflook voor zijn moeder gekocht. Ze at niet veel, maar ze hield van de geuren. Tommaso begreep het wel – je moest de allesoverheersende geur van dood en schoonmaakmiddel die in het hospice hing érgens mee verdringen. Dat was gelukkig niet zo moeilijk. De kamers waren allemaal gerenoveerd en uitgerust met een fornuis en slaapplaatsen voor de naaste familie, maar er was geen afzuiginstallatie boven de fornuizen gemaakt. De geur van eten verspreidde zich makkelijk. En weldadig.

'Mamma?'

Tommaso ging naast haar zitten en pakte haar hand. De huid was strakgetrokken over haar botten. Er was veel waar ze nooit over hadden gepraat. Hij wist veel dingen niet over haar leven. Wat er tijdens de oorlog was gebeurd bijvoorbeeld. Tommaso's vader had een paar maanden in de gevangenis gezeten. Hij had gesympathiseerd met de verkeerde mensen, hoewel hij dat zelf niet vond, ook later in zijn leven niet. Hij was de rest van zijn leven een trouwe fascist gebleven. Gelukkig was hij jong gestorven. 'Nu hebben we eindelijk vrede', had zijn moeder gezegd toen ze hem hadden bijgezet op het kerkhof. Hij was gecremeerd. De urn was bijgezet in een prachtig mozaïek van boven op elkaar gestapelde urnen.

Het was een doolhof. De eerste keer dat Tommaso er was, was hij bijna verdwaald. Het kerkhof dat op het eiland voor de stad lag kon niet worden uitgebreid. Om het gebrek aan ruimte op te lossen, werd er in de hoogte gebouwd. Het resultaat waren gangen die hoog naar de hemel reikten. Eindeloze hoeveelheden gangen met smalle, rechthoekige vakjes die boven elkaar waren gebouwd. Tommaso wist niet zeker of zijn moeder de plaats die voor haar was gereserveerd naast zijn vader wel wilde. Het was tijd om haar dat te vragen.

'Mamma?'

Ze werd wakker en keek hem aan, zonder een woord te zeggen en zonder enig blijk van herkenning.

'Ik ben het.'

'Dat zie ik heus wel. Denk je dat ik blind ben geworden?'

Hij glimlachte. Ze was een harde. Ze kon je een draai om je oren en een pak voor je billen geven, maar ze kon je ook goed troosten. Tommaso haalde diep adem. Hij kon het niet langer uitstellen.

'Mamma. Je weet waar pappa's as ligt ...'

Geen antwoord. Zijn moeder hield haar blik strak op het plafond gericht.

'Als jij op een gegeven moment op reis gaat, wil je daar dan ook liggen?'

'Heb je boodschappen gedaan?'

'Mamma.'

'Wil je wat eten klaarmaken, jongen. Alleen voor de geur.'

Hij schudde zijn hoofd. Ze gaf hem een klopje op zijn hand. 'Ik heb alles wat je moet weten aan zuster Magdalena verteld. Zij zal je alles vertellen. Als het voorbij is. Luister maar naar haar.'

Hij wilde opstaan. Ze klemde zijn hand met een onverwachte kracht vast.

'Heb je me gehoord? Ik vertel alles aan zuster Magdalena. Doe wat zij zegt.'

Hij aarzelde. Even schoot hem iets te binnen wat de zuster had gezegd, iets vaags over geld dat hij niet mocht geven of zo. Hij glimlachte geruststellend naar haar. 'Ja, mamma. Dat zal ik doen.'

20

Helsingør

Na een uur rijden ging er een nieuwe wereld open.

Het leek wel of je de stad pas echt zag als je op het platteland kwam. Het lawaai, de mensen, het verkeer – het leek wel of je in een continue trilling leefde. Het was de vraag of je het platteland ook pas echt zag als je weer terug was in de stad – zo veel hemel. De vlakke, uitgestrekte landschappen met zomerhuisjes begroetten hem tegelijk met de schemering. Velden, zandpaden en open plekken gingen in elkaar over. Achter een groepje donkere bomen zag hij vaag het water.

Opeens remde Niels. Hij las het straatnaambordje en reed een stukje achteruit. Het grind knarste onder de auto. Toen reed hij nog een paar honderd meter verder over het grindpad en parkeerde bij het enige huis, helemaal aan het einde. Er viel een zwak lichtschijnsel door een van de ramen. LUND stond er op de brievenbus.

Er werd niet opengedaan toen Niels aanklopte.

Hij luisterde. Een mug zoemde bij zijn gezicht. Hij wuifde hem weg en verbaasde zich erover. Hoorden muggen niet allang dood te zijn in december? Hij klopte nog een keer, dit keer harder. Nog steeds niets. Niels liep om het huis heen. Het was windstil. De lucht was mild en koud. Hij liep een klein terras op dat uitkeek over het meer. Iets lager lag het water. Hij wilde al op de terrasdeur kloppen, toen hij zacht geplas hoorde van de kant van het water. Hij draaide zich om. Er stond iemand op de steiger. Een vrouw. Niels zag alleen vaag haar contouren en liep ernaartoe.

'Pardon,' Niels voelde zich bijna schuldig omdat hij de serene stilte verbrak, 'ik ben op zoek naar Gustav Lund.'

De vrouw draaide zich om en keek hem aan. Ze had een hengel in haar hand.

'Gustav?'

'Ik wil hem graag spreken.'

'Hij is in Vancouver. Wie bent u?'

'Niels Bentzon. Politie Kopenhagen.'

Geen enkele reactie. Ongebruikelijk. Niels was gewend aan

de meest uiteenlopende reacties als hij zei dat hij van de politie was: angst, paniek, minachting, koppigheid, opluchting. Maar de vrouw keek hem alleen maar aan en zei: 'Hannah Lund. Gustav komt niet terug. Ik woon hier nu alleen.'

* * *

De meubels pasten niet bij een vakantiehuis.

Ze waren te mooi. Te duur. Niels interesseerde zich niet voor meubels, maar af en toe leek het wel – vond hij – alsof Kathrine nergens anders over kon praten. Daarom wist hij wel het een en ander van designmeubels. Wegener, Mogensen, Klint, Jacobsen. Als de meubels in het vakantiehuis echt waren, waren ze een vermogen waard.

Een paar lichtgevende kattenogen namen Niels nieuwsgierig op terwijl hij rondkeek. De woonkamer was één grote puinhoop. Op de tafels stonden borden en gebruikte koffiekopjes. Overal op de vloer lagen kattenspeeltjes, schoenen en oude tijdschriften. Over een van de plafondbalken hing wasgoed. Het grootste deel van een van de korte wanden werd in beslag genomen door een zwarte piano, de andere was bedekt met boeken. De rommel stond in sterk contrast met de dure meubels, maar op de een of andere manier klopte het toch. Misschien omdat het leuk was om te zien dat dat soort meubels werden gebruikt. De zeldzame keren dat Niels en Kathrine samen bij collega-architecten van Kathrine op bezoek gingen – Niels probeerde daar altijd onderuit te komen – kreeg hij vaak een onrustig gevoel in zijn lijf. Een gevoel van tekortschieten. Hij voelde zich gewoon niet op zijn gemak als hij in een trendy appartement in een trendy buurt aan een glas Corton Charlemagne van zeshonderd kronen per fles nipte, omringd door de duurste meubelontwerpers van Europa en nauwelijks op een bank durfde te gaan zitten. Kathrine lachte hem uit.

'Dus Gustav zou een goed mens zijn?' Hannah onderdrukte een glimlachje en gaf hem een kop koffie. 'Weet u zeker dat u niet op het verkeerde adres bent?'

'Dat zeggen ze allemaal, behalve die van het Rode Kruis.' Niels roerde in zijn oploskoffie en zag een ingelijste foto van een lange, magere tienerjongen samen met Hannah. Ze had een arm om haar zoon geslagen. Ze stonden voor de Slinger van Foucault in Parijs.

'Maar waarom juist Gustav?'

'De computer. Het komt door iets wat hij heeft gezegd toen hij de Nobelprijs in ontvangst nam.'

'Uiteindelijk zal de wiskunde de wereld redden.'

'Ja, precies.'

'En toen verscheen Gustavs naam knipperend op het beeldscherm?'

'Gustav is uw ex-man?'

Hij keek naar haar terwijl ze in lange, ingewikkelde zinnen de status van haar huwelijk uiteenzette. Hoe oud zou ze zijn? Veertig? Vijfenveertig? Ze had iets ongeordends. Dat paste goed bij het huis: een beetje somber, rommelig, maar interessant en complex. Ze had donkere, ernstige ogen. Haar halflange, bruine haar zat in de war, ze zag eruit als iemand die net had geslapen. De vloer voelde koud aan, maar ze had haar schoenen uitgetrokken en liep op blote voeten. Spijkerbroek, witte bloes, mooie lichte huid. Tenger. Ze was niet knap. Als Niels hier niet voor iets anders was geweest, had hij er misschien over nagedacht waarom hij zich toch tot haar aangetrokken voelde. Waarschijnlijk was het relatief simpel, zei hij tegen zichzelf. Ze droeg geen bh en Niels kon door de stof van haar bloes meer zien dan zij leuk zou vinden.

'Eerst was ik zijn student.'

Niels probeerde zich te concentreren op wat ze zei. Ze ging op de bank zitten en sloeg een grijze deken met kattenhaar om haar tengere schouders.

'Ik ben astrofysicus. Ik sprak vaak met hem over wiskunde. Gustav is een van de belangrijkste wiskundigen van Europa.'

'U bent astrofysicus?'

'Ja. Of dat was ik. We gingen elkaar ook privé zien. Eerst was ik denk ik vooral onder de indruk omdat een genie als Gustav – ik aarzel niet om hem een genie te noemen, want dat is hij echt – met mij flirtte. Later werd ik verliefd. En toen kregen we Johannes.' Ze stopte. Niels zag nog iets anders in haar blik. Verdriet? Ja, verdriet. Hij zag het op hetzelfde moment dat hem te binnen schoot dat Hannah Lund haar zoon had verloren. Johannes was dood. Hij had zelfmoord gepleegd.

Het was stil in de kamer. Maar het was geen onaangename stilte, ze probeerden geen van beiden de situatie te redden met onbeduidend geklets. Zij wist dat hij het wist.

'Woont u hier het hele jaar door?'

'Ja.'

'Is het niet eenzaam?'

'U bent hier niet gekomen om daarover te praten.'

De plotselinge kilte in haar stem moest haar verdriet verbergen. Hij kon het aan haar zien. Ze wilde graag alleen zijn met haar verdriet. Omgaan met verdriet was het allerbelangrijkste onderdeel van het werk van een onderhandelaar. Daar hadden de psychologen de meeste tijd aan besteed tijdens de opleiding van de politieagenten. Als mensen niet met hun verdriet konden omgaan, ging het fout. Wapens, gijzelaars en zelfmoord. Meer dan eens was Niels erbij geweest als ze ouders het vreselijke bericht hadden moeten overbrengen dat hun kind was overleden. Hij kende de verschillende fasen waar iemand die door verdriet was getroffen doorheen moest. Hoelang geleden was het dat haar zoon zelfmoord had gepleegd? Hij gokte dat ze in de zogeheten 'heroriëntatiefase' zat: de fase waarin de door verdriet getroffen persoon zijn of haar blik opnieuw naar buiten probeert te richten. Dat iemand weer – al was het misschien maar voor korte momenten – zijn blik op de toekomst durfde te richten. De fase waarin het erom ging dat je vaarwel moest zeggen. Afscheid moest nemen. Dat was de allermoeilijkste fase. Het was een lange reis door je innerlijk. Veel mensen moesten het halverwege opgeven. Die verloren het gevecht. Het resultaat van zo'n nederlaag was verschrikkelijk: een leven in diepe depressie. In sommige gevallen zelfs een bestaan als psychiatrisch patiënt. En dan waren er ook nog de mensen die op de reling van een brug of het dak van een gebouw belandden – dat waren de gevallen waar Niels uiteindelijk bij geroepen werd.

'Sorry.' Niels maakte aanstalten om te gaan. 'Zoals ik al zei, het is niet zo belangrijk. Geen reden tot ongerustheid.'

'Ik ben niet ongerust. Ze mogen hem van mij gewoon doodschieten als ze dat willen.' Ze hield zijn blik vast met haar ogen. Alsof ze wilde onderstrepen dat ze elk woord dat ze zei meende. Ze stond iets te dicht bij hem, maar waarschijnlijk merkte alleen Niels dat. Haar lichaamstaal had iets onhandigs. Dat had hij al gezien toen ze op de steiger stond. Misschien was dat normaal bij wetenschappers; misschien nam de uitdijende intelligentie de plaats in van gewone sociale vaardigheden.

Hij deed een stapje naar achteren, hoewel haar adem niet onplezierig rook. Ergens ging een telefoon. Het duurde even voordat hij dat 'ergens' gelokaliseerd had als zijn eigen zak: een buitenlands nummer.

'Sorry. Hallo?' Niels luisterde. Eerst hoorde hij alleen geruis op de lijn. 'Hallo? Met wie spreek ik?'

Eindelijk drong er een stem doorheen: Tommaso Di Barbara. De man die Niels eerder had gebeld. Hij sprak Italiaans, maar heel langzaam, alsof dat zou helpen.

'Do you speak English?'

Tommaso verontschuldigde zich, zoveel begreep Niels wel. 'Scusi.' Toen stelde hij Frans voor.

'No, wait', Niels keek naar Hannah. 'Spreekt u Italiaans? Of Frans?'

Ze knikte aarzelend, maar het leek wel of ze er meteen spijt van had. 'Frans. Een beetje.'

'Just a minute. You can talk to my assistant.'

Niels gaf haar de telefoon. 'De politie van Venetië. Luister maar gewoon wat hij te vertellen heeft.'

'Assistent?' Ze pakte de telefoon niet aan. 'Waar hebt u het over?'

'U hoeft alleen maar te luisteren wat hij zegt. Verder niets.'

'Nee.' Ze klonk zeer afwijzend, maar ze pakte toch de telefoon. 'Oui?'

Niels keek naar haar. Hij kon niet precies uitmaken hoe groot haar Franse woordenschat was, maar ze sprak snel en probleemloos.

'Hij vraagt naar de getallenmoorden.' Ze hield haar hand op de telefoon en keek Niels aan.

'Getallenmoorden? Zijn het getallen die ze op hun rug hebben? Weet hij dat zeker? Vraag eens of hij dat wil uitleggen.'

'Heette u Bentzon? Hij vraagt naar uw naam.'

'Bentzon, ja.' Niels knikte. 'Niels Bentzon. Vraag of er verdachten zijn. Of er speciale ...'

Ze hield een hand tegen haar oor en liep een stukje weg.

Niels volgde haar met zijn ogen.

Vanuit zijn ooghoek zag hij de kat langzaam dichterbij komen. Hij bukte zich en liet haar aan zijn hand snuffelen. Zijn blik viel op de foto van Hannah Lund en de jongen, en gleed toen verder naar een laag kastje, waar een geopend fotoalbum op lag. Zes foto's die het hele verhaal vertelden: Hannah – ongeveer tien jaar geleden – die een of andere onderzoeksprijs in haar handen houdt. Een trotse glimlach. Ze was jong en mooi en straalde levenslust en ambitie uit. De wereld lag aan haar voeten. Dat wist ze en ze genoot ervan. Een paar foto's van Hannah en Gustav. Een opvallend knappe man van rond de vijftig. Zwart, achterovergekamd haar, donkere ogen, lang en breedgeschouderd. Zonder enige twijfel een man die werd omringd door vrouwelijke bewonderaars; aan flirtende blikken en verleidelijke aanbiedingen geen gebrek. Een foto waarop Hannah zwanger is. Ze staat met haar armen om Gustav heen op Brooklyn Bridge. Niels bestudeerde de foto grondig. Misschien was hij nu te veel politieman – die rol kon hem soms behoorlijk de keel uithangen – maar hij moest wel opmerken dat Hannah in de camera keek terwijl Gustavs blik een beetje afgewend was. Naar wie keek hij? Een mooie vrouw die toevallig langsliep op de brug?

Op de laatste foto's was Hannah alleen met de jongen. Waar was Gustav? Naar een congres? Werkend aan zijn carrière als internationaal onderzoeker, terwijl zijn vrouw en kind thuis zaten. De allerlaatste foto was van een verjaardag van de jongen. Er zaten tien kaarsjes op de verjaardagstaart. 'Johannes' was er met slagroom op gespoten. Hannah en nog een paar andere volwassenen zaten om de jongen heen die op het punt stond de kaarsjes uit te blazen. Niels keek naar de foto. Het was zo'n foto waarop een afwezig persoon paradoxaal genoeg de meeste ruimte innam: Gustav.

'Hij had het over een oude mythe.' Hannah Lund stond vlak achter hem en gaf hem de telefoon terug. Had ze gemerkt dat hij haar foto's had staan bekijken?

Niels draaide zich om. 'Mythe? Wat voor mythe?'

'Iets over zesendertig goede mensen. Uit de Bijbel, geloof ik. Ik begreep niet alles. Maar is het niet fascinerend: de meeste van die moorden zijn gepleegd met een afstand van ongeveer drieduizend kilometer ertussen. Daarom heeft hij contact met jullie opgenomen. Er zit kennelijk drieduizend kilometer tussen de laatste moordlocatie en ...'

'Kopenhagen.' Niels onderbrak haar.

Ze keken elkaar even aan.

* * *

Hannah keek de auto na toen Niels achteruit de oprit afreed. Ze had zijn visitekaartje nog in haar hand. Even was ze verblind door de koplampen. Toen zag ze het nummerbord. II 12 041. Ze ging een pen halen uit een la. Niels was al een flink eind de oprit af, maar ze moest het nummerbord nog een keer zien. Misschien had ze het niet goed gezien. De verrekijker stond in de vensterbank. Ze pakte hem en rende terug naar de keuken, richtte en stelde scherp. Ja, ze had het goed gezien. II 12 041. Ze schreef het op de achterkant van Niels' visitekaartje en voelde de tranen opkomen.

21

Cannaregio, het Getto, Venetië

'Bentzon ...'

Tommaso Di Barbara legde zijn telefoon op de rand van het balkon en keek uit over de donkere stad. Hij probeerde de hele naam uit te spreken. 'Niels Bentzon. Wie ben jij?'

De rest van Venetië stierf langzaam uit als de avond was gevallen en het personeel van de restaurants de laatste trein naar het vasteland wilde halen, maar in het Getto bleef het levendig. De meeste mensen die in de stad woonden, woonden in de straten rondom de oude Joodse buurt. Tommaso stond op het balkon. De sirenes loeiden. Over een half uur zou het water beginnen te stijgen. Hij voelde zich moe. Hij had geen energie om de houten platen voor de deuren te zetten. Beneden op de stoep waren de buren aan het werk. De smalle houten platen werden zorgvuldig tussen de rubberen strips aan weerskanten van de deuren geplaatst.

'Tommaso!'

Zijn benedenbuurman, die een kapsalon had, riep hem. Tommaso zwaaide.

'Heb je de sirene niet gehoord?'

'Ik kom al.'

Zijn benedenbuurman keek bezorgd naar Tommaso. Tommaso vermoedde dat hij al van de schorsing had gehoord. Hij wist het zeker. Het kon Tommaso niets schelen. In Venetië wist iedereen altijd alles van iedereen; in dat opzicht was het net een dorp. Ze wisten ook dat zijn moeder stervend was. Vooral de buren, aangezien het hele huis van zijn moeder was. Binnenkort zou het Tommaso's huis zijn. Ze waren bang dat hij het aan een rijke Amerikaan zou verkopen.

'Ik doe het wel voor je', riep zijn benedenbuurman. 'Waar staan je platen?'

'Onder de trap.'

Tommaso doofde zijn sigaret in een bloempot en ging het appartement binnen. Er brandde maar een lamp. Hij wilde naar bed gaan, zijn hoofd had rust nodig, maar toen hij door de woonkamer liep bleef hij staan en keek naar de muur. Hij was al begonnen met het ophangen van de zaak, aan de muur op het zuiden. De foto's van de mensen die waren vermoord. Mannen en vrouwen. Hun blikken, hun gezichten. De wereldkaart met de pijlen die de moordlocaties volgens ingenieuze systemen met elkaar verbonden. Alle gegevens, alle details over alles wat met de zaak te maken had. Tommaso staarde. Gefascineerd en betoverd, maar vooral bang.

Hij had de laatste foto's die hij uit India had gekregen afgedrukt. De foto's van de rug van de dode econoom, Raj Bairoliya. Zijn moeders foto's van overleden familieleden hadden plaats moeten maken voor andere doden. Belangrijker doden. Hun dood betekende iets, daar was Tommaso zeker van. Het was geen toeval. De slachtoffers waren met elkaar verbonden – hij wist alleen niet hoe. Tot nu toe had hij niemand anders kunnen overhalen om zich met de zaak te bemoeien. Ze begrepen het niet. Op een dag, een paar maanden geleden, had hij Interpol gebeld. Hij was honderd keer doorverbonden voordat hij eindelijk een warrige vrouw aan de lijn kreeg. Ze had niet erg aandachtig geluisterd en hem gevraagd wat op te sturen. Drie weken later had ze geantwoord. De zaak had een nummer gekregen. Ze zouden ermee aan de slag gaan als ze eraan toe waren. Hij moest rekenen op ongeveer anderhalf jaar.

Anderhalf jaar. Zo lang kon het niet wachten. Naast de dode Indiër hing Tommaso de foto van een dode jurist uit Amerika. Russel Young. Nummer 33. Raj Bairoliya was nummer 34.

22

Hoofdbureau van politie, Kopenhagen

Nacht. De beste tijd op het politiebureau. Dan was er niemand, behalve de schoonmakers die geluidloos rondslopen, prullenbakken leegden en vensterbanken afstoften, niet de bureaus, want daar kon je onmogelijk bij vanwege alle papieren die erop lagen.

Niels stuurde het rapport naar de printer. Hij had opgeschreven met wie hij had gesproken, en dat hij ze allemaal op de hoogte had gebracht en gewaarschuwd. *Voorzorgsmaatregel.* Het belangrijkste woord voor de moderne politieleiding.

Het papier was op. Hij vond nog een stapeltje en was twintig minuten bezig om uit te zoeken hoe het papier erin moest. Hij probeerde zich op Kathrine te concentreren, maar hij dacht aan Hannah Lund.

Sommersteds kantoor was net zo keurig en opgeruimd als Sommersted zelf. Niels besloot het rapport direct op zijn bureau te leggen en niet op dat van zijn secretaresse, zoals je normaal altijd doet. Hij wilde graag dat hij het zou zien. Dat hij zou toegeven dat Niels was geslaagd voor de oefening in vertrouwen.

Niels bleef even voor het bureau staan. Een foto van Sommersted en zijn vrouw. Er was iets met die twee; ze deden zo hun best om naar buiten toe goed over te komen, dat je het ergste vreesde voor hoe het aan de binnenkant zou zijn.

Er lag maar één andere map op het bureau. *Vertrouwelijk. Prioriteit 1.* stond er op de voorkant. Niels wilde zijn rapport erbovenop leggen, anders zou Sommersted het nooit lezen. Hoe belangrijk kon dat andere rapport zijn? Hij sloeg het open. Niet uit nieuwsgierigheid, alleen om te checken of hij het kon maken om zijn eigen rapport erbovenop te leggen. *Vermoedelijke terrorist. Gisteren geland in Stockholm. Jemeniet. Tussenlanding in India, Mumbai. Verband met terroristische handelingen vorig jaar. Mogelijk op doorreis naar Denemarken.* Niels bladerde. Er was een slechte foto van de terrorist, genomen met een bewakingscamera voor de Amerikaanse ambassade in Caïro. *De Moslimbroederschap.*

Niels legde zijn rapport ernaast, niet erop. Hij deed het licht uit en neuriede: 'Tot ziens. Fijne vakantie.'

23

Zuid-Zweden

Verwarrende indrukken voor zijn zintuigen. Eerst de stewardess. Nu weer de sneeuw aan de andere kant van het treinraam. Het was jaren geleden dat Abdul Hadi sneeuw had gezien. Dat was toen hij en zijn broer voor de eerste en enige keer waren gaan skiën in Libanon. Ze hadden de helft van hun maandelijkse toelage uitgegeven aan de treinreis en het huren van ski's. Meteen tijdens de eerste afdaling waren ze gevallen. Zijn oudere broer had zich het ergst bezeerd. Hij kon zijn arm niet bewegen en Abdul Hadi had hem dagenlang moeten helpen met zelfs de meest intieme handelingen. Zijn broek uittrekken, dat soort dingen. Ze hadden geen geld om naar een dokter te gaan en ze schaamden zich. Hun geld werd hun vanuit Jemen toegestuurd door de familie. Ze moesten een opleiding volgen en hun plichten als verzorgers op zich nemen.

Hij voelde een harde hand op zijn schouder.

Bij het zien van de man in het uniform werd Abdul Hadi zenuwachtig. Hij raakte bijna in paniek. Hij keek naar de andere passagiers. De vrouw naast hem haalde haar kaartje tevoorschijn. Eindelijk drong het tot hem door wat er aan de hand was.

'Sorry', mompelde hij.

De conducteur knipte zijn kaartje en liep verder de trein door, maar hij keek twee keer om. Beide keren ving hij Abdul Hadi's nerveuze blik op. Hadi stond op, pakte zijn tas en ging naar de wc. Dit soort dingen kon alles verpesten.

Hij pakte de deurknop van de wc. Bezet. Misschien was het beter als hij gewoon bleef zitten. Misschien zou het er verdachter uitzien als hij ergens anders ging zitten. De conducteur kwam terug. Hij liep zonder naar hem te kijken langs Abdul Hadi. Pas toen de conducteur aan het einde van de coupé was, wierp hij een snelle blik over zijn schouder, intussen pratend met een collega. De collega keek ook naar Abdul Hadi. Hij was ontdekt, er was geen enkele reden om zichzelf iets anders wijs te maken, maar ze wisten niet wát ze aan hem hadden ontdekt. Alleen dat hij zich verdacht gedroeg en zenuwachtig was. Verdomme! Dat kwam doordat hij verrast was. Doordat de conducteur hem op zijn schouder had geslagen. En doordat hij een Arabier was. Daarom belde de conducteur nu de politie. Hij wist het zeker. Dat zou hij zelf ook doen als hij in zijn plaats was.

De trein minderde vaart. Een stem deelde mee dat ze Linköping naderden. Abdul Hadi herinnerde zich dat dat de enige halte voor Malmö was. Het gelige licht van het treinstation deed hem denken aan de bazaar in Damascus. Maar het irritante, felle licht was wel het enige wat hem aan de oude winkelstraatjes in het Midden-Oosten deed denken. Hier op het station waren bijna geen mensen en het was er schoon en koud. Er waren heel veel bordjes die de weg wezen. Hij zocht de conducteurs met zijn ogen. Hij moest snel beslissen. Er stapten een paar passagiers in. Als hij in de trein bleef en de politie kwam, had hij geen schijn van kans.

Hij moest eruit. Hij sprong uit de trein en klemde zijn tas in zijn hand. Shit! De rugzak met de foto's van de kerk en de explosieven. Die lag nog onder de bank in de coupé. Hij wilde net weer in de trein springen toen hij de conducteur zag. Hij praatte in zijn telefoon en zocht Abdul Hadi. Een seconde lang staarden ze elkaar aan, ze stonden niet meer dan twee meter van elkaar af. De onnadenkende handlanger van de wet. Uniform. Pet. Hij wist niet eens wat voor soort maatschappij het was waarvoor hij zich zo uitsloofde om hem in stand te houden. Een maatschappij die voor honderd procent was gebaseerd op uitbuiting van anderen, racistische vooroordelen en haat.

Abdul Hadi begon te rennen. De conducteur keek hem na en riep. Abdul Hadi rende harder. Hij rende de trappen af, de tunnel onder het spoor door en kwam aan de voorkant van het gebouw naar buiten. De trein was nog niet weggereden van het perron. Hij moest terug. De foto's van de kerk. De explosieven. Het plan zou worden ontdekt.

Hij rende weer terug. Misschien kon hij in de achterste wagon springen, de rugzak pakken, aan de noodrem trekken en er weer vandoor gaan.

Te laat. Net toen Abdul Hadi het perron op rende, reed de trein weg.

* * *

Het waren zware minuten. Seconden die zwaar op zijn schouders drukten. Schaamte. Alles was verpest. Hij had gefaald. Abdul Hadi maakte zijn tas open en zocht zijn agenda met het telefoonnummer van zijn neef. Hij was zo snel hij kon de hele stad doorgelopen totdat hij aan de andere kant was, want hij ging er vanuit dat ze hem zouden zoeken. Zijn tas was een rommeltje. Hij trok er een stapeltje papieren uit. Het waren de foto's van de kerk. Hij kon zich niet herinneren wanneer hij ze erin had gestopt. Het duurde even voordat het tot hem doordrong. Alles was nog niet verloren. Hij was de explosieven kwijt, maar de foto's had hij nog. Ze wisten niet wat hij ging doen; ze wisten niet wat het plan was.

24

Carlsbergsilo, Kopenhagen

Als Niels niet kon slapen, ging hij meestal uit bed om te lezen. Liefst een saai boek of een krant van de vorige dag. Wijn hielp ook, maar van sterkedrank kreeg hij hartkloppingen. De fles cognac die hij voor zijn vijftigste verjaardag van Anni had gekregen, was nog bijna helemaal vol.

Dit keer bleef hij gewoon liggen. De slaap wilde niet komen. Hij lag in het donker te staren. Zijn koffer stond ingepakt klaar. Zijn paspoort en vliegticket lagen op de tafel. Hij had een overhemd gestreken en klaar gehangen. Alles was gereed. Nu kon hij alleen nog maar naar het gladde betonnen plafond staren en wachten tot het zes uur werd en hij kon vertrekken. Hij deed zijn ogen dicht en probeerde Kathrines gezicht voor zich te zien. Haar ogen. Haar enthousiaste ogen als ze over haar werk praatte. De kinderlijke lachkuiltjes die ze zo krampachtig probeerde te verbergen. Ze lachte vaak met een hand voor haar mond. Haar temperament dat altijd op de loer lag. De welving van haar jukbeenderen. Haar smalle neus. Het wilde niet lukken, hij kon er geen geheel van maken. Het waren losse details die op elkaar botsten, elkaar in de weg stonden en het geheel niet doorlieten.

Toen de telefoon ging, voelde het als een bevrijding.

'Hallo, schat, ik lag net aan je te denken.'

'Heb je de pillen ingenomen?'

Kathrines stem klonk hectisch. Gespannen, gestrest, nerveus. Maar ook vol verwachting.

'Een paar. Ik neem er straks nog een paar.'

'Zet de computer eens aan', zei ze.

'Wil je controleren of ik het doe?'

'Ja.'

'Ik zal het je laten zien.'

Niels zette de computer aan. Het duurde even. Ze zeiden geen van beiden iets tijdens het wachten.

'Hallo', zei hij toen hij haar op het beeldscherm zag. Ze zat op de gewone plaats. Niels had weleens het gevoel dat hij die kamer – die misschien wel achtduizend kilometer hiervandaan was – beter kende dan de kamers van hun eigen appartement.

Niels nam twee pillen in. Het zou best kunnen dat hij zo langzamerhand een overdosis had genomen. Hij had de bijsluiter in het doosje alleen vluchtig doorgekeken. 'Zo. Tevreden?' Hij klonk een beetje chagrijnig.

'Je gelooft er zelf niet in.' De woorden werden bijna afgevuurd uit haar mond.

'Waarin?'

'Jezus, Niels! Ik zie het aan je! Je gelooft er niet in. Hoe moeilijk kan het zijn? Probeer eens te bedenken hoeveel mensen er aan vreemde fobieën lijden. Je neemt een paar pilletjes en alles is goed!'

'Dat doe ik toch. Ik probeer het toch.'

'Maar probeer je het wel genoeg, Niels?'

Stilte. Hij aarzelde. Lag er een latente dreiging in haar stem? Hoorde hij iets van: *dit is je laatste kans*? Hij kon het niet uit zijn hoofd zetten. Veel gevoelens waren hem vreemd, maar paranoia was daar niet een van.

'Het is een van de eerste dingen die ik je heb verteld toen we elkaar hadden ontmoet. Ik kan niet goed tegen vliegen.'

'Dat was honderd jaar geleden!'

'Weet je nog wat je toen zei? Je zei dat het niet uitmaakte omdat ik jouw hele wereld was.'

'Dat was duizend jaar geleden!'

'Het zijn je eigen woorden.'

'We hebben geen kinderen, Niels, en we zijn samen nog nooit verder geweest dan Berlijn.'

Niels hield zijn mond. Hij was nooit goed geweest in ruziemaken. Zeker niet met Kathrine.

'Kijk eens, Niels.' Ze trok haar shirt omhoog en liet hem een stukje van haar borsten zien. 'Het is toch ook zielig voor mij. Ik heb intimiteit nodig. Biologie, je weet wel. Ik heb het gevoel dat ik langzaam verlep.'

'Kathrine.' Niels wist niet wat hij moest zeggen. Soms was de juiste klank in zijn stem genoeg, maar deze keer niet.

'Je zorgt dat je hier morgen bent, Niels. Je ...' Haar stem brak. 'Als je hier morgen niet bent ...'

'Wat dan?'

'Dan kan ik niets meer beloven, Niels.'

'Wat bedoel je?'

'Dat weet je best.'

'Nee! Verdomme, waar heb je het over?'

'Je hebt me gehoord: je zorgt dat je hier morgen bent en anders kan ik je niets beloven! Welterusten, Niels.'

Ze staarden elkaar aan. Ze huilde bijna. Maar ze vocht om het te verbergen.

Toen sloot ze haar computer af.

'Kut!' Niels wilde het liefst zijn glas tegen het computerscherm smijten, maar hij beheerste zich. Zoals altijd.

Hij werd overmand door eenzaamheid. Alle zuurstof werd weggezogen uit de lucht, of uit hem. De telefoon ging weer. Hij liet hem een paar keer overgaan en probeerde tot bezinning te komen. Hij haalde diep adem – hij moest positief klinken.

'Hallo, schat!'

'Het is lang geleden dat iemand me zo heeft genoemd.'

Het duurde een paar seconden voordat Niels de stem kon plaatsen. Hannah Lund. De astrofysicus.

'Sorry, ik dacht dat u mijn vrouw was.'

'Ik moet ook eigenlijk niet zo laat bellen. Dat is een slechte gewoonte van me, nog uit de tijd dat ik onderzoeker was. Dag en nacht lopen soms in elkaar over. Kent u dat?'

'Misschien.' Niels hoorde zelf hoe moe hij opeens klonk.

'Uw moorden houden me wakker.'

'Mijn moorden?'

'Ik heb erover nagedacht. Kunnen we iets afspreken?'

Niels keek op de klok. Het was even over tweeën. Over minder dan vier uur ging zijn wekker.

'Ik ga op vakantie, naar Zuid-Afrika, mijn vliegtuig vertrekt morgenochtend vroeg.'

'Als er een systeem is', zei Hannah. 'Ik bedoel, als de getallen en afstanden een bepaald patroon volgen.'

Niels probeerde haar zonder veel overtuigingskracht te onderbreken. 'Maar wij houden ons helemaal niet bezig met het oplossen van de zaak.'

'Hebt u daarover nagedacht?'

'Waarover?'

'Het systeem. Misschien kunnen we het berekenen.'

Niels liep naar het raam. Donkere straten. 'U bedoelt dat we de volgende moord kunnen voorkomen?'

'Dan heb ik natuurlijk wel alle beschikbare informatie en alle gegevens nodig, maar u hebt vast een dossier.'

Niels dacht. Aan Kathrine.

'Zoals ik al zei ...'

'Jullie houden je niet bezig met het oplossen van de zaak. Ik begrijp het. Sorry dat ik u heb lastiggevallen, meneer Bentzon.'

'Het geeft niet. Goedenacht.'

'Goedenacht, schat.'

Ze hing op.

25

Luchthaven Kastrup, Kopenhagen, donderdag 17 december
Het was een van de oudste civiele luchthavens ter wereld, aangelegd op een grasvlakte buiten Kopenhagen. De best bewaard gebleven luchthaven van Europa in de jaren vlak na de Tweede Wereldoorlog. De meeste andere luchthavens waren kapotgebombardeerd, maar iemand had zijn hand boven Kastrup gehouden. Hogere machten? Toeval? De samenwerkingspolitiek?

'Zei u de terminal voor internationale vluchten?'

'Ja, terminal 3 alstublieft. Ik ben een beetje laat.'

De felle winterzon hing zo laag dat hij de automobilisten recht in de ogen scheen. Niels zette zijn zonnebril op. Die was eigenlijk voor Afrika. Hij keek naar de lucht: het was een mooie, diepblauwe, heldere hemel. Een Airbus steeg op. Niels probeerde een groeiend gevoel van misselijkheid te onderdrukken. Er werden elk jaar meer dan 260.000 vliegbewegingen uitgevoerd op de luchthaven Kastrup. Miljoenen mensen kwamen er aan en vertrokken er. Niels had het gelezen, hij kende de statistieken. Hij wist dat hij opgelucht adem moest halen als hij straks uit de taxi stapte. Dan had hij het gevaarlijkste deel van de reis achter de rug, maar die kennis had op hem geen therapeutisch effect. Eerder het tegenovergestelde.

'U hebt geluk als u geen vertraging hebt.' De chauffeur stopte. 'Een neef van me zou gisteren naar Ankara vertrekken. Hij zit nog steeds te wachten.'

Niels knikte alleen maar en staarde naar het gebouw dat voor hem opdoemde. De vertrekhal was opgetrokken uit glas en aluminium en had de vorm van een vleugel. De klimaattop had gigantische vertragingen tot gevolg. Tijdens de elf dagen durende top was Kastrup het absolute knooppunt van de wereld. Maar voorzover hij op internet had kunnen zien, had dat geen invloed op zijn vlucht. De meeste staatshoofden waren intussen gearriveerd. Sommigen waren zelfs alweer vertrokken.

* * *

Zodra hij de vertrekhal binnenkwam, begon Niels te zweten. Hij ging de toiletten in, nam een paar pillen en plensde koud water in zijn gezicht. Hij bekeek zichzelf in de spiegel. Ziekelijk bleek, grote, rusteloze pupillen en een gekwelde uitdrukking op zijn gezicht.

'Are you okay, mister?'

Niels nam de man in de spiegel op. Het was een kleine, iets te dikke Zuid-Europeaan met een vriendelijk gezicht.

'I'm fine, thank you.'

De man bleef staan. Niet lang, maar lang genoeg voor Niels om de aandrang te krijgen hem te vragen of hij niet zo naar hem wilde staren. Eindelijk ging hij weg.

Nog maar wat water. Niels probeerde zijn ademhaling onder controle te krijgen. Hij was er bijna in geslaagd toen hij opnieuw door een stem werd gestoord. Dit keer kwam hij uit de luidsprekers: '*Laatste oproep voor passagier Niels Bentzon, reizend met de SAS-vlucht van 8.45 uur naar Parijs. Boarding gate 11*.'

Dat hij een tussenlanding moest maken in Parijs, maakte het er niet beter op. Nu moest hij twee keer door deze hel.

Hij deed zijn ogen dicht en veranderde van tactiek. Tot nu toe had hij geprobeerd te doen alsof er niets aan de hand was. Hij had geprobeerd te vergeten dat hij op een vliegveld was. Dat was mislukt. Nu probeerde hij het tegenovergestelde. Hij probeerde juist heel erg aanwezig te zijn. Zich te concentreren. Verstandig te zijn. Hij liet de angst toe en liet hem de strijd aangaan met zijn verstand en de statistieken: er hangen continu miljoenen mensen boven de wolken. Lieve help, hij hoefde alleen maar hetzelfde te doen als zij: in een vliegtuig stappen, een kopje koffie drinken, een film kijken, misschien een beetje slapen, de gedachte dat we allemaal doodgaan accepteren – en er misschien zelfs van genieten. Het hielp niet. Hij was immers niet bang voor het vliegtuig, of bang om dood te gaan. Het was het verplaatsen waar Niels moeite mee had.

Hij depte zijn gezicht met een papieren handdoekje, haalde diep adem en probeerde zichzelf moed in te spreken. Toen liep hij de toiletten uit en ging naar zijn vliegtuig. Terwijl hij door de bijna lege vertrekhal liep, zag hij een beeld voor zich van een ter dood veroordeelde die bezig is aan zijn laatste stappen op weg naar de galg. Hij zou nog liever worden geëxecuteerd dan in een vliegtuig stappen, concludeerde hij in zichzelf.

'Dank u. Goede reis.'

De stewardess glimlachte professioneel en vertrouwenwekkend en ze liet hem het vliegtuig binnengaan. Niemand nam speciaal notitie van hem. Geen boze blikken omdat hij te laat was. Iedereen had het druk met zichzelf. Niels zocht zijn plaats op en ging zitten. Hij bleef heel rustig zitten en keek naar de stoel voor hem. Het ging goed. Hij had alles onder controle. Zijn ademhaling was bijna normaal. Misschien werkten die pillen echt.

Toen zag hij zijn handen die in zijn schoot lagen.

Het leek wel of ze elektrische schokjes kregen. Het breidde zich uit. Hij voelde het. Langzaam kropen de spasmen omhoog door zijn armen en schouders en vervolgens via zijn borstkas naar zijn middenrif. De geluiden om hem heen verdwenen. Hij keek verwilderd rond. Een meisje van een jaar of vijf draaide zich om en keek naar hem met een kinderlijke fascinatie. Haar mond bewoog. Opeens drongen de woorden tot hem door: 'Wat doet die man, mamma?'

Hij zag een jonge moeder die probeerde het meisje tot zwijgen te brengen. Ze zei dat ze niet op hem moest letten en doen alsof ze het niet zag.

Niels stond op. Hij moest eruit. Nu.

Hij moest overgeven. Hij begon weer te zweten. Hij wankelde door het middenpad alsof hij probeerde te verbergen dat hij had gedronken. Hij worstelde om zijn waardigheid te behouden in een onmogelijke situatie.

'U kunt het vliegtuig nu niet meer verlaten.' Dezelfde stewardess keek hem aan. De glimlach was nu iets geforceerder.

Niels liep door. Het vliegtuig trilde, de motoren waren gestart.

'U kunt nu niet ...'

Hij keek rond. Een purser kwam snel naar hen toe lopen.

'Sorry, meneer, maar u kunt het vliegtuig nu niet meer verlaten.'

'Ik ben van de politie.'

Niels liep door. Het was nog maar een paar meter tot de deur.

'Hoort u mij? Ik moet u verzoeken om op uw plaats te gaan zitten.'

Hij pakte Niels vast. Heel rustig en met een bewonderenswaardig geduld. Niels duwde hem ruw weg en pakte de hendel van de deur.

'Luistert u eens, meneer.' De purser. Nog steeds geduldig.

Niels haalde zijn politielegitimatie tevoorschijn.

'Politie. Ik moet eruit.' Zijn stem trilde.

Iemand fluisterde tegen de stewardess: 'Haal jij de gezagvoerder?'

'Ik moet er nu uit!' schreeuwde Niels.

Het werd heel stil. De andere passagiers staarden naar hem. De purser keek hem aan. Lag er medelijden in zijn blik?

Toen knikte hij.

* * *

Het wieltje van de bagagekar zat scheef, dus Niels had de grootste moeite om rechtdoor te sturen. Hij vloekte in zichzelf. Het had een eeuwigheid geduurd om zijn koffer uit het vliegtuig te krijgen. De blikken van de bagageafhandelaars hadden hem duidelijk laten blijken dat hij hun extra werk had bezorgd.

Niels gaf het op, liet de kar staan en droeg zijn koffer verder. Hij ging aan een tafeltje zitten en dronk een biertje.

De stoel zat niet lekker, de misselijkheid was nog steeds niet weg en hij had eigenlijk geen zin in alcohol. Hij wilde zich alleen graag beter voelen. Hij wenste dat hij dood was. Waarom was hij niet gewoon in het vliegtuig blijven zitten? Hij wilde Kathrine bellen, maar de schaamte hield hem tegen.

Een andere stoel, comfortabeler dit keer. Een echte stoel, bedoeld om in te wachten. Niels kon zich niet herinneren dat hij zich had verplaatst. Hij had zijn mobieltje in zijn hand. Kathrine. 'Kathrine, lieveling, ik geef het niet op.'

Ze moest het doen met een sms.

Hij keek door de gigantische ramen naar buiten. Een Boeing 737 steeg zonder enig probleem op.

Er ging een half uur voorbij. Misschien langer. Vliegtuigen landden, vliegtuigen stegen op. Mensen vertrokken, mensen kwamen aan. Zakenlui, toeristen, ngo-medewerkers, ambtenaren, klimaatonderhandelaars, politici, journalisten, vertegenwoordigers van diverse milieuorganisaties. Niels nam ze op. Sommigen leken al bij voorbaat vermoeid en verslagen, anderen vol hoop en verwachting. Maar ze verplaatsten zich. Ze gingen van één plaats naar een andere.

Hij zat daar alleen maar.

Niels stond op en liep naar de rij voor de Alitalia-balie. Hij dacht niet na; zijn hersenen waren uitgeschakeld. Alles was gewist; alles wat met de reis te maken had, alle zorgvuldig geplande voorbereidingen, alle statistieken. Wat had hij daar nu aan? Wat had het allemaal voor zin gehad?

'Excuse me, are you Italian?'

Niels was zelf minstens net zo verbaasd als de jongeman die hij had aangesproken.

'Yes.'

'Can you make a phonecall for me? It's urgent.'

Niels gaf hem de tijd niet om te antwoorden, maar toetste een nummer in op zijn mobiele telefoon en gaf hem aan de man.

'Ask for Tommaso Di Barbara. Tell him to fax everything he has on the case, to Niels Bentzon. This number.' Niels wees op het nummer op zijn visitekaartje.

'Maar ...'

'Everything!'

26

Hoofdbureau van politie, Kopenhagen

'Niels? Je was toch op vakantie?'

Anni keek op van haar beeldscherm. Ze zag er minder verrast uit dan ze klonk.

'Later.' Niels spreidde zijn armen. 'Je zei dat hij was binnengekomen.'

'Wie?'

'De fax uit Venetië.'

'O, ja.' Ze stond op.

'Blijf maar zitten.' Niels probeerde haar tegen te houden. 'Ik haal hem zelf wel.'

Ze deed alsof ze het niet hoorde en liep met hem mee. Het ergerde Niels. Anni's nieuwsgierigheid was berucht en ergens ook wel charmant, alleen nu even niet.

Het bureau lag er verlaten bij. De open kantoorlandschappen, de platte beeldschermen, de ergonomische bureaustoelen en de nieuwe, in hoogte verstelbare bureaus van duur Scandinavisch design hadden eerder de uitstraling van een reclamebureau dan van een politiebureau. Maar was er eigenlijk wel zo veel verschil? Dat betwijfelde Niels zo langzamerhand. Tegenwoordig hoorde je in de vergaderingen meer woorden als 'imagebuilding', 'branding', en 'signaalwaarde' dan goede, ouderwetse politietermen. De politiechefs waren bekend van radio en televisie. De commissaris verscheen zo vaak in de media dat alleen stand-up comedians en popsterren hem konden bijhouden. Niels wist heel goed waarom. De politie was een van de belangrijkste politieke arena's van de maatschappij geworden. Dat bleek uit talloze onderzoeken. De politiereorganisatie van 2007 had meer krantenkoppen opgeleverd dan alle belastinghervormingen van de afgelopen jaren bij elkaar. Zelfs onbelangrijke derderangspolitici werd door hun spindoctors ingefluisterd dat het belangrijk was om een standpunt te hebben ten aanzien van het normen-en-waardendebat. Ze konden zelfs in hun slaap een resolute mening opdreunen over alles wat met de politie te maken had, ook al reikte hun kennis van het politiewerk niet veel verder dan wat ze in politieseries op tv zagen.

'Wacht maar tot je de fax ziet.' Anni keek hem vol verwachting aan toen ze de deur van de computerkamer opendeed. 'Ik heb nog nooit zoiets gezien.'

De computerkamer had eigenlijk niet veel te maken met een computerkamer. Het was misschien wel de enige plek op het bureau – afgezien van de toiletten – waar geen computer stond. Ze lachten daar vaak om. Er stonden wel printers, faxen en kopieerapparaten en er hing een penetrante geur van restchemicaliën, ozon en toner waar je zo zeker als twee maal twee vier is al na een paar minuten misselijk van wordt en hoofdpijn van krijgt.

Anni wees: 'Kijk, daar is hij. Het lijkt wel een telefoonboek!'

Niels staarde. Hij wist niet precies wat hij had verwacht, maar niet een stapel papier van vele honderden pagina's.

'Wat is het?' Anni probeerde onverschillig te klinken.

'Gewoon een zaak.'

'Dat kan toch bijna geen gewone zaak zijn.' Ze onderdrukte een glimlach. 'Heeft het iets met de top te maken?'

'Ja.' Niels keek haar ernstig aan en bedacht dat, wat de uitkomst van de klimaattop ook zou zijn, wat voor resultaat de inspanningen van de wereldleiders om de aarde van de ondergang te redden ook zouden opleveren, het niet vergeefs zou zijn geweest. Want zonder de top had Niels zijn secretaresse nu niet de mond kunnen snoeren.

'Hebben we een doos?' Niels keek rond.

Anni gaf hem een kartonnen doos met printerpapier. Hij nam hem zonder een woord te zeggen van haar aan, maar wel met een groeiend slecht geweten omdat Anni zo langzamerhand echt een soort moeder voor hem was geworden. Niels maakte de doos leeg en deed de fax erin. Hij zag een paar van de foto's. De obductiefoto's van een forensisch arts. Vreemde tekens op een rug. Een lijst van de vermoorde mensen; China, India.

'Wat een jurk! Komen ze morgen?'

Anni keek naar een klein beeldscherm: ergens op de wereld stapten Barack en Michelle Obama uit de Air Force One.

'Ze heeft een stevig achterwerk. Is dat sexy?'

Ze keek Niels vragend aan.

'Misschien. Als je ervan houdt.'

Michelle Obama zwaaide geroutineerd vanaf de vliegtuigtrap. Naar wie zou ze zwaaien? Naar de enorme menigte beveiligers? Barack Obama stapte van de trap op de landingsbaan en gaf een kale man, waarschijnlijk de Amerikaanse ambassadeur in het betreffende land, een hand. Niels kon zijn ogen niet van Obama afhouden. Er lag een droevige trek op zijn anders altijd glimlachende gezicht. Niels had dat ook gezien toen hij Obama de allereerste keer op televisie had zien debatteren met Hillary Clinton. Een restje van iets zorgelijks. Een splintertje twijfel. Hij twijfelde aan zijn eigen project. Hij twijfelde niet of híj de wil had om het uit te voeren, om een betere wereld te scheppen, maar of de wéreld er klaar voor was.

* * *

Er brandde licht op Sommersteds kantoor, constateerde Niels verbaasd toen hij de computerkamer uit kwam. Hij zette de doos met de fax op de grond en schoof hem met zijn voet onder zijn bureau zodat niemand hem kon zien. *India en China*. De laatste twee moorden op de lijst uit Venetië. Was die terrorist ook niet in India geweest?

'Pas maar op,' zei Anni waarschuwend, 'zijn humeur is niet al te best vandaag.'

'Is het dat ooit wel dan?'

Niels klopte en ging naar binnen. Sommersted had zijn jas nog aan. Hij leek iets te zoeken.

'Ja?' Hij keek Niels niet aan. 'Ik ga zo weer weg.'

Er lag een dreigende klank in zijn stem. Hier sprak een man die onder grote druk stond. Een man die een tijdlang te weinig had geslapen en door wiens hoofd de vreselijkste rampscenario's spookten over de veiligheid tijdens de top.

'Even over die zaak van die gezochte Jemeniet ...'

'Stop!' Sommersted stak gestrest zijn hand op.

Niels negeerde de hand en ging verder: 'Ik kon er niets aan doen dat ik dat rapport gisteren zag. Zijn laatste bestemmingen ...'

'Wat? Nee.'

Sommersted was er niet bij met zijn hoofd, dat was duidelijk. Hij was eigenlijk in het Bella Congrescentrum. Bij alle staatshoofden waar hij op moest passen.

'In verband met die zaak van Interpol.'

'Bentzon.' Sommersted zuchtte. Hij was een roofdier dat zijn prooi nog een laatste kans gaf. 'Die Hadi-zaak is uiterst vertrouwelijk. Daar hoef jij je niet mee bezig te houden. We kunnen nu absoluut geen paniek gebruiken. Zie je het al voor je? De combinatie van topterroristen en wereldleiders allemaal gezellig samen in Kopenhagen.'

'Ik weet het niet zeker', zei Niels. 'Dat geef ik toe, maar ik heb wel een vermoeden.'

'Nee!' Sommersted probeerde nu niet langer zijn zelfbeheersing te bewaren en hij verhief zijn stem: 'Vergeet het, Bentzon. Laat het aan anderen over. Weet je wel hoeveel staats- en regeringshoofden er over een paar uur in het Bella Centrum bij elkaar zullen zijn? Er wordt verwacht dat ik op ze pas. Brown, Sarkozy, het hele zooitje! Zelfs een gek als Mugabe verwacht dat hij geen kogel door zijn kop krijgt terwijl hij in Wonderful Copenhagen is! Extremisten, terroristen, psychisch gestoorde idioten, iedereen zit gewoon te wachten totdat ik een foutje maak.'

'Maar ...' Niels had het eigenlijk al opgegeven, maar hij probeerde er toch nog tussen te komen. Hij werd ruw aan de kant geschoven.

'De pers wil weten waarom wij een groep autonomen hebben tegengehouden en een paar uur op het asfalt hebben laten zitten. Twee van hen hebben blaasontsteking gekregen. Zie je het probleem?'

Sommersted wachtte zijn antwoord niet af, maar liep langs Niels de deur uit en verdween.

* * *

Verdomme, nee! Niels draaide zich om. Dit was gewoon niet goed. Er was een verband. India, Mumbai. Niels overlegde met zichzelf terwijl hij terugliep naar Sommersteds kantoor. Hij was een politieman. Het was zijn taak om misdaden te voorkomen en op te lossen. Het was niet zijn taak om Sommersted blij te maken. Het licht op het kantoor brandde nog. Het is kennelijk nog niet tot de politie van Kopenhagen doorgedrongen dat we allemaal samen verantwoordelijk zijn voor de opwarming van de aarde. Niels ging naar binnen. De papieren lagen op het bureau. Niels verbaasde zich over Sommersteds slordigheid. Dat kwam waarschijnlijk door de stress. Een profielfoto van de Jemeniet Abdul Hadi en een beetje een vage foto die ergens in Waziristan was genomen, het bergachtige grensgebied tussen Pakistan en Afghanistan. Niels wist niet veel van internationaal terrorisme, maar hij wist wel dat Waziristan een van de broedplaatsen van het terrorisme was. De Moslimbroederschap. Die werd meerdere malen genoemd in de papieren. Hadi had contacten met vooraanstaande leden van De Moslimbroederschap. Uit de gegevens bleek niet precies hoe intensief die contacten waren, maar er werd gevreesd dat hij een potentiële terrorist was.

Niels keek op. Niemand lette op hem, alle ogen waren gericht op de temperatuur in het congrescentrum.

Hij bladerde. De Moslimbroederschap. Hij liet zijn ogen over de pagina's gaan. Een politiek-religieuze organisatie die in 1928 in Egypte was opgericht door Hassan Al-Banna. De doelstelling was om Egypte om te vormen tot een islamitische samenleving gebaseerd op strenge islamitische wetten, volgens hetzelfde patroon als de samenleving die de wahabitische Ikhwan op het Arabisch Schiereiland hadden gesticht. Hoewel ze naar buiten toe afstand namen van geweld, was de organisatie meerdere keren verboden in Egypte. Een van de belangrijkste leden, de inmiddels overleden Sayyid Qutb, had tijdens een verblijf in de gevangenis het geschrift *Mijlpaal* geschreven, dat tegenwoordig als een soort strijdboek voor islamitisch terrorisme wordt beschouwd. Osama Bin Ladens rechterhand en de onderaanvoerder van Al-Qaida, de arts Ayman al-Zawahiri, is zijn terroristische loopbaan begonnen bij de Moslimbroederschap. De Broederschap heeft vanaf haar oprichting heel veel invloed gehad, niet alleen in Egypte, maar in grote delen van de islamitische wereld. Zij is in verband gebracht met talloze terroristische acties en steunde openlijk terreuraanslagen tegen Israël, dat ze beschouwden – en nog steeds beschouwen – als de belangrijkste vijand. De islamitische organisatie Hamas in Gaza is voortgekomen uit de Broederschap. De Moslimbroederschap is het bekendst om haar bijdrage aan de moord op de Egyptische president Anwar Sadat op 6 oktober 1981. Dat was de wraak omdat Sadat in 1978 een hand had uitgestoken naar de gehate Israëlische leider Menachem Begin en een officieel vredesakkoord met Israël had ondertekend.

Niels stopte. Hij bladerde door de papieren. Eindelijk vond hij wat hij zocht: waar Abdul Hadi was geweest voordat hij erin was geslaagd om Zweden binnen te komen. Zo te zien waren er wel gaten, maar niet veel en geen al te grote. Niels schreef alles op.

Abdul Hadi was vermoedelijk gezien in een trein in Zweden. Wat moest hij in Zweden? Was Zweden het einddoel van zijn reis of wilde hij verder? Daarvoor was hij met een vliegtuig uit Brussel gekomen en daarvoor was hij – vermoedelijk – korte tijd in India geweest. Niels vroeg zich af hoe het in vredesnaam mogelijk was dat een man die internationaal werd gezocht vrij kon rondreizen over de wereld. Dat de veiligheidsprocedures veel te wensen overlieten, was bekend. Niet noodzakelijkerwijs openbaar, maar in ieder geval wel binnen de politie. Ondanks enorme verbeteringen op het gebied van veiligheid en controle op de meeste luchthavens van de wereld: irisscanners, vingerafdrukken, strengere eisen aan paspoorten en identiteitspapieren, leek het wel of de terroristen de beveiligers altijd een stapje voor waren. Of waren het er gewoon zo veel dat er, hoeveel je er ook ving, altijd nog wel een paar over waren die er tussendoor glipten?

Niels merkte dat hij hardop tegen zichzelf praatte.

'Wat deed je in India?' mompelde hij.

Geen antwoord. Hadi staarde hem aan. Hij kende die blik. Zo kijken mensen vlak voordat ze de trekker overhalen.

'En wat kom je in Denemarken doen?'

27

Christianshavn, Kopenhagen

Het stoplicht in de Amagerbrogade deed het niet.

Niels merkte pas dat hij al een eeuwigheid voor rood stond te wachten, toen er een auto achter hem agressief begon te toeteren. De man in de auto reed langs hem heen, stak zijn middelvinger op en verdween. Niels belde. Hij wachtte. Hannah Lund klonk alsof ze net wakker was.

'Met Niels Bentzon. Mag ik langskomen?'

'Nu?'

'Ik heb een fax met alle informatie over de zaak. Ik kan je maar beter waarschuwen. Het is tamelijk veel.'

'Zou jij niet op reis gaan?'

'Het is zelfs heel erg veel. Alle details. Precies zoals je vroeg.'

Stilte. Niels wilde verdergaan, maar ze was hem voor: 'Kan ik nog even douchen?'

'Ik ben er over een uur.'

Hij brak het gesprek af. Hij stelde zich Hannah voor onder de douche. Had ze het daarom gezegd? Hij kwam bij Christmas Møllers Plads. Delen van het grote verkeersplein zaten helemaal verstopt omdat enkele honderden klimaatdemonstranten zich opmaakten voor iets wat op een ongeautoriseerde demonstratie leek. Het zag er koud uit. De demonstranten liepen vlak langs de auto's. LAATSTE KANS – RED DE PLANEET stond er op een groot spandoek. NU OF NOOIT, stond er op een ander. De doos waar de fax in zat stond naast Niels op de passagiersstoel. Hij maakte hem open. Pagina's vol met alle informatie over de slachtoffers: de locaties van de moorden, de tijdstippen, foto's van de slachtoffers, foto's van de merkwaardige tatoeages op de rug van de slachtoffers. Niels wist niets over tatoeages, maar er was iets waar hij zich over verbaasde. Waarom zou een moordenaar zulke ingewikkelde tatoeages op de rug van zijn slachtoffers maken? Tommaso had gezegd dat het getallen waren. Niels zag dat niet. Het leek hem eerder een soort patroon. Een abstracte tekening of zo.

Eindelijk ontstond er een gat in de groeiende mensenmenigte. Niels reed via Christianshavns Torv de stad in. Het beeld van de merkwaardige tatoeages bleef maar in zijn hoofd hangen. Ze waren als een vreemde invasiemacht zijn hoofd binnengedrongen en weigerden te vertrekken.

Opeens – zonder dat hij erbij nadacht – maakte hij een U-bocht, reed terug en ging linksaf de Prinsessegade in.

* * *

Christiania, Kopenhagen

Tattoo Art lag op dezelfde plek als altijd. Niels was er nog nooit binnen geweest, maar de rest van Christiania kende hij goed. Net als de meeste andere politiemensen uit Kopenhagen had hij in Pusher Street gepatrouilleerd en arrestaties verricht. Hij bleef staan en keek om zich heen. Een paar dronken Groenlanders zwalkten over het pleintje voor Nemoland. Een stel loslopende honden volgde Niels nieuwsgierig met hun ogen.

Niels stond een beetje ambivalent tegenover Christiania. In beginsel was hij positief. Het idee dat een groep vredelievende hippies, nu bijna veertig jaar geleden, een militair kazerneterrein dat niet meer werd gebruikt had bezet en er een sociaal experiment was begonnen, sprak hem aan. Een vrijstaat midden in de stad. Een dorp midden in Kopenhagen. Een andere manier van leven. In Christiania had hij als jong agentje een paar van zijn beste ervaringen gehad. Hij had er heel veel vriendelijkheid ontmoet. Waar anders maakte je mee dat je in juli, om vier uur 's nachts, werd uitgenodigd voor kerstbier en rijstepap?

Maar de laatste tien jaar was de sfeer omgeslagen. Hells Angels en immigrantenbendes hadden de drugshandel overgenomen. De onschuld van de hippietijd was verdwenen en had plaatsgemaakt voor keiharde drugscriminaliteit. De mensen die erachter zaten waren pure criminelen en ze verdienden er heel veel geld mee. Geweld en dreigementen waren aan de orde van de dag. Dit alles had een climax bereikt in mei 2006, toen een negentienjarige jongen net buiten Christiania was overvallen door een groep dealers en met grof geweld doodgeslagen. Niels was zelf niet bij de zaak betrokken geweest, maar zijn collega's waren diep geschokt. Het soort botte gewelddadigheid dat de daders aan de dag hadden gelegd, hadden ze nog maar zelden meegemaakt. Ze hadden in koelen bloede met knuppels en ijzeren staven de schedel van de jongeman ingeslagen. Er was sprake van een zuivere terechtstelling. Een meedogenloze liquidatie ter afschrikking en waarschuwing. Door deze zaak was Niels' visie op de vrijstaat veranderd. Het experiment was ontspoord.

* * *

'Geef me vijf minuten, dan ben ik klaar.' De tatoeëerder keek Niels vriendelijk aan.

Niels ging zitten om te wachten. Hij keek naar de man. Het leek wel een monster. Hij had angstaanjagende, kleurrijke tatoeages overal op zijn lichaam en een groot deel van zijn gezicht. De stof van zijn strak zittende hemd scheurde bijna door alle spieren in zijn bovenlijf. Hij had een ringetje in zijn neus en in zijn onderlip.

'Wil je koffie?' Hij sliste een klein beetje door de lippiercing.

'Ja graag. Zwart.'

De tatoeëerder verdween naar een kamer achter de winkel en liet Niels alleen.

De ruimte was klinisch schoon. Het deed denken aan een dokterspraktijk. De wanden hingen vol met foto's van getatoeëerde mensen: draken, slangen, vrouwen, abstracte patronen. Op een aantal van de posters stonden Japanse tekens. Of waren het Chinese?

'Ze vermoeden dat mensen in Japan al meer dan tienduizend jaar geleden zijn begonnen met tatoeëren. Te gek, toch?'

De tatoeëerder kwam terug. Hij gaf Niels een kop koffie.

'Het Ainu-volk. Ze tatoeëerden hun gezicht.'

Niels keek hem vragend aan.

'En er zijn ook Chinese mummies met tatoeages gevonden, dus het is niet bepaald een modeverschijnsel.' Hij lachte.

'Gebruikten ze toen al dezelfde techniek?'

'De techniek heeft zich ontwikkeld. Er bestaan voorbeelden uit heel oude culturen waarbij ze as in open wonden wreven. De Vikingen gebruikten doorns van rozenstruiken. Wie mooi wil zijn, moet pijn lijden.' Weer die luide, slissende lach.

Niels glimlachte beleefd. 'En hoe gaat het tegenwoordig? Puur technisch?'

'Kijk maar.' De tatoeëerder knikte naar een tatoeëerapparaat. 'De naald zit in dit buisje. Als je het apparaat aanzet, gaat de naald ongeveer duizend keer per minuut op en neer. Dat gaat echt wreed snel!'

'En wat wordt er dan ingespoten?'

'Er wordt niets ingespoten. Er worden verschillende kleuren inkt in geprikt. De pigmenten waarmee je tatoeëert, bestaan uit water, glycerine en piepkleine kristalletjes. Vreemde lichaampjes in allerlei kleuren.'

'Dat klinkt ongezond.'

'Krijg je twijfels?' Hij glimlachte scheef. 'Die koffie die je daar drinkt is ook ongezond.'

'Ja, maar vreemde lichaampjes?'

'Er zijn weleens mensen die problemen krijgen. Dan probeert het lichaam die kristalletjes kwijt te raken. Dat is waarschijnlijk niet zo prettig. In zeldzame gevallen dringen de pigmenten de lymfebanen binnen en daarna de lymfeklieren en dan komen ze in het bloed, maar come on, ik heb nog nooit problemen gehad. En ik weet waar ik het over heb.' Hij trok zijn hemd omhoog en liet een indrukwekkende – en angstaanjagende! – drakenkop zien.

'Wil je er zo een? Dat vinden de meisjes sexy.'

'Nee, dank je. Ik wil je graag iets laten zien.'

De man keek hem verbaasd aan terwijl Niels een van de foto's uit de fax tevoorschijn haalde.

'Wat is dat?' De tatoeëerder keek geïnteresseerd naar de rug van het slachtoffer. 'Wil je er zo een?'

'Kun je iets over die tatoeage zeggen?'

'Iets zeggen?'

'Over het patroon? Wat is het? Hoe is het gemaakt? Hoeveel tijd zou het kosten?'

De man zei niets. Hij keek alleen maar.

'Kom even mee.'

De achterkamer was een totaal andere wereld. Het leek het huis van een junk. Overal lagen naalden en asbakken; er stond een halfvolle whiskyfles op een vuile tafel. Een jong hondje lag te slapen in een mand. Het werd wakker en keek nieuwsgierig naar Niels.

'Wil je hem kopen? Het is een Amerikaanse staffordshireterrier. Nu ziet hij er nog lief uit, maar vergis je niet. Over een half jaar kan hij een volwassen paard doden.'

'De foto.' Niels zette hem weer terug op het spoor.

'O, ja.' Hij ging op de rand van een gammele tafel zitten en deed een lamp aan. 'Ik zal je zeggen: mensen komen met de raarste foto's aanzetten die ze getatoeëerd willen hebben. Laatst had ik nog een jongen met een foto van de kut van zijn vriendin. Die wilde hij vlak boven zijn lul getatoeëerd, zodat hij naar haar kut kon kijken als hij zich aftrok.'

Niels kuchte. De tatoeëerder begreep de hint en zweeg terwijl hij naar de foto keek.

Niels bestudeerde zijn gezicht. Hij wist niet wat hij had verwacht, maar toch op zijn minst een reactie. Die bleef uit. Er gebeurde niets. De tatoeëerder zei geen woord.

'Wat denk je?' vroeg Niels.

'Waar heb je dit vandaan?' De man bleef strak naar de foto kijken toen hij eindelijk de stilte verbrak.

'Kun je zien wat het voorstelt?'

Geen antwoord. Niels probeerde het nog een keer: 'Wat is het?'

'Geen idee, maar ...'

'Maar wat?' Niels had moeite om zijn irritatie te verbergen. 'Zeg dan wat. Hoeveel tijd zou het kosten om dit te tatoeëren?'

Eindelijk richtte de tatoeëerder zijn hoofd op en keek hem aan.

'Je snapt het niet. Dit is geen tatoeage. Daar geloof ik niets van.'

'Geen tatoeage?'

De tatoeëerder schudde zijn hoofd en stond op. 'De lijnen zijn gewoon te fijn. Bovendien is er heel veel wit gebruikt en dat doe je eigenlijk nooit bij een tatoeage.'

'Maar als het geen tatoeage is, wat is het dan wel?'

De man haalde zijn schouders op. Dat was niet zijn probleem.

28

Helsingør
De bevroren velden lagen er eenzaam en verlaten bij. De bomen aan de horizon leken net skeletten. Een explosie van grijs. Het was misschien een mooi schouwspel als je melancholiek aangelegd was, maar als dat niet zo was, was het alleen maar somber en dan moest je maken dat je wegkwam – net zoals Kathrine had gedaan.

Niels had de weg voor zich alleen. Hij reed hard. Hij sloeg af van de provinciale weg en reed een grindpad op. Dit keer parkeerde hij helemaal bij het huis. Hij stapte uit met de doos onder zijn arm.

Hij wilde net aankloppen toen hij haar op de steiger zag. Ze stond op precies dezelfde plek als de vorige keer. Hij liep de steiger op. Hannah hoorde hem, maar ze draaide zich niet om.

'Je zou toch op reis gaan?'

'Dat is uitgesteld. Heb je al wat gevangen?'

'Er zit geen vis in dit meer.' Ze draaide zich om en keek hem aan. 'Ze beweren dat het meer vol vis zit.'

'Maar ze willen niet bijten?'

Ze schudde haar hoofd. 'Ze ruiken waarschijnlijk dat jij hier bent.' Ze stak haar sigaret omhoog. 'Maar het vissen is gewoon onderdeel van een project.'

'Een project?'

'Ik doe alleen dingen die ik niet deed toen mijn zoon nog leefde.'

Er klonk geen traan door in haar stem. Ze veranderde totaal niet en dat maakte hem bang. Als koele, gereserveerde mensen uiteindelijk instortten, ging het er heel heftig aan toe. Vaak probeerden ze anderen mee te nemen in hun val – dat laatste wist hij uit ervaring.

* * *

'Ik weet best dat het hier binnen koud is.' Ze draaide de thermostaat omhoog. 'Het was een van de laatste dingen die Gustav zei voordat hij naar Canada ging: "We moeten de verwarming laten maken." Toen ging hij weg.'

Ze klonk niet bitter. Ze vertelde gewoon hoe het was gegaan. 'Je hebt een heleboel moorden voor me meegenomen?'

'Ja.'

'Is hij te sterk?'

'De koffie? Nee.'

'Voor mij mag het teer zijn.'

Niels maakte de doos open. Hij legde de enorme stapel papier zorgvuldig op de tafel.

'Dus dit is uit Venetië gekomen?'

'Van Tommaso Di Barbara, de politieman die je aan de telefoon hebt gehad. Hij heeft het vanochtend gestuurd.' Niels ging aan de tafel zitten.

'Heb je er al naar gekeken?'

'Een beetje. Het is een zeer nauwkeurige beschrijving van alles wat er over alle slachtoffers bekend is. Hun leven, waar ze zijn geweest, wat ze hebben gedaan. En natuurlijk alles over hun dood. Tijd, locatie, omstandigheden. Het zijn ...' Niels bladerde de stapel door en keek op de laatste bladzijde. '... tweehonderdtwaalf pagina's leven en dood. Sommige dingen zijn door Google vanuit het Italiaans in het Engels vertaald. Maar niet alles.'

'Mooi.' Ze glimlachte even.

'Maar eerst moet je dit zien.' Niels haalde een foto van de rug van een van de slachtoffers tevoorschijn en legde die op de tafel.

'Wat is dat?'

'De rug van Vladimir Zjirkov. Alle slachtoffers hebben een plek op hun rug. Een tatoeage of een teken.'

'Hetzelfde teken?'

'Dat geloof ik wel. Tommaso zei dat het getallen waren, maar dat is niet zo.'

Hannah kneep haar ogen een beetje dicht. Misschien was ze sceptisch, misschien alleen verbaasd. Ze trok een la open en pakte er een goedkope leesbril uit. Het prijskaartje hing er nog aan. Ze staarde naar de foto. 'Weet je zeker dat ze het allemaal hebben?'

'Ja. Hier is nog een voorbeeld. De rug van Maria Saywa uit Peru. Die is op 29 mei van dit jaar vermoord.'

Hij legde de foto van Maria Saywa op de tafel naast de foto van Vladimir Zjirkov. De foto's waren donker en wazig, maar de tekens waren duidelijk zichtbaar.

Nu had Hannah er een loep bij gepakt. Die huisde in dezelfde la als de bril en de onmiskenbare geur van hasj.

Niels keek naar haar. De kromming van haar neus die iets omhoogliep, de piepkleine, bijna onzichtbare haartjes in haar nek. Niels' blik dwaalde over haar lichaam. Hannahs vrije hand ging via haar hals omlaag, alsof ze zijn blik kon voelen. Er gingen seconden voorbij. Minuten misschien zelfs. Niels schoof ongeduldig heen en weer op zijn stoel. Buiten op het meer ruzieden een paar zwanen.

'Zie je iets?'

'Het is echt ongelooflijk.' Ze keek hem niet aan. Ze stak met geroutineerde gebaren een sigaret op.

'Wat?'

'Wie heeft dit gedaan?' Ze blies rook over de tafel. 'De moordenaar?'

Niels schoof naar haar toe. 'Wat is het?'

Ze negeerde de vraag. Je moest je kennelijk eerst kwalificeren om antwoord te krijgen. Niels wilde zijn vraag net opnieuw stellen toen ze begon te mompelen: 'Hebreeuws, Arabisch-Indisch, Urdu, Devanagari ...'

Niels staarde haar aan. Ze somde iets op, fluisterend: 'Mesopotamisch, vigesimaal-systeem, Keltische getallen, hiërogliefen, hiëratische getallen, Babylonische getallen ...'

'Hannah,' Niels verhief zijn stem, 'wat is er?'

'Het zijn alleen maar getallen. Getallen, getallen en nog meer getallen.'

'Waar?'

'Hij heeft gelijk. Die man met wie ik heb gesproken.'

'Tommaso?'

'Het zijn getallen. Het getal 31. Vladimir Zjirkov.'

'31?'

'Het is het getal 31, geschreven in allerlei getallenstelsels! Het zijn piepkleine getalletjes, het lijken net onderhuidse bloeduitstortinkjes. Alsof de kleine adertjes samen het getal 31 hebben gevormd.'

'Hoe zou dat gekomen kunnen zijn?'

Ze haalde haar schouders op. 'Ik ben geen dermatoloog, maar ...' Ze kreeg spijt en stopte.

'Maar wat?' Niels klonk ongeduldig.

'Ik weet dat alle aderen bekleed zijn met een laagje dat wordt gevormd uit een zogenaamd eenlagig epitheel. Dat heet endotheel.'

'Is er iets wat jij níét weet? Sorry. Ga verder.'

'Zoals ik al zei: Ik ben geen expert, maar als het endotheel beschadigd raakt, komt het bloed in contact met andere cel- en weefselcomponenten ...' Ze stopte. 'Nee, meer kan ik er niet over zeggen, ik weet niet waar ik het over heb. Ik heb geen idee hoe die getallen daar zijn gekomen.'

'En je weet zeker dat er 31 staat?'

'Absoluut zeker. Ik ken een paar van die getallenstelsels.'

'En het is allemaal hetzelfde getal? 31?'

Ze gaf geen antwoord. Ze keek weer naar de foto.

'Hannah?'

Eindelijk knikte ze. '31. Alleen 31.'

'En die andere dan?' vroeg Niels. 'Die vrouw uit Peru. Maria.'

Hannah bestudeerde de rug van Maria Saywa. 'Dat is een 6. Het getal 6 geschreven in honderden verschillende getallenstelsels. Stelsels die nu worden gebruikt en stelsels die in de prehistorie of nog verder terug werden gebruikt in allerlei uithoeken van de wereld. De foto's zijn onduidelijk, dus het is niet makkelijk te zien, maar op de rug van deze man ...' Ze pakte nog een foto uit de doos en hield hem omhoog. '... staat het getal 16 in een oneindige hoeveelheid varianten. Ik herken het hiëratische getal.'

Niels keek naar de foto en zocht in de stapel van de fax. 'Jonathan Miller, Amerikaans onderzoeker, gevonden in het McMurdo-onderzoeksstation op Antarctica, op 7 augustus van dit jaar. Maar ...' Niels legde Jonathan Millers rug neer. Hij wist niet wat hij moest zeggen. 'Hoeveel getallenstelsels bestaan er eigenlijk?'

'Er is natuurlijk in alle tijden en alle culturen behoefte geweest om te tellen, om systeem aan te brengen in de wereld. Om overzicht te scheppen. De Grieken, de Romeinen, de Egyptenaren, de Indiërs, de Arabieren, de Chinezen, allemaal hebben ze een getallenstelsel dat heel ver teruggaat. In een enorme hoeveelheid verschillende varianten. Er zijn botten gevonden uit de steentijd met kleine inkepinkjes die getallen voorstellen. Het spijkerschrift uit Mesopotamië dateert uit ongeveer 2000 voor Christus. Eerst was het alleen bedoeld om te tellen, maar algauw begreep men dat getallen ook symbolen zijn.'

'Zíjn het symbolen of heeft men er symbolen van gemaakt?'

'De kip of het ei?' Ze haalde haar schouders op. 'Hebben wij de getallenstelsels bedacht, of bestonden ze al? En als twee plus twee ook al vier was voordat er mensen waren, wie heeft dan het stelsel ontworpen? Voor de Pythagoreeërs vormden getallen de sleutel tot de wetten van de kosmos. Het waren symbolen van een goddelijke wereldorde.'

'Dat is nogal wat.'

'Novalis dacht dat God zich net zo goed kon openbaren in de wiskunde als in elke andere wetenschap. Aristoteles zei dat getallen niet alleen een hoeveelheid aanduiden, maar dat ze kwaliteiten in zichzelf bevatten. De kwalitatieve structuren van de getallen, noemde hij dat. Oneven getallen waren mannelijk. Even getallen vrouwelijk. Andere Grieken hadden het over geestelijke getallen.'

De kat sprong op de tafel en Hannah gooide haar er net zo snel weer af, ze stopte niet met praten: 'De wiskunde is vol raadsels. Raadsels die onze problemen kunnen oplossen. Dat is wat Gustav bedoelde met die zin die jou bij mij heeft gebracht.'

'Dat de wiskunde de wereld zal redden?'

'Bedenk maar eens wat ze op dit moment op de klimaattop doen. Curves, grafieken, getallen. Getallen en nog eens getallen. De juiste interpretatie van die getallen bepaalt of wij zullen overleven of niet. Het is een kwestie van leven of dood. Dat begrijpt iedere wetenschapper. Dat is ook de reden dat Tycho Brahes neus is afgehakt tijdens een duel.'

'Vanwege getallen?'

'Omdat hij beweerde dat er zogenoemde complexe getallen bestonden. Zijn tegenstander beweerde dat die niet bestonden.'

'Wie had er gelijk?'

'Tycho Brahe. Maar hij was wel zijn neus kwijt.'

Ze liet hem even nadenken.

'Heb je weleens van Avraham Trakhtman gehoord?'

Ze gaf Niels geen tijd om te antwoorden, maar ging verder: 'Dat was een Russische immigrant in Israël. Hij was professor in de wiskunde, maar hij kon geen werk krijgen en is ten slotte uitsmijter geworden. Terwijl hij voor de deur stond en probeerde de ruzies tussen dronken tieners te sussen, loste hij een van de grootste raadsels van de wiskunde in de moderne tijd op: *The Road Coloring Problem*. Zegt dat je iets?' Haar ademhaling ging snel, ze hijgde bijna.

'Niet echt.'

'Het vraagstuk is heel simpel: een man komt aan in een stad die hij niet kent en hij wil een vriend bezoeken, maar hij weet niet waar die woont. De straten van de stad hebben geen namen. Zijn vriend belt hem op en stelt voor dat hij hem door de stad zal leiden door alleen maar rechts, links, rechts, links te zeggen. Kan die man het huis van zijn vriend met behulp van deze instructies vinden, ongeacht waar het is?'

'Als hij geluk heeft.'

'Het antwoord is ja. Ik zal je het bewijs besparen. Ken je Grigori Perelman? De Rus die het zogeheten *Vermoeden van Poincaré* heeft opgelost?'

'Hannah!' Niels stak zijn armen in de lucht als een cowboy die zich overgeeft.

Ze zuchtte. 'O, ja. Sorry.' Ze schoof haar stoel naar achteren en keek uit over het water, waar een paar motorboten waren verschenen.

Niels stond op. Hij wilde een heleboel vragen, maar de vragen versperden elkaar de weg en er kwam niets. Uiteindelijk verbrak zij de stilte: 'Maar waarom hebben de slachtoffers die getallen op hun rug?'

Hier sprak de wetenschapper.

De politieman nam het over: 'En wie heeft het gedaan?'

Ze zuchtte, keek op haar horloge en vervolgens naar de stapel papier. Toen glimlachte ze.

'Je bent hier al bijna een uur en we zijn nog niet eens begonnen met lezen.'

* * *

Moordzaak: Sarah Johnsson

Niels pakte de fax in zijn geheel op, het leek wel een oversized baksteen.

'Dus dit gaat allemaal over de moordzaken?' Hannah stak een sigaret op.

'Dat geloof ik wel.' Niels schraapte zijn keel. 'Sarah Johnsson, tweeënveertig jaar oud, Thunder Bay.'

'Betekent dat dat zij de eerste was die is vermoord?'

Niels haalde zijn schouders op. 'Misschien. Voorlopig betekent het waarschijnlijk alleen dat zij de eerste van deze fax is. Dit is ze.'

Niels legde een foto op tafel van een vrouw met een pagekapsel en een droevige blik in haar ogen.

'Overleden op 31 juli 2009, dus ze is niet de eerste. Die Peruaan is in mei vermoord.'

'Thunder Bay?' Hannah staarde naar de grote wereldkaart die opengevouwen voor haar op tafel lag.

'Canada. Lake Superior. Een van de grootste meren ter wereld.'

Hannah zocht even, toen stak ze een speld in Thunder Bay.

'Sarah Johnsson werkte als arts in een ziekenhuis en woonde alleen. Ongehuwd. No kids.'

'Staat dat er in het Engels?'

'Gedeeltelijk. Deze pagina met feiten wel. Ik geloof dat er ook wat in het Italiaans is.'

'Mooi. De volgende. Hannah zat al klaar met een nieuwe speld.'

'Er is nog meer over Sarah.' Niels keek vlug een pagina door. 'Veel meer zelfs. Ik geloof dat dit een necrologie uit een plaatselijke krant is.'

'Heeft die Italiaan dat gevonden?'

'Blijkbaar. Hier staat dat ze in 1993 haar studie geneeskunde heeft afgerond aan de University of Toronto. Er is ook een interview in het Engels.'

'Met Sarah Johnsson?'

'Ja.' Niels bladerde door de fax.

'Ze is best mooi trouwens.' Hannah keek naar de foto. 'Ze lijkt op Audrey Hepburn.'

'O, nee, het is een interview met iemand die met haar heeft gestudeerd, Megan Riley.'

'Waarom is zij geïnterviewd?'

'Het lijkt wel een transcriptie. Misschien was het een radio-interview óver Sarah Johnsson?'

'Waarom heeft die Italiaan het jou gestuurd?'

'Goede vraag. Megan Riley omschrijft Sarah hier als "antisocial. A bit weird. Difficult love life. Nice, but she never seemed to be really happy".'

'Arme stakker', zei Hannah medelijdend.

Niels knikte. 'Kijk. Hij heeft zelfs een foto gevonden van Sarah als kind. Als zij dit tenminste is.'

Hannah keek naar de foto van een zesjarig meisje dat een beetje ongemakkelijk op een schommel zat.

'Dit lijken wel fragmenten uit verslagen van artsen en psychiaters.'

'Zijn dat soort verslagen niet vertrouwelijk? Die kan die Italiaan toch niet zelf hebben gevonden?'

'Misschien wel', zei Niels. 'Als hij volhardend genoeg was.'

Niels keek de fragmenten door. Sommige stukken waren onleesbaar.

'In 2005 is er kennelijk iets gebeurd met Sarah. Ze vertoont tekenen van psychische instabiliteit. Angstaanvallen, problemen met slapen, paranoïde neigingen.'

'Wordt er een oorzaak genoemd?'

Niels schudde zijn hoofd en bladerde terug in de fax.

'Wacht even. Ik heb iets over het hoofd gezien in de necrologie. Misschien betekent dit iets: ze is in 2005 ontslagen naar aanleiding van een kwestie die veel aandacht heeft gekregen in de plaatselijke media.'

'Wat voor kwestie?'

'Dat staat er niet. Wacht even. Niels zocht in de papieren. 'Hier heb ik iets. Een krantenknipsel.' Niels overwoog of hij het in het Engels zou voorlezen, maar het was veel, en hij werd opeens onzeker.

'Wat staat er?'

'Dat Sarah Johnsson op staande voet is ontslagen toen aan het licht kwam dat ze een niet-geregistreerd geneesmiddel had voorgeschreven om een ongeneeslijk zieke jongen te redden. De jongen bleef leven, maar omdat de zaak van groot principieel belang was en zware kritiek uitlokte, zag de ziekenhuisleiding zich genoodzaakt de arts te ontslaan.'

'Een niet-geregistreerd geneesmiddel?'

'Dat staat hier. Ik weet dat het soms wel vijftien jaar duurt voordat een nieuw medicijn wordt geregistreerd en daar kon Sarah Johnsson kennelijk niet op wachten. Dus ze heeft de regels genegeerd en de jongen gered.'

'Heeft dat iets met haar paranoia te maken?'

'Waar zijn die verslagen van de artsen?' Niels bladerde. 'Daar staat hier niets over. Er staat alleen dat haar paranoia zich steeds duidelijker manifesteerde en dat ze in 2006 en in 2008 is opgenomen in het Lakehead Psychiatric Hospital in Thunder Bay. Een psychiater die dr. Aspeth Lazarus heet, heeft Sarah gekarakteriseerd als "bij tijd en wijle bijna geïnvalideerd door angst. Ze had een toenemend gevoel dat iets haar naar het leven stond".'

'Naar het leven stond? Wie stond haar naar het leven?'

'Daar staat hier niets over. Maar die persoon is misschien wel in zijn opzet geslaagd, want op 31 juli is Sarah dood gevonden in haar auto voor de supermarkt Sobeys. De politie "will not rule out ..."' Niels liet zijn ogen snel over de rest gaan en vertaalde: 'Ze sluiten moord niet uit, maar er is niemand aangehouden in de zaak. Poison.'

'Poison? Gif?'

'Ja.'

'Staat er verder niets meer?'

'Jawel, dat Sarah Johnsson op het Riverside Cemetery in Thunder Bay ligt. Op het gemeenschappelijk grafveld.'

'En het teken op haar rug? Wat staat daarover?'

Niels las. Bladerde terug.

'Niets. Of nee, wacht even, hier heb ik een stuk uit een obductierapport. "Skin eruption or bloodshot on the back".'

'Kan dat de reden zijn dat de politie gif vermoedt?'

'Zeker. Maar de zaak is afgesloten.'

Hannah knikte en doofde haar sigaret. Niels stond op en liep de kamer door. Hij stopte aan de korte zijde en liep weer terug.

'Ik snap het niet', zei hij zonder haar aan te kijken. 'Waarom heeft hij zo veel materiaal verzameld?'

'En waarom heeft hij het naar jou gestuurd?'

Niels ging weer zitten. De rieten stoel kraakte. Toen werd het heel stil.

'Zullen we verdergaan?' vroeg Niels. 'Denk jij dat het zin heeft?'

'Laten we naar de volgende zaak kijken. Maak de Dode Zeerol nog maar een keertje open.'

'Oké. Moord nummer twee, volgens de volgorde die we hier hebben. We gaan naar het Midden-Oosten.'

Moordzaak: Ludvig Goldberg

Dit keer ging Niels op de grond zitten en spreidde al het materiaal over Ludvig Goldberg uit zodat het een puzzel leek. Twaalf puzzelstukjes met tekst die samen een beeld vormden van Ludvig Goldbergs leven en dood.

'Ik denk dat het zo makkelijker is.' Niels bekeek de papieren.

'Wat hebben we?' vroeg Hannah.

'Alles. Voorzover ik kan zien. Necrologieën. Dagboekfragmenten. Interviews. Iets wat op een gedicht lijkt. Maar veel ervan is in het Hebreeuws. Hij ziet er erg vriendelijk uit.' Niels gaf haar een foto van Goldberg. Donkere, zorgelijke ogen, intellectuele bril, smal, fijngebouwd gezicht.

'Wat is dat?' Hannah wees op een deel van de fax dat onleesbaar was gemaakt.

'IDF. Israël Defense Force. Militaire papieren, denk ik. Ik geloof dat hij in de gevangenis heeft gezeten.'

'Hij ziet er niet echt uit als een militair. Waar moet ik de speld zetten?'

'Ein Kerem.'

'Waar is dat?'

'Een buitenwijk van Jeruzalem.'

Hannah keek op hem neer. Verrast of onder de indruk.

'Heb je veel gereisd?'

'Behoorlijk veel. In mijn fantasie.'

Ze glimlachte, maar hij zag het niet. Hij las voor uit een politierapport: 'Op 26 juni van dit jaar is Ludvig Goldberg dood gevonden. Hij lag in een ...' Niels stopte met lezen en kroop over de vloer naar een ander deel van de fax. 'We beginnen hier. Eerst de necrologie.'

'Uit een krant?'

Niels onderwierp de pagina's aan een onderzoek. 'Van het Shevah Mofetgymnasium in Tel Aviv. Daar werkte hij als docent. Het is in een beetje merkwaardig Engels geschreven.'

'Of die Italiaan heeft het zelf vertaald', suggereerde Hannah, 'of het door Google laten vertalen. Daar komen soms heel grappige dingen uit.'

'Misschien. Hij is geboren in 1968 en opgegroeid in de kibboets Lehavot Haviva bij de stad Hadera. Zijn familie komt oorspronkelijk uit Oekraïne. Zijn moeder komt uit ...' Niels gaf het op om het allemaal voor te lezen. 'Eindeloze opsommingen van waar zijn voorouders vandaan komen.'

'Familiekronieken zijn populair in het Midden-Oosten', zei Hannah en ze voegde er droog aan toe: 'Kijk maar naar de Bijbel.'

Niels ging naar een andere plek in de fax. Het doorgestreepte en gedeeltelijk onleesbaar gemaakte deel.

'Het is inderdaad een militair rapport. Verdenking van homoseksualiteit.' Niels keek op. 'Dat staat er. Geen commentaar. Hij heeft kennelijk ook in de gevangenis gezeten voor een overtreding van het militair reglement.'

'Wat voor overtreding?'

'Dat kan ik niet zien, maar hij is veroordeeld tot een jaar militaire gevangenis, dus het moet wel iets vrij ernstigs zijn geweest. Hier is ook een fragment uit een kroniek in *The Jerusalem Post* uit 1988, waarin Ariel Sharon hem ...'

'Dé Ariel Sharon?'

'Dat neem ik wel aan, ja. Ariel Sharon noemt Goldberg "everything this country doesn't need".'

'Dan moet die overtreding behoorlijk wat aandacht hebben getrokken.'

Niels knikte.

'Wat staat er over zijn dood? Is er een obductierapport?'

Niels zocht.

'Nee, maar ik heb hier wel iets anders', zei hij. 'Een fragment uit een toespraak die ene Talal Amar op 7 januari 2004 heeft gehouden op de Birzeit University in Ramallah. Het heeft in het blad *Time Magazine* gestaan.'

'Talal Amar? Wie is dat?'

Niels haalde zijn schouders op. 'Hij heeft gezegd: "In the Middle East you never know what the future will bring, but after standing next to mister Rabin and mister Arafat while they shook hands in front of The White House, I'm quite optimistic. In fact my hope for the future was already born back in 1988 during the Intifada, when a young Israeli soldier suddenly opposed orders and released me and my brother from an Israeli detention camp and thereby saved us from years in prison. I will never forget the look in the soldier's eyes while he released us. Until that day all Israelis were monsters to me. But from this moment I knew they are humans just like me."'

'Rabin en Arafat', zei Hannah. 'Hij heeft het over het vredesakkoord. Wat heeft Goldberg daarmee te maken?'

'Of wat heeft Talal Amar ermee te maken?'

'Veel waarschijnlijk. Anders zou hij toch niet zijn geïnterviewd door *Time Magazine*. Of voor Het Witte Huis staan terwijl het akkoord werd ondertekend. Hij was waarschijnlijk een van de Palestijnse vredesonderhandelaars.'

'Hier staat iets over hoe Goldberg is overleden. Niels las het papier eerst voor zichzelf. '"Unknown source", staat er. Ik vertaal het zo goed ik kan: "In de dagen voor zijn dood was Goldberg in Ein Kerem. Hij bezocht het kunstenaarsechtpaar Sami en Leah Lehaim. Goldberg leek niet in orde. Hij klaagde over pijn in zijn rug en lendenen en maakte volgens Leah een paranoïde indruk, alsof iemand achter hem aan zat. Op de avond van 26 juni ging Goldberg op een bepaald moment naar buiten om te roken. Toen hij niet terugkwam, ging Sami Lehaim kijken. Goldberg lag in het grind voor het huis. Hij was dood."'

'Staat er iets over het teken op zijn rug?'

Niels zocht. 'Ik kan niets vinden. Er staat niets over een doodsoorzaak. Het wordt wel als moord aangeduid.'

'Waarom?'

Niels haalde zijn schouders op. 'Misschien had hij vijanden?'

'Ik denk dat Sharon hem heeft vermoord.' Ze glimlachte. 'Om wat er in 1988 was gebeurd.'

'1988.' Niels sprak hardop tegen zichzelf. 'Stel nou dat die jonge Israëlische soldaat die Talal Amar heeft vrijgelaten ...'

'... Ludvig Goldberg was.'

Niels knikte. Een moment – misschien de eerste keer sinds hij die dag bij haar was – keken ze elkaar echt aan.

Hannah zei: 'Dan is dat de reden dat die Italiaan je het fragment uit Amars toespraak heeft gestuurd.'

Niels zei niets.

29

Op de balustrade van de veranda lag een dun laagje rijp. Niels' adem vormde kleine wolkjes. Hij keek door het raam naar Hannah. Ze zat over de kaart gebogen die op de tafel was uitgespreid. Haar profiel had iets aantrekkelijks. Ze was maar een paar meter van hem vandaan, maar ze zat in een andere wereld. Ze staarde naar de twaalf spelden die uit de kaart staken. Twaalf kleine puntjes. Niels dacht aan waar ze het daarnet over hadden gehad: voor elke speld was er een Sarah Johnsson of een Ludvig Goldberg. Een geschiedenis. Een lot. Een leven. Blijdschap, verdriet, vrienden, bekenden en familie. Elke speld was een verhaal, met een begin, een midden en een abrupt, ruw einde.

Een eidereend raakte heel even het oppervlak van het meer. Hij vloog weer omhoog, keerde 180 graden en zette koers naar het zuiden. Weg uit het winterkoude Scandinavië. Jaloers volgde Niels hem met zijn ogen. Hij zat hier gevangen, opgesloten in een onoverzichtelijk grote gevangenis. Welk psychisch defect was zijn gevangenbewaarder? Angst? Trauma? Hij keek weer naar binnen, naar Hannah. Op de een of andere manier had hij het gevoel dat hij bezig was het antwoord te vinden. Ze stak een nieuwe sigaret op met de oude, zonder haar blik van de kaart te halen.

Zijn vingers waren stijf toen hij zijn telefoon uit zijn zak haalde. Hij had een sms'je van Anni. Of hij wilde meedoen aan een cadeau voor Susanne van het archief. Die werd donderdag vijftig. Ze wilden haar met z'n allen een roeiapparaat of een wellnessweekend in Hamburg geven.

'Mijn lieveling', noemde hij Kathrine in zijn digitale contactenlijst. Hij belde. 'You have called Kathrine, DBB architects.' Die boodschap had hij al duizend keer gehoord. Minstens. Toch luisterde hij hem helemaal af. 'I am unable to take the phone right now, but I would be very pleased if you could leave me a message.' Toen ging ze over op Deens: 'En als jij het bent, mamma, spreek dan maar een lief berichtje in.'

'Kathrine, ik ben het.' Niels haalde diep adem. 'Oké, je kunt zelf ook wel zien dat ik het ben. Ik begrijp best dat je geen zin hebt om met me te praten. Ik wilde alleen maar zeggen dat die zaak waar ik mee bezig ben ... op de een of andere manier ... het klinkt vast idioot, maar ik heb het gevoel dat ik bezig ben iets heel erg belangrijks op te lossen.'

Niels verbrak de verbinding. Hij had gelijk: het klonk idioot. Maar hij kon niets anders bedenken.

Moordzaak: Vladimir Zjirkov

'We gaan naar Rusland.' Niels zat weer op de grond. 'Moskou om precies te zijn. Vladimir Zjirkov, achtenveertig jaar.'

'Oké, Moskou.' Hannah prikte een speld in de kaart.

'Journalist en maatschappijcriticus.'

'Ik dacht dat je in Rusland geen kritiek mocht hebben op de maatschappij.'

'Zjirkov is op 20 november van dit jaar overleden. Volgens een rapport van een Russische mensenrechtenorganisatie, Memorial, zat hij in de beruchte Butyrkagevangenis in Moskou.'

'Waar was hij voor veroordeeld?'

Niels aarzelde. Hij bladerde in het rapport. 'Dat zal nog wel komen. Hij is gevonden door een medegevangene, Igor Dasajev. Hij heeft verteld dat Zjirkov in de loop van de middag en avond begon te klagen over pijnen. Dasajev heeft er hulp bij gehaald en, eh ... er staat een heleboel: "Ik sta in brand van binnen", zou hij hebben geroepen. "Het brandt." Kort daarna is hij dood verklaard. Geen sectie. Geen autopsie. Einde.'

Niels stond op uit zijn ongemakkelijke houding en nam een slok koude koffie.

'Wat is dat?' Hannah wees naar een pagina waarop de tekst was verkleind zodat de minuscule lettertjes heel dicht op elkaar stonden. 'Is het Engels?'

Niels knikte. 'Het is bijna niet te lezen. Het is een krantenartikel uit de *Moscow Times* van 23 oktober 2003. Luister: "The 23rd of October 2002 is remembered for the attack ..."' Niels stopte.

'Wat is er?'

'Ik denk dat ik het beter kan vertalen.'

'Ik versta Engels.'

'Ik word er een beetje verlegen van. Tegenover zo'n astrofysicus als jij.'

Hannah protesteerde, maar Niels vertaalde het stuk zo goed en zo kwaad als het ging in plaats van het in het Engels voor te lezen. 'Op 23 oktober 2002 vielen circa veertig Tsjetsjeense terroristen, onder leiding van terroristenleider Movsar Barajev, het theater Dubrovka binnen, dat op enkele minuten loopafstand van het Rode Plein ligt. Ongeveer negenhonderd nietsvermoedende theaterbezoekers zaten te wachten tot de voorstelling zou beginnen, toen ze opeens hoofdpersoon werden in een terroristische aanslag die een schokgolf door heel Rusland zond. Onder de zwaarbewapende terroristen waren veel vrouwen, de meesten met explosieven op hun lichaam. De terroristen eisten dat de Russische troepen onmiddellijk uit Tsjetsjenië zouden worden teruggetrokken. Barajev zette zijn woorden kracht bij door te verklaren: "Ik zweer bij Allah dat wij vastbeslotener zijn om te sterven dan jullie om te leven." De enorme hoeveelheid explosieven en wapens die ze bij zich hadden, bewees dat de terroristen bereid waren om hun dreigementen te veranderen in bloedige ernst. Uit later onderzoek is gebleken dat er minstens honderdtien kilo van de uiterst explosieve springstof TNT in het theater was. Men schat dat ongeveer twintig kilo TNT genoeg zou zijn geweest om alle gijzelaars in het theater te doden. De Russische autoriteiten waren volkomen de weg kwijt. Poetin weigerde toe te geven en intussen drongen de familieleden van de gijzelaars er steeds harder op aan dat er iets moest gebeuren. Een jonge vrouw, de 26-jarige Olga Romanova, slaagde erin het theater binnen te dringen om de gijzelnemers te vragen of ze de kinderen vrij wilden laten. De terroristen beantwoordden haar verzoek door haar ter plekke dood te schieten. In de loop van de daaropvolgende etmalen werd een deel van de gijzelaars vrijgelaten. Verschillende prominente personen en organisaties probeerden onderhandelingen met de gijzelnemers te beginnen: onder andere Het Rode Kruis, Artsen Zonder Grenzen en de bekende journaliste Anna Politkovskaja. Ten slotte werd de situatie zo onhoudbaar dat Russische Spetsnaz-speciale eenheden in de vroege ochtend van zaterdag 26 oktober 2002 grote hoeveelheden verdovingsgas met fentanyl het theater in pompten en een inval deden. De strijd duurde maar kort. De meeste mensen in het theater werden verdoofd door het gas. De veiligheidstroepen namen geen risico met de verdoofde terroristen en schoten ze ter plekke door het hoofd – mannen zowel als vrouwen. Al snel waren alle terroristen dood. Na afloop verkeerde Rusland in shock. Wat op het eerste gezicht een overwinning had geleken, bleek bij nader inzien een tragedie van bijna onbegrijpelijke dimensies. Er waren 129 gijzelaars gedood, waaronder tien kleine kinderen. Negenenzestig kinderen hadden hun ouders verloren als gevolg van de inval. Sommige gijzelaars waren neergeschoten door de terroristen, maar veruit de meeste waren overleden door het gas en de slechte geneeskundige hulp die de verdoofde gijzelaars in de minuten nadat ze het theater uit waren gedragen, werd geboden. Er stonden maar een paar ambulances klaar. Mensen kregen niet de geneeskundige hulp die nodig was. Velen stikten in de overvolle bussen terwijl ze werden weggebracht.'

Niels hield zijn adem in en legde het artikel weg. Hij zag ze voor zich. De doodsbange kinderen, omringd door terroristen, explosieven en doorgeladen wapens. Het wachten, de angst. Misschien had hij een documentaire over de zaak gezien.

'Maar wat heeft dat met Vladimir Zjirkov te maken?' vroeg Hannah.

'Goede vraag. Misschien heeft hij het artikel geschreven. Hij was journalist.'

'Maar dan had die Italiaan er net zo goed allerlei andere artikelen bij kunnen doen die hij heeft geschreven.'

Niels knikte en bladerde in de grote hoeveelheid informatiefragmenten.

'Hij is opgegroeid in de Moskouse buitenwijk Khimki. Zijn moeder was verpleegkundige, zijn vader heeft zelfmoord gepleegd toen Vladimir nog een kind was. Hier is een uitspraak uit een oud clubblaadje. Ik geloof dat het een artikel over ijshockey is: "De twaalfjarige Vladimir Zjirkov is een groot talent, maar als hij een carrière als ijshockeyer ambieert moet er wel aan zijn psychische gesteldheid worden gewerkt. Hij heeft de neiging om op te geven en is geregeld neerslachtig." Waarom heeft de Italiaan dit vertaald?'

'Hier is een fragment uit een interview uit ... er staat niet waar het uit komt. Een krant of een tijdschrift.'

'Met Zjirkov?'

'Nee, helaas niet. Met een leraar, Aliksej Saenko.'

'Wie is dat?'

'Hij moet een van de gijzelaars in het theater zijn geweest. Hij zegt: "De nachten in het theater waren het ergst. We zaten in rijen, alsof we naar een voorstelling keken over een nachtmerrie waar geen eind aan kwam. In de orkestbak lagen drie lijken. Een daarvan was een jongeman die had geprobeerd te vluchten toen de terroristen binnenkwamen. Hij was in zijn buik geschoten. Ik kon zijn ingewanden naar buiten zien hangen. Hij had uren liggen jammeren en toen hij stierf, dacht ik: eindelijk. Je werd gek van zijn gejammer. Er huilden de hele tijd kinderen. De ouders probeerden ze te troosten. De terroristen liepen rond. In het midden van het theater hadden ze een enorme hoeveelheid explosieven gelegd. En als ik zeg enorm, dan bedoel ik ook enorm. Het was echt een berg des doods. Ik zat er een paar meter vandaan en ik dacht: we komen hier nooit levend vandaan. De leider van de terroristen, Barajev, maakte een instabiele indruk. Hij had overal handgranaten en was mogelijk onder invloed van euforiserende stoffen."'

'"Ik ben naar Moskou gekomen om te sterven"', onderbrak Hannah hem.

'Wat?' Niels keek op.

'Dat heeft hij gezegd', legde Hannah uit. 'Dat herinner ik me nog. "Ik ben naar Moskou gekomen om te sterven." Die uitspraak is in de kranten gekomen.'

Niels las verder: 'Op een bepaald moment ontstond er een ruzie tussen een van de gijzelaars en een van de terroristen. Het was een jonge moeder. Ze was bezweken onder de druk. Ze had twee kleine jongetjes op schoot. De ene was nog maar een baby. De andere – een jaar of vijf – beefde van angst. De moeder sprong opeens op en begon de terroristen uit te schelden. Ze noemde hen psychopaten, moordenaars en lafaards die niets anders konden dan vrouwen en kinderen doden. De terroristen trokken de vrouw met haar kinderen van hun stoel. De kinderen gilden. Niemand twijfelde eraan dat de terroristen hen ter plekke zouden doodschieten. Maar toen stond er een man op. Hij zat op de rij achter hen. Het was een heel jonge man. Ze mochten hem in haar plaats doodschieten, zei hij. Ik herinner me nog exact de woorden die hij zei: "Laat mij haar kogel nemen. Ik kan hem beter hebben." Een ijselijke stilte daalde neer in het theater. Het hele theater hield zijn adem in. De terrorist aarzelde. Maar ten slotte knikte hij en bracht de vrouw met haar kinderen terug naar haar plaats. De jongeman deed een stap naar voren. Hij maakte een heel rustige indruk. Dat is het beeld dat me het duidelijkst bijstaat van die verschrikkelijke dagen in het theater: de rust in de ogen van die jongeman toen hij naar voren stapte om te worden doodgeschoten. Barajev liep naar hem toe. Ik wist toen nog niet hoe hij heette, maar het was duidelijk dat hij de leider was. Hij schreeuwde. Over de misdaden tegen het Tsjetsjeense volk. Over het wrede optreden van de Russen in Grozny. Hij was woedend. Zijn hele familie was door de Russen uitgeroeid. De haat vlamde uit zijn ogen toen hij zijn pistool optilde en tegen het voorhoofd van de jongeman hield, en ... niets. Er gebeurde niets. Hij haalde de trekker niet over. De jongeman keek hem gewoon in de ogen, rustig, wachtend op wat er ging komen. Maar er kwam niets. De jongeman ging weer op zijn plaats zitten terwijl de andere terroristen elkaar met open mond aanstaarden. Waarom had Barajev niet geschoten? Wat had hem aan het twijfelen gebracht? Ik kan daar natuurlijk geen antwoord op geven, maar er was iets met die jongeman. Hij straalde iets uit. Het was iets in zijn blik. Ik twijfel er niet aan dat ik die dag in het Dubrovkatheater getuige ben geweest van een echt wonder.'

'Zijn dat die vrouw en haar kinderen?' Hannah pakte een foto van de grond.

'Dat moet haast wel.' Niels keek naar de mooie moeder en haar twee kinderen. De jongste was geen baby meer. 'Deze moet een paar jaar na de terroristische aanslag zijn genomen.'

'Denk jij hetzelfde als ik?' Niels kon niet goed uitmaken of hij een glimlachje op Hannahs lippen zag.

'Ja', zei hij. 'Die jongeman in het theater was Zjirkov. Hij heeft de vrouw en haar kinderen gered.'

'Maar waarom is hij dan in de gevangenis beland? Hij is toch een held?'

Niels dacht na. Er viel een lange stilte. Hannah stond op en liep naar de kaart waar de spelden in een ogenschijnlijk toevallig patroon uit staken, verspreid over de hele wereld.

'Misschien hebben de gebeurtenissen in het theater ervoor gezorgd dat hij het Russische systeem is gaan bekritiseren?' Niels sprak evenzeer tegen zichzelf als tegen Hannah. 'En misschien is Memorial daardoor in hem geïnteresseerd geraakt.'

'Je bedoelt dat hij in de gevangenis zat omdat hij het systeem bekritiseerde?'

'Misschien.'

'Maar wie heeft hem dan vermoord?'

Niels had weer een ander vel papier gepakt. 'Dit lijkt wel een uitdraai van een internetkrant, misschien van Memorial.'

'Officieel is het nog steeds een raadsel wie Vladimir Zjirkov heeft vermoord, maar voor de bekende maatschappijcriticus, schaakgenie Garri Kasparov, is de zaak duidelijk: "Zjirkov is vermoord door Poetin", heeft hij gezegd. Zjirkovs medegevangene, Igor Dasajev, die het lichaam van Zjirkov heeft gevonden, heeft echter een andere verklaring: "On the night before the murder of Vladimir Zjirkov I saw a man – the shadow of a man – standing right next to the sleeping Zjirkov. I don't know how he got into the cell and I don't know what he was doing. But I'm pretty sure he has something to do with Zjirkov's death. It was very scary. Like in a horror movie."'

'Ik vind het leuk klinken als je Engels spreekt.'

Niels glimlachte en zei: 'Maar hoe zou een man die cel binnen moeten zijn gekomen? De Butyrkagevangenis is heel zwaarbewaakt. Dat klinkt niet geloofwaardig.'

'Staat er iets over het teken op zijn rug?'

'Niets, voorzover ik kan zien.'

30

Binnenstad, Kopenhagen
De dominee was in zijn kantoor. Abdul Hadi zag hem duidelijk zitten. Het kantoor van de kerk keek uit op de tuin, die openbaar toegankelijk was. Abdul Hadi ging een eindje ervandaan op een bankje zitten. Er lag een kinderdagverblijf tegen de kerk aan. Er waren kinderen en personeel. Waarom had zijn dikke neef daar niets over gezegd? Niet dat het iets veranderd zou hebben, het plan was al gemaakt – maar het ergerde hem dat hij de kerk niet kon opblazen. Dat zou er goed hebben uitgezien: de voorkant van de kerk, die midden in een drukke winkelstraat lag, opgeblazen tot brokstukken. Foto's van gesprongen winkelruiten, een vernielde kerk en een opgeblazen dominee zouden in recordtijd de hele wereld over zijn gegaan. Kopenhagen zou worden toegevoegd aan de nieuwe wereldkaart. Een wereldkaart waarop steeds meer overwinningen kwamen te staan. Het ging de goede kant op. Het Westen werd van binnenuit aangetast door zijn eigen decadentie. Een leven dat was gebaseerd op de uitbuiting van anderen, op perverse seksuele verering van kinderen. Kinderen! Abdul Hadi zag het aan alle etalagepoppen achter de grote etalageruiten van de winkels. Heel kleine borstjes, nog niet geslachtsrijp, sommige van de poppen hadden geen kleren aan en daar stoorde kennelijk niemand zich aan. Mensen liepen rond met tassen vol spullen – hun religie draaide om winkelen. Tijdens hun grootste religieuze feest aten ze varkensvlees, kochten krankzinnige hoeveelheden cadeaus voor hun kinderen – en hadden ze kritiek op het feit dat er geen democratie was in het Midden-Oosten. Abdul Hadi vond het vreselijk dat zijn broer hiernaartoe was gevlucht. Naar Europa. Maar toch moest zijn dood gewroken worden.

Abdul Hadi stak zijn hand in zijn zak en voelde. Het mes was er nog. Zijn neef had het meegebracht toen hij hem kwam halen. De dikke neef. Hij was boos geweest dat Abdul Hadi uit de trein had moeten springen en hij durfde Abdul eigenlijk niet over de brug naar Denemarken te brengen in zijn auto. *Een slapend leger*. Abdul Hadi was flink uitgevaren tegen zijn neef. Toen hij in de auto tegen Hadi had gezegd dat hij het niet prettig vond dat hij hem moest brengen, had hij tegen hem geschreeuwd.

Er liep een kerstman langs – kinderen renden achter hem aan. Abdul Hadi stond op en liep naar de kerk.

De kerk was leeg. Er hing een groot houten kruis aan de muur met een jezuspop eraan. Hier zou hij de dominee achterlaten als hij met hem klaar was. Dat was ook een foto die op de voorpagina's van de westerse kranten terecht zou komen. Iconografie. Dat was belangrijk. De manier waarop de westerse bevolking zichzelf zag, was voor honderd procent gebaseerd op uiterlijkheden. Kleding, uiterlijk, spiegels, foto's, televisie, reclame. Abdul Hadi dreunde de zinnen die hij uit zijn hoofd had geleerd op, terwijl hij de kerk in zich opnam. De westerse bevolking kende geen innerlijke dialoog, had geen gesprekken met God.

Een vrouw zei iets tegen hem, maar ze begreep al snel dat hij geen Deens sprak. 'The church is closing.' De vrouw glimlachte en voegde eraan toe: 'Friday night is midnight mass. If you are interested?'

'Thank you.'

Hij liep naar buiten. Het licht in het kinderdagverblijf was uit – de kerk ging sluiten. Abdul Hadi liep om de kerk heen naar de sacristie. Daar hadden ze een raam voor hem geprepareerd. Hij had graag eerst willen bidden, maar daar was geen tijd meer voor. Hij had gezien dat de dominee zijn jas aantrok – het moest nu gebeuren.

31

Helsingør

Hannah schonk koffie in, ze knoeide op de tafel. Ze veegde het weg met een theedoek.

'Was dat alles?'

'Ja. Eenentwintig zaken.'

'Van Antarctica tot Caracas. Met uitstapjes naar Afrika en Azië.' Eindelijk keek ze hem aan. 'Het zouden er in principe meer kunnen zijn.'

'Waarom denk je dat?'

Ze zocht in de papieren en haalde de Rus ertussenuit. 'Hij is nummer 31.'

'Ja.'

'En er is ook een nummer 33, en 34. Russel Young uit Washington D.C. en Raj Bairoliya uit Mumbai. Misschien is het daar niet gestopt. Eerder in de reeks zijn er ook gaten.' Ze keek naar de kaart.

'We hebben Chama Kiwete uit Olduvai Gorge in Tanzania met nummer 1, Maria Saywa uit Peru met nummer 6, Amanda Guerreiro uit Rio de Janeiro met nummer 7, Ludvig Goldberg uit Tel Aviv met nummer 10, Nancy Muttendango uit Nairobi met nummer 11. Er zitten heel veel gaten in de reeks. Waar zijn die gebleven?'

'Misschien komen ze nog', opperde Niels.

'Wist jij dat Olduvai Gorge de plek is waar de eerste mens is gevonden?' Dáár is nummer 1 vermoord: Chama Kiwete.'

Niels keek haar gedesoriënteerd aan en schudde zijn hoofd. 'Het is natuurlijk helemaal niet zeker dat ze overal die getallen op de rug hebben opgemerkt. Of dat alle zaken zijn gerapporteerd. Er zijn landen die zo worden geteisterd door burgeroorlogen of hongersnood dat ze geen tijd hebben om een moord te onderzoeken. Dus het is niet uit te sluiten dat een arts of een hulpverlener dood zou zijn neergevallen in Botswana of ...' Niels kon niet zien of ze luisterde.

'Hij lijkt mij wel een grondig persoon, die Italiaan, die Tommaso Di Barbara. Hoe is hij aan al dit materiaal gekomen?'

Hannah staarde naar de wereldkaart waar de eenentwintig punten uit staken: eenentwintig spelden voor alle geregistreerde moorden. Het was een woud, gevormd door het lot van eenentwintig mensen. Een wereld van vermoorde mensen gehuld in de rook van haar sigaret.

Ze ging er helemaal in op. Ze praatte hardop tegen zichzelf, het leek wel of ze preekte: 'Cosco, Rio, Tel Aviv, Nairobi, Johannesburg, Chicago, Thunder Bay, McMurdo, Beijing ...'

'Hoe zit het met de tijdstippen?' onderbrak Niels haar.

'Zeven dagen, voorzover ik kan zien.' Ze staarde naar de kaart. 'Er zitten steeds zeven dagen tussen de moorden.'

'Zijn er nog andere overeenkomsten tussen de tijdstippen waarop de moorden zijn gepleegd? Zijn ze op hetzelfde moment van de dag gepleegd?'

Ze aarzelde. Ze drukte haar sigaret uit op een schoteltje. 'Dat is moeilijk te zien. Er is maar bij een paar van de moorden een exact tijdstip aangegeven.'

'Kan het alfabetisch zijn?'

'Wacht even.'

'Wat?'

Er ging een minuut voorbij. Ze zat zo stil dat Niels had kunnen denken dat ze een wassen beeld was. Ten slotte zei ze: 'Zonsondergang. Ik weet het bijna zeker.'

Ze bladerde door de rapporten. Niels stond op het punt om zijn geduld te verliezen, maar toen zei ze: 'De moorden zijn gepleegd met zeven dagen tussenruimte, op een vrijdag, hoogstwaarschijnlijk op het moment dat de zon op de respectieve plaatsen onderging. Dat moet het zijn.'

'En wat betekent dat?'

Geen antwoord.

'Hoe zit het met de afstand tussen de moordlocaties?' ging hij verder. 'Die drieduizend kilometer. Klopt dat?'

Nog steeds geen antwoord. Niels had het gevoel dat hij haar vooral stoorde. Maar dat hield hem niet tegen: 'Hannah. Die drieduizend kilometer ... Of zie jij nog andere verbanden?'

Eindelijk keek ze op.

'Ik begrijp niet waar dat van die "goede mensen" vandaan komt. We hebben nu naar alle slachtoffers gekeken – naar diegenen over wie een rapport is opgemaakt tenminste – en er zitten misschien iets meer artsen en hulpverleners bij dan gemiddeld, maar het zijn lang niet allemaal mensen die hun leven in dienst hadden gesteld van het helpen van anderen. Die Israëliër was leraar en hij was militair geweest.' Ze schudde haar hoofd en veranderde van onderwerp. 'Wat zei die Italiaan ook alweer over de Bijbel?'

'De zesendertig rechtvaardigen. Dat is geloof ik een joodse mythe.'

'Dit is de eerste keer dat ik spijt heb dat ik niet heb opgelet tijdens de godsdienstles. Waar gaat die mythe over?'

'Dat weet ik niet.' Niels haalde zijn schouders op. 'Ik denk ook niet dat het een geloofwaardig spoor is.'

'Wat is een geloofwaardig spoor? Gewoon even, zodat ik jouw redenatie begrijp.'

'Er zit geen logica in de keuze van de slachtoffers. We zouden zo mensen kunnen aanwijzen die het veel beter zouden hebben gedaan.'

'Dat weet ik niet, maar kijk eens naar de kaart.' Ze stak haar hand uit. 'Dat zegt ons ook niets en toch geloven we dat er een verband is. De vraag is natuurlijk niet of het ons iets zegt.'

Niels keek naar de kaart. Ze had gelijk: de vraag was of het de moordenaar iets zei. Hannah was al achter de computer gaan zitten. '"36 righteous men", is dat wat er in de map staat?' Nog voordat Niels het had gevonden, las Hannah voor uit Wikipedia: 'Tzadikim Nistarim. "De verborgen rechtvaardigen" betekent het. Gods goede mannen op aarde. Er zijn mensen die geloven dat als er maar één ontbreekt, de mensheid ten onder gaat.'

'Dat kunnen we dan bij dezen ontkrachten', Niels glimlachte.

Ze ging verder: 'Andere mensen zeggen dat ze alle zesendertig moeten sterven voordat de mensheid ten onder gaat. Hier kun je het lezen.' Ze schreef met snelle, kinderlijke letters de link voor hem op: http://en.wikipedia.org/wiki/Tzadikim_Nistarim.

'Ik ga er wel achteraan. Hij heet toch Weizman?'

'Wie?'

'De opperrabbijn van de Kristalgade.'

'Je kunt het hier toch lezen.'

Niels stond op. 'Misschien haalt het grootste deel van de wereld zijn kennis tegenwoordig van Wikipedia.' Hij stopte. Hij voelde zich duidelijk haar mindere, alsof hij een Skoda was die naast een Ferrari was geparkeerd. Misschien klonk hij daarom zo nors toen hij verderging: 'Maar om een moord op te lossen, moet je nog steeds naar buiten.'

Hij zocht zijn spullen bij elkaar en stopte ze in een kleine aktetas. Pen, telefoon, agenda, aantekeningen. Zijn blik viel op de naam Abdul Hadi. Niels pakte zijn notitieblok en las zijn aantekeningen over Abdul Hadi. 'De moord in Mumbai, wanneer was dat?'

Hannah bladerde door het verslag. Niels hielp haar: 'Je hebt de datum op de kaart geschreven.'

'O, ja.' Ze vond de speld in India. 'Raj Bairoliya. Twaalf december. Is er iets?'

'Nee, het is vast gewoon toeval.'

'Toeval?'

'Ik bel je nog wel.' Niels was de deur al uit. Ze zei nog iets tegen hem, maar hij hoorde het niet. Hij had maar één ding in zijn hoofd: Abdul Hadi was op 12 december in Mumbai geweest.

* * *

Hannah keek naar Niels' auto terwijl hij achteruit het pad af reed. Ze keek naar het nummerbord. II 12 041.

'Het kan geen toeval zijn', zei ze tegen zichzelf.

32

Ospedale Fatebenefratelli, Venetië

'Tachtig cent.'

Tommaso's moeder had de afgelopen twee uur onrustig geslapen. Telkens als zuster Magdalena bij haar had gekeken, had ze in haar slaap gemompeld, maar nu verstond ze voor het eerst wat Tommaso's moeder zei: 'Tachtig cent.'

'Waarom zegt u dat, mevrouw Di Barbara?'

'Hij mag die tachtig cent niet betalen.'

'Wie niet?'

'Mijn zoon.'

De oude vrouw probeerde haar arm onder de deken vandaan te halen. Magdalena hielp haar. Tommaso's moeder greep haar hand vast. Ze had nog steeds een aardse kracht.

'Zeg dat tegen hem.'

'Ja. Wat moet ik zeggen?'

'Dat hij geen tachtig cent moet betalen.'

'Waarom niet?'

'Dan gaat hij dood.'

'Waar?'

De oude vrouw schudde haar hoofd.

'Wat kost er tachtig cent?'

Er klonken tranen in de stem van de vrouw toen ze antwoordde: 'Dat kan ik niet zien.'

Zuster Magdalena knikte. Zo ging het vaak. De stervenden konden door een kier naar de toekomst en het leven na de dood kijken. Ze zagen nooit het grote geheel, altijd slechts fragmenten. Mevrouw Di Barbara kwam weer tot rust. Misschien zou ze in haar slaap een preciezer beeld krijgen van wat haar zoon niet mocht kopen. Er waren veel dingen die tachtig cent kostten: pasta, melk, een espresso. Magdalena ging terug naar het kantoor en belde Tommaso. Hij nam niet op.

33

Synagoge, Kopenhagen

Het leek wel een vesting.

Dat was het eerste wat Niels dacht toen hij in de Krystalgade uit de auto stapte en naar de synagoge keek. Hij was omringd door een hoog hek van zwart smeedijzer. Twee burgerwachten stonden ieder aan een uiteinde van de straat en stampten op het asfalt om warm te blijven. Die waren ongetwijfeld aangesteld door de Joodse gemeente. De graffiti op de muur vertelde waarom: 'Bevrijd Palestina. Nu!' En daaronder: 'Klaagmuur – de Palestijnen klagen'. Niels bedacht hoeveel geld er zou vrijkomen als dat oude conflict eindelijk kon worden begraven. Een paar dagen geleden was er op de radio een discussie geweest of de helft van het Israëlplein in Kopenhagen moest worden omgedoopt in Palestinaplein. Van alle conflicten op de wereld was het Israëlisch-Palestijnse conflict het best te exporteren.

Niels belde aan en wachtte.

'Niels Bentzon, politie Kopenhagen.'

'Moment.'

Niels wachtte weer. Hij las op het informatiebord dat het gebouw meer dan 175 jaar oud was. De twaalf karakteristieke zuilen vertegenwoordigden de twaalf stammen van Israël. 'Ze zijn ver gekomen, die twaalf stammen', zei Niels tegen zichzelf. De synagoge lag iets naar achteren in de straat; bijna nederig in verhouding tot de andere gebouwen. Het bouwen van een joods godshuis midden in Kopenhagen was indertijd controversieel geweest. In dat opzicht was er niet veel veranderd. Alleen ging het nu om het recht van de moslims om een grote moskee in Kopenhagen te bouwen.

Eindelijk klonk er een zacht, professioneel zoemgeluid en ging de poort open. Niels stapte naar binnen; de poort gleed geruisloos achter hem dicht. Even wist hij niet waar hij naartoe moest, maar al snel hoorde hij een stem: 'Deze kant op.'

Een glimlachende man van begin vijftig kwam hem tegemoet lopen over de kleine parkeerplaats aan de zijkant van de synagoge. Niels herkende de opperrabbijn met de grijzende baard meteen van interviews op televisie.

'Niels Bentzon.'

'Martin Weizman. Het is koud vandaag.'

Niels knikte.

'Bent u al eens eerder in de synagoge geweest?'

'Nog nooit.'

Hij had Niels' hand nog niet losgelaten.

'Nou, welkom dan. Synagoge betekent gewoon "huis van samenkomst" in het Grieks, dus het is helemaal niet gevaarlijk. Komt u maar mee.'

Ze liepen om het gebouw heen. Weizman toetste een code in en de deur ging open.

'Ik weet dat het net Fort Knox is. Na de bomaanslag in 1985 zijn de veiligheidsmaatregelen flink aangescherpt.'

Niels herinnerde zich die zaak. Er was een aanslag gepleegd met een behoorlijk krachtige bom. De aanslag had wonderbaarlijk genoeg geen mensenlevens geëist, maar wel aanzienlijke schade aangericht. Onder andere alle ruiten van het verzorgingshuis achter de synagoge waren eruit geblazen.

'U moet wel even deze op doen.' De opperrabbijn draaide zich om. 'Zo doen wij dat.'

Niels keek verrast naar het keppeltje en zette het op.

'En uw mobiele telefoon.'

'Moet ik hem uitzetten?'

'Alleen op "stil". Dat doe ik zelf ook altijd. God heeft niets over mobieltjes gezegd. Hij hield het bij schapen en geiten.'

Niels glimlachte en zette zijn telefoon op 'stil'. Nog een deur. Ze gingen de synagoge binnen.

Niels deed zijn best om eruit te zien alsof hij onder de indruk was – hij voelde de blik van de rabbijn. Zijn eerste gedachte was dat het er net zo uitzag als de kerken die hij kende.

'Dit is een van de oudste synagogen van Europa', legde de opperrabbijn uit. 'De meeste zijn verwoest tijdens de oorlog, maar ook in dat opzicht zijn de Deense Joden er relatief goed van afgekomen.'

Niels knikte.

'De opdracht om een nieuwe synagoge in Kopenhagen te bouwen was oorspronkelijk aan de stadsarchitect, Peter Meyn, gegeven.'

'Een nieuwe?' onderbrak Niels hem. 'Is er dan nog een andere geweest?'

'Ja.' Weizman knikte. 'In de Læderstræde, maar die is verloren gegaan toen in 1795 grote delen van Kopenhagen zijn afgebrand. Waar had ik het over?'

'Peter.'

'Meyn. De stadsarchitect. Zijn voorstel werd gewogen en te licht bevonden en in plaats daarvan werd de opdracht aan G.F. Hetsch gegeven, een bekende professor aan de kunstacademie. Zijn oplossing ziet u hier.' Weizman strekte zijn arm uit. 'Hij heeft het erg goed gedaan, vindt u niet?'

'Ik dacht dat er een altaar was in een synagoge.'

'Wij brengen geen offerandes, daarom hebben we geen altaar. Die verhoging daar noemen we "bima". Of "teba". Daarvandaan bidden we of lezen we voor uit de Thora. Of we zingen.'

Hij knipoogde naar Niels: 'Het vereist de nodige techniek om te weten hoe en wanneer je omhoog of omlaag moet gaan met de toon. Dat kun je niet aan de tekst zien. Daar – hij wees – bewaren we de Thorarollen. In de Thorakast. Die heet "Aron Hakodesh" of "hechal" en hij is naar Jeruzalem gekeerd. Het openen van de Thorakast en het uitrollen van de Thorarollen is het hoogtepunt van de dienst. "Ner tamid" is het eeuwige licht dat herinnert aan de zevenarmige kandelaar uit de tempel in Jeruzalem.'

'De klaagmuur.'

'Precies. De klaagmuur in Jeruzalem is het enige wat nog over is van de tweede tempel. Die is door de Romeinen vernield in het jaar 70. Over de eerste hebben de Babyloniërs zich liefdevol ontfermd in het jaar 586 voor onze tijdrekening. Maar om nog even af te maken wat ik over de dienst vertelde: die verschilt niet zo veel van de christelijke, zoals je hoort. We houden onze grote wekelijkse dienst alleen niet op zondag, maar op de sjabbat, de zaterdagochtend.'

Hij haalde diep adem en keek Niels aan. Het was duidelijk dat hij gewend was om dit soort kleine voordrachtjes te houden. Hij kreeg vaak schoolklassen op bezoek in de synagoge.

'Maar als ik u goed heb begrepen, wilde u met mij praten over Tzadikim Nistarim, de zesendertig rechtvaardigen. Ze worden vaak de Lamed Vav Tzadikim genoemd. We kunnen hier wel even gaan zitten.' Niels volgde hem naar het achterste deel van de synagoge. De rabbijn rook naar sigaretten. Zijn wijs- en middelvinger waren verkleurd door de nicotine.

Niels vatte de zaak kort samen voor Weizman.

'Dus degenen die ons moeten redden, worden vermoord?' Weizman schudde zijn hoofd. 'Dat is toch volkomen krankzinnig. Ik zou weleens willen weten of wij het verdienen om hier te zijn.' Hij haalde diep adem, zoog verse lucht in zijn longen en glimlachte even. 'En nu wilt u weten ...'

'Zo veel mogelijk. Waar komt die mythe vandaan? Als dat het juiste woord is, een mythe.'

'Als het dat voor u is.' De rabbijn haalde zijn schouders op. 'Tzadikim Nistarim. De zesendertig rechtvaardigen.' Hij pauzeerde even. Dacht na. 'Het komt uit de Talmoed.'

'De joodse mystiek? De kabbala?'

'Nee, nee, dáár gaan we niet naartoe. Gelukkig. Anders hebben we lang haar voordat we klaar zijn en zijn we waarschijnlijk vooral gemystificeerd.' Hij grinnikte. 'De kabbala laten we aan Hollywood over – die kun je altijd achter de hand houden als je geen fatsoenlijk einde kunt bedenken.' Hij grinnikte weer.

'De Talmoed?'

'Ja. De Talmoed is de mondelinge leer van de joden. Het zijn commentaren op de Thora die oorspronkelijk is geschreven in het Aramees en niet in het Hebreeuws, al zijn die talen wel aan elkaar verwant. Het Hebreeuws is jarenlang alleen maar gebruikt voor gebeden en diensten, totdat het bij de oprichting van de staat Israël een renaissance beleefde en het de officiële taal werd. Maar we zijn afgedwaald van de Talmoed. Hij pauzeerde een paar seconden. Hij zocht de juiste invalshoek om te beginnen. 'De Talmoed bestaat uit de Misjna en de Gemara. De Misjna is het woord van God, precies zoals Mozes het van de Heer heeft ontvangen. De Gemara zijn de commentaren en de discussies van de rabbijnen over de Misjna. Er zijn twee Talmoeds: de Jeroeshalmi en de Bavli. Het jodendom baseert zich op de Bavli. De Talmoed is een uniek werk dat bestaat uit eenentwintig delen van duizend pagina's. Het is ontstaan na de verwoesting van de tweede tempel in het jaar 70. De rabbijnen uit die tijd waren gewoon bang dat het jodendom ten onder zou gaan, daarom besloten ze de wetten en leefregels die toen de basis van het jodendom vormden op te tekenen. Het is een werk dat alles tussen hemel en aarde bespreekt: politieke, wettelijke en ethische vraagstukken. Je zou het juridische protocollen kunnen noemen. Hoe horen we ons te gedragen? Wie heeft gelijk in allerlei geschillen?'

'Bijvoorbeeld?'

'Het zijn heel banale dingen.' Hij dacht na en sloeg met een rustige, weloverwogen beweging zijn ene been over het andere. 'Het kan bijvoorbeeld een zaak zijn over een man die zijn stok is kwijtgeraakt. Je moet bedenken: de Talmoed is van vóór de rollator.' Hij glimlachte weer. 'Laten we zeggen dat een man zijn stok is vergeten op het marktplein en – om de een of andere reden – pas drie maanden later terugkomt om hem te halen. In de tussentijd heeft een oude vrouw de stok gebruikt. Heeft zij daar recht op, of is hij nog steeds van de man? Wat betekent het dat iets je eigendom is? Het kan ook om een stuk grond gaan.'

'Eigendomsrecht?'

'Bijvoorbeeld. Een man verlaat zijn huis omdat ... weet ik veel, er kunnen zo veel redenen zijn: oorlog, honger, whatever. Als hij drie jaar later terugkomt, wordt het huis door andere mensen bewoond. Wie heeft er nu het recht om in het huis te wonen?'

'Dat klinkt alsof er meer dan genoeg te behandelen valt.'

'Zeker. Maar veel van de zaken hebben een principieel karakter. Als je een oplossing hebt gevonden voor één zaak, kun je parallellen trekken naar een hele reeks vergelijkbare zaken.'

'Een beetje zoals een modern wetssysteem?'

'Zo kun je het wel zeggen. De Talmoed is geschreven in de vorm van discussies tussen de rabbijnen, van het jaar 100 tot het jaar 500. Hij is geschreven volgens een speciale mnemotechniek, een discussiërende, associatieve stijl die is opgebouwd rond allegorieen en parabels. Daardoor staat het werk open voor heel veel verschillende interpretaties. Opmerkelijk is dat elk deel begint met een soort bewijs. De conclusie van een bepaalde probleemstelling. Bijna zoals we het van de wiskunde kennen. Daarna volgt de weg die tot die conclusie heeft geleid. Dat is vaak een lange, moeizame weg.' Hij glimlachte weer. 'De Talmoed is voor mensen die veel tijd hebben. En een sterke bril.'

'Dat heb ik niet. Veel tijd.'

'Natuurlijk. Als de Talmoed een hedendaags werk was geweest, zou het waarschijnlijk moeilijk zijn geweest om een uitgever te vinden die het wilde uitgeven. Tegenwoordig kan alles niet snel genoeg gaan. We zijn zo verschrikkelijk bang om iets te missen en juist daarom missen we zo veel. Klink ik als een oude man? Dat zeggen mijn kinderen ook.' Hij lachte.

Niels glimlachte, maar hij wilde de rabbijn terugleiden naar het spoor. 'En in de Talmoed komen dus die zesendertig goede mannen voor?'

'Laten we ze rechtvaardige mannen noemen. Dat is juister. Tzadikim betekent rechtvaardigen. De zesendertig rechtvaardige mannen.'

'Waarom juist zesendertig? Achttien is een heilig getal en ...?'

'U hebt uw huiswerk gedaan.' Weer die wolvenglimlach. 'Achttien is een heilig getal, maar waarom dan juist zesendertig – het dubbele? Op die vraag kan waarschijnlijk niemand antwoord geven. Ik heb weleens een theorie gehoord dat elk van hen tien dagen van het jaar bestrijkt. Zesendertig. Driehonderdzestig. Maar in dat geval zou er misschien eerder sprake zijn van astrologie, want daarbij gaat het er geloof ik om dat ze elk tien graden van de aarde bestrijken.' Hij spreidde glimlachend zijn armen. 'Ik moet u het antwoord schuldig blijven, maar ik weet wel dat de zesendertig in de joodse folklore vaak "de verborgen heiligen" worden genoemd. "Lamedvovniks" in het Jiddisch.'

'Maar die goeden ... sorry, die rechtvaardigen, weten niet dat ze rechtvaardigen zijn?'

'U weet meer dan ik. Nee, de rechtvaardigen weten zelf niet dat ze rechtvaardigen zijn. Dat weet alleen God.'

'Maar hoe kun je dan weten wie het zijn?' vroeg Niels.

'Misschien is het niet de bedoeling dat je dat weet.'

'Zijn het er altijd zesendertig?'

'Zo moet het worden geïnterpreteerd.'

'Maar als er nou een doodgaat?'

'Als ze allemaal doodgaan, gaat de mensheid ten onder. Volgens Hollywoods geliefde kabbala gaat God zelf ook dood als ze alle zesendertig verdwijnen.'

'En voor elke generatie zijn er zesendertig?'

'Precies. Zesendertig die samen de zonden en de lasten van de mensheid op hun schouders dragen. Iets in die stijl.'

'Mag ik u vragen of u er zelf in gelooft?'

De rabbijn dacht even na. 'Ik vind het een mooie gedachte. Kijk naar de wereld om u heen. Oorlog, terreur, honger, armoede, ziektes. Neem het conflict in het Midden-Oosten. Een gebied waar zo veel haat en frustratie heerst, dat er om elke hoek een zelfmoordterrorist op de loer kan liggen en checkpoints en muren een vast onderdeel van het dagelijks leven vormen. Als ik vanuit mijn ivoren torentje in Denemarken naar zo'n wereld kijk, spreekt de gedachte dat er ten minste – *ten minste* – zesendertig rechtvaardige mensen op aarde zijn, mij erg aan. Kleine menselijke zuilen die ervoor zorgen dat we in ieder geval een minimum aan goedheid en rechtvaardigheid bewaren.'

Er viel een stilte.

'Zoekt u een moordenaar?' vroeg de rabbijn opeens.

Niels voelde zich overrompeld. Hij wist niet wat hij moest zeggen.

De rabbijn ging verder: 'Of een slachtoffer?'

34

Helsingør

Hannahs poging om haar lege sigarettenpakje in de prullenbak te mikken, mislukte. Het pakje landde midden op de vloer. Ze bleef zitten en staarde naar de kaart en de vele pagina's aantekeningen die ze intussen had gemaakt. Ze kon geen enkel verband tussen de moordlocaties vinden. Sommige gebieden op de kaart waren bijna helemaal leeg gebleven, terwijl bijvoorbeeld in het Midden-Oosten meerdere moorden waren gepleegd: in Mekka, Babylon en Tel Aviv. Bijna kreeg ze spijt van de hele onderneming. Misschien moest ze Niels gewoon bellen en zeggen dat ze het opgaf. De zaak had ook eigenlijk niets met haar te maken. Maar iets hield haar tegen. Eerst dacht ze dat het het systeem was. Want ze wist dat er een systeem was. Ze moest het alleen vinden. Systemen hadden altijd al aantrekkingskracht op haar gehad. Dat je de sleutel moest vinden.

Ze wilde dat ze nog meer sigaretten had. Ze wilde dat ze ...

Ze zijn kinderloos. Ze onderbrak haar eigen gedachtenstroom. Alle slachtoffers zijn kinderloos. Andere overeenkomsten? Ze bladerde door haar aantekeningen. Religie? Nee, de vermoorden waren christenen, joden, moslims, boeddhisten, atheïsten en er was zelfs een baptistenpriester uit Chicago bij. Huidskleur? Nee. Leeftijd? Ze aarzelde. Daar had ze iets. Het was niet bepaald iets doorslaggevends, maar op dit moment kon ze zelfs een klein stapje in de goede richting goed gebruiken. Alle slachtoffers waren tussen de vierenveertig en de vijftig jaar oud. Toeval? Misschien. Maar daarom niet noodzakelijk minder interessant. Haar jaren als onderzoekster hadden Hannah geleerd dat wat op het eerste gezicht een toevalligheid leek – juist dát – vaak precies het tegenovergestelde was. Eenentwintig vermoorde mensen. Allemaal tussen de vierenveertig en vijftig jaar oud en kinderloos. Dat moest iets betekenen.

Ze zocht alle papieren bij elkaar en stopte ze in de doos. De fax, haar aantekeningen, de kaart. Aanvankelijk wilde ze alleen een stukje gaan rijden omdat ze ergens sigaretten wilde kopen, maar nu besloot ze alles mee te nemen. Ze probeerde Niels te pakken te krijgen om hem te vertellen waar ze naartoe ging, maar hij nam zijn telefoon niet op.

De lucht was koud toen ze het huisje uit kwam, maar de vrieskou voelde stimulerend. Hannah kwam veel te weinig buiten. Er waren weken dat ze niet verder kwam dan een korte wandeling naar het water of een ritje naar de supermarkt. De rest van de tijd zat ze alleen maar binnen en ... Wat? Ze wist het niet. Dat was nog bijna het ergste: er waren dagen – veel dagen – waarop ze 's avonds naar bed ging zonder dat ze kon zeggen wat ze die dag had gedaan. Misschien kwam het door dat inzicht dat het starten van de auto en het wegrijden over het grindpad, naar de provinciale weg, voelde als een kleine revolutie.

35

Synagoge, Kopenhagen

Niels stond op. Even ontstond er een ongemakkelijke situatie, omdat Weizman bleef zitten, maar ten slotte volgde de opperrabbijn zijn voorbeeld.

'Hebben ze bijzondere kenmerken, die zesendertig? Iets wat hen met elkaar verbindt?'

'Alleen de rechtvaardigheid, de goedheid zoals u het noemde. Is dat niet genoeg?'

Niels aarzelde. Niet helemaal. 'Kunt u mensen noemen over wie men heeft gezegd dat ze een van de zesendertig waren?'

Weizman haalde zijn schouders op. 'Dat is typisch iets wat bij begrafenissen ter sprake komt, als je iets moois wilt zeggen over een overledene die veel voor andere mensen heeft betekend.'

'Als u iemand zou moeten noemen?'

'Ik weet het niet. Ik weet niet of mijn suggesties beter zouden zijn dan de uwe, maar als Jood heb je al snel de neiging om terug te gaan naar de Tweede Wereldoorlog. Oscar Schindler, de verzetsmensen in de bezette landen, de individuen die hebben verhinderd dat alle Joden zijn uitgeroeid. Maar zoals ik al zei: uw suggesties zijn net zo goed als de mijne.'

Hij keek Niels aan. Twee in het zwart geklede mannen met hoeden kwamen binnen. Ze begroetten Weizman.

'Ik heb zo een vergadering. Bent u wat wijzer geworden?'

'Een beetje. Bedankt voor uw tijd.'

De opperrabbijn liep met Niels mee naar de deur en gaf hem een hand.

'Nu bent u slechts twee handdrukken van Hitler verwijderd', zei de rabbijn terwijl hij Niels' hand vasthield.

'Ik begrijp niet wat u bedoelt?'

'Ik heb tijdens een congres in Duitsland eens een officier geïnterviewd die voor Hitler had gewerkt. Toen ik hem een hand gaf, dacht ik: nu ben ik maar één handdruk van Hitler verwijderd.'

Hij hield Niels' hand nog steeds stevig vast. 'Dus nu bent u maar twéé handdrukken van het kwaad verwijderd, meneer Bentzon.'

Stilte. Zijn hand begon warm te worden in de gesloten hand van de rabbijn.

'Misschien geldt voor goedheid wel hetzelfde. We zijn nooit ver van het goede verwijderd. Dat is een inspirerende gedachte. Denk maar aan Nelson Mandela, een mens die een heel land heeft veranderd. Net als Gandhi. En uw Jezus.'

Hij glimlachte. 'Ze zeggen dat in Zuid-Afrika iedereen wel iemand heeft ontmoet of kent die Mandela heeft ontmoet. Niemand is meer dan één handdruk van de leider verwijderd. Dan is opeens de gedachte dat er maar zesendertig mensen nodig zijn om het kwaad in bedwang te houden niet meer zo vreemd. Bedenk dat alle omwentelingen in de wereldgeschiedenis, zowel goede als slechte, zijn begonnen met individuen.'

Hij liet Niels' hand los.

* * *

Het licht was fel, de kou doordringend. Niels kreeg het gevoel dat hij terug was in zijn eigen wereld. Hij wist opeens niet wat hij met zijn handen moest. Het beeld van Hitler had zich doeltreffend in zijn hoofd genesteld. Hij stopte ze in zijn zakken en keek met zijn hoofd in zijn nek naar de synagoge. Hij voelde iets trillen in de voering van zijn jas – zijn telefoon die op 'stil' stond. Toen hij hem tevoorschijn haalde, zag hij dat het dominee Rosenberg was. Hij had zes keer geprobeerd hem te bellen.

'Met Bentzon.'

'Ja, met Rosenberg!' Gejaagde ademhaling. 'Ik geloof dat er iemand heeft ingebroken.'

'Bent u in de kerk?'

'Ja. Ik heb mezelf opgesloten in het kantoor, maar er zit een glazen ruit in de deur.'

'Weet u zeker dat er iemand is?'

'De deur is opengebroken.'

'Hebt u 112 gebeld?'

Geruis op de lijn. Misschien had hij de telefoon laten vallen.

'Dominee Rosenberg?'

Opeens was de dominee er weer. Hij fluisterde: 'Ik hoor hem.'

'Blijf waar u bent. Ik ben er over ...' Niels keek de straat door. Het verkeer stond vast. Hij overwoog te bellen om assistentie te vragen, maar bedacht zich. De seconden telden. Hij begon te rennen. '... drie minuten!'

36

Dark Cosmology Centre, Universiteit van Kopenhagen
Voor een gebouw dat onderdak bood aan internationale wetenschappers die onderzoek deden naar donkere materie in de ruimte, was de buitenkant van het Dark Cosmology Centre goed verlicht. Hannah stapte uit haar auto. De jaren die waren verstreken sinds de dood van Johannes, het vertrek van Gustav en het einde van haar veelbelovende academische carrière, hadden geen enkel spoor achtergelaten op het gebouw. Die gedachte was beangstigend en stimulerend tegelijk. Ze pakte de doos van de achterbank en liep het instituut binnen. Op de trap passeerde ze een paar jonge onderzoekers of studenten, maar ze sloegen geen acht op haar. Hannah kwam op de eerste verdieping, waar haar werkkamer was geweest. De gang was leeg. Lunchpauze. Ze liep naar de werkkamer en stapte zonder op het naambordje te kijken of te kloppen naar binnen.

Het duurde niet lang voordat ze oogcontact kreeg met de jonge mannelijke onderzoeker die achter het bureau zat, maar dat was genoeg om het gevoel te krijgen dat ze weer thuis was. Ze herkende de geur, de geluiden, de bedompte, maar vertrouwde atmosfeer. Een paar van de posters aan de muren waren nog hetzelfde, de kasten stonden waar ze altijd hadden gestaan. 'Sorry?' zei de jonge onderzoeker, al was er niets waar hij zich voor moest verontschuldigen. 'Hebben wij een afspraak?'

Hannah liet haar blik verder door de kamer gaan. Een foto van twee kleine meisjes, een tekening boven de computer. 'Voor pappa, van Ida en Luna' stond er in een kinderlijk handschrift.

'Zoekt u iemand?' vroeg hij.

'Dit is mijn werkkamer.' De woorden floepten uit Hannahs mond.

'Ik denk dat er sprake is van een misverstand. Ik zit al ruim twee jaar op deze kamer.' Hij stond op. Even dacht ze dat hij boos was, maar hij stak zijn hand uit en zei: 'Thomas Frink, PhD-student.'

'Ik ben Hannah. Hannah Lund.'

Hij keek haar aan alsof hij probeerde haar naam ergens te plaatsen en daar bijna in was geslaagd, maar toen opeens twijfelde.

'En je hebt geschreven over?'

'Donkere materie.'

'Ik doe onderzoek naar kosmische explosies.'

'Thomas, heb je even?'

Hannah herkende de stem achter zich.

In de deuropening stond een wat oudere man met hoog opgetrokken schouders, een kromme rug en kinderlijke ogen.

'Hannah?' De oudere professor keek haar stomverbaasd aan. 'Ik dacht dat jij ...'

'Professor Holmstrøm?'

Hij knikte en omhelsde haar een beetje onhandig. Hij was iets uitgedijd rond zijn middel. Opeens keek hij haar bijna streng aan.

'Je moet heel goed nadenken voordat je me gaat vertellen wat je tegenwoordig doet, want het moet wel verdomd belangrijk zijn als het de reden is dat je niet meer hier bent.'

'Dat is een lang verhaal.' Ze hield haar handen afwerend omhoog. 'En hoe gaat het met u?'

'Tja, afgezien van het feit dat we moeten inkrimpen ... Al het geld gaat tegenwoordig naar het milieu. Je hoeft alleen maar de minister van Onderwijs en Wetenschappen te bellen en het woord "klimaat" in zijn oor te fluisteren – dat mag gerust om drie uur 's nachts – en de volgende ochtend heb je de miljoenen binnen.' Hij grijnsde. Hij had dit eerder gezegd. 'Het geld gaat naar het klimaat, zo is het nu eenmaal.'

'En naar de stemmen voor de volgende verkiezingen', voegde Thomas Frink eraan toe. Hij keek naar zijn computerscherm.

'Het klimaat.' Hannah keek professor Holmstrøm ernstig aan. 'De mens gelooft tegenwoordig in de verkeerde goden.'

'In welke goden?'

'In zichzelf.' Ze glimlachte.

Er viel een korte stilte. Een stilte die schreeuwde om te worden verbroken.

'Je hebt een doos meegenomen?' Professor Holmstrøm knikte naar de doos.

'Ja.'

Hij wachtte. Hij verwachtte waarschijnlijk dat ze zou vertellen wat er in de doos zat, maar dat deed ze niet. In plaats daarvan vroeg ze: 'Weet u of het auditorium op de oude afdeling wordt gebruikt?'

37

Binnenstad, Kopenhagen

Niels rende de hoek om, de drukke winkelstraat in. Het laatste wat hij zag, was dat een parkeerwachter een bon onder zijn ruitenwisser schoof.

'Hé!' Niels had een man geraakt met zijn schouder en diens overvolle tassen vielen op straat. Hij had geen tijd om sorry te zeggen. De straat bezweek bijna onder het gewicht van Kerstmis: versiering, winkelende mensen, inkopen, stress. Bij de theologische faculteit ging hij weer de hoek om, rende door een smalle passage en kwam in een vriendelijker buurt terecht. Hij keek op zijn telefoon. Rosenberg belde weer.

'Wat gebeurt er?'

'Waar bent u?'

'Nog steeds in het kantoor.' De dominee was nog niet in paniek, maar het zou niet lang meer duren. Niels hoorde het aan zijn ademhaling.

'Waar is hij?'

'Dat weet ik niet.'

'Waar hebt u hem gezien?'

'In de kerk. Wanneer kunt u hier zijn?'

Niels rende door de Skindergade. Hij hoorde een luid gerammel door de telefoon.

'Dominee Rosenberg?'

Nog meer lawaai. De vragen schoten door Niels' hoofd. Waarom de dominee? Er waren zo veel andere mensen, veel bekendere mensen.

'Bent u daar nog?'

'Hij heeft een mes. O god, dat is de straf.'

Niels hoorde dat er iemand op de deur bonkte. Hij rende nog harder. 'Uit de weg!' riep hij tegen de voorbijgangers. 'Politie! Opzij!'

Hij dook weer een passage in. Slechte keus – hier kwam hij nog moeilijker vooruit. Hij wurmde zich tussen de mensen door. De dominee had de verbinding niet verbroken. Niels hoorde hem iets mompelen over 'de straf'.

'Bent u er bijna?' riep Rosenberg.

'Ja, ik ben er over een minuut. Pak iets waarmee u zich kunt verdedigen.'

Niels zag voor zich hoe de dominee de bijbel pakte.

'Is er verder nog iemand?'

'Ik geloof het niet. Hij is alleen.'

'En in de kerk? Zijn er nog andere werknemers in het gebouw?'

De dominee zweeg. Niels hoorde aan zijn ademhaling, die in stootjes ging, dat hij luisterde.

'Hoort u iets?' vroeg Niels buiten adem. 'Wat gebeurt er?'

'Hij gaat de ruit inslaan! Hij komt binnen.'

'Kunt u wegkomen uit het kantoor?'

'Ik kan het toilet in gaan. Maar ...'

'Doe de deur op slot en wacht op mij!'

De dominee verbrak de verbinding niet.

Een enorme vrachtwagen dook op uit het niets en versperde Niels de weg.

'Verdomme!' Niels sloeg geïrriteerd met zijn hand tegen de zijkant van de vrachtauto.

'Ik ben er.' Nu was Rosenberg in paniek. 'Ik ben op het toilet.' Alle waardigheid was uit zijn stem verdwenen. Hij klonk alsof hij ieder moment kon instorten. 'Ik heb de deur op slot gedaan, maar je kunt hem zo openbreken.'

'Het raam! Is het raam dicht?'

'Waar bent u? Waar bent u?'

'Eén minuut. Maximaal.' Niels loog, maar hoop was een van de belangrijkste elementen van de crisispsychologie. Je moest een gijzelaar altijd hoop geven. Al was het een soldaat die midden in de Green Zone van de provincie Helmand lag, met kogels in zijn hele lijf en beide benen afgerukt, dan nog was het van doorslaggevend belang dat de soldaat te horen kreeg dat er hoop was. Ook al was die leugen de enige uitweg.

De verbinding werd verbroken. De levenslijn werd doorgesneden.

'Dominee Rosenberg?' Niels verhief zijn stem. Alsof het zin had om te schreeuwen in een telefoon die geen verbinding had.

Niels kon de Helligåndskirke al zien. De aanblik van de mooie kerktoren gaf hem het laatste beetje kracht. Hij stak de straat over. Een jonge moeder op een fiets riep hem iets achterna en stak haar middelvinger op. Niels begreep haar wel. Toen hij over het lage muurtje bij de kerk sprong, voelde hij of zijn Heckler & Koch op zijn plek zat. Steeds dezelfde zin spookte door zijn hoofd.

Ik kom te laat. Ik kom te laat.

38

Niels Bohr Instituut, Kopenhagen

Hannah liep zo hard ze kon met de doos onder haar arm door de Blegdamsvej, totdat ze haar doel had bereikt: het oude Niels Bohr Instituut. Ze stak haar sleutel in het slot. Hij paste nog. Ze bedacht opeens dat het misschien wel symbolisch was dat ze die sleutel nooit had teruggegeven. Had ze onbewust de deur naar de onderzoekswereld op een kier gehouden? De deur gleed met een bijna geruisloze klik achter haar dicht. Ze keek rond in het oude gebouw. Daar hing de beroemde foto van Niels Bohr en Albert Einstein die zich in 1927, fanatiek discussiërend, over de met klinkers geplaveide straten van Brussel naar het Solvay-congres haastten.

Niels Bohr had zelf het idee voor het instituut ontwikkeld. Hij had voor de financiering gezorgd en eigenhandig de kaders aangegeven waarbinnen het instituut moest functioneren. Na de inwijding van het instituut, in 1921, en de daaropvolgende decennia, had het instituut zich het absolute centrum van de wereld getoond op het gebied van onderzoek binnen de theoretische natuurkunde. Men zei dat het gedurende die jaren onmogelijk was om de mens Niels Bohr los te zien van het Niels Bohr Instituut. Hij woonde er met zijn gezin, hij werkte er, onderwees er, deed er onderzoek en organiseerde er congressen met de toonaangevende natuurkundigen van de wereld. Als Hannah foto's uit die tijd zag, kreeg ze bijna geen lucht en vroeg ze zich af hoeveel mensen in Denemarken eigenlijk beseften wat een geniale wetenschappers hier rond hadden gelopen.

Eenmaal binnen rende ze de trap op. Ze passeerde Niels Bohrs oude werkkamer, de deur stond op een kier. Ze keek naar binnen. Het leek wel of de tijd stil had gestaan; de ovale tafel, de buste van Einstein. Even was ze ontroerd. Dat verbaasde haar. Ze was hier al zo vaak geweest. Ze ademde diep in, alsof ze op een kinderlijke manier hoopte dat ze misschien wel een milligram van Bohrs genialiteit in haar longen zou opzuigen. Dat had ze wel nodig op dit moment.

Lunchpauze. Het was stil op de gangen. Ze ging het auditorium binnen. Het zag er nog precies zo uit als het er in Niels Bohrs tijd had uitgezien. Met de harde houten banken en het karakteristieke schoolbord, dat als een ingenieus Chinees doosjessysteem in elkaar paste; er kwamen steeds nieuwe borden tevoorschijn achter de andere. Het auditorium was uitgeroepen tot cultureel erfgoed en wettelijk beschermd. Aan de wanden hingen foto's die in dit auditorium waren genomen. Onder andere een beroemde foto van Bohr die met de absolute top van de natuurwetenschap bij elkaar zit: Oskar Klein, Lev Davidovich Landau, Wolfgang Pauli, Werner Heisenberg.

Hannah zette de doos op de lange tafel en legde de inhoud voor zich neer. Ze staarde naar de enorme hoeveelheid papier en naar de wereldkaart die haar toegrijnsde: 'Kun je het echt niet berekenen?' leek hij te vragen. 'Je hoeft alleen het systeem maar te doorgronden, dan wordt het allemaal duidelijk.'

Heel zacht hoorde ze het verkeer van buiten. Ze legde de rapporten en verslagen opzij en concentreerde zich op de kaart. Ze wist dat ze daar het systeem zou kunnen ontdekken. Ze staarde naar de spelden die op de moordlocaties waren geprikt. Op het eerste gezicht zaten ze op volkomen willekeurige plekken. Sommige aan de kust, andere in het binnenland. Ze keek naar de data waarop de moorden waren gepleegd. Zat er een patroon in de volgorde? Dezelfde afstand? Dezelfde ... Ze liep naar het raam. Het zag ernaar uit dat het zou gaan sneeuwen. Grijswitte wolken bedekten de hemel. Er zat een laagje rijp op de pinnen die de duiven weg moesten houden van de vensterbanken. Beneden op straat liepen mensen langs. Er kwam een oude vrouw aanlopen. Er stopte een bus, mensen stapten uit. De oude vrouw gleed uit op de bevroren stoep. Er stond meteen een groepje mensen om haar heen om haar overeind te helpen. Ze glimlachte dankbaar, ze mankeerde niets. Hannah stond als een toeschouwer te kijken naar ... mensen.

Mensen. De mythe ging over mensen. Zesendertig mensen die moeten passen op ménsen. Op ons. Mensen in tegenstelling tot wat? Aarde? Water? Hannah liep resoluut de deur uit, ging het lege kantoor van de secretaresse binnen en pakte een schaar uit de la van het bureau. Terug in het auditorium wilde ze net de schaar in de kaart zetten toen ze zich bedacht. In plaats daarvan trok ze de grote wereldkaart van het auditorium naar beneden, schoof er een klein kastje onder en ging daarop staan. Het kon niet anders – ze had grote continenten nodig, anders pasten de spelden er niet op. Toen ze in de kaart begon te knippen, dacht ze: waar ben ik mee bezig? Ik knip Niels Bohrs oude kaart in stukken. Maar tegelijkertijd had ze het gevoel dat hij het goed zou vinden; praktische details mogen niet in de weg staan als je het gevoel hebt dat je op de goede weg bent.

39

Helligåndskirke, Kopenhagen
De deur van de kerk was op slot. Niels bonkte op de glas-in-loodruitjes. 'Dominee Rosenberg?' Hij schreeuwde.

Niels gaf het plan om de deur in te trappen meteen weer op en concentreerde zich op het zoeken van een andere ingang. Hij kon nog steeds de dominee niet te pakken krijgen. Een zinnetje dat de dominee had gezegd weerklonk voortdurend in zijn hoofd: *Het is de straf*. De straf voor wat? vroeg Niels zich af terwijl hij om de kerk heen rende. Nog een deur. Misschien leidde die naar de kelder. Niels voelde aan de deurknop. Ook op slot. Toen zag hij een raam dat op een kier stond. Het zat hoog, boven een kleine richel. Het was december, het was snijdend koud – niemand had nu een raam open.

Hoe was hij op die richel gekomen? Er stonden een paar verlaten fietsen tegen een boom. Niels pakte er twee en smakte ze tegen de muur. Een voet op het zadel, evenwicht, toen klom hij erop. Hij kon net bij een tralieraampje dat anderhalve meter onder het openstaande raam zat. Met de topjes van zijn vingers kon hij de tralies vastpakken. Hij blies in zijn handen om ze warm te krijgen en wreef ze tegen elkaar. 'Daar gaat-ie!'

Hij vond een randje waar hij zijn voeten op kon zetten en slaagde erin om zich op te trekken tot hij in een iets betere positie stond. Hiervandaan zou het misschien lukken. Hij moest zich tegen de muur aan drukken om te blijven staan. Hij voelde dat zijn knie bloedde, hij moest hem ongemerkt hebben opengehaald. Hij gunde zichzelf twee seconden rust. *Kom op*. Met twee handen pakte hij de richel onder het openstaande raam vast. Even bungelde hij los in de lucht. Als hij nu viel, zou hij op de fietsen landen – of op de grafsteen van een of andere bisschop in de vorm van een marmeren engel. Paniek lag op de loer. Niels kon zich niet optrekken. Hij deed zijn ogen dicht. Heel even maar. Hij probeerde al zijn kracht te verzamelen voor een laatste poging. Hij overwoog het op te geven en zich terug te laten zakken tot het tralieraampje zodat hij weer naar beneden zou kunnen klimmen.

'Kom op, Niels!' Met een uiterste krachtsinspanning trok hij zich op.

Dit keer lukte het. Hij slaagde erin om een arm naar binnen te krijgen. Vreemd, zijn vrije arm trilde. Als zijn tegenstander werkelijk langs deze weg naar binnen was gekomen, voorspelde dat niet veel goeds.

* * *

Niels stond binnen. Dit moesten de gangen van het oude klooster zijn. Het plafond welfde zich omhoog naar de hemel. Hij hoorde vaag het verkeer buiten en de murmelende stemmen van de mensen in de winkelstraat, maar binnen in het gebouw hoorde hij niets.

'Dominee Rosenberg!' schreeuwde hij weer. 'Politie', voegde hij er nog aan toe. In het gunstigste geval zou zijn geroep dominee Rosenberg hoop geven. Misschien zou hij het daardoor iets langer volhouden. Een nadeel was dat de indringer nu ook wist dat er politie binnen was.

Niels deed geen licht aan. Opnieuw woog hij de voordelen af tegen de nadelen. Het donker kon een vriend zijn, maar ook een vijand. Hij liep een klein gangetje in. Daarvandaan voerde een trap naar de tweede verdieping. Een harde klap. Nog een. En nog een. Iets hards dat tegen iets hards aan werd geslagen. De deur van het toilet? De indringer was bezig een deur in te slaan!

Niels begon te rennen en sprong de laatste traptreden op. Hij kwam weer in een gang. Nu zag hij het silhouet van een man – een gedaante – die probeerde de deur van het toilet in te trappen.

'Stop!' Niels had zijn pistool al getrokken.

De gedaante draaide zich om en bleef een seconde stilstaan.

'Put your weapon down!' riep Niels.

De man begon te rennen. Nu moest Niels schieten – dat was zijn plicht. Voordat hij die gedachte had afgemaakt, was de gedaante verdwenen. Niels rende de gang in. De deurpost van het toilet was kapot. De scharnieren vielen er bijna uit. Twee minuten later en de man was binnen geweest.

'U bent gekomen.'

Dominee Rosenberg zat op de grond. Op zijn knieën. Hij was voorbereid – klaar om het leven na de dood tegemoet te treden. Als de indringer binnen was gekomen, zou de dominee geen weerstand hebben geboden, dat zag Niels meteen. Hij hielp hem overeind.

'Alles in orde?'

Niels' blik viel op de kapotte telefoon die op de grond lag.

'Ik heb hem laten vallen. Ik was bang en ... Waar is hij gebleven?'

'Blijft u hier. Nee, sluit uzelf maar op in het kantoor.' Niels wees naar de overkant van de gang.

'Hebt u gezien welke kant hij op is gerend?'

Niels gaf geen antwoord. Hij duwde Rosenberg ruw het kantoor in.

'Doe de deur op slot en bel dit nummer.' Niels gaf hem een briefje. 'En dan zegt u "agent in nood". Begrijpt u wat ik zeg?'

Dominee Rosenberg gaf geen antwoord. Hij leek bijna teleurgesteld zoals hij daar stond. Misschien omdat hem de ontmoeting waarop hij zich zijn hele leven had voorbereid, was ontnomen. Niels pakte hem stevig vast. '"Agent in nood" – Hoort u mij? Dan komt de cavalerie.'

'Ja, ja.'

Niels verdween.

De man kon maar één kant op zijn gerend. Niels zette de achtervolging in. De hoek om. Er stond een deur op een kier. Niels bleef even staan. Hij hoorde geen enkel geluid. Niels hield zijn pistool voor zich uit en ging de kamer binnen. Niets. Gezangenboeken, protocollen, een oude, stoffige computer.

Terug naar de gang. Verder. Een trap op. Smalle gangen, een eindeloze hoeveelheid deuren en trappen. Wat zat er in godsnaam achter al die deuren? Een zachte bonk. Was dat Rosenberg? Of ...

Niels haalde diep adem. De man was verdwenen. Hij had het opgegeven en liep nu vast door de stad. Op hetzelfde moment hief Niels instinctief zijn arm voor zijn gezicht. Het mes maakte een flinke snee in zijn jas en bleef even vastzitten in het dikke leer. Niels dook naar beneden. Het pistool vloog uit zijn handen. De man sprong meteen op hem. Hij raakte Niels met een harde klap tegen zijn kaak. Niels voelde zijn tanden kraken in zijn mond en viel toen met een harde klap ruggelings op de grond. Hij proefde bloed. Hij wist niet of het mes hem had geraakt. De man zette zijn knie op Niels' arm. Niels maaide wild met zijn handen, kreeg een pluk haar en een oor te pakken en trok. De man schreeuwde en hapte naar adem. Niels sloeg weer. Dit keer naar zijn hoofd. Hij raakte zijn belager tegen zijn mond. Het bloed van zijn gescheurde onderlip spatte op Niels. Met een luide schreeuw stortte de man zich op Niels. Die schreeuw kostte hem zijn moment. Onnodige verspilling van kracht. Niels wist de pols van de man vast te grijpen en draaide hem om met de bedoeling hem te breken. De indringer schopte achteruit en raakte hem voor de tweede keer. Niels moest hem loslaten.

Ze stonden tegenover elkaar. Hevig hijgend. Er liep bloed in Niels' ogen toen hij zijn pistool opraapte. Het belemmerde zijn zicht. De man keek hem alleen maar aan. Hij wachtte af.

Niels wilde schreeuwen, maar er kwam alleen gefluister: 'Put the knife down.'

De man schudde zijn hoofd. Ze staarden elkaar aan. Nu herkende Niels hem: het was Abdul Hadi, de terrorist uit Jemen die het land in had weten te komen. Nu stond hij daar voor Niels. Hij had een manische, wanhopige blik in zijn ogen. Misschien kwam het doordat hij hem had herkend; dit keer kon Niels wel schreeuwen: 'Put the knife down!'

Er gebeurde niets. Niels wist dat hij nu moest schieten. Hij bracht zijn pistool omhoog. Richtte.

'Ik verzoek u dringend: leg dat mes neer.'

Abdul Hadi schreeuwde toen hij zich opnieuw op Niels stortte. Maar Niels schoot niet. Toen hij viel en op zijn zij landde, voelde hij de punt van het mes tegen zijn hals. Hadi keek verbaasd naar Niels. En toen naar het pistool. Niels zag de gedachten door zijn hoofd flitsen. Durfde de politieman niet te schieten? Was het pistool niet geladen? Wat het ook was, het gaf Hadi nieuwe energie. Hij boog zich naar voren en gooide zijn hele gewicht in het mes. Hun gezichten waren vlak bij elkaar. Op het laatste moment, vlak voordat de huid van zijn hals werd doorboord, beukte Niels zijn hoofd hard in het gezicht van de Jemeniet. Nog meer bloed. Het droop uit de gebroken neus van de terrorist op Niels. Met wanhopige bewegingen wist Niels hem van zich af te krijgen en zich een beetje te draaien. Hij lag nog steeds, maar slaagde er toch in om af te zetten voor een trap. Hij voelde dat hij Hadi met beide benen hard in zijn middenrif of zijn kruis raakte. De man sloeg dubbel. Niels sprong onmiddellijk overeind, maar zijn pistool was weggegleden over de vloer. Niels schopte Hadi nog een keer, twee keer. Eén keer in zijn gezicht. Terwijl Hadi op de grond lag te kreunen, probeerde Niels zijn handboeien te pakken. Op de politieschool had hij karate en jiu-jitsu gehad, maar waar was dat allemaal gebleven als je het nodig had? Intussen was het minuten geleden dat Rosenberg had gebeld. 'Agent in nood' had de allerhoogste prioriteit bij de politie. Ze hadden er allang moeten zijn. Hadi probeerde naar het pistool toe te kruipen. Niels was hem voor. Hij pakte het van de grond, draaide zich om en ... Hadi was weg.

Niels zette de achtervolging in. Met twee treden tegelijk de trap af. Nog een trap. Hadi stond bij een deur en morrelde aan het slot. Niels kwam dichterbij. Toen waren ze buiten. Er stonden een paar cafétafeltjes. Verdomme, waar bleef die hulp nou? kon Niels nog net bedenken voordat hij tegen een reclamebord aan rende en bijna zijn evenwicht verloor. De winkelstraat in. Een mierenhoop van mensen, maar Hadi was de enige die rende.

40

Niels Bohr Instituut, Kopenhagen

Mensen, dacht Hannah terwijl ze zorgvuldig de oceanen wegknipte zodat de continenten naast elkaar op de tafel kwamen te liggen. De mythe van de zesendertig rechtvaardigen gaat over mensen. Niet over water.

Ze legde de wereldzeeën opzij en staarde naar de continenten. Het leek wel een puzzel. Alleen bij die gedachte kreeg ze het al benauwd. Het herinnerde haar aan Johannes. Aan de eerste keer dat het in alle ernst tot Gustav en haar was doorgedrongen dat Johannes een uitzonderlijk begaafd kind was. Hij had een puzzel voor volwassenen in een uurtje gemaakt. Zevenhonderd stukjes die een afbeelding van de Eiffeltoren vormden. Hij was toen vier jaar. Eerst waren ze enthousiast geweest, maar al snel was zijn begaafdheid een probleem geworden. Hij maakte een verdrietige indruk. Hij zocht voortdurend nieuwe uitdagingen die er niet altijd waren. Hannah probeerde daarin met hem mee te gaan – ze deed het tegenovergestelde van wat haar eigen ouders hadden gedaan. Die wilden alleen maar dat ze normaal was. Ze zeiden dat ze haar huiswerk niet zo snel moest maken en op hetzelfde niveau als de andere kinderen moest blijven. Maar daarmee hadden ze precies het tegenovergestelde bereikt: Hannah was met de dag meer van de wereld om haar heen vervreemd en dat gevoel was alleen nog maar versterkt doordat haar ouders zich duidelijk voor haar schaamden. Ze wilden dat zij net zo was als andere kinderen. Dat ze *normaal* was.

Toen Hannah op haar zeventiende werd aangenomen op het Niels Bohr Instituut, was het alsof ze thuiskwam. Ze kon zich het gevoel dat ze kreeg toen ze voor het eerst door die deur ging nog heel goed herinneren. Hier hoorde ze thuis. Daarom deed Hannah er alles aan om te zorgen dat Johannes zich geen buitenbeentje of abnormaal zou voelen. Alles om te zorgen dat zijn hyperbegaafdheid hem niet van zijn omgeving zou isoleren. Maar Johannes was niet normaal. Hij was ziek. En het was met de dag erger geworden.

Hannah stak een sigaret op. Eigenlijk mocht dat niet meer. Als Niels Bohr terug zou keren van de Olympus, zou hij ook zijn pijp niet meer mogen opsteken. Maar dat was niet belangrijk. Het enige wat belangrijk was, was de puzzel van de uitgeknipte continenten die voor haar op tafel lag.

'Mijn kleine Johannes', zei ze tegen zichzelf. 'Het gaat om mensen.'

Haar hele leven was het om getallen, berekeningen en licht uit de ruimte gegaan. Maar dit ging om mensen – mensen die deel uitmaakten van een patroon. Niet de gebruikelijke chaos, maar mensen die deel uitmaakten van een groter plan. Dat was wat haar aansprak.

Ze verschoof een van de uitgeknipte continenten. *De mens*. Leven. Het ontstaan van het leven. De tijd dat de continenten ontstonden.

41

Binnenstad, Kopenhagen

Terroristen bereidden zich goed voor, dacht Niels. Dat was nog steeds een van de punten waarop de inlichtingendiensten telkens weer de mist in gingen. Ze onderschatten degenen die ze tegenover zich hadden. Ze vergaten dat de terroristen jarenlang bezig waren met het voorbereiden en uitvoeren van hun actie. Waarom zouden ze niet hebben nagedacht over alle mogelijke scenario's? Waarom zou de man die nu voor Niels uit vluchtte niet hebben nagedacht over de mogelijkheid dat hij misschien zou worden betrapt? Natuurlijk had hij daarover nagedacht. Natuurlijk had hij bedacht waar hij zich dan zou schuilhouden.

Niels rende.

Al-Qaida-terroristen zaten in hun holen in het grensgebied tussen Pakistan en Afghanistan en bestudeerden Google Earth. Ze hadden IT-specialisten die zonder enig probleem met die van het Westen konden wedijveren, dat was bekend. Telkens als er een spectaculaire terroristische aanslag had plaatsgevonden – Madrid, Londen, Mumbai, Moskou, New York – stonden de inlichtingendiensten versteld en vroegen ze zich af: hoe heeft dit kunnen gebeuren? Dat kon omdat ze een organisatie tegenover zich hadden die intelligent en goed voorbereid was. 11 september was het resultaat van vele jaren gedetailleerde voorbereiding. Logistiek gezien was het een geniale actie. De bomaanslag op de USS Cole in het jaar 2000 en het bloedbad bij de Tempel van Hatsjepsoet in Luxor in 1997, dat voor de Egyptische autoriteiten als een complete verrassing kwam, waren tot in het kleinste detail uitgedacht. Die laatste zaak kende Niels maar al te goed. Een vriendin van Kathrine had twee dagen voor de aanslag de tempel bezocht. Het was een gruwelijk bloedbad waarbij tweeënzestig toeristen waren gedood. De meesten waren eerst in hun benen geschoten, zodat ze niet konden vluchten, en vervolgens een voor een ritueel geslacht met lange messen. De terroristen hadden de tijd genomen. De Europese toeristen hadden hulpeloos in en voor de tempel liggen wachten tot het hun beurt was. Er wordt aangenomen dat de slachting minstens drie kwartier heeft geduurd. Onder de doden was een vijfjarig Engels jongetje. Een vrouw uit Zwitserland had gezien hoe haar vaders hoofd werd afgesneden. 'Néé tegen toeristen in Egypte', stond er op een briefje dat in de buik van een oude Japanse man werd gevonden. De terroristen hadden zijn ingewanden eruit gesneden.

'Kijk uit!' riep een vrouw Niels boos achterna toen hij tegen haar op botste en ze een pakje liet vallen. 'Wat doe je, idioot?'

Mensen hadden echt geen idee, dacht Niels. Ze liepen rond in hun sprookjeswereld tussen de kersttakken en kerstslingers en kochten kerstcadeaus. Nergens ter wereld waren de mensen zo goed in het verdringen van gevaar als in Kopenhagen tijdens de kersttijd.

De Ronde Toren. Niels geloofde zijn ogen niet toen hij zag dat Abdul Hadi rechts afsloeg en de Ronde Toren binnenging. Was het een poging om zich tussen de vele mensen te verbergen? Niels ging hem achterna. Hij rende langs het loket waar de kaartjes werden verkocht, negeerde de jongen die van achter het glas naar hem riep en rende door. Verder naar boven over de met klinkertjes geplaveide weg die binnen in de toren in een spiraal omhoogliep. Hij gleed bijna uit op de gladde steentjes. De mensen om hem heen protesteerden als Niels tegen hen op botste. Hij hijgde zwaar. Zijn borstkas knalde bijna uit elkaar en hij voelde dat de spieren in zijn benen begonnen te verzuren. Naar boven. De man voor hem draaide zich niet één keer om, om naar zijn achtervolger te kijken. Hij rende gewoon door. Ogenschijnlijk onaangedaan. Maar Niels weigerde het op te geven. Nog even en ze zouden tegenover elkaar staan. De andere agenten zouden komen, ze konden Niels volgen via gps. Alle mobiele telefoons van de politie konden tot op de vierkante meter worden opgespoord. Dan zou het afgelopen zijn.

Geroep en geschreeuw. Niels was boven en stapte het platform boven op de toren op. Hij had zijn pistool getrokken. De mensen om hem heen schreeuwden in paniek. Sommigen lieten zich op de grond vallen.

'Politie!' riep Niels zo hard als hij kon. 'Iedereen de toren uit. Nu!'

Nog meer paniek. Toeristen en ouders van kleine kinderen duwden en drongen om naar beneden te kunnen komen. Niels hoorde mensen vallen op de trap. Gehuil en geschreeuw.

Niels deed een stap naar voren, weg van de deur, en opeens was

Hadi verdwenen. Eén moment van onoplettendheid en hij had de man uit het oog verloren. Was hij langs Niels geglipt? Was Hadi erin geslaagd om zich te verbergen tussen de mensen en weer naar beneden te glippen? Niels vervloekte zijn eigen onoplettendheid. De mensenmenigte dunde uit.

Na een tijdje was alleen Niels nog over. Hij keek rond. Hij stond op de top van de wereld, omringd door het winterkoude Kopenhagen. Hij had het pistool nog in zijn hand. Hij liep een rondje over het platform – je kon je hier nergens verstoppen. Een zinnetje dat hij ooit op school had gehoord spookte door zijn hoofd. *De dokter met het mes plant onzin in het hoofd van Christiaan de Vierde*. Vast een volkse interpretatie van de rebus die op de façade van de toren stond. Waarom herinnerde hij zich iets dergelijks? De dokter met het mes. De moordenaar met het mes.

Niels zag hem pas op het laatste moment. Abdul Hadi stortte zich op hem, maar het lukte hem niet om Niels omver te gooien. Hij raakte Niels met een harde trap in zijn solar plexus. En nog een. Braaksel in zijn mond. Hadi liep om Niels heen en greep hem van achteren bij zijn keel. Hij kneep. De tranen sprongen in Niels' ogen. Hij kreeg geen lucht. Opeens verslapte Abdul Hadi's greep. Niels hapte naar adem. Hij wilde zich net oprichten, toen hij plotseling tegen de grond werd gesmakt.

Niels had nauwelijks de tijd om te beseffen wat er gebeurde. Opeens voelde hij de loop van een pistool tegen zijn slaap en hij hoorde het geruststellende geluid van rinkelende handboeien.

'Laat hem los!' hoorde hij een stem schreeuwen. 'Hij hoort bij ons.'

Het pistool verdween.

'Waar is hij?'

Niels ving alleen halve zinnen op. Langzaam drong het tot hem door: het waren mensen van de veiligheidsdienst. Er waren ook een paar gewone agenten bij. Een van hen hielp Niels overeind en bood zijn excuses aan. Een ander riep: 'Shit, wat doet hij nou?'

Niels keek. Abdul Hadi was over het hek dat rondom het platform stond geklommen en zat op de rand, klaar om te springen.

Niels kreeg oogcontact met hem. Nu pas keken de twee mannen elkaar echt aan.

Hadi staarde naar Niels en vervolgens naar de afgrond. Hij was gekomen om te sterven. Er lag geen spoortje angst in zijn ogen.

Eerst zei hij enkele woorden in zijn moedertaal. Voor Niels klonk het als een gebed. Toen keek hij Niels aan. 'Why did you not shoot?'

Niels liep naar het hek toe. 'I cannot', antwoordde hij. Abdul Hadi schoof dichter naar de rand.

42

Ospedale Fatebenefratelli, Venetië

Voordat zuster Magdalena haar handschoenen aantrok, keek ze de ziekenhuisgang door. Alles was rustig. Niet een van de terminale patiënten jammerde. Toch had ze altijd een slecht geweten als ze wegging. Vaak moesten de anderen haar bijna de deur uit duwen. Vandaag was dat niet anders. Integendeel. Vandaag was het erger dan anders. Ze besloot nog een keer haar hoofd om de hoek te steken bij mevrouw Di Barbara voordat ze het hospice verliet.

Precies op het moment dat Magdalena binnenkwam, keek Tommaso's moeder op.

'Gaat u weg, zuster?'

Magdalena glimlachte geruststellend, zette haar tas neer en trok haar handschoenen uit.

'Ik ben vrij. Maar ik heb geen haast.'

'Ik ben zo bang.'

'Dat hoeft u niet te zijn. De dood is slechts het eind van ons aardse leven.'

'Niet voor de dood. Ik ben niet bang voor de dood', zei ze geïrriteerd. Mevrouw Di Barbara was een vrouw van wie je moeilijk kon houden. Dat had Magdalena intussen wel geleerd, maar af en toe een dagje rust maakte het draaglijker.

'Waar bent u bang voor?'

'Dat hij mijn boodschap niet krijgt. Of dat hij het vergeet.'

'De boodschap. Over die tachtig cent?'

'Ja.'

'En u weet nog steeds niet wat het is dat tachtig cent kost?'

Mevrouw Di Barbara hoorde de vraag niet. 'Heb ik een tas?'

'Ja. Die staat hier.'

'Pak mijn portemonnee eruit en stop tachtig cent in mijn hand. Dan weet ik dat ik niet zal vergeten het tegen hem te zeggen.'

Magdalena haalde het geld uit de portemonnee. Er zat geen tachtig cent aan kleingeld in, dus ze vulde het aan met haar eigen geld.

'Alstublieft.'

Ze legde het geld in de hand van de oude vrouw. De botten sloten zich vastberaden om de drie munten.

'Nu vergeet ik het niet als mijn zoon vanavond komt. Komt hij vanavond?'

'Dat weet ik niet. Misschien heeft hij dienst.'

'Nachtdienst? Dan komt hij morgen pas. Maar nu heb ik het geld. Nu vergeet ik het niet.'

'Ik zal het ook onthouden', zei Magdalena en ze streek de oude vrouw over haar droge, grijze haar. 'Dat beloof ik.'

Even zag mevrouw Di Barbara er heel tevreden uit. Magdalena dacht dat de oude vrouw zeker nog een paar weken had. De meeste mensen hielden het vol tot na de feestdagen – waarom wist ze niet. Misschien wilden ze nog een laatste keer Kerst vieren.

Zuster Magdalena deed het licht uit. Mevrouw Di Barbara hield de hand waarin ze de tachtig cent klemde op haar borst.

43

De Ronde Toren, Kopenhagen

Abdul Hadi stond op de rand van het merkwaardige gebouw. Hoe was hij hier beland? De Deense politiemensen stonden aan de andere kant van het hek te discussiëren, een van hen hield een pistool op hem gericht.

Ze fluisterden iets tegen elkaar wat Hadi niet verstond. Hij raapte al zijn moed bij elkaar. Hier moest het eindigen. De gerechtigheid waarvoor hij was gekomen, had hij niet gekregen. Waarom had Allah hem in de steek gelaten? De politieman die meerdere keren de kans had gehad om te schieten, klom over het hek en kwam naar hem toe. Hij was net zo toegetakeld als Hadi. Glimlachte de politieman?

'I will jump', zei Abdul Hadi.

De Deense politieman stak zijn beide handen omhoog, zodat Hadi kon zien dat ze leeg waren. 'No gun.'

Hadi keek naar de straat onder zich. Opeens had hij geen zin om andere mensen mee de dood in te nemen. Eigenlijk had dat hem niets uitgemaakt, maar van bovenaf zagen ze er allemaal zo onschuldig uit. Als hij iets verder naar links sprong, zou hij niemand raken.

'One question!' zei de politieman.

Abdul Hadi keek hem aan.

'Do you have a family?'

'I did this for my family.'

De politieman keek hem niet-begrijpend aan.

'Anyone you want me to call?' zei de politieman. 'Remember: I am the last person to see you alive.'

Abdul Hadi schoof een stukje weg van de politieman. Hij stelde vreemde vragen, vond hij.

'Your last message. What is it?'

Een laatste boodschap? Abdul Hadi dacht na. Hij dacht aan het woord 'sorry'. Hij wilde sorry zeggen tegen zijn zus. Dat ze nooit ouder was geworden, dat híj al die jaren had gekregen. Dat vond hij onrechtvaardig. En hij wilde sorry zeggen tegen zijn oudste broer. Dat hij zijn dood niet had kunnen wreken. Het enige wat zijn broer had gewild, was een beter leven. Hij had niets misdaan, net als zijn zusje. Zij was ook onschuldig. Wat zag hij haar gezicht nu duidelijk voor zich. Zijn broer en zus stonden klaar om hem te ontvangen. Daar was hij zeker van. Hij verheugde zich erop om hen weer te zien.

De politieman was dichter naar hem toe geschoven. Hij fluisterde tegen Hadi. 'I won't close my eyes. Do you hear me?'

De politieman stak zijn hand naar hem uit. 'I am your last witness.'

Nu moest Abdul Hadi springen. Hij keek op naar zijn schepper, en naar zijn dode familieleden die klaarstonden. Even leek het of de hemel al naar hem toe kwam. Toen landde de hemel, eerst op de Deense agent, toen op Hadi en daarna ging hij verder naar de straat onder hen. Miljoenen stukjes witte hemel dansten rond in cirkelende bewegingen. De mensen op straat keken naar boven, de kinderen juichten. Abdul Hadi hoorde een harde klik van de handboeien die zich vastberaden om zijn polsen sloten.

44

Niels Bohr Instituut, Kopenhagen

De oude houten vloeren piepten en kraakten toen de grootste globe van het instituut over de gang rolde. Hij was zo groot dat Hannah zich niet hoefde te bukken om hem voort te duwen. Ze kon ermee lopen alsof het een moeilijk bestuurbare kinderwagen was. Toen de globe hard tegen een deurpost botste, vloog er een splinter hout af. Twee jonge onderzoekers die terugkwamen van hun lunch, moesten opzij springen in de smalle gang om niet te worden platgewalst.

'Ho, ho! Heb je daar wel een rijbewijs voor?' vroeg een van hen grijnzend.

'Ik moet gewoon even iets opmeten.' Hannah minderde geen vaart. Ze hoorde een van hen tegen de andere fluisteren dat ze waarschijnlijk een beetje gestoord was. 'Ze heet Hannah Lund, ze was ooit een van de besten, maar toen is er ... iets met haar *gebeurd*.'

'Wat doet ze hier dan?'

De rest van zijn woorden verdronk in het lawaai van de rollende wereldbol. Hannah ging de hoek om en zette koers naar het auditorium. Even was ze bang dat de globe niet door de deur zou passen, maar het ging net. Ze haalde de rollen aluminiumfolie uit haar zak – die had ze in het keukentje van de kantine gevonden – en begon de planeet in te pakken in zilverpapier. Ze werkte doelgericht en effectief. Toen plakte ze de uitgeknipte continenten op de globe, maar ze legde ze niet waar ze tegenwoordig liggen, in plaats daarvan groepeerde ze de continenten rond de Zuidpool. Daarna prikte ze de spelden erin. De spelden vormden nu een heel ander patroon dan eerst. Ze keek naar de planeet. Zo stond ze een hele tijd te staren. Ten slotte verbrak ze haar eigen zwijgen: 'Zo heeft de wereld er niet meer uitgezien sinds de schepping.'

45

Helligåndskirke, Kopenhagen

'Die hebt u verdiend.'

De dominee zette het glas voor Niels op tafel en schonk voor zichzelf ook in. 'Dat scheelde maar een haartje.'

De goudkleurige drank prikte in Niels' mond en toen hij het glas neerzette, dreef er een roze wolkje in. Zijn mond bloedde, maar zijn tanden zaten er nog in en zijn neus was niet gebroken.

'U moet wel even langs de eerste hulp gaan.' Dominee Rosenberg probeerde rustig over te komen.

Niels herkende die reactie – het was een klassieke reactie voor iemand die in levensgevaar is geweest. Er waren twee mogelijkheden: óf het slachtoffer stortte volledig in en deed niets om dat te verbergen, óf de reactie was precies het tegenovergestelde: 'Lieve help, dat stelde toch niets voor. Het gaat heus wel.' Dat laatste zag je vooral bij mannen.

Niels zei niets. Zijn kaak en zijn ene jukbeen voelden beurs. Zijn knie deed pijn en zijn hartslag wilde maar niet omlaag.

Het kantoor van de kerk zag eruit als een kruising tussen een vergaderzaal en een woonkamer, met een vleugje kinderdagverblijf. In een hoek stond een bak met kinderspeeltjes en lego. De kast achter de dominee stond helemaal vol met in leer gebonden zwarte boeken.

'Waarom juist u?' Niels merkte dat hij hardop dacht.

Rosenberg haalde zijn schouders op.

'Hoe zoekt hij zijn slachtoffers uit? Of zócht.'

'Willekeurig?' De dominee leegde zijn glas en schonk het meteen weer vol.

'Dat geloof ik niet.'

'Wilt u er nog een?'

Niels hield zijn hand boven zijn glas. Hij nam de dominee op. Hij loog. Niels wist alleen niet waarover.

'Ik begrijp het niet.' Niels' stem klonk anders door zijn toegetakelde gezicht. Nasaal. Hij wilde de dominee onder druk zetten: 'Ik heb geen idee waarom een gek de aarde rondreist om goede mensen te vermoorden.'

'Schei toch uit met dat "goed"', viel de dominee hem in de rede.

'Ik ben echt niet goed.'

Niels deed alsof hij het niet hoorde. 'Maar één ding weet ik zeker: er is geen sprake van willekeur. Het is juist precies het tegenovergestelde.'

Hij ving de blik van de dominee en hield hem vast. 'U bent met zorg uitgekozen om vandaag te sterven. Juist u. Net als alle anderen. Ik moet er alleen achter zien te komen waarom.'

Niels stond op en liep naar het raam. Het kantoor lag op de tweede verdieping. Een bevrijdend wit tapijt van sneeuw had zich op de straten, de daken, de auto's en de bankjes gelegd. Buiten liepen agenten rond. Twee van hen hadden zich opgesteld bij de auto waarin Abdul Hadi op de achterbank zat, zijn handen vastgeketend aan een ijzeren band op de vloer. *Tot hier en niet verder*. De mensen van de inlichtingendienst hadden Niels en de dominee al gebrieft. Ze konden niets zeggen. *De terreurwet – lopende onderzoeken, nieuwe aanslagen voorkomen, et cetera*. Niels wist heel goed dat er nergens ook maar een woord over deze gebeurtenissen naar buiten zou komen. Het zou niet in de krant staan – het was nooit gebeurd. Alleen op de allergeheimste verstopplaatsen van de natie zou je er iets over kunnen lezen. De plaatsen waar zelfs de minister-president geen toegang had. Niels kende de nieuwe terreurwetten; ze hadden een wig gedreven tussen kennis en informatie enerzijds en de bevolking anderzijds. Censuur. Het was gewoon pure censuur.

Toen Niels zich omdraaide, lag er een schaduw over Rosenbergs gezicht. Zijn schouders waren iets opgetrokken. De reactie, dacht Niels. Nu komt de reactie. Nu stort hij in. Nu dringt het tot hem door dat het maar een haartje heeft gescheeld of hij was opengesneden door een gek. Nu is hij kwetsbaar.

'Hebt u familie waar u vanavond naartoe kunt gaan?' vroeg Niels.

De dominee gaf geen antwoord.

'Ik zal er natuurlijk voor zorgen dat u met een psycholoog kunt praten. Als u dat wilt.'

Dominee Rosenberg knikte alleen maar. Er viel een ongemakkelijke stilte. Hij kon het aan Rosenberg zien. Hij wilde heel graag praten. Bekennen. Dat lag in zijn aard. 'U moet me beloven dat u mij zult bellen als ...'

'Jullie hebben de verkeerde.'

Niels bleef doodstil staan. Nu kwam het.

'Jullie hebben de verkeerde te pakken.' Rosenbergs stem klonk laag en veraf. Alsof hij ergens anders vandaan kwam.

'Wat bedoelt u?'

Stilte.

'Wat bedoelt u als u zegt dat we de verkeerde te pakken hebben? Die man heeft geprobeerd u te vermoorden.'

'Hij is het niet.'

'Kent u hem?'

Rosenberg aarzelde. Toen gebaarde hij met zijn hoofd naar de tafel. Niels ging zitten.

46

Niels Bohr Instituut, Kopenhagen

Fysieke pijn was een goed teken voor een onderzoeker. Dat betekende dat je te lang in dezelfde houding had gezeten, te weinig had gegeten en niet had gedronken – dat soort dingen vergeet je als je voelt dat je dicht bij een doorbraak bent. Sommige mannelijke onderzoekers noemden het 'ontdekkingsweeën'. Hannah negeerde haar pijnlijke rug en haar rammelende maag en typte het internetadres in het zoekveld: http://en.wikipedia.org/wiki/File:Pangea_animation_03.gif.

Gefascineerd staarde ze naar de animatie van de verschuivende continenten. Het leek wel of ze weg zeilden, Noord- en Zuid-Amerika en Azië, elk zijn eigen kant op. Opnieuw keek ze naar haar eigen aantekeningen. Het was zo mooi. Zo eenvoudig, zo vanzelfsprekend.

* * *

'Hannah? Ben jij het?' De secretaresse keek verbaasd op van haar beeldscherm toen Hannah het kantoor binnenstapte.

'Mag ik even bellen?'

'Hoe gaat het met je? Je bent hier in geen honderd jaar geweest.'

'Mijn mobieltje ligt in mijn oude werkkamer', onderbrak Hannah haar. Ze keek de secretaresse aan. 'Solvej?'

'Hoe gaat het met je, Hannah?'

'Ik moet even bellen. Het is belangrijk.'

Hannah pakte de hoorn van de haak en haalde Niels' visitekaartje tevoorschijn. Achter haar glimlachte Solvej hoofdschuddend.

'Hallo, Niels, met mij, wil je even terugbellen als je kunt, ik heb namelijk iets ontdekt, iets heel bijzonders. Iets ... nou ja ... het is zo mooi, het systeem. Ik weet waar de andere moorden zijn gepleegd.' Ze brak het gesprek af. Staarde naar de secretaresse.

'Er is een serie moorden gepleegd over de hele wereld en ik heb een politieman leren kennen die op zoek is naar ...' Ze stopte.

'Naar wat?'

'En nu probeer ik een systeem te ontdekken in dat alles en ik geloof dat me dat gaat lukken.'

'Daar twijfel ik niet aan.'

'Gaat het goed met je, Solvej? Je man was ziek.'

'Ja, kanker. Hij is weer beter. Hij is natuurlijk nog wel onder controle, maar we geloven dat hij eroverheen is. En jij?'

'Gustav is weg.'

'Wat vervelend. Het is inderdaad wel een jaar geleden dat ik hem hier voor het laatst heb gezien. Hij kwam Frodin halen, ze gingen naar Genève.'

Hannah keek naar Solvej. Ze had haar altijd aardig gevonden. De moeder van het hele instituut. Solvej stond op, liep rustig naar Hannah toe en omhelsde haar.

'Ik ben blij je weer te zien, Hannah. Ik heb nooit iets begrepen van wat er in jouw hoofd omgaat, maar ik heb je altijd aardig gevonden. Bel me alsjeblieft als je iets nodig hebt.'

Hannah knikte en liep het kantoor uit.

47

Helligåndskirke, Kopenhagen

Dit keer hield Niels zijn hand niet boven het glas toen de dominee wilde inschenken.

'Hij heette Khaled Hadi. Hij was de broer van Abdul Hadi.'

Dominee Rosenberg aarzelde. De man die tegenover Niels zat, was een andere man. Weg waren de glimlachende ogen en de kinderlijke geest. Hij liet zijn stem zakken, alsof hij de waarheid ver weg uit de diepte omhoog moest halen.

'De foto's in de kelder onder de kerk. Herinnert u zich die?'

'De vluchtelingen die u hier verborgen hield?'

'U zag het. U zei dat het er meer dan twaalf waren.'

Niels knikte.

'U had gelijk. Het waren er veertien.'

Niels liet hem af en toe pauzeren. Zijn ervaring met ondervragingen en verhoren had hem geleerd dat je de pauzes moest waarderen. In de pauzes werden aanloopjes genomen tot interessante uitspraken. Als het stadium van de standaardantwoorden en de ingestudeerde replieken was gepasseerd.

De dominee schoof zijn stoel naar achteren en zuchtte diep. 'Zoals u weet, heb ik de kerk verschillende keren gebruikt om afgewezen asielzoekers te verbergen, hoewel "verbergen" misschien niet helemaal het juiste woord is, want iedereen wist het eigenlijk. Ik heb de kerk gebruikt als een manier – een platform – om de zaken van afgewezen personen heropend te krijgen. Vooral één keer met groot succes.'

'Er werd een uitzondering gemaakt.'

'Precies. Nadat er heel veel over was geschreven in de pers, werd er een uitzondering gemaakt waardoor deze twaalf mochten blijven. Met een aantal van hen heb ik nog steeds contact. Een van hen is nu mijn kapper.' Niels keek naar het spaarzame haar van de dominee. Rosenberg glimlachte.

'Met de rest is het heel verschillend gelopen. Sommigen zijn later naar Zweden gegaan, drie hebben er in de gevangenis gezeten en een – een jonge Soedanees – is profvoetballer geworden.'

'Maar die andere twee?'

'Ja. Er waren nog twee anderen.'

De dominee aarzelde. Het was de eerste keer dat hij dit verhaal zou vertellen, dat voelde Niels.

'Een is ervandoor gegaan. Dat was een stateloze Palestijn, ik heb geen idee wat er van hem is geworden.'

'En de andere?'

'Khaled.'

'De andere was Khaled? Abdul Hadi's broer?'

De dominee knikte.

'Wat is er met hem gebeurd?'

'Hij is dood.'

'Hoe?'

'Khaled Hadi was een potentiële terrorist.' Rosenberg had zich omgedraaid en stond nu met zijn rug naar Niels toe. 'Dat stond in de papieren die ik van de politie kreeg. En ze zeiden het ook toen ze kwamen. Een potentiële terrorist. Hij was in verband gebracht met terroristische acties en hij had contacten met bekende terroristen, maar het was nooit bewezen dat hij zelf terroristische daden had gepleegd. Maar ...' Rosenberg zocht naar woorden. Hij draaide zich om en ging weer zitten. 'Weet u wie Daniel Pearl is?'

'Die vermoorde journalist?'

'Precies. De Amerikaanse journalist die in 2002 in Karachi door Al-Qaida in de val is gelokt en ...'

'Onthoofd.'

Rosenberg knikte. 'Een afschuwelijke zaak. Het ging de hele wereld over.'

'Had Khaled iets met die zaak te maken?'

'Dat dachten ze. Uw collega's zeiden dat hij Pearl kort voor diens dood had gesproken. Daarom had men geconcludeerd dat hij waarschijnlijk had meegeholpen om de Amerikaan in de val te lokken.'

'Wat deed Khaled in Denemarken?'

'Dat moet u niet aan mij vragen. Het kan zijn dat hij onder een valse identiteit heeft gereisd. Vergeet niet dat Denemarken onderdak heeft geboden aan internationaal gezochte terroristen. De groep die achter de bomaanslag op het World Trade Center in 1993 zat, had bijvoorbeeld connecties in Århus.'

Niels knikte. De dominee ging verder: 'Ik stond onder grote druk van de inlichtingendienst. Het was niet in hun belang als dit naar buiten zou komen: een vermoedelijke internationale topterrorist op Deens grondgebied. Maar tegelijkertijd wist de inlichtingendienst dat ze niet zomaar konden binnenvallen en hem weghalen. De andere vluchtelingen zouden hem verdedigen. Het zou uit de hand lopen.'

'Maar u werd onder druk gezet. Ze wilden dat u hem uitleverde?'

'Precies. Maar wat het allermoeilijkst was, waren de andere vluchtelingen.'

'De andere vluchtelingen?'

De dominee haalde diep adem en knikte. 'Ik had het gevoel dat ik een kans had om de vluchtelingen te redden. Verschillende kranten, een groep toonaangevende politici en delen van de bevolking steunden mij. De vluchtelingen en ik hadden de tijdgeest aan onze kant. De sympathie helde onze kant op. Khaled Hadi was een tikkende tijdbom onder die groeiende sympathie. Hoe zou de bevolking reageren als ze hoorden dat ik onderdak bood aan vermoedelijke terroristen? Dan zou de sympathie onmiddellijk verdwenen zijn. Met de vreselijkste gevolgen voor de andere vluchtelingen.'

'Dus u gaf toe?'

De dominee antwoordde niet. Hij zat een moment zwijgend achter zijn bureau. Toen stond hij op, liep naar de kast en trok een lade uit. Hij haalde er een eenzame envelop uit. Hij hield hem in zijn handen en ging weer zitten.

'Ik wist echt niet wat ik moest doen. Eerst wilde ik het niet. Een man die werd vervolgd, had zijn toevlucht bij mij gezocht. Ik zag het als mijn plicht als christen om mijn deur voor hem open te houden.'

'De eerste steen', zei Niels.

Rosenberg keek hem aan. 'Ja. De eerste steen. Dit was waar ik al die jaren over had gepreekt.'

'Maar u was bang dat de sympathie voor de vluchtelingen zou verdwijnen?'

'Langzaam, heel langzaam drongen de beelden mijn hoofd binnen. Goed op weg geholpen door de informatie van de inlichtingendienst. Ik zag het voor me: een bom in een bus op station Nørreport. Of misschien in een metro tijdens de spits. Of een binnenlandse vlucht. Veel doden. Bloed op straat. Uiteindelijk vond ik het risico te groot. Stel je voor dat hij een verblijfsvergunning zou krijgen en zou onderduiken, en dat ik op een dag de krant zou openslaan en zou lezen dat er een bomaanslag was gepleegd in het hart van Kopenhagen door een terrorist die zich in mijn kerk had schuilgehouden. Dat ik het had kunnen voorkomen, maar niets had gedaan.'

'Dus u hebt hem uitgeleverd?'

De dominee knikte. 'Als een judas heb ik hem naar het kantoor gelokt – hier waar wij nu zitten – en daar wachtten de mensen van de inlichtingendienst hem op.'

Rosenberg aarzelde. Zijn ademhaling ging gejaagd. Ten slotte ging hij verder: 'De blik die hij me toewierp, zal ik nooit vergeten. De teleurstelling, de minachting, het verdriet en de boosheid. Ik vertrouwde jou, zei zijn blik. *Ik vertrouwde jou.*'

'Wat gebeurde er toen?'

'Niets. Er gingen een paar weken voorbij. De andere vluchtelingen mochten blijven. Maar toen ...'

Zijn ogen stonden vol tranen. Niels mocht hem.

'Maar toen, op een dag, kreeg ik deze.' Hij legde de envelop op het bureau.

'Wat is het?'

'Maak maar open.'

Het waren foto's. Niels' adem stokte. Vreselijk toegetakelde handen, vastgebonden aan een tafel. Een naakt mens, opgehangen aan de armen, met een zak over het hoofd. Niels moest aan Jezus denken.

Op de laatste foto was een bloederig lijk te zien dat met het hoofd naar beneden aan een soort vleeshaak hing in een slachthuis. Niels kon geen woord uitbrengen.

'Khaled Hadi, zes weken nadat ik hem had uitgeleverd. Deze foto's zijn stiekem gemaakt in een gevangenis in Jemen.'

Niels stopte de foto's terug in de envelop.

'Jemen is een van de allerergste landen als het om martelen gaat. De meeste beulen uit de Middeleeuwen zouden jaloers zijn geweest op hun vindingrijkheid: testikels onder stroom zetten, slaan met elektriciteitskabels, onderdompelen in ijswater. Ze dwingen mensen om voedsel met glassplinters te eten. Ik heb een arts gevraagd om me ... alles te vertellen.'

Niels keek naar hem. Hij had het een arts gevraagd. Hij had elke pijniging op zijn pad naar het kruis ondergaan.

'Hoe is hij weer in Jemen terechtgekomen?'

De dominee haalde zijn schouders op. 'Dat weet ik niet. De Deense autoriteiten hebben de zaak goed in de doofpot gestopt. Niet één journalist heeft er lucht van gekregen. De inlichtingendienst heeft heel stilletjes zijn excuses aangeboden voor het feit dat Hadi, via een ander land waar hij werd gezocht, in Jemen terecht is gekomen. De inlichtingendienst heeft hem uitgewezen naar dat betreffende land – ze willen niet zeggen welk, maar waarschijnlijk is het Amerika – dat officieel niet martelt. Puur juridisch gezien hebben ze dus schone handen. Er zijn trouwens heel veel grijze gebieden. Maar wat heeft het voor zin dat ze iemand niet uitleveren aan een land waar wordt gemarteld, als ze hem wel uitleveren aan een land dat zelf niet martelt, maar hem gewoon doorstuurt naar een land dat dat wel doet?'

Niels knikte.

'Wie heeft u de foto's gestuurd?'

'Abdul Hadi. Hij wilde dat ik wist wat het gevolg van mijn daad was geweest. Hij wilde dat ik wist welk lot Khaled had ondergaan.'

'Dus Abdul Hadi wilde u vermoorden als wraak voor de dood van zijn broer?'

'Wraak. Ja.'

Er viel een stilte. De dominee keek naar de whiskyfles. Niels kon zien dat hij een innerlijke strijd voerde. Hij wilde graag meer, maar hij mocht niet. Niels kende die strijd.

'Ik geloof niet dat Khaled iets met de moord op Daniel Pearl te maken had. Hij was nooit in Afghanistan geweest. Hij was een vriendelijke jongeman.' Rosenberg keek Niels recht aan: 'Ik heb niet geluisterd naar mijn eigen beoordelingsvermogen.'

Rosenberg verloor de strijd en vulde zijn glas nog een keer. Voor het eerst vielen Niels de kleine rode adertjes vlak onder zijn ogen op.

Niels hoorde stemmen op het pleintje voor de kerk. Het waren politiemensen die met elkaar spraken. Hij staarde naar de dominee voor hem. De beelden in zijn hoofd vloeiden in elkaar over: Abdul Hadi, de achtervolging door de winkelstraat, de verontrustende tekens op de rug van de slachtoffers, de zaken: Sarah Johnsson, Vladimir Zjirkov. De goede mensen.

Hij wist niet waar hij moest beginnen. Hij begreep niet wat het betekende. Het verband wilde hem niet duidelijk worden. De stem van de dominee onderbrak zijn gedachtenstroom. Had hij hem iets gevraagd?

'Dus ik ben niet een van uw zesendertig goede mensen.'

Niels glimlachte geruststellend. 'Ik denk niet dat Interpol al te veel aandacht aan die theorie zal besteden.'

'Misschien zouden ze dat wel moeten doen.'

'Ja. Misschien wel.'

Rosenberg stond op. Hij had zijn hart gelucht.

'Mijn werk is het tegenovergestelde van het uwe', zei hij.

'Hoezo?'

'U moet bewijzen vinden om mensen iets te laten geloven.'

Niels glimlachte. 'En u moet mensen iets laten geloven zonder bewijzen.'

Rosenberg knikte.

Niels wilde iets zeggen om de dominee van zijn schuldgevoel te bevrijden. 'Misschien had de inlichtingendienst gelijk?' zei hij. 'Misschien hebt u het juiste gedaan.'

Rosenberg slaakte een diepe zucht. 'Wie weet wat het juiste is? Er is een soefidichter die Roemi heet. Die heeft een verhaal geschreven over een jongetje dat in zijn dromen wordt achtervolgd door een kwaadaardig monster. De moeder van dat jongetje troost hem en zegt dat hij gewoon aan haar moet denken – en dat al het kwade weg moet gaan. "Maar mamma", zegt het jongetje. "Als dat monster nou ook een mamma heeft?"'

Rosenberg glimlachte. 'Begrijpt u waar ik naartoe wil? De slechten hebben ook moeders, meneer Bentzon. Moeders die troosten en zeggen dat ze het juiste doen. Voor hen zijn wij de monsters.'

* * *

Zachte sneeuwvlokken daalden neer uit de hemel. Er lag iets zorgeloos in hun dans door de koude, heldere lucht. De agenten stapten in de auto's om weg te rijden. Niels wendde zich tot de dominee: 'U mag me altijd bellen.'

Rosenberg knikte. Misschien wilde hij nog iets zeggen, maar een van de agenten kwam naar ze toe lopen. Hij overhandigde Niels een pakje.

'Wat is dat?'

'Dat is vanochtend met de ambassadepost uit Venetië gekomen.'

Niels maakte het pakje open. Het was een cassettebandje met Chinese tekens erop. Hij vroeg zich af wat het was en stopte het in zijn zak.

'Er is ook nog een andere mogelijkheid', zei Rosenberg.

Niels keek op. De dominee zag eruit alsof hij het koud had.

'Een andere mogelijkheid?'

'Misschien haalt God zelf de zesendertig goede mensen weg.'

'U bedoelt dat God de moordenaar is?'

'Zo moet u het niet zien. Als je God accepteert, accepteer je ook dat de dood niet het einde is. Beschouw het alsof hij ze terughaalt.'

'God haalt zijn beste mensen terug?'

'Iets in die richting.'

De portieren van de politieauto sloegen dicht. De motor startte.

'Maar waarom zou God dat doen?'

De dominee haalde zijn schouders op. 'Om ons te testen, misschien?'

'Ons testen?'

'Om te kijken hoe we reageren.'

Niels deed een stap opzij zodat de auto kon wegrijden. Hij kreeg oogcontact met Abdul Hadi op de achterbank. Hij zag eruit als een gewond dier. Niet als een monster.

'Óf we reageren.'

48

Nørrebrogade, Kopenhagen

De elektronicawinkel stelde niet veel voor. Hij lag ingeklemd tussen een pizzeria en een winkel met tweedehands spullen. Uit maar liefst acht op elkaar gestapelde televisies weerklonk de boodschap uit het congrescentrum: 'De aarde staat op het punt te vergaan. Dit is de allerlaatste oproep.' Niels legde het cassettebandje met de Chinese tekens op de toonbank en probeerde oogcontact te maken met de ongeïnteresseerde tiener.

'Wat is dat?' vroeg de verkoper.

'Een cassettebandje. Ik zoek een cassetterecorder om het af te spelen. Hebben jullie die?'

'Dat weet ik niet hoor.'

Niels keek hem aan. Afwachtend. Er gebeurde niets. Hij gaf het op. 'Kun je erachter komen?'

'Moment.' De verkoper draaide zich om en riep: 'Pa!' Zijn overslaande stem klonk Niels schel in de oren en deed hem denken aan de kinderen die hij zelf niet had. Die zouden nu ongeveer even oud zijn geweest, als Kathrine zwanger was geraakt aan het begin van hun jarenlange pogingen om kinderen te krijgen.

Uit een ruimte achter de winkel kwam een elektronicaverkoper van middelbare leeftijd met opmerkelijk vet haar tevoorschijn. Zijn houding had iets fundamenteel beledigds.

'Ja?' snauwde hij.

'Een cassetterecorder. Ik zoek een cassetterecorder om dit bandje af te spelen.'

De man bekeek het bandje, ademde onsmakelijk door zijn neus en verdween in de ruimte achter de winkel. Niels deed een paar stappen weg van de toonbank en haalde zijn mobieltje tevoorschijn, dat hem riep.

'Ja?'

'Ik geloof dat ik het heb, Niels.'

'Wat heb je?'

'Het Systeem. Het is zo mooi, Niels. Zo onvoorstelbaar mooi. Als het tenminste ...'

'Kun je bij het begin beginnen, Hannah, ik ben een beetje moe.'

'Ik zal het je allemaal uitleggen, later. Maar luister: ik weet waar de ontbrekende moorden zijn gepleegd. Allemaal.'

'De ontbrekende moorden?'

'Ja! Als je uitgaat van de hypothese dat de reeks niet onderbroken is. De laatste was nummer 34. Er zijn er in totaal 21 gevonden. Dan ontbreken er dus 13 moorden. Ik weet waar je die zult vinden. Een in Santiago, een in Hanoi, een in Belém, een in Kaapstad, een in Nuuk ...'

Niels onderbrak haar: 'Wacht even. Dat kan ik op geen enkele manier onderzoeken. Wat wil je dat ik doe?'

Het bleef even stil. Toen vroeg hij: 'Zei je Kaapstad?'

'Ik zeg ... nee, het systéém zegt dat moord nummer 14 op vrijdag 24 juli is gepleegd, bij zonsondergang, in Khayelitsha, een voorstad van Kaapstad. Ik kan je een sms sturen met de exacte coördinaten.'

'Doe maar.' De elektronicaverkoper smakte een heel oude cassetterecorder op de toonbank en Niels brak het gesprek af.

49

Kaapstad – Zuid-Afrika

Het kon een schilderij zijn: de Baai, de Indische Oceaan, de palmbomen. Als Kathrine op haar werkkamer op de elfde verdieping zat, moest ze vaak denken aan het portret dat elk jaar van haar en haar twee zussen moest worden gemaakt toen ze klein waren.

Daarvoor reden ze van het platteland, waar ze woonden, naar Roskilde. Al van grote afstand zag je de puntige torenspitsen van de dom die naar de hemel wezen, naar God – als een oorlogsverklaring. *U mag niet dichterbij komen.*

Kathrine hield van de stad. Nieuwe kleren, een gigantische supermarkt waar ze elkaar altijd kwijtraakten tussen de eindeloze gangpaden met conservenblikken, potten en kruiden. En de roltrap. Daar was ze een beetje bang voor, maar hij bracht het gezin naar boven waar ze gefotografeerd zouden worden. Ze mochten nooit zelf de achtergrond kiezen. De fotograaf liet hun de keuzemogelijkheden zien. Eerst trok hij het bos naar beneden. Daar hield haar moeder van. Kathrine vond het eng. Met mos begroeide bomen diep in het bos, waar het zonlicht alleen doordrong als de bomen hun bladeren verloren. Haar jongere zusje had natuurlijk een slechte smaak en wilde alleen maar iets met veel kleur, bij voorkeur roze. En dan had je nog het strand. Daar was Kathrine verliefd op, maar haar moeder wees het zonder pardon af. Kathrine begreep nog steeds niet waarom ze dat nooit mochten kiezen. De foto was een beetje van boven genomen, alsof je in de duinen zat en uitkeek over zee. Meestal liep het uit op een compromis: een open plek in het bos. De bomen naar de achtergrond verdrongen. Ze zou weleens willen weten welk onderbewust seksueel patroon ten grondslag lag aan haar moeders keuze van achtergrond. Wat voor verdringing was daar de oorzaak van? Kathrine had het zich al vaak afgevraagd en ze dacht dat ze misschien wel juist op deze werkkamer, op deze plek op aarde zat, omdat het uitzicht leek op de achtergrond die zo verboden was toen ze kind was. Zij wilde licht, haar moeder wilde per se schemering; het donker dat bij de sfeer in hun huis paste. Kathrines vader leed aan 'zwarte gaten', zoals haar moeder ze noemde. Tegenwoordig heet dat gewoon 'manisch-depressief'. Niet dat hij erg manisch was. Was hij maar een beetje manischer geweest, een beetje zoals de andere gevallen waarover ze op internet had gelezen: vaders die of heel diep in de put zaten, of hoog boven in de wolken. Als ze boven waren, kon alles: reizen, nieuwe auto's kopen, naar het buitenland verhuizen. Maar zo was het niet in het huis waar zij was opgegroeid. Haar vader was min of meer normaal en rustig, of hij zei geen woord en zat wekenlang stil, als een reptiel.

Airconditioning. Geluidwerend glas. Ze zag Marc rusteloos heen en weer lopen door het grote kantoorlandschap waar de secretaresses en de jongere architecten en ingenieurs bij elkaar zaten. Hij zocht een excuus om nog een keer haar kamer binnen te lopen. Wilde ze met hem naar bed? Ze hadden geflirt, zeker. De gedachte aan seks met Marc was opwindender toen ze nog dacht dat Niels echt zou komen. Nu hij toch niet kwam en het opeens een realistische mogelijkheid was, was ze er niet meer zo zeker van. Marc probeerde door de glazen wand heen haar blik te vangen. Ze draaide zich om en keek uit het raam. Het verboden uitzicht van haar moeder. De zee. Het licht.

'Hey, Kathrine.'

Marc stond in de deuropening en duwde zijn onderlijf bijna onmerkbaar een centimeter naar voren.

'Marc?'

'No holiday?'

Hij sprak met het karakteristieke accent van de Zuid-Afrikaanse boeren. Niet bepaald sexy. Ze antwoordde hem in het Engels. 'Ik ben net de laatste dingetjes aan het versturen.'

'Komt je man?'

Hij wist heel goed dat Niels niet kwam. Op dit moment was Marc even helemaal niet charmant. Kathrine voelde de tranen opkomen. 'Please. Can I be alone?'

Marc had spijt. Het was helemaal niet zijn stijl om zich op te dringen, dat wist ze best. Hij was heus lief – hij kon er ook niets aan doen dat zij getrouwd was met een man die haar zo veel aan haar vader deed denken. Kathrine had er veel over nagedacht hoe dat systeem werkte. Ze had het antwoord nog niet gevonden, maar ze had geleerd om het algemeen bekende gegeven te accepteren dat volwassen mensen vaak een partner uitkiezen die een kopie van hun vader of moeder is – meestal de ouder met wie ze iets onafgemaakts hebben. Precies zoals bij haar en haar vader met zijn sombere geest.

Maar het was niet altijd zo geweest. In het begin had Niels haar helemaal niet doen denken aan haar vader. Hij was misschien wel rustig, maar hij viel niet in zwarte gaten. Ze lachten veel. Altijd. En hij leek ambitieus. Of had ze zich dat verbeeld? Kathrine vroeg zich af: hebben wij mensen een onbekend gevoelsapparaatje dat in staat is om de mensen uit te kiezen die later in het leven op die problematische moeder of vader gaan lijken? Of komt het door ons dat ze zich zo gaan gedragen – zou iedereen in die rol ingepast kunnen worden?

Kathrine keek uit het raam. De bruisende golven leken op champagneschuim. Ze kreeg een sms van Marc. *Sorry*. Ze draaide zich om en zag hem ellendig en onttroond midden in het kantoorlandschap staan. Hij zag er goed uit. Op dat moment ging haar telefoon. *Niels calling*, stond er op de display.

'Ik zat net aan je te denken', zei ze.

'Wat dacht je?'

'Dat wil je niet weten.'

Ze glimlachte naar Marc. Hij was oneindig veel sexyer als ze Niels aan de telefoon had, maar bij de gedachte aan Marc als vriendje knapte ze helemaal af.

'Luister. De reden dat ik niet ben gekomen ...'

Ze onderbrak hem: 'Dat heb ik intussen wel begrepen, ouwe.'

'Nee, dat heb je niet. Ik werk aan een zaak. Een moordzaak. Een behoorlijk ingewikkelde zaak.'

Hij hield een korte, dramatische pauze voordat hij Kathrine alles over de zaak vertelde. De moorden, de plaatsen waar de misdrijven waren gepleegd, de getallen op de ruggen van de slachtoffers. Kathrine luisterde zonder een woord te zeggen. Ook toen hij zijn theorie uitlegde dat er een sterfgeval moest zijn in Khayelitsha – een niet gerapporteerde moord. Khayelitsha was een township even buiten Kaapstad. Hij zweeg. Wachtte. Hij zei niets over Hannah.

'Ben je naar een andere afdeling overgeplaatst?' vroeg ze ten slotte.

'Nee. Zo kun je het niet zeggen. Het begon als een routinezaak. Ik moest potentiële Deense slachtoffers informeren over het gevaar waarin ze mogelijk verkeerden. Zo ben ik erbij betrokken geraakt.'

'Is dat de reden dat je niet gekomen bent?'

Niels dacht na. Hij wilde graag 'ja' zeggen; dat zijn ambitie dat van hem had geëist. Dat zou ze goed vinden. Ze had al zo vaak gezegd dat ze wilde dat hij wat ambitieuzer was. Dat, en heel veel andere dingen.

'Dat denk ik wel.'

'Dénk je het?'

'Ik weet niet er aan de hand is, Kathrine, maar ik voel dat het belangrijk is en ik heb je hulp nodig.'

'Je wilt dat ik naar Khayelitsha ga?'

'Precies.'

'Niels, dat is niet ongevaarlijk voor een blanke vrouw. Khayelitsha is een van de grootste sloppenwijken van Zuid-Afrika. En dat zegt veel.'

Niels zweeg. Het ergste wat je bij Kathrine kon doen, was proberen haar over te halen. Ze zou waarschijnlijk zichzelf overhalen. De stilte was niet prettig. Het verbaasde hem dat ze zonder verdere tegenspraak opeens zei: 'Oké.'

50

Vesterbrogade, Kopenhagen

Een klein stukje China had zich tussen twee kledingwinkels in de Vesterbrogade genesteld: restaurant Golden Bamboo. Restaurant was een groot woord voor een paar plastic tafeltjes en een kleine open keuken. Op het raam was een boos kijkende smiley geplakt die de eigenaren hadden geprobeerd te verbergen achter een plastic palmboompje. Onder de smiley hadden de mensen van de Voedsel- en Warenautoriteit met een boze rode pen 'Cursus levensmiddelenhygiëne' geschreven. Niels beschermde de cassetterecorder tegen de ergste sneeuw en stapte de warmte in. Iemand had Niels verteld dat Aziaten beleefde mensen waren, maar dat waren ze hier kennelijk vergeten. In de keuken woedde een oorlog. Boze, geschreeuwde commando's en woorden vlogen je om de oren. De baas – de enige die een pak droeg – schold op het keukenpersoneel.

Niels schraapte zijn keel. Geen effect. Toen liep hij naar een kleine toonbank bij de kassa en zette de cassetterecorder neer. Hij wachtte. Keek rond. Plastic planten voor de ramen, een kaart van China en een grote poster van de Olympische Spelen in Beijing aan de muur. De menukaart: noedels, bamboescheuten, loempia's, ossenhaas Gong Bao. Er stond een televisie aan. De klimaattop. Een forsgebouwde man van de eilandengroep Vanuatu in de Stille Zuidzee hield met tranen in zijn ogen een donderpreek tegen de roofbouw die de industrielanden – vooral China – pleegden op het klimaat. Zo te zien sprak hij voor dovemansoren. Op de eerste rijen zaten mensen te kletsen. Twee Finse gedelegeerden grinnikten ergens om. De meeste aanwezigen zagen eruit alsof de problemen van de eilandengroep Vanuatu hen niet uit de slaap zouden houden.

'Het is altijd onze schuld.'

Niels draaide zich om en keek naar de oude Chinees in het iets te grote pak.

'Wij hebben het altijd gedaan. Altijd China. China krijgt overal de schuld van.'

Hij glimlachte verbitterd naar Niels. 'Wilt u een tafeltje?'

'Ik ben van de politie.' Niels liet zijn politielegitimatie zien.

Niels zocht altijd naar de kleine signalen in een gezicht. In dat van de Chinees las hij niets.

'Ik wil graag dat iemand dit voor mij vertaalt.' Niels gunde de man niet de tijd om na te denken, maar drukte vlug op de knop.

'Wat is het?'

'Kunt u mij vertellen wat er wordt gezegd op dit bandje?'

Ze luisterden. Het duurde misschien een minuut. Het was een telefoongesprek. Zoveel begreep Niels er wel van. Een man belde een vrouw. Vermoedelijk om hulp. Er klonk een groeiende paniek in zijn stem.

Het bandje was afgelopen.

'Verstaat u het?'

'Hij heeft pijn, die man op het bandje.'

'Dat hoor ik ook wel. Wat zegt hij?'

'Hij vraagt: "Wat gebeurt er?" Begrijpt u dat?'

'Nee. Ja, ik begrijp wat u zegt, maar ik begrijp niet wat het betekent.'

Hij onderbrak Niels. 'Speel het nog eens af.'

Niels spoelde terug. De baas riep een van de anderen. Een jongeman kwam onderdanig naar ze toe lopen. Na een discussie in het Chinees drukte hij op 'play'.

'Harder', zei de baas.

Niels zette het volume harder. Het viel niet mee om boven het lawaai in de keuken uit te komen.

'Kunnen jullie horen wat ze zeggen?'

De jongeman vertaalde. De baas vertaalde het weer naar het Deens. 'Hij zegt: "Wat gebeurt er? Het is zo stil. Mijn god. Wat gebeurt er met me? Het is zo stil. Venus en de Melkweg."'

'Venus en de Melkweg?' Niels spoelde het bandje terug en speelde het nog een keer af. Het was niet stil op het bandje. Integendeel. Op de achtergrond klonk hard klokgelui, luide stemmen, verkeer.

'Maar er is toch juist heel veel lawaai. Het is niet stil. Weten jullie het zeker?'

'Heel zeker. Hij komt uit Beijing', zei de baas. Hij liet duidelijk blijken dat hij genoeg had van het gesprek dat hem weinig opleverde.

'En hij zegt dus dat het stil is, ook al is er heel veel lawaai?'

Niels keek de jongeman recht aan en die antwoordde in onzeker Deens: 'Dat is wat hij zegt: "Wat gebeurt er. Het is zo stil. Mijn god.

Wat gebeurt er met me? Het is zo stil. Venus. En de Melkweg."'

Niels vroeg zich af waarom het zo belangrijk voor Tommaso was dat hij dit hoorde.

Het is zo stil.

51

Tussen Kaapstad en Khayelitsha – Zuid-Afrika

De meeste mensen die in Afrika zijn geweest, vertellen naderhand over het fenomeen. Vooral degenen die naar het Hartland zijn geweest, weg van de toeristen, de hebzucht en de onvermijdelijke Europese cameraploegen die films over de ellende willen maken. *Je moest je verzoenen met de dood.* In het Hartland, het oerlandschap waar de mensheid uit voort was gekomen, voelde je de oorsprong. Onze oorspronkelijke kleur was van ons afgespoeld, maar dit was de plek waar we vandaan kwamen. Dat voelde je. *De aarde.* 'Thuis' kreeg hier een nieuwe betekenis.

De eerste keer dat Kathrine op de savanne had gestaan, had ze gehuild. Gehuild als de teruggekeerde dochter die werd omhelsd. Hier was ze klaar om te sterven. Marc voelde dat niet zo. Hij was opgegroeid in Afrika. Hij hield van de plek, maar was niet klaar om te sterven. Daarom huurde hij bewakers in om hen te escorteren. Tegen het eind van de middag verschenen er drie breed glimlachende Zoeloes. Wat Kathrine ook tegen ze zei, steeds weer lachten ze luid.

Ze hadden machinepistolen en geweren en heetten Bobby, Michael en Andy. Alle Afrikanen hebben verschillende namen voor verschillende gelegenheden, net als kunstenaars in Europa en Amerika. Een naam voor de blanken en hun echte naam. Die vertelden ze nooit. Ze vonden het ook niet prettig als je ernaar vroeg.

'Khayelitsha?'

'Yes.'

'Why do you want to go there?' vroeg een van hen en hij lachte weer.

'Nothing there, nothing there', herhaalde hij.

'Is dat echt nodig?' had Kathrine gevraagd toen Marc het pistool in het handschoenenvakje van de stoffige pick-up legde.

'Cathy.' Hij draaide zich om en glimlachte naar haar. Ze vond het niet prettig om Cathy te worden genoemd. 'This is not peaceful Scandinavia. This is South Africa. You need a gun.' Hij had misschien wel de witste tanden van de hele wereld.

'But ...' Ze stopte. Iets in zijn blik maakte dat ze aarzelde. Hij hoefde het niet eens hardop te zeggen, ze kon zo ook wel horen wat hij dacht: *maar wat weet een verwend vrouwtje uit een sprookjesland als Denemarken daar nou van?*

De Afrikanen reden vlak achter hen. Marc zorgde dat hij ze steeds in zijn achteruitkijkspiegel zag.

'A murder, eh?' zei hij.

Kathrine glimlachte en haalde haar schouders op. 'I know. Lots of murders in South Africa.' Ze stak een sigaret op. Nog iets goeds van Afrika: hier kon je je gewoon dood roken zonder dat je van alle kanten verwijtende blikken werden toegeworpen. Hier was de dood een onderdeel van het leven. De dood was aanwezig op een heel andere manier dan thuis, waar het voor veel mensen bijna als een verrassing kwam als de dood op een dag aanklopte. Alsof ze er nooit over hadden nagedacht dat het feestje op een dag afgelopen zou zijn.

Heel veel leven en heel veel dood, dat was Afrika. In Denemarken was het andersom: mensen leefden niet echt en officieel bestond de dood niet. Wat overbleef, was een doorsneeleven: een bestaan waarbij de ene dag overging in de andere zonder dat iemand het eigenlijk echt merkte.

Ze hoestte. De lokale sigaretten brandden in haar keel. Ze had een drukke dag gehad. Vergaderingen en een eindeloze hoeveelheid telefoongesprekken. Toen ze die ochtend haar computer aan had gezet, had ze 109 onbeantwoorde mails in haar mailbox. En morgen zou het precies hetzelfde zijn.

'Waar in Khayelitsha moeten we zijn?' Marcs stem was ongepolijst en mannelijk. Dat was een pluspunt. Een minpunt was zijn accent, de lelijke mengeling van Nederlandse en Engelse klanken.

Ze gaf hem een briefje met de gps-coördinaten en een ongeveeradres. Het was nog een heel gedoe geweest – ze had hulp moeten vragen van de IT-specialisten van het bedrijf – om de gps-coördinaten die Niels haar had gestuurd, om te zetten in een echt adres.

'Oké.' Hij keek haar met een uitnodigende glimlach aan. Hij was alles wat Niels niet was. Bij Marc waren er geen verborgen kanten, geen onverklaarbare humeurschommelingen, geen geestelijke afgronden om in te storten. Hij was gewoon Marc. Behoorlijk aantrekkelijk en een beetje irritant.

Ze reden over een zesbaanssnelweg met pikzwart, vers asfalt. Marc slurpte zijn take-away koffie en draaide aan de radio, maar hij bedacht zich en zette hem weer uit. Kathrine keek achterom.

In de andere auto zwaaide Andy breed glimlachend naar haar. De temperatuur buiten was ruim 30 graden. De lucht was kurkdroog en zwaar van uitlaatgassen, stof en zanddeeltjes die kwamen aanwaaien vanuit de grote savannen. Overal werd gebouwd. Torenhoge hijskranen staken af tegen de horizon, alsof de Afrikaanse giraffen door de verontreiniging waren gemuteerd tot groteske afmetingen. Wegwerkzaamheden, zwetende grond- en betonwerkers, het geluid van compressieboren, asfaltmachines, renovatie van bruggen en wegen.

'Weet je wie Bill Shankly is?' Marc reed net door rood.

'Nee.'

'Een legendarische voetbalmanager uit Liverpool. Die heeft ooit iets gezegd als: "Sommige mensen denken dat voetbal een kwestie van leven en dood is. Dat vind ik een teleurstellende houding. Ik kan u verzekeren dat het veel belangrijker is dan dat."' Marc keek haar aan en grinnikte.

'Als je kijkt naar wat er op dit moment in Zuid-Afrika gebeurt, met nog zeven maanden te gaan tot het wereldkampioenschap voetbal, moet je toegeven dat Bill Shankly gelijk had. Ik bedoel: het hele land is bereid tot verandering vanwege een leren balletje. In ieder geval naar de buitenwereld', voegde hij er nog aan toe.

Kathrine keek uit het autoraam.

De moderne westerse metropool ging – onmerkbaar en geleidelijk – over in het grootstedelijke Afrika dat we zo goed kennen uit de media: sloppenwijken, troosteloosheid, afval, hitte en stof. Je kon onmogelijk vaststellen waar Khayelitsha begon. Er was misschien eerder sprake van een mentale grens dan een geografische. Je passeerde een onzichtbare scheidslijn en vanaf dat punt was er geen hoop meer. Wat overbleef, was overleven om te overleven. Het dagelijkse gevecht om eten en drinken te bemachtigen en te voorkomen dat je het slachtoffer werd van een toevallig misdrijf. In Zuid-Afrika werden vijftigduizend moorden per jaar gepleegd. Elke dertig seconden werd er een vrouw verkracht.

Khayelitsha – Zuid-Afrika

Marc stopte en wachtte een paar seconden tot de auto met de bewakers weer vlak achter hen was. De straten werden smaller, de huizen kleiner: hutjes, blikken schuurtjes, primitieve lemen huisjes, stoffige autowrakken en honden, overal honden. Met een gebroken staart, mank, blaffend, dorstig. In Khayelitsha speelden de kinderen niet. Dat was een van de eerste dingen die Kathrine opviel. Ze stonden gewoon op straat te kijken en sigaretten te roken. Een jongetje was aan het voetballen in een zelfgemaakt Barcelonashirt. MESSI stond erachterop. Een vrouw schold haar kinderen uit. Ze trokken zich er niets van aan. Maar wat Kathrine vooral opviel, was het afval. Het lag overal. Colaflessen, blikjes, plastic zakken, autobanden, verpakkingen. De stank van stof en hitte en pis en hopeloosheid was niet buiten de auto te houden.

Marc volgde de gps en ging nu eens rechts-, dan weer linksaf. Binnen een mum van tijd had zich een laag stof op de ruit van de auto gelegd als een vlies dat alles in een onwerkelijk waas hulde.

Kathrine vermeed de arme wijken zo veel mogelijk. Dan was Zuid-Afrika een dankbare plek om te verblijven. De eerste maanden – waarin ze bijna alleen maar op haar kantoor, in het hotel en in de restaurants en cafés in het financiële district was geweest – was ze er bijna in geslaagd om te vergeten waar ze was. Het had net zo goed New York of Londen tijdens een hele hete zomer kunnen zijn.

Marc praatte over een van de anderen van kantoor die hij een klootzak vond. Kathrine luisterde maar af en toe. Toen Marc van onderwerp veranderde, merkte hij opeens dat ze niet oplette.

'Cathy?'

'Yes.'

'Tonight?'

Hij stopte de auto en keek haar aan.

'I know this very nice Indian restaurant.'

Kathrine keek hem aan. Hij had haar mee uit gevraagd. Hij draaide er al wekenlang omheen. Ze wist dat het zou komen; ze had er gewoon op zitten wachten, maar toch kwam het als een verrassing. Hij glimlachte. Witte tanden. Een glimlach die verried dat er meer achter zat dan alleen een etentje. Kathrine twijfelde er niet aan: als ze ja zei, zou ze met hem in bed belanden. Alles erop en eraan. Eten, drank en seks. Ze had zin om ja te zeggen. Haar lichaam had er zin in. Ze merkte dat ze een warm gevoel in haar buik kreeg.

'Why are we stopping?'

Ze had verwacht dat hij haar zou dwingen om te antwoorden. Het idee dat ze er niet onderuit zou kunnen, was prikkelend. Zijn openstaande overhemd toonde een zonverbrande, goed getrainde borst. Misschien was ze een klein beetje teleurgesteld toen hij accepteerde dat ze niet reageerde en gewoon zei: 'We are here', wijzend op de gps.

* * *

Kathrine wist niet wat ze had verwacht, maar er was niets bijzonders te zien aan het huis. Behalve dat het, in verhouding tot de rest van de sloppenwijk, afgelegen lag; het was het enige huis in een omtrek van een paar honderd meter. Waar de natuur begon, lag een dijk van afval.

Haar volgende gedachte was dat Marc de gps verkeerd had afgelezen. Waarom zou Niels haar nou juist naar dit huis sturen – juist dít kleine, onopvallende hutje, midden in deze eindeloze sloppenwijk waar miljoenen andere huizen stonden – misschien was het een vergissing. Maar van de andere kant: het enige wat ze over dit huis wist, was dat er in juli een moord was gepleegd. Meer had Niels niet gezegd. Waarom zou dat niet kunnen?

Marc bleef in de auto. De drie bewakers waren uitgestapt. Een van hen bleef steeds een paar meter achter Kathrine.

Ze stak de weg over, die niet meer was dan verbrande leem vol gaten en kuilen. De deur leek op een oude kastdeur die er vooral voor het zicht was neergezet. Voor het huis trapten een paar kinderen tegen een bundeltje kleren. Een van hen riep: 'You wanna fuck, white woman?' en hij grijnsde naar de anderen. Andy, een van de bewakers, riep iets in het Zoeloe, maar de kinderen schrokken er niet van.

Kathrine klopte op de deur en wachtte. Er gebeurde niets. Ze klopte nog eens. Ze was bang dat ze de deur kapot zou maken. Hij werd geopend door een tandeloze vrouw die dwars door haar heen keek, alsof ze lucht was.

'Hallo', zei Kathrine, ze bedacht nu pas dat ze geen idee had wat ze moest zeggen. 'Woont u hier?'

Geen antwoord. Het drong tot Kathrine door dat de vrouw bijna blind was. Er lag een dof, grijsachtig waas over haar ogen. Er waren veel blinden in Afrika.

'Verstaat u Engels?'

Kathrine wilde zich net omdraaien om Marc te roepen, toen de vrouw opeens in het Engels zei: 'Mijn zoon is niet thuis.'

'Uw zoon?'

'Ik pas op het huis.'

'Oké.' Kathrine hoopte dat de vrouw zou vragen of ze binnen wilde komen, maar dat deed ze niet. 'Ik ben hier om uit te zoeken ... Ik heet Kathrine. Ik kom niet uit Zuid-Afrika', voegde ze er nog aan toe. Dat laatste had meestal wel een gunstig effect op de plaatselijke bevolking. Europeanen waren populair – in ieder geval populairder dan andere blanken.

Nu pas was er enige beweging te bespeuren op het gezicht van de oude vrouw: een zenuwtrekje onder haar ene oog. Ze verhief haar stem. 'Amnesty?'

Nog voordat Kathrine de kans kreeg om 'nee' te antwoorden, stak de oude vrouw haar hoofd naar buiten. 'Met hoeveel zijn jullie?'

'Mijn collega zit in de auto', zei Kathrine. 'En we hebben drie bewakers.'

'Het werd wel tijd ook dat jullie kwamen.'

De oude vrouw draaide zich om en ging het huis binnen. Als ze niet blind was geweest, had ze in grote letters DBB ARCHITECTS op de landrover kunnen lezen. Vanuit het huis riep de oude vrouw: 'Come in, Amnesty!'

* * *

Een paar gammele houten stoelen, een tafel en een primitief bed. Boven het bed hing een poster van het Zuid-Afrikaanse voetbalelftal. 'Bafana, Bafana. God is on our side', stond er op de muur boven de poster.

De oude vrouw vroeg of Kathrine thee wilde. Ze wachtte niet op het antwoord. 'Rooibush. It's good for you', zei ze. 'It clears your mind.'

Kathrine keek naar de troebele vloeistof in het kopje.

'Wat gaan jullie doen om hem eruit te krijgen?' vroeg de oude vrouw. 'Hij heeft haar niet vermoord, begrijpt u dat? Wat gaan jullie doen?'

Kathrine slikte. Ik moet haar vertellen dat ik niet van Amnesty International ben, dacht ze. Maar in plaats daarvan zei ze: 'Misschien is het goed als u me wat meer over de zaak vertelt.'

'Hij heeft haar niet vermoord, die vrouw in de fabriek. Hij is onschuldig – precies zoals Mathijsen zei.'

'Wie?'

'Mathijsen', zei de oude vrouw weer. Er verscheen een milde trek rond haar mond en de rimpels op haar voorhoofd leken iets te ontspannen als ze aan die Mathijsen dacht. 'He was a good man. He helped us.'

De vrouw sprak snel en onduidelijk. Kathrine had moeite om te verstaan wat ze zei.

'Mat ...'

'Mathijsen. De advocaat van mijn zoon: Joris Mathijsen.'

'Wat is er met hem?' vroeg Kathrine. 'Verdenken ze uw zoon ervan dat hij hem heeft vermoord?'

'No! No!'

De oude vrouw schudde haar hoofd. 'Mathijsen is hier in dit huis overleden. Hij wilde ons helpen.'

Kathrine onderbrak haar. 'Ik begrijp het niet; is die advocaat hier overleden? Wanneer?'

* * *

Voordat de vrouw het verhaal vertelde, haalde Kathrine Marc uit de auto.

'Die oude vrouw denkt dat we van Amnesty zijn', fluisterde ze. 'Ik denk dat we haar maar in de waan moeten laten.'

Binnen knikte Marc beleefd naar de vrouw, maar toen hij merkte dat ze niets zag, zei hij: 'Hallo.' De oude vrouw had het verhaal al vaak verteld, maar haar stem klonk nog steeds vurig. Benny, haar zoon, had in een schoenenfabriek in Durbanville gewerkt, maar hij was ontslagen. Tijdens het tumult dat daarop volgde, was de dochter van de directeur doodgestoken met een mes. Dat was wat de oude vrouw vertelde. Benny was beschuldigd. Iemand van wie Kathrine de naam niet verstond, had later verklaard dat Benny er meters vandaan had gestaan en onmogelijk de dader kon zijn. Het was een hopeloze situatie voor Benny. Hij had geen geld om een goede advocaat te nemen.

'But then came Joris Mathijsen.'

Marc kende die naam wel. Mathijsen stond bekend als een van de breinen achter de waarheidscommissie die in de jaren 1995 tot 2000 de schendingen van de mensenrechten tijdens het apartheidsregime boven water had gehaald. De commissie onderscheidde zich duidelijk van andere bekende gerechtelijke onderzoeken doordat het er niet om ging mensen te straffen. De waarheidscommissie bood de misdadigers die een volledige verklaring aflegden amnestie aan. Als ze de waarheid vertelden, werden ze niet vervolgd. Hoe Mathijsen – die al lange tijd buiten de schijnwerpers van het openbare leven stond – met Benny in contact was gekomen, was een beetje raadselachtig. De oude vrouw kon het niet uitleggen. Alles wat ze wist, was dat Mathijsen en Benny een aantal keren met elkaar hadden gesproken in de gevangenis en dat Benny nieuwe hoop had geput uit de gesprekken met de ervaren strafpleiter. Op 24 juli van dat jaar had Mathijsen het huis in Khayelitsha, waar Benny was opgegroeid, bezocht. Hij had theegedronken met de oude vrouw en haar beloofd dat hij Benny uit de gevangenis zou krijgen.

'He promised. Understand?'

Net toen de advocaat weg zou gaan, zag hij een schaduw op de binnenplaats achter het huis. Eerst wilde hij gewoon naar huis gaan, maar toen besloot hij toch even te gaan kijken. De oude vrouw was binnen gebleven. Er waren een paar minuten verstreken. Ze durfde niet naar buiten te gaan, maar ten slotte had ze het er toch op gewaagd. Ze had Joris Mathijsen gevonden, liggend op zijn rug, met zijn armen gespreid. Hij was dood. Benny was veroordeeld tot tweeëntwintig jaar gevangenisstraf voor geweld met de dood tot gevolg en zonder mogelijkheid tot vervroegde vrijlating.

Kathrine moest bijna huilen toen ze de wanhoop op het gezicht van de oude vrouw zag. *Als hij uit de gevangenis komt, ben ik allang dood.* Kathrine beloofde dat ze hen zou helpen. Heel even geloofde ze zelf dat ze voor Amnesty werkte. Ze zou in ieder geval contact met hen opnemen als ze weer thuis was. Dat sprak ze met zichzelf af.

De oude vrouw zei een poosje niets. Toen stond ze moeizaam op en liep de paar meter door het huisje naar een achterdeur die Kathrine nog niet had opgemerkt. Ze duwde de deur open en toen stapten ze naar buiten, een vieze, bedompte binnenplaats op. Ze staken de dertig à veertig meter lange binnenplaats over en kwamen bij een plek die bedekt was met bloemen die allang verdroogd waren in de brandende zon. Er hing een fototje bij van de advocaat. 26 april 1962. Overleden op 24 juli 2009.

52

Niels Bohr Instituut, Kopenhagen

Een 'Niels Bohr-nacht'. Alle mensen die op het instituut werkten, kenden dat begrip. Dat waren eindeloze nachten waarin je geen ander geluid hoorde dan het zachte zoemen van een van de vele proefopstellingen in de kelder, of het ritselen van papier als de onderzoeksresultaten werden opgetekend. Het leek wel of de gedachten het gebouw nooit uitkwamen. Je nam ze niet mee, ze bleven hier. Je moest hier binnen zijn om er weer deel van uit te maken. Terwijl ze in de keuken op zoek ging naar iets eetbaars, voelde Hannah hoe erg ze deze plek had gemist. Rollade en cervelaatworst – iets over de datum, maar daar moest je maar aan wennen. Natuurkundigen waren geen fijnproevers, dat was nou eenmaal zo. Op elke tafel in de kantine lag altijd papier en potlood. Dat was een soort huisregel. Voor het geval je een goed idee kreeg terwijl je zat te lunchen.

Hannah had haar mobieltje niet gehoord. *Een bericht.* Ze belde haar voicemail. 'Je hebt een nieuw bericht', beweerde de stem. Het was Niels. 'Hannah ... Ik heb net Kathrine gesproken ... Je had gelijk met Khayelitsha. Ik begrijp niet hoe het kan. Zowel de plaats als de datum klopte. Joris Mathijsen, een bekende advocaat. Het klopt precies. Ik ... ik ben moe. Ik heb een drukke middag gehad. Laten we het er morgen over hebben. Je bent een knappe meid.'

Toen brak hij het gesprek af. Ze glimlachte. Natuurlijk had ze gelijk. En ja, ze was een knappe meid.

53

Carlsbergsilo, Kopenhagen

Van alle slechte ideeën die Niels in de loop der jaren had gehad, was dit toch wel het allerstomste geweest. Hij had Kathrine midden in de kerstvakantie, die ze samen hadden zullen doorbrengen, op pad gestuurd naar een van de grootste sloppenwijken ter wereld. Hij had haar nu drie keer aan de telefoon gehad – ze was volkomen buiten zichzelf, ze kon wat ze had meegemaakt niet van zich af zetten. Ergens in de loop van hun laatste gesprek had hij opeens zin gekregen om tegen haar te schreeuwen. Dat het verdomme aan háár lag. Dat de wereld vol armoede, dood en ellende was, maar dat had Kathrine nog nooit gezien, omdat ze nooit buiten de gebouwen met designmeubels en airconditioning kwam. Haar wereld bestond uit oppervlakken. Niets anders dan oppervlakken. Marmer, staal, koper, aluminium – een glanzende wereld die zich er niets van aantrok dat alles eromheen in verval raakte. Maar dat zei hij niet tegen haar. Hij zei: 'Sorry, wat vervelend voor je, welterusten.'

De denkbeeldige ruzie spookte nog steeds door Niels' uitgeputte hoofd toen hij hun appartement binnenging. Hij voelde dat er iemand was geweest.

Iemand. Hij keek rond in de kamer. Hij zag niets ongewoons. De grote kamer, die uitkeek op het westen, zag er nog precies hetzelfde uit als toen hij hem had achtergelaten. Precies zoals toen Kathrine een eeuwigheid geleden was vertrokken uit hun gemeenschappelijke leven. Niels had een vreemd gevoel in zijn lijf – het gevoel dat hun relatie voorbij was. Misschien was het gewoon de schaduw van Kathrine die altijd in het appartement aanwezig was. Hij was moe en voelde zich overdonderd. Ook omdat Hannah kennelijk het systeem had gekraakt en alles had uitgerekend. Hij overwoog of hij haar nog een keer zou bellen, maar besloot toch wat te gaan slapen.

De deur naar de achtertrap stond op een kier.

Hij vergat nooit de deur naar het trappenhuis dicht te doen en op slot te draaien. Hij gebruikte hem zelden. Hij inspecteerde hem grondig. Hij vond geen enkele aanwijzing dat hij was geforceerd. De deur, de deurpost, het slot en de scharnieren zagen er precies zo uit als altijd, maar dat stelde hem niet gerust, want daardoor groeide er een nieuwe angst: had iemand zijn sleutel te pakken weten te krijgen en er een kopie van laten maken? Hij probeerde te bedenken wie er allemaal toegang hadden tot het appartement. Alleen Kathrine en hijzelf. En hun benedenbuurvrouw. De conciërge misschien? Had die een loper? Niels twijfelde, maar hij dacht van niet. Als zijn angst gegrond zou blijken te zijn, moest iemand zijn of Kathrines sleutel hebben gehad en er een kopie van hebben laten maken.

De enige plek waar Niels soms zijn sleutels liet liggen, was op zijn werk. Zou iemand van het bureau – en die gedachte kwam hem bijna absurd voor – zijn sleutel hebben gepakt, een kopie hebben laten maken en hem hebben teruggelegd? Maar wie? En waarom?

Niels liep het trappenhuis in en deed het licht aan. Hij hoorde voetstappen beneden op de trap.

'Wie is daar?'

Geen antwoord.

'Hallo?'

Zachte, bijna onhoorbare voetstappen liepen de trap af. Een deur viel dicht. Niels rende naar het raampje en keek naar buiten. Zag hij daar een donkere gestalte die wegrende van het appartementencomplex? Hij zweefde bijna. Maar misschien was het gewoon het licht van de brouwerij dat lange schaduwen wierp.

Het licht in het trappenhuis ging uit.

54

Luchthaven Kastrup, Kopenhagen

Het was een ijskoude ochtend. De zogenaamde chill-factor – de gevoelstemperatuur – was ongeveer min twintig. Dat kwam door een snijdende wind. De Air Force One landde om precies negen uur en een paar seconden later ging de deur naast het presidentiële wapen open en stapte president Obama de vliegtuigtrap op. In zijn anders altijd zo wilskrachtige blik lag een zweem van ongerustheid. Een spoortje twijfel. De machtigste man van de wereld werd allesbehalve met pracht en praal ontvangen. Na een snelle handdruk van de Amerikaanse ambassadeur, Laurie S. Fulton, stapte hij in zijn comfortabele limousine en zette koers naar het congrescentrum. Hij was een drukbezet man. Een man met een duidelijke missie: hij wilde de wereld redden.

Vrijdag 18 december

Niels werd wakker met een gevoel van extreme energie in zijn lijf. Een bekend gevoel dat hij duizend keer liever had dan het tegenovergestelde. *De leegte*. Geen depressie, zoals Kathrine beweerde. Hij had gewoon heel veel, of heel weinig energie.

* * *

Nørrebro, Kopenhagen

Ze zat gewoon voor zich uit te kijken, maar toch was ze veranderd.

Niels zag het meteen toen hij het café binnenkwam en Hannah in het oog kreeg, die aan een tafeltje helemaal achterin zat en kleine slokjes van haar koffie nam. Het kwam niet alleen doordat ze iets aan haar uiterlijk had gedaan – wat make-up, een klein beetje lippenstift, haar haren – het was vooral iets in haar ogen. De manier waarop die de ruimte en de mensen om haar heen opnamen. Een nieuwsgierigheid was tot leven gewekt. Een fundamentele interesse in wat er om haar heen gebeurde. Ze zag hem en zwaaide. Een kinderlijke beweging die Niels deed glimlachen. Naast haar stond de doos met alle rapporten en verslagen.

'We gaan het systeem vieren.' Ze keek naar het blad dat Niels in zijn handen had. Brood, eieren, croissants, meloen. 'Ik heb voor ons allebei besteld.'

'Die moord in Kaapstad. Hoe ...'

'Omdat ik het systeem heb uitgerekend.' Ze praatte snel en druk. 'Ik ben uitgegaan van de mythe en het getal 36.'

'Schei toch uit, Hannah. Je bent niet gelovig.'

'Weet je het zeker?' Ze glimlachte. 'Ik weet eerlijk gezegd niet wat ik ben, maar ik weet wel dat de tegenstelling tussen geloof en wetenschap vaak erg overdreven wordt. Ga je niet zitten?'

Niels merkte dat hij nog steeds stond. Hij ging zitten.

'Die tegenstelling is namelijk gebaseerd op een foute veronderstelling. Hij bestaat helemaal niet. De eerste wetenschappen zijn juist voortgekomen uit het verlangen om het bestaan van God te bewijzen. Wetenschap en religie zijn dus vanaf het allereerste begin hand in hand gegaan. Sommige perioden waren ze misschien verliefder dan andere, maar toch.'

'Maar waarom precies zesendertig?' Niels schonk koffie in. 'Betekent dat iets?'

'In relatie tot het systeem: ja! En dat is precies wat we nodig hebben. Luister: in de wetenschap is men het er tegenwoordig vrij algemeen over eens dat wij maar ongeveer vier procent van alle materie in het universum kennen. Vier procent!'

'En de overige zesennegentig procent?'

'Precies. Hoe zit het daarmee? Wij astrofysici noemen dat "donkere materie" en "donkere energie". Maar misschien zou je het eigenlijk gewoon "onwetendheid" moeten noemen. Er is zo veel dat wij niet weten, Niels. Schrikbarend veel. En toch gedragen we ons alsof we kleine goden zijn die denken dat we alles onder controle hebben. Als kleine kinderen die aan grootheidswaanzin lijden. Dat is toch hoe we ons hebben ontwikkeld? Het lijkt wel of we onszelf wijs proberen te maken dat die vier procent alles is wat er bestaat. Dat dat andere – het onbekende – niet bestaat. Maar het bestaat wel. We weten dat het er is, we begrijpen het alleen niet.'

'Maar er zijn toch maar ... hoeveel moorden zijn er geregistreerd? Eenentwintig? Geen zesendertig.'

'Tot nu toe, ja. Dat komt doordat de rest niet is gevonden of gerapporteerd.'

Niels aarzelde. Hij wist niet of hij nieuwsgierig klonk of sceptisch toen hij vroeg: 'Die moord in Kaapstad, Hannah. Hoe wist je dat?'

'Weet je wie Ole Rømer was?'

'Ja, dat was een hoge politiebaas in 1700 nog wat.'

'En een astrofysicus.' Ze onderbrak hem. 'Net als ik. Hij was de eerste die vaststelde dat licht een snelheid heeft – en behoorlijk precies ook.'

'Wat heeft hij hiermee te maken?'

'De koning had Rømer gevraagd om uit te zoeken welk gedeelte van Kopenhagen bewoond was. Dat kun je natuurlijk gewoon heel precies gaan opmeten, maar Rømer had het binnen tien minuten uitgerekend. Weet je hoe?'

Er liep een serveerster langs. Hannah hield haar tegen.

'Ik weet dat het vreemd klinkt, maar kan ik misschien een schaar en een hele meloen krijgen?'

De serveerster nam Hannah op en probeerde haar in te schatten. 'Moment.' Ze liep weg. Hannah ging verder: 'Rømer nam een weegschaal en een kadastrale kaart van Kopenhagen en ... dankjewel.' De serveerster gaf haar de schaar en de meloen. '... en toen knipte hij.' Hannah begon te knippen in het papieren tafelkleed. Niels zag dat een jong stel aan het tafeltje naast hen stiekem naar Hannah zat te staren.

'Rømer knipte gewoon de bebouwde gedeeltes uit de kaart en legde die op de ene kant van de weegschaal en de onbebouwde gedeeltes op de andere.'

Niels glimlachte. 'En wat heb jij nu uitgeknipt?'

'Lijkt dit een beetje op Afrika?' Ze hield een stuk van het tafelkleed omhoog.

'Met een beetje goede wil.'

'Ja, Zuid-Afrika is inderdaad een beetje smal geworden. Maar Australië en Zuid- en Noord-Amerika kun je vast wel herkennen.' Ze hield nog een paar stukken omhoog.

'Heb je de continenten weggeknipt?'

'Nee, het water. De oceanen. Ik heb alleen de continenten nog over, de rest heb ik weggeknipt.' Ze legde de stukjes papier aan elkaar alsof het een puzzel was.

'Hannah?' Niels zorgde ervoor dat hij oogcontact met haar maakte. 'Ik heb sinds de middelbare school geen natuurkunde en wiskunde meer gehad. Je moet echt wat langzamer gaan. Je hebt dus een kaart genomen en de continenten eruit geknipt. Dat begrijp ik. En toen heb je de zeeën weggegooid?'

'Ja.'

'Maar waarom? Wat heeft dat voor zin?'

'Heb ik dat door de telefoon niet gezegd? We moeten terug in de tijd, Niels. Heel ver terug. Naar de tijd dat de continenten zijn ontstaan. De tijd dat de meercellige organismen zijn ontstaan.'

Niels staarde haar aan.

'Dit gaat over plaattektoniek. Continentale platen, oceanische platen en de soortelijke massa van graniet tegenover die van basalt. Maar daar hoeven we nu allemaal niet op in te gaan. Laten we ergens anders beginnen.'

'Goed idee.'

'De plaattektoniek zorgt ervoor dat de continenten over de aarde bewegen. De continenten zijn eigenlijk altijd in beweging. Daar is een prachtige, lange verklaring voor, die ik je zal besparen.'

'Bedankt.'

'Maar je moet wel begrijpen dat de continenten uit graniet bestaan. Heb je weleens van Minik Rosing gehoord?'

Niels schudde zijn hoofd.

'Dat is een Groenlandse geoloog. Hij heeft een theorie ontwikkeld dat het graniet van de aarde is gevormd door oxidatie van basalt en dat de zuurstof voor die oxidatie afkomstig was van de eerste fotosynthetiserende bacteriën die ongeveer 3,7 miljard jaar geleden zijn ontstaan.'

Niels stak zijn handen op alsof hij zich overgaf.

Hannah dacht even na. 'Oké, we slaan de uitleg over en gaan verder met de conclusie, of in ieder geval een deelconclusie: de continenten zijn een logisch gevolg van het leven op aarde.'

'Is dat een conclusie?'

'Laten we het liever een uitgangspunt noemen. Kijk.'

Niels nam haar op terwijl ze de uitgeknipte continenten als een puzzel in elkaar paste. Het jonge stel aan het tafeltje naast hen probeerde niet langer te verhullen dat ze meeluisterden.

'Ooit paste het allemaal in elkaar rond de Zuidpool. De continenten lagen ongeveer zo. Nee, wacht, ik zal het tekenen.' Ze haalde een zwarte stift uit haar tas en tekende de in elkaar passende continenten op de meloen. 'Zo lagen ze. Op de Zuidpool.'

Niels keek naar haar. Vanaf de eerste keer dat hij haar had ontmoet, had ze iets nerveus gehad; haar manier van lopen, haar bewegingen. Nu was dat weg.

‘Circa een miljard jaar geleden zag de aarde er ongeveer zo uit.’ Ze hield de meloen omhoog.

‘Toen de continenten nog in elkaar pasten?’ vroeg Niels.

‘Precies. Tegenwoordig is dat een algemeen geaccepteerde theorie, maar het is nog niet eens honderd jaar geleden dat een Duitse astronoom heeft ontdekt hoe het allemaal in elkaar zat – letterlijk. En het duurde nog jaren voordat iemand hem geloofde.’

Niels staarde naar de meloen.

‘We gaan naar een nieuwe wereld.’ Ze richtte eindelijk haar hoofd op en keek hem aan. ‘We gaan naar een wereld die Rodinia heet.’

55

Niels had zijn jasje uitgetrokken. Het café stroomde vol hongerige lunchstudenten.

'Het woord Rodinia komt uit het Russisch en het betekent "moederland". Dat is ook precies wat het supercontinent Rodinia is: de moeder van alle landen.'

'Oké.' Niels knikte.

'Met de opsplitsing van Rodinia begon de ontwikkeling van het leven op aarde. Perioden die daarna komen zijn bijvoorbeeld het Ediacarium en het Cambrium. Er zijn nog veel meer perioden, maar ik ben geen geoloog.'

'Waarom hebben we het nu over continenten en ...'

'Rodinia.'

'Ja. Wat heeft dat met de moorden te maken?'

Hannah aarzelde. Ze prikte in haar eten.

'Ik wist dat het systeem om mensen ging. Om leven. Volgens de mythe moeten de zesendertig op de mensheid passen en de mensheid woont op het land – niet in het water. Daarom heb ik de oceanen weggehaald. Het was niet meer dan een primitieve weergave van Rodinia, maar toch zag ik iets opmerkelijks.' Ze hield de meloen omhoog.

Niels keek weer naar het jonge stel aan het tafeltje naast hen. Ze waren opgehouden met eten en zaten te luisteren alsof ze een lezing in een auditorium bijwoonden.

'Ik heb de punten waar de moorden zijn gepleegd van bovenaf bekeken en toen zag ik dat ze een patroon vormden. Dat patroon heb ik vergeleken met de data waarop de moorden zijn gepleegd, dus de volgorde van de punten. Ik heb ze allemaal een nummer gegeven: de zeventiende moord is Beijing, de veertiende Kaapstad.'

'Khayelitsha. Zuid-Afrika.'

'Precies. De negende moord is Mekka. De vijftiende Thunder Bay.'

'Sarah Johnsson.'

'Juist. Ik zal het voor je tekenen.'

Ze haalde de glazen en borden van de tafel. Het meisje aan het tafeltje naast hen maakte ruimte zodat Hannah de spullen daarop kon zetten. Hannah tekende een grote cirkel op het tafelkleed.

'Dit is de aarde. De continenten lagen ongeveer zo.' In de cirkel tekende ze de continenten die allemaal aan elkaar vast rond de Zuidpool lagen. 'Zo heb je meer overzicht. De plaatsen waar de moorden zijn gepleegd – de punten – liggen ongeveer zo.'

Ze tekende in een indrukwekkend tempo zesendertig punten. 'Nu geef ik ze een nummer dat correspondeert met hun plaats op de lijst. Zie je nu iets?'

Niels keek.

'Zie je dat de nummers bijna kleine cirkels vormen? Of kleine schillen?'

'Misschien.'

'En dat ze van de ene helft van de cirkel naar de andere verspringen?'

Niels gaf geen antwoord. Hij zag een sigarettenpakje in haar tas en kreeg opeens ontzettende zin om te vragen of ze mee naar buiten wilde gaan om te roken.

'Ik heb uitgerekend dat die cirkels of schillen op de twaalfde, de vierentwintigste, de zesendertigste en de achtenveertigste breedtegraad liggen, maar dat is nu niet zo belangrijk.'

'Wat is dan wel belangrijk?'

'Het systeem dat hier voor je ligt, vormt een atoom, en niet zomaar een atoom, maar atoomnummer 36.'

'36. Net als ...'

'De mythe. Misschien is het toeval, misschien niet. Het Niels Bohr Instituut heeft een heel belangrijke rol gespeeld bij het in kaart brengen van de bekende elementen. Het kan zijn dat mijn hoofd te vol is van atomen, maar het is een feit dat het systeem – tot in het kleinste detail – precies hetzelfde is opgebouwd als atoomnummer 36: krypton.'

'Kryptoniet?' Niels glimlachte. 'Wordt het nu niet een beetje al te veel Superman?'

'Helaas, Superman maakt geen deel uit van het systeem. Krypton is een edelgasatoom. Het woord komt van het Griekse woord "kryptos", dat "verborgen" betekent.'

'Verborgen? Waarom?'

'Waarschijnlijk omdat het element krypton een kleurloos gas is. Krypton staat bekend om de spectaculaire groene en oranje lijnen in het spectrum. Het heeft, net als neon, de eigenschap dat het oplicht als je er stroom doorheen geleidt. Je kunt het dus zo activeren dat het licht uitstraalt. Het wordt ook gebruikt voor de definitie van een meter. Die wordt vastgesteld aan de hand van iets wat het krypton-86 isotoop heet.'

'Is er op deze wereld iets wat jij niet weet?' Niels moest lachen.

'Krypton is een edelgasatoom. Het is een van de zeer weinige atomen die stabiel zijn. Het is in rust. Het gaat niet op zoek naar verbindingen met andere atomen. Dat komt niet bepaald doordat de lucht vol zit met krypton. In atmosferische lucht komt slechts 0,0001 procent krypton voor ...' Opeens stopte ze. 'De mythe van de zesendertig rechtvaardigen. Of sla ik nu door? Ik heb gewoon heel sterk het gevoel dat er een verband is.'

Het is in rust. Verborgen. Stabiel. Alleen. Ze sprak zo snel dat Niels haar niet helemaal kon volgen. 'Niels, alleen het getal 36 is op zichzelf al een wonder. 3 plus 6 is 9. Als je 36 met een ander getal vermenigvuldigt, zijn de getallen bij elkaar opgeteld ook 9. 36 keer 12 is 432. 4 plus 3 plus 2 is 9. 36 keer 7 is 252. Probeer het zelf maar. Als de getallen te groot worden, moet je het gewoon door twee delen.'

'Hannah ... het spijt me echt heel erg, maar ... wat probeer je nou eigenlijk te zeggen? Sla alle tussenstappen maar over.'

Ze keek hem onderzoekend aan. Misschien zocht ze naar de combinatie van eenvoudige woorden die het voor hem duidelijk zouden maken. Toen zei ze: 'Zonder tussenstappen: de plaatsen op aarde waar de moorden zijn gepleegd, zijn miljarden jaren voordat er zelfs maar mensen bestonden, vastgelegd. Zoals je weet heb ik met behulp van dit systeem uitgerekend waar in Zuid-Afrika die advocaat was overleden. Het systeem is heel nauwkeurig vastgelegd op de continenten zoals ze aan het begin van de tijd lagen.'

Ze wees naar de tekening op het tafelkleed. 'En ik zeg dat we, als het systeem eruitziet zoals ik denk dat het eruitziet, precies weten waar en wanneer alle moorden zijn gepleegd. En waar en wanneer de laatste twee moorden zullen worden gepleegd.'

'Is dat zo?' Niels merkte dat hij fluisterde. 'Weten we dat?'

'Ik heb het allemaal opgeschreven. Kijk maar.' Ze haalde een vel papier tevoorschijn en gaf het hem. Niels mocht het zelf openvouwen.

1. Olduvai Gorge (Tanzania) – vrijdag 24 april 2009 (CHAMA KIWETE)
2. Santiago (Chili) – vrijdag 1 mei 2009 (VICTOR HUELVA)
3. Bangui (Centraal Afrikaanse Republiek) – vrijdag 8 mei 2009
4. Monrovia (Liberia) – vrijdag 15 mei 2009
5. Dakar (Senegal) – vrijdag 22 mei 2009
6. Cuzco (Peru) – vrijdag 29 mei 2009 (MARIA SAYWA)
7. Rio de Janeiro (Brazilië) – vrijdag 5 juni 2009 (AMANDA GUERREIRO)
8. Samarkand (Oezbekistan) – vrijdag 12 juni 2009
9. Mekka (Saoedi-Arabië) – vrijdag 19 juni 2009
10. Tel Aviv (Israël) – vrijdag 26 juni 2009 (LUDVIG GOLDBERG)
11. Nairobi (Kenia) – vrijdag 3 juli 2009 (NANCY MUTTENDANGO)
12. Johannesburg (Zuid-Afrika) – vrijdag 10 juli 2009 (HELEN LUTULI)
13. Chicago (USA) – vrijdag 17 juli 2009 (ANDREW HITCHENS)
14. Kaapstad (Zuid-Afrika) – vrijdag 24 juli 2009 (JORIS MATHIJSEN)
15. Thunder Bay (Canada) – vrijdag 31 juli 2009 (SARAH JOHNSSON)
16. McMurdo (Antarctica) – vrijdag 7 augustus 2009 (JONATHAN MILLER)
17. Beijing (China) – vrijdag 14 augustus 2009 (LING CEDONG)
18. Bangalore (India) – vrijdag 21 augustus 2009
19. Babylon (Irak) – vrijdag 28 augustus 2009 (SAMIA AL-ASSADI)
20. Madras (India) – vrijdag 4 september 2009
21. Kathmandu (Nepal) – vrijdag 11 september 2009
22. Hanoi (Vietnam) – vrijdag 18 september 2009 (TRUONG THO)
23. Kaliningrad (Rusland) – vrijdag 25 september 2009 (MASHA LIONOV)
24. Caracas (Venezuela) – vrijdag 2 oktober 2009
25. Helsinki (Finland) – vrijdag 9 oktober 2009
26. Belèm (Brazilië) – vrijdag 16 oktober 2009 (JORGE ALMEIDA)
27. Nuuk (Groenland) – vrijdag 23 oktober 2009

28. Athene (Griekenland) – vrijdag 30 oktober 2009
29. Parijs (Frankrijk) – vrijdag 6 november 2009 (MAURICE DELEUZE)
30. Seattle (USA) – vrijdag 13 november 2009 (AMY ANISTON)
31. Moskou (Rusland) – vrijdag 20 november 2009 (VLADIMIR ZJIRKOV)
32. Sjanghai (China) – vrijdag 27 november 2009
33. Washington D.C. (USA) – vrijdag 4 december 2009 (RUSSEL YOUNG)
34. Mumbai (India) – vrijdag 11 december 2009 (RAJ BAIROLIYA)
35.
36.

Niels bekeek het papier. De jongen aan het tafeltje naast hen stond op om te gaan betalen. Het meisje strekte haar hals uit om te kijken wat er stond. Hannah ging verder met haar college: 'We weten dat de buitenste schil van atoom 36 symmetrisch is. Dat betekent dat we, als we nummer 33 en 34 erop hebben gezet – en die staan dáár ...' ze wees '... precies weten waar nummer 35 en 36 moeten liggen.'

'En waar is dat dan?'

'Ik denk dat onze vriend in Venetië ook een soort van systeem heeft gezien. Een aantal continenten is natuurlijk nog steeds hetzelfde als toen, ze zijn alleen verschoven. Daarom is er een precieze afstand tussen sommige moordlocaties en daarom denk ik dat hij een waarschuwing heeft gestuurd naar ...'

Niels onderbrak haar: 'Waarnaartoe, Hannah?'

Ze pakte het vel papier en schreef er iets op. 'Zo. Nu is het systeem volledig.'

Niels las:

35. Venetië OF Kopenhagen – vrijdag 18 december 2009
36. Venetië OF Kopenhagen – vrijdag 25 december 2009

Niels staarde naar het papier. Misschien had hij het al die tijd al geweten. Misschien had hij het gevoeld vanaf het moment dat hij de zaak kreeg. Toch voelde het alsof al het bloed wegtrok uit zijn hoofd en zijn hart stilstond.

'We weten de tijd en de plaats van de laatste twee moorden, maar we weten de volgorde niet.'

'Dus je wilt zeggen dat ...'

'Dat er vandaag bij zonsondergang in Venetië of in Kopenhagen een moord zal worden gepleegd.'

'Geloof je dat echt?'

'Geloof? Dit gaat niet om geloven, Niels. Hoe had ik anders die plek in Zuid-Afrika kunnen berekenen? De statistische waarschijnlijkheid dat dat toeval was, is ...'

Niels luisterde niet meer. Hij voelde zijn lichaam zwaarder worden, bijna alsof het naar beneden werd gedrukt – alsof de zwaartekracht zonder waarschuwing twee keer zo sterk was geworden. Hij keek naar Hannah. Haar smalle lippen bewogen. Ze argumenteerden, gaven college. Hij dwong zichzelf om weer te luisteren.

'Ik zeg je dat er een systeem is, Niels. Een systeem van ... laten we het gewoon maar zeggen: een systeem van goddelijke dimensies dat ons vertelt dat de volgende moord vandaag bij zonsondergang zal worden gepleegd in Venetië of in Kopenhagen.'

'Maar waar in Kopenhagen?'

Hannah scheurde een stukje van het inmiddels behoorlijk toegetakelde tafelkleed en krabbelde er een paar getallen op. Het jonge stel maakte aanstalten om te gaan. Toen ze het café verlieten, knikte het meisje goedkeurend naar Hannah. Hannah zag het niet, ze gaf Niels het papiertje met de getallen.

'Wat is dat?'

'De coördinaten hier in Kopenhagen. Vandaag of volgende week vrijdag.'

'Weet je het zeker, Hannah?'

'Dat moet je mij niet vragen, Niels. Ik vertel je alleen hoe het systeem in elkaar zit. De wiskunde liegt nooit. Kopenhagen, vanavond als de zon ondergaat, of Venetië.'

Niels wees naar de getallen.

'Maar waar is dat?'

'Ik begrijp niet wat je bedoelt. Daar staan de coördinaten toch.'

'Hannah! WAAR is dat?'

56

Nørrebro, Kopenhagen
Niels kwam het café uit. Aan het licht was de overgang van binnen naar buiten nauwelijks te merken. Over een paar dagen was het de kortste, donkerste dag van het jaar. Daar konden de oude straatlantaarns die met hun zwakke gele licht futloos boven de straten hingen, niets tegen beginnen.

'De zon gaat al vroeg onder', zei Hannah. 'We hebben nog hoogstens een paar uur.'

Ze stond achter hem en deed het wisselgeld in haar portemonnee. Ze had de doos met rapporten en verslagen op de stoep gezet. Niels draaide zich om en keek haar aan.

'Hoe laat gaat de zon precies onder?'

'Iets voor vieren. Hoezo?'

'Hoezo?' Niels keek haar aan. Hij was verbaasd. Was het voor haar alleen maar theorie, een spel?

'Hannah. Jij zegt dat de moorden bij zonsondergang worden gepleegd. Toch?'

'Ja. Precies bij zonsondergang.'

'Dat betekent dat we een uur of vijf, zes hebben om de plek te vinden. En de persoon die vermoord zal worden.'

Hannah keek Niels verrast aan.

'Ben je met de auto?' vroeg hij.

'Ja.'

'Waar staat hij?'

'Die kleine Audi daar.'

'Heb je gps?'

'Ja, die zat bij de auto. Ik heb hem nog nooit gebruikt. Ik weet niet eens of hij het doet.'

Niels stapte als eerste in de auto. Zij ging op de passagiersstoel zitten met de doos op haar schoot. Hij kon aan haar zien dat ze helemaal niet gewend was aan de praktische manier waarop hij dingen aanpakte. Ze had haar taak volbracht. Haar college was afgesloten. Voor haar was de wereld voornamelijk een theoretische plek. Opeens schoot er een gedachte door zijn hoofd: had ze met hem geflirt in het café? Was dat de manier waarop een genie als

Hannah flirtte: door atomen op het tafelkleed te tekenen en te bazelen over hoe de aarde er een miljard jaar geleden uitzag? Opeens begreep hij waarom ze een moeilijk leven had.

'Luister eens, Hannah, je hebt het zelf gezegd: misschien kunnen we de volgende moord voorkomen. Je hebt me gebeld.'

'Ja.' Ze knikte vastbesloten. 'Ik ben er klaar voor.'

Niels pakte de doos uit haar handen en gooide hem op de achterbank. 'Pak dan die gps maar. Kan hij op coördinaten navigeren?'

'Misschien.'

Niels draaide het contactsleuteltje om. De kleine auto startte zonder een geluid. Hannah zette de gps aan en keek naar Niels voor instructies. Dit wordt een lange rit, dacht hij voordat hij de parkeerhaven uit reed en bijna tegen een vrachtauto op botste.

* * *

De Jagtvej. Weer zo'n naam die voor iedere politieman in Kopenhagen verbonden is met onlusten en jongerenprotesten. Het soort onlusten dat vroeger om zich heen kon grijpen en ontevreden bevolkingsgroepen kon meesleuren in opstanden die koningen en regeringen omverwierpen. Dat was nu niet meer zo. De tijd van de revoluties was voorbij. Toen het absolutisme werd afgeschaft, liepen er minder dan tienduizend mensen in een rustige optocht naar het paleis van de koning. In onze tijd hoefden de klimaatdemonstranten die uit de hele wereld kwamen niet veel meer te verwachten dan een flinke verkoudheid. Een commentator op de radio dacht dat zich op dit moment ruim honderdduizend mensen in de straten van Kopenhagen bevonden om mee te doen aan happenings en demonstraties.

Niels schudde zijn hoofd. Een miljoen mensen in de straten van Londen hadden Tony Blairs besluit om soldaten naar Irak te sturen niet kunnen beïnvloeden; hoe moesten honderdduizend klimaatactivisten de temperatuur op aarde omlaag krijgen?

'Doet hij het?'

Niels zag Hannah onwennig op het touchscreen van de gps drukken.

'Is het moeilijk?'

Ze keek hem beledigd aan.

'Niels! Toen ik vier was kon ik vierkantsvergelijkingen oplossen.

Mijn wiskundeleraar heeft me meegesleept naar het Niels Bohr Instituut en daar hebben ze mijn IQ gemeten; dat ligt in de buurt van de 150.'

'Ik vroeg het alleen maar.'

Stilte. Ze keek naar het scherm. 'Nu is hij klaar. 55.413. We moeten een beetje naar het zuiden.'

'Naar het zuiden?'

'Zuidwesten eigenlijk.'

Het verkeer stond doodstil, als op een foto. Dat was de Jagtvej. Ooit was de weg alleen toegankelijk geweest voor het hof, als ze vanuit het paleis op jacht gingen, maar toen hij openging voor het gepeupel, werd hij onmiddellijk populair. In een hoofdstad waar de stedelijke planning op z'n zachtst gezegd willekeurig en chaotisch was, zou de Jagtvej een bevrijding zijn; een ononderbroken lijn van de ene kant van de stad naar de andere. Van de havens in het noorden naar de Carlsbergbrouwerij. Niels keek elke dag uit op het verkeer op de Jagtvej. Hij haatte die weg. Hij was ook nog eens ongezond. Overal langs de weg stond moderne meetapparatuur opgesteld om de luchtverontreiniging te meten die werd veroorzaakt door de benzinemotors waartegen de activisten op datzelfde moment demonstreerden. De lucht die je op deze weg inademde, was ongeveer net zo ongezond als die in Mexico City. Als dit Japan was geweest, zouden de mensen met witte mondkapjes lopen. Maar dit was niet Tokio of Osaka, dit was Kopenhagen, en hier maakten de mensen zich niet zo druk over de lucht die ze inademden. Niels stak een sigaret op.

'Is het oké als ik rook in de auto?'

'Kennelijk wel.'

'Ik kan hem naar buiten gooien.'

'Je mag roken. Geef mij er ook maar een.'

Niels toeterde.

'Zo komen we nergens', zei hij.

'Nee.'

Hij stuurde de auto de andere rijbaan op. Een idioot in een pak die zich in een grote BMW had verschanst, reed driftig naar voren om te verhinderen dat Niels de weg overstak. Niels duwde nijdig zijn politielegitimatie tegen de ruit.

'Idioot!'

'Is dit geen eenrichtingverkeer?' vroeg Hannah toen de BMW

zich terugtrok en Niels gas gaf en een zijstraat in reed.

'Hier, neem mijn telefoon.'

'Waarom?'

'Je zegt dat de volgende moord op twee plaatsen kan worden gepleegd.'

'Hier en in Venetië.'

'Bel Tommaso. Die met die achternaam.'

'Di Barbara.'

'Zeg tegen hem dat ... Nee, geef hem de coördinaten. Vertel hem wat je hebt uitgerekend.'

Met tegenzin pakte Hannah de telefoon. Hij ging al over. Hannah luisterde.

'Ik krijg een voicemail.'

'Spreek een boodschap in.'

'Wat moet ik zeggen?'

Niels keek geïrriteerd naar Hannah. De vrouw die enkele ogenblikken geleden in het café nog een bron van kracht was geweest, een fucking explosie van ideeën, gedachten, berekeningen en grootsheid, was gereduceerd tot een beuzelende amateur. Een toerist in de werkelijkheid die zo snel mogelijk naar huis wilde, terug naar de vesting van theorie en verdriet die ze van haar vakantiehuis had gemaakt.

'Zeg tegen hem dat je hebt uitgerekend dat er vanmiddag bij zonsondergang óf in Venetië óf in Kopenhagen een moord zal worden gepleegd.'

Hannah wendde zich tot de voicemail. 'Bonjour Di Barbara.'

Haar onwennige Frans volgde dezelfde lijn als Niels door de eenrichtingstraat: onzeker en slingerend. Niels manoeuvreerde onelegant om een vuilniswagen heen. Een fietser gaf onmiddellijk uiting aan zijn woede, hij sloeg met zijn hand op het dak van de auto. Hannah schrok. In Kopenhagen was het fietsers tegen auto's. Je kon probleemloos van rol verwisselen.

'Zeg tegen hem dat je een sms stuurt met de coördinaten, dan moet hij de plek kunnen vinden met een gps.'

Hannah ging weer over op Frans.

Niels luisterde. Hannah bleef af en toe steken in een zin, maar in zijn oren had Frans nog nooit zo mooi geklonken als nu het uit haar mond kwam.

57

Venetië

Het geluid van de buitenboordmotor die door het troebele water ploegde, overstemde de telefoon. Tommaso's Yamahamotor was sinds oktober in reparatie geweest en nu had hij hem eindelijk terug. Hij genoot van het ongestoorde gebrul. Er was geen onregelmatig geluidje te horen – hij deed het gewoon. Even brak de zon door, het zonlicht raakte de lagune en beloofde betere tijden. Tommaso keek naar de teckel die angstig op een hoop rottend touw in de voorsteven lag. De hond was van zijn moeder en hij was op weg om hem naar het asiel te brengen.

'Ben je zeeziek?' riep Tommaso naar de hond en hij probeerde een glimlachje. De hond keek hem zielig aan alsof hij wist wat Tommaso van plan was.

Hij kon het eiland al zien. Het 'Lazaret-eiland', zoals sommige mensen Santa Maria di Nazareth noemden. Ooit hadden de met pest besmette mensen op dat eiland gewoond. Als je vierhonderd jaar geleden, toen de pest op het vasteland heerste, aankwam in de stad in de uitloper van de Adriatische zee, moest je veertig dagen op het eiland blijven. *Quaranta* – veertig in het Italiaans. Daar kwam het woord quarantaine vandaan. Veertig dagen waarin je moest aantonen dat er niet opeens bulten uitbraken op je huid. Veertig dagen waarin je niet wist of dit eiland je laatste verblijfplaats op deze wereld zou worden. Misschien kwam het doordat hij aan de pest dacht, maar Tommaso had het gevoel dat de symptomen van de griep die hij de afgelopen dagen had gevoeld erger werden. 'Mexicaanse griep', mompelde hij en hij ging langzamer varen. Hij had het een beetje benauwd. Hij deed zijn ogen dicht en genoot even van de zon. Als hij niet geschorst was, zou hij nu ook samen met de andere agenten op het station hebben gestaan. De aankomst van de politici en de minister van Justitie was een belangrijke gebeurtenis en commissario Morante had geëist dat het hele korps in het gelid stond. Tommaso zou er niet bij zijn. Dat vond hij geen enkel probleem.

De gebouwen die aan de lagune lagen, stonden scheef. De zompige grond onder het eiland had de fundamenten van de huizen ontwricht en ze waren zwaar verzakt. Roest van de ijzeren tralies die voor de ramen zaten, liep in rechte strepen over de stenen muren. Na de pest was het eiland ook als gevangenis voor geestelijk gestoorden gebruikt, maar nu werd het alleen nog maar als asiel gebruikt. Hier werden de wilde honden van het vasteland en van de eilanden naartoe gebracht. Vele bleven er tot hun dood, sommige werden opgehaald.

Tommaso zette de motor een paar meter voor de steiger in zijn vrij. Op hetzelfde moment hoorde hij zijn telefoon. Tien gemiste oproepen. Eén uit Denemarken, van Niels Bentzon, en negen oproepen van het hospice. Dat betekende vast slecht nieuws.

58

Kopenhagen
Save the planet. Apocalypse if we don't act now. We demand action.

Niels en Hannah zaten in de auto en keken naar de demonstratie. Sommige mensen dansten, anderen ontploften bijna van woede over al het onrecht in de wereld.

'Hoe ver is het nog?' vroeg Niels.

'Dat hangt ervan af welk transportmiddel je gebruikt.'

'Hoeveel decimalen op de breedte- en lengtegraad?'

'Decimalen?' Ze glimlachte. 'Graden worden opgedeeld in minuten – zestigsten dus – en seconden. Dus hoeveel seconden, dat is afhankelijk van ...'

Niels onderbrak haar: 'Hannah! Hoe ver?'

'Ongeveer vijfentwintighonderd meter.'

Niels parkeerde de auto met een woeste beweging op de stoep, trok de handrem aan en rukte de gps uit het contact.

'Wat doe je?'

'We gaan lopen.'

* * *

Van een afstandje zagen de demonstranten er bijna esthetisch uit. Het was een beeld dat je al honderden keren had gezien: een kaarsrechte sliert mensen die de beweging van de straten volgde. Maar als je ertussen liep was het heel anders. Niels hield Hannah vast bij haar arm terwijl ze zich door de menigte drongen. Hier, in het centrum van de actie, heerste een opgefokte, chaotische energie. Het stonk naar drank. Niels ving een blik op van een gepiercete vrouw. Ze had vergrote pupillen, een afwezige blik. Haar kon niets gebeuren, ze zou de klappen van de wapenstokken niet eens voelen als ze werd geraakt. Dat was wat de mensen die thuis voor hun flatscreen zaten niet wisten: die jongeren gebruikten drugs en er waren vaak twee of drie agenten nodig om een boze autonoom die verdoofd was met een bizarre cocktail van bier en designerdrugs, te overmeesteren. Ze reageerden niet op pijn.

Waar was Hannah gebleven? Daarnet had hij haar arm nog vastgehouden, en nu was ze weg. Niels keek rond. De kleren waren zo zwart als de dag des oordeels. Een grote trom probeerde een ritme vast te houden. Opeens zag hij haar. Ze was bang. Een dronken kerel die minstens tien jaar te oud was voor deze demonstratie, had zijn arm om haar heen geslagen en wilde met haar dansen. Alsof het carnaval was.

'Niels!'

Hij baande zich een weg terug door de menigte.

'Hé!' Een van de jongeren had Niels bij zijn jasje gepakt. 'Ik ken jou. Jij bent een smeris! Kutsmeris!' riep hij. Hij wilde het net nog wat harder herhalen, toen Niels hem opzij duwde. De jongen verloor zijn evenwicht en viel als een veertje op de grond; licht en ongemerkt. In ieder geval zo ongemerkt dat Niels Hannah te pakken kon krijgen zonder dat hij door nog meer mensen werd ontdekt. Hij pakte haar hand. Die was warm, ondanks de kou.

'Alles in orde?'

'Ik wil hier weg.'

'Ik haal je hieruit', zei Niels en hij keek achterom. De jongeman was weer opgekrabbeld en keek om. Ze hoorden zijn woorden die verdronken in het lawaai van de grote trom: 'Kutsmeris, kutsmeris.'

Kopenhagen was een boze stad geworden. Zelfs op de gele muur die om Assistens Kirkegård heen staat, had de bevolking schriftelijk uiting gegeven aan zijn frustraties. *FUCK* was kennelijk het woord dat de existentiële crisis van de stad het best beschreef. *DE AARDE DRAAGT JOUW VOETAFDRUK* stond er boven de ingang van het kerkhof. Kort en krachtig, met vriendelijke letters. Misschien ook een klimaatboodschap. Of was het de simpele waarheid van de doodgraver: wij laten een spoor achter als we ons laten begraven.

Eenmaal op het kerkhof namen ze even de tijd om op adem te komen.

'We steken hier dwars over, oké?' vroeg Niels.

Hannah keek naar het kerkhof en toen achterom naar de demonstratie, alsof ze overwoog om terug te gaan.

'Vogelvlucht. Is er iets?'

'Nee. Natuurlijk niet.'

Eigenlijk wilde hij haar hand weer pakken. Hij paste zo goed in de zijne.

'Wat zegt de gps?'

Ze haalde hem uit haar zak. 'Batterij bijna leeg.'

'Kom op dan.'

Niels raakte met zijn hand haar elleboog aan. Er ging een klein schokje door haar heen. Alsof ze wilde dat hij haar zou vasthouden. Dat hij zijn armen om haar heen zou slaan. Te laat schoot er een gedachte door hem heen: zou Hannahs zoon hier begraven liggen?

Kathrine had hem hier een paar jaar geleden mee naartoe gesleept voor een nachtwandeling. Er waren fakkels uitgedeeld en ze waren van graf naar graf gelopen terwijl twee priesters, een vrouwelijke en een mannelijke, afwisselend de geschiedenis van het kerkhof hadden verteld. *Engels zweet*. Dat herinnerde hij zich nog, het klonk zo bizar. Het was een virus dat driehonderd jaar geleden duizenden burgers van Kopenhagen had gedood. Zo veel dat er een nieuw kerkhof aangelegd moest worden. Sindsdien waren alle bekende mensen hier begraven.

'Wat zegt de gps?'

'Rechtdoor', antwoordde Hannah. Ze zag eruit alsof ze zich niet goed voelde. De sneeuw had het kerkhof monochroom gemaakt. Alleen de donkere grafstenen staken af tegen het witte tapijt. Het leek wel een schaakbord in zwart en wit. De kleinere grafstenen waren de pionnen, de onbekende doden. Mos, wind en weer hadden hun namen al lang geleden van de stenen gevaagd. Hoog boven hen uit torenden de koningen: Hans Christian Andersen, Søren Kierkegaard, Niels Bohr. Daaromheen stonden de lopers en de torens: toneelspelers en mensen uit het openbare leven die bekend waren geweest in hun eigen tijd, maar nu waren vergeten. En ten slotte waren er de mensen die onsterfelijk waren geworden door de morbide wijze waarop ze om het leven waren gekomen. Er was bijvoorbeeld een jonge weduwe die een paar honderd jaar geleden levend was begraven. Niels herinnerde zich nog het verhaal dat de vrouwelijke priester had verteld. In die tijd klusten de doodgravers 's nachts bij. Overdag begroeven ze mensen en 's nachts waren ze grafrovers. Toen ze de kist van de jonge weduwe open hadden gemaakt, had ze haar ogen geopend. 'Haal me weg uit deze afschuwelijke plek', had ze geschreeuwd. De doodgraver had met zijn spade haar hoofd ingeslagen, haar juwelen geroofd en het graf weer dichtgegooid. Vele jaren later, op zijn sterfbed, had de doodgraver de moord bekend. In onze tijd is de weduwe opgegraven. Haar lichaam werd aangetroffen in verwrongen toestand, zonder juwelen en duidelijk gemolesteerd in haar kist. Haar graf wordt nu net zo vaak bezocht als dat van Hans Christian Andersen.

* * *

Hannah keek opgelucht toen ze het kerkhof verlieten en weer op straat stonden. Ze staken de Nørrebrogade over en liepen de Møllegade in, langs het LiteraturHaus en de Joodse begraafplaats. De sneeuw knerpte onder hun voeten, de lucht was bijtend koud. Ze zeiden niets. Hannah keek alleen op de gps. Opeens bleef ze staan.

'Hier!'

'Hier?' Niels keek rond. Wat had hij verwacht? In ieder geval geen vieze oude woonkazerne. Twee kinderwagens en een fietskar deden een wedstrijdje wie het trottoir het best kon blokkeren.

'Weet je het zeker?'

Ze keek aarzelend naar de gps.

'Bijna', antwoordde ze onzeker. 'De batterij is leeg. Hij is dood.'

'Maar het was hier?'

'Ja. Er is natuurlijk wel een onnauwkeurigheid, maar het moet binnen een paar meter van deze plek zijn.'

Niels liep een paar meter heen en weer. Het huizenblok stond alleen. Ooit hadden aan weerskanten aangrenzende gebouwen gestaan, maar die waren gesloopt. Een speelplaatsje lag er triest en verlaten bij.

'Ik weet het niet.' Hannah drentelde onzeker heen en weer.

'Wat weet je niet?'

'Er is wel een kleine onnauwkeurigheid, van misschien een paar honderd meter. Als ik wat meer tijd had gehad ...'

'Het kan hier niet zijn.'

Ze keek hem aan. 'Wat had je dan verwacht te zullen vinden?'

Niels schudde zijn hoofd. 'Ik weet het niet. Een religieuze gek misschien. Laten we ervan uitgaan dat jouw systeem klopt. Wie zou zoiets bedenken?'

'Waarom zoek je het slachtoffer niet?'

Niels haalde zijn schouders op. 'Dat kan toch iedereen zijn. Een of andere toevallige voorbijganger.'

Hij bekeek de naambordjes bij de deur.

'Als je erover nadenkt, Niels. Ik bedoel, als je nadenkt over de mathematische precisie.' Hannah glimlachte bij de gedachte.

'Waar wil je naartoe?'

'Laten we het een fenomeen noemen', stelde ze voor.

'Een fenoméén?' Niels kon Hannahs enthousiasme voor theorieën niet delen. Hij belde Casper.

'Casper? Met Niels Bentzon. Ik heb een lijstje namen, wil je die voor me checken?'

Hannah keek Niels verwonderd aan toen hij alle namen bij de deur begon op te lezen. 'Carl Petersen, 2a, Lisa O. Jensen, 2b.' Opeens ging de deur open. Niels deed een stap naar achteren. Een oude man keek hen boos aan.

'Wat doen jullie hier?'

Niels had geen zin om zijn legitimatie tevoorschijn te halen.

'Politie. Loopt u maar door!'

De oude man wilde zijn mond opendoen, maar Niels was hem voor: 'Nee, u hoeft zich geen zorgen te maken. Gaat u alstublieft!'

De bewoner liep de straat in, maar niet zonder nog minstens vijf keer achterom te kijken. Casper had de tijd op zijn toetsenbord gebruikt.

'Ik denk dat ik degene heb die je zoekt', zei hij in de telefoon.

'Wie?'

'Carl Petersen, 2a.'

'Wat heb je over hem?'

'Hij heeft in 1972 een meisje verkracht en gewurgd en haar begraven bij Damhussøen. Hij is in 1993 vrijgekomen. Geboren in 1951.'

59

Ospedale Fatebenefratelli, Venetië

Tommaso legde de teckel, samen met de boot, vast achter de ambulance, die rustig heen en weer schommelde in het overdekte botenhuis. Je kon helemaal naar binnen varen in het hospice en dat deed Tommaso ook. De hond blafte en kwispelde, kennelijk dolblij dat hij weer op veilige afstand van het asiel was. Tommaso sprong uit de boot op de gladde marmeren tegels en begon te rennen. Alsof dat wat uitmaakte. Zijn moeder was overleden. Dat hadden ze hem door de telefoon al verteld. Hij had het bericht gekregen precies op het moment dat hij aanlegde bij het Lazaret-eiland. Hij had zich er al maanden op voorbereid, maar toch raakte zijn slechte geweten hem harder dan hij had verwacht. *Hij had erbij moeten zijn.*

De oudste van de monniken zat op haar kamer, maar niet bij haar bed. Hij zat bij het raam, gebogen over zijn rozenkrans. Hij keek op. Lag er een spoortje verwijt in zijn ogen? Tommaso vond hem niet aardig. Hij was heel anders dan zuster Magdalena. Niet vergevingsgezind en liefdevol.

'Goed dat u er bent', zei de monnik.

Tommaso liep om het bed heen. Zijn moeder zag er heel gewoon uit.

'Wanneer?'

'Ongeveer een uur geleden.'

'Was ze alleen?'

'Zuster Magdalena is nog even bij haar geweest voordat ze naar huis ging. De volgende keer dat we bij haar gingen kijken ...'

Hij stopte. Hij had genoeg gezegd. Mevrouw Di Barbara was alleen gestorven.

De tranen kwamen onverwacht. Tommaso had gedacht dat het een opluchting zou zijn. Dat was het niet. Een paar seconden lang huilde hij zonder geluid, toen hapte hij naar adem, liet zijn longen het overnemen en gaf stem aan zijn verdriet. De monnik kwam achter hem staan en legde een hand op Tommaso's schouder. Op dat moment was dat prettig. Hij had het nodig.

'Ik had er graag bij willen zijn', wist hij uit te brengen.

'Ze is rustig ingeslapen. De mooiste dood.'

De mooiste dood. De woorden zochten een betekenis in Tommaso's verwarde hoofd.

'De mooiste dood', herhaalde de monnik.

'Ja.'

Tommaso pakte de hand van zijn moeder. Hij was koud. De kleine botten die hun hele leven zo hard hadden gewerkt, waren tot een vuist gebald. Er viel een muntje uit haar hand. Tien cent. Het glimmende muntje bleef een tijdje op de deken liggen. Tommaso vroeg zich af wat het te betekenen had en keek naar de monnik. Die had het ook gezien. Tommaso draaide haar hand om en maakte voorzichtig de vingers open. Er zaten nog twee muntjes in: een van vijftig cent en een van twintig cent.

'Waarom heeft ze geld in haar hand?'

De monnik haalde zijn schouders op. 'Ik zal het aan Magdalena vragen. We hebben geprobeerd haar te bellen. Ik weet zeker dat we haar snel te pakken zullen krijgen.'

Tommaso bleef een poosje zitten met de drie muntjes in zijn hand. Hij wist niet wat hij ermee moest. Het leek wel of die onverwachte muntjes zijn verdriet hadden getemperd. Ze hadden het een mysterieus tintje gegeven. Waarom had zijn dode moeder tachtig cent in haar hand? Tommaso stopte het geld in zijn zak, draaide haar hand om en legde hem met de palm naar beneden weer op haar borst, net als de andere.

60

Nørrebro, Kopenhagen

Voordat Niels op de deur klopte, zette hij Hannahs kraag overeind.

'Lijk ik nu een politieman?' vroeg ze.

Hij glimlachte. 'Laat mij het woord maar doen.'

Niels klopte. Er was geen naambordje. Carl had zijn naam met watervaste stift op de verf geschreven. Ze hoorden gerommel binnen, maar de deur werd niet opengedaan. Niels knoopte zijn jasje open zodat hij makkelijker bij zijn pistool kon.

'Politie. Doe open!'

Dit keer klopte hij harder. Hannah keek angstig. Ze zou hier niet moeten zijn. Dat was onprofessioneel van hem. Hij wilde haar net de trap af sturen toen de deur werd opengedaan door een onverzorgde man met rode ogen.

'Carl Petersen?'

'Wat heb ik gedaan?'

Niels liet zijn legitimatie zien. Carl bestudeerde het pasje. Niels was een stuk jonger op de foto.

'Mogen wij even binnenkomen?'

Carl keek over zijn schouder. Misschien mat hij zijn eigen ellende nog even op voordat hij er vreemden in toeliet. Toen haalde hij zijn schouders op en deed de deur helemaal open. Ze hadden er zelf om gevraagd. 'Maar schiet een beetje op, anders ontsnappen de vogels.'

Binnen in de flat was de stank ondraaglijk. Voedsel, urine, dieren en verval. Twee kamers en een keuken. Om de een of andere reden stond er in beide veel te kleine kamers een tweepersoonsbed.

'Woont u alleen?'

'Wie zou er verdomme met mij willen samenwonen. Ik ben een moordenaar.'

Hannah keek Carl verrast aan.

'Waarom doet u zo verrast? Dat is toch de reden dat jullie hier zijn? Elke keer als hier in de buurt een vrouw is verkracht en jullie het spoor bijster zijn, komen jullie bij mij. Wie is het deze keer?'

Niels negeerde hem en liep naar de keuken. Carls vragen achtervolgden hem: 'Vertel maar wie ik heb verkracht! Zeg het maar gewoon! Ik heb er godverdomme voor geboet.'

Op de ijskast hingen krantenknipsels. Verschillende anti-immigrantenknipsels uit huis-aan-huisbladen: *20.000 Poolse arbeiders in Denemarken. Tweetalige leerlingen doen het slechter dan Deense. Helft moslimvrouwen heeft geen werk.* Midden op de ijskast hing een kaart met het glimlachende gezicht van Pia Kjærsgaard, de lijsttrekker van de Deense Volkspartij, *Wij hebben uw stem nodig*. Niels keek van de kleine expositie op de ijskast naar Carl. Haat was handelswaar. Je kon je haat verkopen en er iets voor terugkrijgen. Carl kreeg wat extra thuishulp en elke dag een goedkope maaltijd. In ruil daarvoor had hij zijn haat, waarschijnlijk vooral zijn zelfhaat, verkocht aan de vrouw op de ijskast. Nu had zij het volle recht om ermee te doen wat ze wilde.

'Wat wilt u van mij?' Carls stem bleef steken in een hoestaanval. 'Bronchitis', kon hij nog net uitbrengen voordat de volgende hoestbui zijn longen binnenstebuiten keerde. Hij had een diepe, koningsblauwe pot voor het overtollige slijm. Zou het ooit een champagnekoeler zijn geweest? vroeg Hannah zich af voordat ze erin keek. Dat had ze niet moeten doen. Ze voelde de misselijkheid opkomen. Twee snelle stappen naar het raam. Ze wilde het al openzetten, toen Carl schreeuwde: 'Nee!'

Hij keek haar dodelijk verschrikt aan. 'De vogels zijn los.' Hij wees op de lege kooi. Twee parkieten volgden vanaf een kast vol glaswerk Carls bewegingen. Nu pas zag ze de vogelpoepjes. Overal zaten kleine ronde witgrijze vlekjes, niet groter dan een cent.

'Zijn jullie verdomme nog van plan om mij te vertellen wat er aan de hand is?'

Hannah zocht Niels' blik. Hij kon het niet zijn. Onmogelijk. Op dat moment hoorden ze de helikopter buiten. Een grote Sikorskyhelikopter vloog laag over de daken. 'Die rothelikopters, ze landen dag en nacht', kon Carl nog net mompelen voordat Niels en Hannah naar de keuken liepen om door het raam op het zuidwesten te kijken waar de helikopter heen ging. Hij ging landen. Carl mopperde op de achtergrond: 'Ik doe geen oog meer dicht sinds ze die landingsplaats op het dak van het ziekenhuis hebben gemaakt.'

Ze keken elkaar aan. Hannah zei het het eerst: 'Het Rigshospital.'

61

Ospedale Fatebenefratelli, Venetië

Tommaso Di Barbara leunde tegen de muur. De zon was alweer verdwenen. Hij was de enige op het balkon van het hospice, maar er waren andere rokers voor hem geweest. Op een witte plastic tafel stonden twee asbakken met bijbelse motieven op de rand. Ze waren overvol en getuigden ook van de neerslag in december. Het water kwam tot de rand en de sigarettenpeuken dreven erin rond.

Het was een natuurlijke onderbreking van de wake. Ze hadden een half uurtje zonder een woord te zeggen bij elkaar gezeten. De monnik wilde nog een keer proberen of hij zuster Magdalena te pakken kon krijgen. Tommaso had opeens aan de hond gedacht. De monnik had beloofd dat hij zou gaan kijken, hij wilde het zelfs meteen gaan doen omdat hij vond dat Tommaso even alleen moest zijn.

Zoals de monnik zei: Als je de dood hebt ontmoet, moet je even alleen zijn voordat je de wereld weer in gaat.

De familie. Zou Tommaso ze nu bellen? De ooms en tantes, haar jongere zus die niet één keer op bezoek was geweest. Hij haalde zijn telefoon uit zijn zak. Hij had een bericht. Hij kreeg de tijd niet om het af te luisteren. 'Gecondoleerd met uw moeder, meneer Di Barbara.'

Tommaso schrok, al klonk de stem iel en vaag alsof het geluid duizend kilometer had gereisd om hem te bereiken. Dat was niet het geval – meneer Salvatore stond vlak naast hem. Tommaso kende hem oppervlakkig; hij was de eigenaar van een paar souvenirwinkeltjes bij het San Marcoplein. Hij was nog helemaal niet zo oud als Tommaso's moeder, maar net zo ongeneeslijk ziek.

'Uw moeder. Het spijt me voor u.'

De blote benen van de oude man staken onder zijn kamerjas uit. Spataderen en grijze haren.

'Dank u.'

'Hebt u een sigaret voor mij?'

Dat klonk eigenlijk als een heel slecht idee, dacht Tommaso, maar wat maakte het uit. Voor meneer Salvatore was het toch al te laat.

'Dank u.'

Ze rookten in stilte. Tommaso bedacht wat hij van plan was geweest: hij wilde de zus van zijn moeder bellen om zo zijn eigen slechte geweten te sussen. Hij had nog steeds een niet afgeluisterd bericht. Het was van het Deense nummer. Hij belde zijn voicemail.

'Ik heb een paar keer met uw moeder gesproken, meneer Di Barbara.'

'Dank u.'

Tommaso luisterde het bericht af: '*Hannah. Bel namens Niels Bentzon. Deense politie. Over de zaak ...*' en dan nog iets in het Frans dat heel moeilijk te verstaan was.

'Ik heb uw vader ook gekend.'

'Moment.'

Tommaso deed een stap weg: '*... de zeeën weggehaald, al het water. Ik hoop dat u het begrijpt, het is een beetje moeilijk uit te leggen door de telefoon.*'

'Hij was helemaal zo gek nog niet, uw vader.'

Tommaso keek de oude man verward aan. Waar had hij het in godsnaam over? De stem van Hannah op zijn voicemail worstelde met haar beperkte woordenschat – of met de ingewikkelde materie: '*... dat wil zeggen, als al het water weg is, en alle landmassa tegen elkaar aan gedrukt, zoals de continenten aan het begin van de tijd lagen ...*'

'Het was na de oorlog natuurlijk niet verstandig om er zulke ideeën op na te houden.'

Tommaso negeerde meneer Salvatore. Hij luisterde naar Hannah: '*U kunt het zelf zien in een atlas. Je moet het water gewoon wegknippen, dan zie je het meteen. Als je de continenten allemaal tegen elkaar aan rond de Zuidpool legt.*'

'Maar tegenwoordig ... nu kunnen we het eindelijk weer zeggen. Hij was helemaal zo gek nog niet, die Benito.'

Even begreep Tommaso niet waar de oude man het over had. Tommaso's vader had geen Benito geheten.

De oude man sprak de naam uit met een heimelijk plezier alsof het een beetje ondeugend was. '*Il duce.*'

Op de voicemail sloot Hannah het bericht af. '*... de coördinaten hier in Kopenhagen en in Venetië. De volgende moord. Ik stuur u een sms. Au revoir.*'

* * *

Tommaso rende langs het kantoor. Een paar verpleegkundigen wilden hem condoleren. 'Bedankt. Heel erg bedankt, en ook bedankt voor jullie goede zorgen', antwoordde hij terwijl hij snel doorliep. Hij wist dat het hier ergens moest zijn. De bibliotheek. Die had hij gezien toen ze hier de eerste keer waren rondgeleid. Dat was drie maanden geleden, kort voordat zijn moeder werd opgenomen. Ze hadden een rondleiding gekregen door het hele hospice, al wisten ze heel goed dat zijn moeder waarschijnlijk zelden uit bed zou komen.

Het rook naar chloor. Tommaso stond voor het zwembad dat werd gebruikt voor revalidatie. Hier was het niet.

'Sorry, de bibliotheek?'

De fysiotherapeut keek op vanuit het zwembad. Hij had allebei zijn armen onder een patiënt die strak naar het plafond staarde.

'De bibliotheek? Bedoelt u de leeszaal?'

'Ja.'

'Eerste verdieping. Helemaal aan de andere kant, in de andere vleugel.'

Tommaso rende terwijl hij tevergeefs probeerde te bedenken wat het wonderlijke bericht van de Deense vrouw kon betekenen. De trap af, door een afdeling waar het voor de verandering niet naar dood rook, alleen maar naar ziekte.

De leeszaal lag in het gedeelte van het hospice waaraan niets veranderd was omdat het uitsluitend als klooster was gebruikt. De enige die er zat, was een oudere vrouw. Maar ze las niet, ze was bang. Ze klemde haar handtas met beide handen vast, alsof Tommaso hem van haar af wilde pakken.

'Ciao.'

Hij liep recht op de kasten af. Stoffige boeken: fictie, lectuur voor de patiënten. Die keken liever televisie. Er moest toch ergens een atlas zijn.

Hij keek naar de oudere dame.

'Wilt u mij helpen?'

Eerst was ze verrast. Toen klaarde haar gezicht op. 'Ja.'

'We moeten een atlas zoeken. Als u aan die kant begint.'

Een welkome onderbreking van de eentonigheid van alledag. Ze stortte zich op haar opdracht en zette zelfs haar tas neer. Tommaso liet zijn wijsvinger langs de titels gaan. Waarom waren er zo veel kookboeken – dat was toch het laatste wat je nodig had in een hospice?

'Hier.'

De oudere vrouw had een kinderboek in haar handen. *Onze wereld*, heette het. Op de voorkant stonden indianen en cowboys.

'Bedankt. Bedankt voor uw hulp.'

Op de middelste pagina's was een wereldkaart in kleur afgebeeld. Tommaso keek naar haar. Haar glimlach verstijfde toen hij met een snelle beweging de pagina's eruit scheurde.

62

Het Rigshospital, Kopenhagen

Ze was er totaal niet aan gewend dat er een direct, rechtstreeks verband ontstond tussen theorie en bewijs. Hannah was gewend om met haar collega's jarenlang over theorieën te discussiëren. Als natuurkundigen eindelijk een min of meer bevredigende theorie hadden ontwikkeld, konden ze op zoek gaan naar bewijzen. Het was absoluut niet zeker dat dat bewijs er nog tijdens hun leven zou komen. De Engelse natuurkundige Peter Higgs kon zichzelf beschouwen als een zeer gelukkig man: hij had in 1964 zijn theorie gepresenteerd over het deeltje waarnaar men nu met man en macht op zoek was in een speciaal daartoe geconstrueerde, zevenentwintig kilometer lange, ondergrondse tunnel in Zwitserland. Higgs was nu tachtig. Als ze het deeltje waarover hij veertig jaar geleden een theorie had ontwikkeld, zouden vinden, zou hij een van de weinige natuurkundigen zijn die een directe ontmoeting tussen theorie en bewijs meemaakte. Hij, en Hannah dus.

Ze keek naar de mensen in de hal van het Rigshospital. Mannen en vrouwen in witte jassen. Ze had de logica achter een patroon van moorden gevonden, ze had met geografische precisie uitgerekend wat de coördinaten waren, maar ze had geen flauw idee gehad dat dat de coördinaten waren van het grootste ziekenhuis van het land. Niels kwam terug van zijn rondje door de hal.

'Natuurlijk. Natuurlijk', herhaalde hij.

Hannah wist niet wat ze moest zeggen. Ze voelde zich niet lekker. Ze haalde de gps uit haar zak. Misschien klopte het niet? Ze zette hem aan.

'Doet de batterij het weer?'

'Misschien.'

De kleine navigatiecomputer startte op. Hij ving onmiddellijk het signaal van de satellieten op die in hun eeuwige baan rond de planeet cirkelen.

'En?' zei Niels ongeduldig.

'Het klopt. Het is hier.'

Ze keek hem wanhopig aan. Niels schudde zijn hoofd. 'Artsen, verloskundigen.'

Hannah ging verder: 'Kankeronderzoekers, laboranten, chirurgen. In het Rigshospital werken eigenlijk alleen maar mensen die andere mensen redden. Mensen die in aanmerking komen voor de titel "goed mens".'

'Kun je niet het exacte punt vinden?' vroeg Niels.

'Dichterbij dan dit kunnen we niet komen. We hebben niet veel tijd.'

Niels vloekte in zichzelf en begon weer door de hal te ijsberen. Een gedachte schoot door zijn hoofd: als hij geen last had gehad van die verdomde reisfobie, had hij nu aan de rand van een zwembad kunnen liggen. Hij had in Zuid-Afrika kunnen zitten en schijt aan alles kunnen hebben en zich helemaal lam kunnen drinken. In plaats daarvan stond hij nu in de hal van het Rigshospital en keek de personeelskantine in. Honderden mensen met witte jassen. Wit als teken van goedheid. Hitlers meest vertrouwde soldaten droegen zwart. Artsen droegen wit. Hannah pakte zijn hand, ze wist wat hij dacht.

'Het zijn er zo veel.'

'Ja', zei hij. 'Te veel.'

* * *

Rigshospital, receptie

De receptionist keek niet op van zijn computer. Misschien dacht hij dat het een grap was: 'Hoeveel mensen werken hier?'

'Algemene vragen kunt u aan de afdeling voorlichting stellen.'

Niels liet zijn politie-identiteitsbewijs zien: 'Ik vroeg hoeveel mensen hier werken.'

'Nou, eh ...'

'Alles bij elkaar. Artsen, verpleegkundigen, technische dienst, schoonmakers, alles.'

'Wilt u een bepaalde patiënt bezoeken?'

'En patiënten en hun familie! Nee, laat ik de vraag anders stellen. Hoeveel mensen denkt u dat er op dit moment in het ziekenhuis aanwezig zijn?'

De receptionist keek Niels vertwijfeld aan. Hannah trok aan zijn arm.

'Niels.'

‘En hoeveel daarvan zijn er tussen de vierenveertig en de vijftig jaar oud?’

‘Niels. Het heeft geen zin.’

‘Waarom niet?’

Ze keek de receptionist verontschuldigend aan en haalde haar schouders op.

‘Niels.’

‘Dat moet toch kunnen! Alles wordt tegenwoordig toch geregistreerd. Natuurlijk kun je erachter komen welke werknemers tussen de vierenveertig en vijftig jaar oud zijn en op dit moment aan het werk zijn.’

‘En als we dat weten, wat dan?’

‘Dan zoeken we uit op wie van hen de benaming “rechtvaardig, goed mens” het meest van toepassing is. We willen toch een moord voorkomen, dat was toch de reden dat je mij belde?’

‘Ik weet het niet ... het is te moeilijk.’

‘Waarom? Kijk eens naar de lijst van slachtoffers. Kinderartsen, priesters, juristen, leraren – de meesten zijn mensen die veel contacten met veel verschillende mensen hebben. Mensen die helpen.’

Hannah zuchtte diep. Net als Niels bedacht ze waar ze anders had kunnen zijn. Op haar vouwstoel aan het meer, met sigaretten en koffie. Haar eigen wereld.

In een glazen vitrine stond een maquette van het ziekenhuis. Niels stond eroverheen gebogen, met zijn handen op de vitrine. Hij zweette. Zijn handen lieten nerveuze afdrukken achter op het glas. Hannah stond naast hem. Zwijgend keken ze naar het miniatuurmodel van het gebouw waarin ze stonden. Alsof het daardoor allemaal overzichtelijker werd. Het hoofdgebouw was zestien verdiepingen hoog, lazen ze. Het oude gedeelte van het ziekenhuis lag verspreid over een terrein dat zo groot was dat er een kleine provinciestad op paste. Opeens keek Niels Hannah aan. ‘Je hebt gelijk. We doen het anders.’

63

Amager, Kopenhagen

Het schijteiland. Niels haatte die benaming. Er stonden twee demonstranten langs de kant van de snelweg die een onbeholpen beschreven bord omhooghielden waarop stond: WELKOM OP HET SCHIJTEILAND – WAAR ALLE SCHIJTWERELDLEIDERS VERZAMELD ZIJN. Hannah zag ze ook, maar ze zei niets. De sneeuw en de vorst hadden zich in de snor van een van de twee genesteld. Hij zag eruit als wat hij waarschijnlijk ook was: een gek. Een van de vele mensen die het soort gebeurtenissen als een klimaattop altijd aantrekt. COP 15 was koren op de molen van samenzweringstheorieën en voedsel voor de paranoïde denkwijze die altijd op zoek is naar apocalyptische tekens: alle wereldleiders op één plek bij elkaar. De plek waar de bevolking van Kopenhagen vroeger de menselijke uitwerpselen dumpte. Het was bijna té symbolisch. Nu was er een dun laagje asfalt over het moeras gelegd en een stadsdeel opgetrokken dat eruitzag als het toekomstbeeld in Franse sciencefictionfilms uit de jaren zestig. Hoge rails met onbemande treinen en eentonige, witte flatgebouwen. Klinische architectuur die was bedacht in de tijd waarin men geloofde dat in de toekomst het individu zou zijn verdwenen om plaats te maken voor het collectief. Zo was het niet gegaan. Toen, ruim veertig jaar geleden, had men geen idee gehad dat de wereld een thermostaat zou worden die we hoger en lager kunnen draaien. Ogenschijnlijk vooral hoger.

Nog een paar ontsnapte activisten ploegden door de sneeuw langs de snelweg in de richting van het congrescentrum.

'Het gekkenhuis heeft ze zeker vrijgelaten', mompelde Niels.

Hannah probeerde een lachje, maar dat viel niet mee.

'Weet je zeker dat ik erbij moet zijn?'

'Ja. Jij moet het uitleggen.'

Hannah keek uit het autoraampje. Ze had spijt. Ze voelde zich niet in staat om ook maar iets uit te leggen.

Het Bella Centrum. Een mooie naam voor een grijs betonnen gebouw dat op het platste moeras van Europa was gebouwd. Niels parkeerde er een eindje vandaan. Je had een speciale vergunning nodig om helemaal tot aan de ingang te mogen rijden. Tijdens de top viel het Bella Centrum niet onder Deense jurisdictie, maar onder de VN. Anders zou het voor een handjevol despoten niet mogelijk zijn om hiernaartoe te komen: staatshoofden die naar westerse maatstaven achtendertig keer levenslang zouden moeten krijgen vanwege misdaden tegen de menselijkheid. Maar ze waren erbij: Mugabe, Ahmadinejad en de hele bende. Om de verwarming omlaag te draaien. Het was bijna ontroerend.

'Waar is Sommersted?' vroeg Niels aan een van de agenten.

'Ergens binnen. Het is echt een gekkenhuis. Obama is binnen.'

Niels glimlachte en gaf hem een klopje op zijn schouder. De agent schudde zijn hoofd. 'Het is moeilijk te zeggen of wíj de show runnen of de Secret Service', besloot hij. Show, dacht Niels. Dat was misschien wel een toepasselijker benaming dan de agent zelf begreep. De demonstranten werden op afstand gehouden met een drie meter hoog hek. Ze stonden aan de andere kant en leken wel vluchtelingen uit de Russische revolutie: in het zwart gekleed, half bevroren en ongevaarlijk. Degenen die potentieel het schadelijkst waren, die een reële kans maakten om het hek te forceren, waren opgesloten zolang Obama hier was.

De vragen regenden op hem neer, maar Sommersted stond met een ontspannen glimlach voor de televisiecamera's en journalisten. Waarom moesten de demonstranten zo lang op het asfalt zitten? Waarom was de politie niet beter voorbereid? *Demonstranten in het ziekenhuis. Politiegeweld.* Het leek wel of Sommersteds glimlach breder werd bij elke beschuldiging die tegen de politie van Kopenhagen werd geuit. Ten slotte hield hij zijn handen omhoog, met de palmen naar voren, alsof hij een op hol geslagen automobilist wilde tegenhouden. 'Op dit moment liggen er vijf politiemensen op de afdeling spoedeisende hulp, drie van hen met een zware hersenschudding, een met een gebroken neus en een met een gekneusde kaak. Ze zijn geraakt door ijzeren staven, maar ik vind het natuurlijk heel vervelend als een paar demonstranten een lichte blaasontsteking hebben opgelopen doordat ze op het asfalt hebben gezeten.'

Kunstmatige pauze. Opeens leek het net of alle journalisten kinderen waren en Sommersted de enige volwassene. Hij glimlachte meelevend naar de camera's. 'Het is de verantwoordelijkheid van de politie van Kopenhagen dat de wereldleiders elkaar ongehinderd en veilig kunnen ontmoeten in het Bella Congrescentrum. Daarnaast is het onze verantwoordelijkheid dat zo min mogelijk demonstranten gewond raken – ook al vallen ze ons aan met stoeptegels en ergere zaken. Maar dát is de volgorde van onze prioriteit. Zijn er nog meer vragen?'

Verspreid gemompel; de journalisten waren bedwongen. Als íémand wist hoe je de pers onschadelijk moest maken, dan was het Sommersted wel. Toen de laatste vragen wegstierven, drong Niels zich door de menigte naar voren.

'Meneer Sommersted?'

De politiecommissaris keek Niels verbaasd aan.

'Bentzon? Dat was goed werk, met Abdul Hadi.'

'Dank u.'

'Ging jij niet op vakantie?'

'Ik weet dat u het druk hebt, dus ik zal het kort houden.'

Niels trok Hannah naar zich toe. 'Dit is Hannah Lund, ze is onderzoekster op het Niels Bohr Instituut.'

Sommersted wierp een korte, niet-begrijpende blik op Hannah. 'Niels Bohr?'

'Voormalig onderzoekster eigenlijk', kon Hannah nog net mompelen voordat Niels verderging: 'Die internationale moordzaak waarbij "goede mensen" worden vermoord, weet u nog? Het blijkt dat die moorden worden gepleegd volgens een ingewikkeld systeem dat kennelijk iets te maken heeft met een oude religieuze mythe.' Niels hoorde zelf hoe vreemd het klonk en hij stopte. Een groepje Chinezen in pak stootte tegen hem aan. Wat ze tekortkwamen in lengte, compenseerden ze in aantal. Niels ging verder: 'Misschien kunnen we ergens anders praten? Het duurt niet meer dan een minuutje.'

Sommersted keek rond en gebruikte 15 seconden om te bedenken of hij 60 seconden kon missen. 'Zeg het maar.'

'Bedankt. Hannah?'

Ze schraapte haar keel en gebruikte de eerste 5 seconden om Sommersted in de ogen te kijken.

'Oké. Eerst dachten we dat er ongeveer drieduizend kilometer tussen elke moordlocatie zat, maar het is groter, complexer dan dat. Het systeem. Weet u: eerst klopten de getallen niet, maar toen heb ik het water weggehaald, de oceanen, en de landmassa tegen elkaar aan gelegd. U moet zich een wereldbol voorstellen waarop het hele oppervlak uit alleen land bestaat ...'

'... dat allemaal rond de Zuidpool ligt', voegde Niels eraan toe.

'De Zuidpool?'

'Precies. De continenten zoals ze er een miljard jaar geleden uitzagen. Het supercontinent Rodinia. Het is een beetje moeilijk om het in dertig seconden uit te leggen, maar het zit ongeveer zo: als je de vierendertig moordlocaties op de twaalfde, de vierentwintigste, de zesendertigste en de achtenveertigste breedtegraad legt ...' Hannah keek naar Niels voordat ze verderging. '... vormen ze kleine ringen of schillen, en ...'

Ze stopte. Niels nam het over. 'Om kort te gaan: er zijn nog twee punten over: Kopenhagen en Venetië.'

Stilte. Seconden gingen voorbij.

'Venetië?'

Sommersted keek beurtelings naar Hannah en Niels. 'Venetië? Ik ben op huwelijksreis geweest naar Venetië.'

Zijn sarcasme ontging Hannah.

'Waarom zegt u dat?' vroeg ze.

Niels nam het over. Hij schraapte zijn keel en praatte harder om boven de omroepstem uit te komen die een bericht in het Engels omriep door de congreshal.

'Vanavond,' zei hij, 'of eigenlijk vanmiddag bij zonsondergang, iets voor vieren ...'

'15.48 uur', viel Hannah in.

Niels ging verder: 'Om 15.48 uur zal er een moord worden gepleegd, óf hier óf in Venetië. De mensen om hen heen keken naar hen. Het waren duidelijk Denen. Journalisten. Ze hadden een perskaart aan een zwart Nokia-koord om hun nek.

'In Venetië gaat de zon over vijf uur onder, hier over drie uur. We hebben weinig tijd.'

64

Ospedale Fatebenefratelli, Venetië, bibliotheek
Tommaso kon zich alle plaatsen waar de moorden waren gepleegd herinneren. Ook de eerste. Tanzania, Peru, Brazilië. Hij had ze met stift op de kaart getekend, de kaart die hij uit de jeugdatlas had gescheurd. Toen had hij met een schaar het water weggeknipt en de continenten tegen elkaar aan gelegd. Zelfs met het blote oog kon hij zien dat het klopte.

Tommaso had de deur van de bibliotheek dichtgedaan, maar hij hoorde stemmen op de gang. Hij staarde naar het kinderlijke knipwerkje dat op de tafel lag. Een wereld in stukjes en brokjes geknipt en opnieuw aan elkaar geplakt. Buiten begon de sirene te loeien. Het duurde even voordat het tot hem doordrong waar die voor waarschuwde. Pas toen hij bij het kleine, vierkante raam stond en naar de Venetianen keek die zich naar huis haastten, begreep hij het: over enkele minuten zou de stad onderlopen. Het water in de kanalen zou geruisloos stijgen. Hij keek naar de vernielde kaart waar de zeeën tussenuit waren geknipt. Het leek wel of het water in de lagune zich op Tommaso wilde wreken omdat hij het van de kaart af had gehaald.

Onzin.

Het was hoogseizoen voor overstromingen in de lagune. Een paar keer per week moest de bevolking van Venetië lieslaarzen aantrekken, de deuren barricaderen en de kieren verzegelen. Eigenlijk moest hij ook naar huis gaan. Misschien kon hij gewoon zijn benedenbuurman bellen en vragen of hij de platen voor zijn deur wilde timmeren. Toen hij aan bellen dacht, herinnerde hij zich weer het telefoontje uit Denemarken. Hij probeerde de Deense die het bericht op zijn telefoon had ingesproken nog een keer te bellen. Er werd niet opgenomen.

* * *

Tommaso's moeder lag, weinig verrassend, nog precies zo in het bed als hij haar had achtergelaten. Alleen. Tommaso voelde de hoofdpijn en de pijn in zijn rug. Er liep een verpleegkundige langs.

'Sorry, hebt u misschien een paar pijnstillers voor me?'

De verpleegkundige keek hem aan en glimlachte. 'Ik zal de dokter halen.'

Toen was ze weg. Het hospice lag er verlaten bij. Alleen het hoogstnodige personeel was nog aanwezig, en de patiënten natuurlijk. De rest spoedde zich naar huis, zoals iedereen deed als het water begon te stijgen. Sommigen om nog terug naar het vasteland te komen, anderen om hun huis te redden.

'Ik kon hem zo gauw niet vinden.' De verpleegkundige stak haar hoofd om de hoek. 'Als ik hem zie, zal ik het doorgeven.'

'Bedankt.'

Ze keek hem droevig aan.

'Ik heb zuster Magdalena gesproken.'

'De zuster heeft heel veel tijd met mijn moeder doorgebracht. Daar ben ik haar ontzettend dankbaar voor.'

'Zuster Magdalena is onderweg hiernaartoe.' De verpleegkundige glimlachte. 'Ondanks de overstroming. Ze zei dat het belangrijk was. Dat u niet weg mocht gaan vóórdat zij met u had gesproken.'

Tommaso kon zich moeilijk voorstellen wat er zo belangrijk was.

'Is er nog meer familie onderweg?'

'Dat geloof ik niet.'

'Misschien moet u even een kaars voor uw moeder gaan aansteken.'

'Ja, misschien.'

'Ik zal wel tegen zuster Magdalena zeggen dat u niet te ver weg gaat.'

Tommaso glimlachte. Zijn katholieke geweten hielp hem om op gang te komen. Natuurlijk moest hij de kaars gaan aansteken die zijn moeder nodig had om de weg door het vagevuur te vinden.

* * *

Hij liep door de hoofdingang naar buiten. Naast de marmeren zuilen die het oude hospitaal droegen, was de Venetiaanse leeuw uitgehakt in steen. Hij zag er boos uit. Op het plein voor het hospice stond al een halve centimeter water. De kerk was niet ver. Tommaso zou natte voeten krijgen. Daar was niets aan te doen. Hij moest de kaars aansteken, al had zuster Magdalena gezegd dat hij niet weg mocht gaan uit het hospice voordat zij hem had gesproken.

Als iemand zou begrijpen hoe belangrijk het was dat er een kaars voor de doden werd aangestoken, was zij het wel. Het vagevuur zou niet wachten vanwege een overstrominkje.

'Meneer Di Barbara.'

Tommaso wilde net gaan toen hij de oude monnik zag.

'Gaat u weg?'

'Ik ga een kaars voor mijn moeder aansteken. En u?'

'Ik ben maar even weg. Onze kardinaal komt aan, samen met de minister van Justitie', antwoordde de monnik. Zijn gezicht lichtte op bij de gedachte.

'Op het station?'

'Ja. Ik ben snel terug.'

De monnik trok zijn kap omhoog en ging op weg – goed voorbereid, met grote kaplaarzen die onder zijn pij verdwenen. Even voelde Tommaso zich vrij. Helemaal vrij. Hij hoefde niet meer in zijn parade-uniform in de houding te staan voor de eindeloze ontvangstceremonies van de hoofdcommissaris, hij hoefde deze plek – het hospice – niet meer te bezoeken. Hij was vrij. Met het geld van het huis ... als hij het zou verkopen ... nee, het was nog te vroeg om aan dat soort dingen te denken. Hij had nog niet eens een kaars voor haar aangestoken. Schuldgevoel nam de plaats in van het gevoel van vrijheid en hij rende naar de kerk.

65

Bella Centrum, Kopenhagen

'Zijn we gearresteerd?' vroeg Hannah toen ze iets te lang in een soort keet hadden gezeten waar gewoonlijk bouwvakkers in zaten.

'Natuurlijk niet.'

Door een raampje dat niet open kon, zag Niels Sommersted aan komen lopen. Hij stak het plein voor de demonstranten over en liep langs de rij mensen van ngo's en de pers die stonden te wachten op hun accreditatie. Toen hij bij de bouwkeet kwam, rukte hij de deur zo hard open dat Hannah hevig schrok. Hij deed de deur achter zich dicht. Er hing een wolk van slecht humeur om hem heen.

'Bedankt voor het wachten.'

'Moet u horen,' zei Niels, 'ik weet best dat het krankzinnig klinkt.'

Sommersted ging tegenover hen zitten. Hij trok zijn kogelvrije vest naar beneden, daardoor werden de grijze haren zichtbaar die van zijn borst omhoogkropen naar zijn hals.

Niels ging verder: 'Wat ik probeerde te zeggen, is dat de moordenaar waarschijnlijk handelt met als uitgangspunt een oude mythe over de zesendertig goede mensen die de wereld in stand houden. Kent u die mythe? We kunnen het zelfs heel nauwkeurig berekenen. We kennen de precieze coördinaten en die zeggen: het Rigshospital.'

'Het Rigshospital?'

'De wiskunde liegt niet. In het kort komt het erop neer dat we het ziekenhuis zullen moeten ontruimen.'

Ze werden onderbroken toen Leon de deur opendeed.

'Hij komt naar buiten.'

'Zijn ze klaar?'

'Ik geloof dat ze alleen even pauzeren.'

'Bedankt, Leon.'

Leon zocht Niels' blik voordat hij de deur weer dichtdeed.

'U hebt mij een opdracht gegeven', begon Niels. Hij rechtte zijn rug en ging over op een andere tactiek. 'Ik heb mensen bezocht die op een lijst van zogenaamde goede Denen stonden en ik heb hen gewaarschuwd. Een van de mensen op die lijst heeft mij in contact gebracht met Hannah Lund die hier naast me zit.' Niels keek naar Hannah en weer terug naar Sommersted.

'U moet het begrijpen, meneer Sommersted, deze vrouw is geniaal.'

Sommersted schudde zijn hoofd en keek zorgelijk naar de tafel.

'Ik kan je niet langer de hand boven het hoofd houden, Niels. Je bezoekt misdadigers in de gevangenis in je vrije tijd en nu dit weer.'

'Maar kijkt u dan naar de feiten', zei Niels. 'We kennen het tijdstip waarop het misdrijf zal plaatsvinden: vanmiddag bij zonsondergang, om 15.48 uur. We kennen de plaats waar het misdrijf zal plaatsvinden: het Rigshospital. En we hebben een profiel van het volgende slachtoffer: een goed mens die geen kinderen heeft en tussen de vierenveertig en vijftig jaar oud is. U hoeft alleen maar naar de feiten te kijken.'

Sommersted sloeg met zijn hand op de tafel. Misschien had het woord 'feiten' zijn woede gewekt.

'Feiten?' schreeuwde hij. 'Het is een feit dat ik je de kans heb gegeven om een simpele opdracht uit te voeren. Ik heb het tegen je gezegd: het was een oefening in vertrouwen.'

Sommersted had meteen spijt van zijn plotselinge woede-uitbarsting. 'Nee, Bentzon, dat doen we niet. Er zijn nu belangrijker zaken. Ik zie je volgende week op mijn kantoor.'

'Maar luister dan toch naar wat zij te zeggen heeft.'

'Niels. Ik heb de achtergrond van je nieuwe vriendin laten natrekken.'

Hannah keek verrast naar Sommersted. En toen naar Niels.

'Dat had jij misschien ook even moeten doen voordat je met haar op de proppen kwam. En dan ook nog hier. En juist vandaag. Je dendert dwars door de veiligheidscontroles heen, recht op Obama en al de anderen af.'

'Wat bedoelt u?'

Sommersted maakte aanstalten om te gaan.

'Hoezo hebt u mijn achtergrond laten natrekken?'

Hannah stond op. Niels keek verward naar hen. Alsof ze opeens vertrouwelijke informatie met elkaar deelden.

'Waar heeft hij het over?' vroeg hij.

Sommersted keek medelijdend naar Hannah die uitriep: 'Dat heeft hier helemaal niets mee te maken.'

Niels onderbrak haar: 'Waar hebben jullie het over?'

Hannah zuchtte diep. Sommersted leunde tegen de deur en keek haar afwachtend aan.

'Vertel hem maar wat u hebt nagetrokken', zei Hannah zonder op te kijken.

'Ik was niet van plan om het te vertellen, maar nu vraagt u het zelf.' Sommersted klonk bijna menselijk. 'We hebben gezien dat u op een gesloten afdeling hebt gezeten. Weet u wat dat in mijn wereld betekent?'

Hannah probeerde haar tranen in te houden: 'Ik had mijn kind verloren.'

'Dat betekent dat u ontoerekeningsvatbaar bent. Ontoerekeningsvatbare mensen vormen een gevaar voor de veiligheid.'

'Klootzak', fluisterde Hannah.

'En wat ik absoluut niet kan gebruiken als ik op hem daar moet passen ...' Sommersted draaide zich om en wees door het raam naar Obama, die van de ingang van het congrescentrum naar zijn klaarstaande limousine liep. '... zijn ontoerekeningsvatbare gekken, want die zijn gevaarlijk.'

De tranen stonden in Hannahs ogen.

Obama zwaaide naar de demonstranten. Hij zag er in het echt kleiner uit. HEAL THE WORLD kon Niels nog net op een van de spandoeken lezen voordat Sommersted de deur opendeed.

'En nu ga ik weer verder met mijn werk!'

Hannah huilde. Sommersted bleef nog even in de deuropening staan. Niels keek hem aan. Hij wist dat alles verloren was. Dat hij geen baan meer had en dat hij waarschijnlijk bij geen enkele politieafdeling in het land meer zou worden aangenomen. Dan kon hij het laatste bevel net zo goed zelf uitdelen: 'Gaat u maar. Dag, meneer Sommersted.'

* * *

Gedurende de rit terug naar de stad zwegen ze. Niels reed. Hannah keek uit het raam. Ze was zo stil dat je bijna zou gaan twijfelen aan haar toestand.

'Adem je?'

'Ja.'

'Goed zo.'

'Maar ik weet niet waarom.'

Waarom ademen we? Op die vraag wist hij het antwoord niet. Op dit moment even niet.

'Zet jezelf maar ergens af. Waar staat je auto?'

Ze keek hem aan. Voor het eerst.

'Bij het café.'

'Oké.'

Het café. Wat kan er toch veel gebeuren op een dag. Vanochtend had Hannah mascara op, nu was hij uitgelopen. Vanochtend was ze een onderzoekster in haar element, nu was ze een psychiatrisch geval.

'Niels ... Ik had het moeten zien aankomen. We zijn te ver gegaan. Het spijt me.'

Niels' telefoon ging.

'Het is die Italiaan.' Hij gaf haar de telefoon.

'Wat moet ik zeggen?'

'Dat de volgende moord bij hem of bij ons zal worden gepleegd.'

Niels stopte langs de kant van de weg. De telefoon ging niet meer over. Hij zette de motor uit en keek haar aan.

'Ik weet niet wat er toen met je is gebeurd, maar ik weet wel dat je niet gek bent.'

Ze onderdrukte een glimlachje en haalde haar schouders op.

'Er gaat geen dag voorbij waarop ik mezelf niet afvraag of ik wel of niet gek ben. Ik houd een dagboek bij. Elke keer dat ik een verband zie, schrijf ik het op.'

'Wat bedoel je?'

'Mijn hersenen zoeken altijd en overal naar systemen. Dat hebben ze altijd al gedaan. Ze vormen een supercomputer die niet te stoppen is. Vanaf toen ik nog heel klein was. Het is een vloek. Op een gegeven moment ging hij kapot. Toen ik een kind kreeg. Ik begon systemen te zien die er niet waren.'

'Hoe?'

'Nummerborden bijvoorbeeld. Ik zocht naar numerieke verbanden. Dat doe ik nog steeds. Ik schrijf ze op en laat ze aan mijn psychiater zien. Zal ik je eens iets vertellen?'

'Ja.'

'Jouw nummerbord. Ik zag het toen je achteruit mijn oprit afreed. Toen je voor de eerste keer bij me was. II 12 041.'

'Wat is daarmee?'

'12 04. 12 april, de verjaardag van mijn zoon. En het gaat nog verder: de laatste 1 en de twee I's.'

'Ik zie het niet.'

'I' is de negende letter. Dan heb je opeens 199. En als je het volgende getal er ook weer bij neemt, heb je ...'

'1991. Zijn geboortejaar?'

'Precies. Weet je, Niels, ik zie systemen. Altijd. Toen je de eerste keer bij me was, zag ik binnen een seconde dat systeem. Snap je dat? Het is een vloek. Een rekenmachine die ik gewoon niet kan uitzetten.'

Niels dacht even na.

'Kijk eens naar de straat.'

'Wat bedoel je?'

'Kijk nou maar gewoon. Is er een systeem in de manier waarop de auto's rijden?'

Ze glimlachte. 'Je bent lief.'

'Geef nou maar gewoon antwoord, doe maar net alsof ik imbeciel ben.'

'Ja. Er is een systeem.'

'Precies. Je rijdt aan de rechterkant van de weg. Misschien zie je systemen die er niet zijn, maar je ziet ook de systemen die er wél zijn. Over mij zeggen ze dat ik manisch-depressief ben: stress, depressies, psychoses, al dat soort dingen. Iedereen wil zo graag een diagnose bij ons stellen. Ze willen de afwijkingen in onze geest verklaren door middel van een ziekte.'

Ze aarzelde. Dacht na. 'Ja. Maar nu wil ik graag naar huis.'

Niels keek haar aan. 'Dat is misschien ook maar het beste, want het probleem is niet dat je te veel systemen ziet.' Hij startte de auto weer.

'Wat bedoel je?'

'Nu gaat het om mensen, Hannah. Zolang er systemen en theorieën zijn, dingen die in je hersenen gebeuren, is er niets aan de hand. Maar nu het om echte mensen gaat, haak je af?'

Ze keek hem verrast aan.

'Dat zeg ik helemaal niet.'

'Er zijn systemen, zwarte gaten, donkere materie, dat ken je, Hannah, daarin voel je je thuis. Maar er zijn ook echte mensen. Ik ... mensen in je omgeving, het volgende slachtoffer. Je zoon.'

'Jij ...'

Ze verloor haar zelfbeheersing en dat kwam voor haarzelf net zo onverwacht als voor Niels, maar hij was degene die haar kleine gebalde vuist in zijn gezicht kreeg.

'Hannah!'

Eerst uitte ze een half verstikte kreet die galmde in de kleine cabine, toen regenden de klappen op hem neer.

'Hannah! Rustig', riep Niels terwijl hij zijn handen afwerend voor zijn gezicht hield. Hij zou haar armen kunnen vastpakken, maar hij deed het niet.

'Jij, jij', zei ze steeds opnieuw zonder de zin af te maken. Ze sloeg hard en ze bleef doorgaan.

Toen stopte ze opeens. Hij proefde bloed. Het gaf niet dat ze het resultaat van haar eigen woede-uitbarsting kon zien. De seconden regen zich aaneen tot een minuut. Misschien meer.

'Je bloedt.'

'Het is niets.'

Haar ademhaling ging gejaagd. Ze stak haar hand uit naar zijn mond en veegde het dunne straaltje bloed van zijn lip. Niels pakte haar hand. De kus kwam als de natuurlijkste zaak van de wereld. Ze draaide zich naar hem toe, ging op een knie op haar stoel zitten en boog zich over hem heen. Zij kuste hem, hij ontving de kus. Hannahs tong gleed voorzichtig over het scheurtje in zijn onderlip en vond toen de zijne. Zo bleven ze een poosje zitten.

Toen ging Hannah weer recht zitten en keek uit het raampje. Alsof er niets was gebeurd, de kus noch haar uitbarsting. Ze verbrak de stilte.

'Je hebt gelijk.'

66

Chiesa dei Santi Geremia e Lucia, Venetië

Het telefoontje kwam precies op het moment dat de sirene stopte. Een nummer met 45 ervoor: Denemarken. Je mocht niet bellen in de kerk, maar Tommaso had een kaars aangestoken voor zijn moeder en een kruis geslagen, hij was een brave jongen geweest. Twee kaarsen zelfs, voor de zekerheid. Het waren dunne kerstboomkaarsjes die heel snel opbrandden. Hij liep het zijschip van de kerk in om niemand lastig te vallen. Hij sprak zacht.

'Tommaso Di Barbara.'

Het was de Deense vrouw. Of hij haar bericht had gehoord.

'Oui.'

Ze had een opvallend Deens accent als ze Frans sprak, maar haar uitspraak was heel duidelijk: 'Het systeem klopt tot op de laatste decimaal', legde ze uit.

'Het klinkt ongelooflijk.'

'Als het getal klopt – als er inderdaad sprake is van het getal 36 ...'

De verbinding was slecht. Tommaso keek naar het schilderij boven zijn hoofd: Jezus stond met zijn handen uitgestrekt naar opzij, de Ongelovige Thomas stak een vinger in de wond in zijn zij – de plek waar de Romeinse speer een gat in de verlosser had gestoken.

'Bent u daar nog?'

Hannah antwoordde: 'Ja, sorry. De laatste twee moorden zullen bij u of bij ons worden gepleegd.'

'Weet u het zeker?'

'Ja.' Haar antwoord kwam zonder aarzeling, vol geloof, en dat paste heel goed bij de plek waar Tommaso zich bevond.

'Maar ...' Tommaso had moeite om zijn verbazing onder woorden te brengen. Voor het altaar lag een in rood geklede pop in een glazen kist. Een toerist maakte een foto. Tommaso keek weg van het tafereel: 'Wanneer?'

'Voorzover wij kunnen zien, zijn alle moorden bij zonsondergang gepleegd.'

Tommaso liep in zijn herinnering snel de lijst met slachtoffers na. Waarom had hij dat zelf niet gezien? Vermoedelijk omdat bij maar heel weinig van de moorden een precies tijdstip was aangegeven. Maar toch. Hij was al ruim een half jaar elke dag uren met die zaak bezig en nu kwam die vrouw en die loste alles binnen een mum van tijd op.

'Meneer Di Barbara?'

'Oui?'

'Ik stuur u een sms. Daarin staan zo nauwkeurig mogelijk de coördinaten van de plek waar de moord zal worden gepleegd.'

'Wat wilt u dat ik doe?'

Hannah was even stil. Toen zei ze: 'Wat wilde u dat wij zouden doen toen u de zaak naar ons toe stuurde?'

Tommaso keek rond. Hannah vroeg: 'Hoe laat gaat bij u de zon onder?'

'Dat duurt niet zo lang meer, geloof ik.'

'Dan kunt u de korte tijd die u nog hebt gebruiken om de coördinaten te zoeken die ik u stuur en de plaats proberen te vinden waar de moord zal worden gepleegd. En proberen hem te verhinderen.'

'Ja, natuurlijk. Het enige is dat mijn moeder ...'

Hij overwoog of hij haar over de situatie zou vertellen. Zijn moeder was gestorven. Hij moest terug. Het zou niet netjes zijn als hij er zo snel alweer vandoor ging. Hij zei niets.

'Een gps heeft wel een zekere onnauwkeurigheid, maar het moet tot op een paar meter kloppen. Ik moet ophangen.'

* * *

Op de trap voor de kerk zat Luciano, een van de weinige daklozen van Venetië. Ze werden niet meer getolereerd vanwege de toeristen. Toen Tommaso een kind was, waren het er veel meer. Nu was bijna alleen Luciano nog over. De hele buurt hielp hem. Alsof hij een gemeenschappelijk huisdier was.

'Tommaso, heb je wat voor me?'

Tommaso zocht in zijn zakken. 'Tachtig cent?'

'Arrh.'

Luciano wees de tachtig cent met een handgebaar en een verontwaardigde grom af. Tommaso vond vijf euro in zijn achterzak en stopte die in zijn hand.

Toen hij rennend het plein overstak, was het water een centimeter verder gestegen. Behalve Luciano op de trap, was er niemand buiten. 'Vrolijk Kerstfeest', hoorde Tommaso de oude alcoholist roepen voordat hij de hoek om ging.

67

Rigshospital, Kopenhagen

Hannah zat in de hal van het Rigshospital en Niels liep ongeduldig heen en weer, toen hij hem door het raam zag aankomen. Casper parkeerde zijn fiets, haalde de lampen eraf en kwam naar binnen.

'Ik ben zo snel als ik kon gekomen.' Casper klonk buiten adem.

'Heb je iemand verteld waar je naartoe ging?'

'Niemand vroeg het.'

'Mooi. Ik wil je voorstellen aan Hannah. Jullie gaan de komende twee uur samenwerken.'

'Ik ben nog nooit in het veld geweest', zei hij verwachtingsvol. Hannah kwam hun tegemoet lopen.

Niels stelde haar voor: 'Hannah Lund, professor aan het Niels Bohr Instituut', voegde hij eraan toe. Ze sprak hem niet tegen. Alle andere verklaringen waren op de een of andere manier te ingewikkeld geworden. Caspers introductie was makkelijker en lag waarschijnlijk ook dichter bij de waarheid: het computergenie van het hoofdbureau van politie.

* * *

Salarisadministratie, Rigshospital

Het duurde een eeuwigheid voordat de tl-balken aangingen. In het kille licht werden de letters op de matglazen ruiten van het kantoor zichtbaar: SALARISADMINISTRATIE.

'Ik stond eigenlijk op het punt om naar huis te gaan', zei Thor, de IT-medewerker van middelbare leeftijd die hen had binnengelaten. Ik zou weleens willen weten of zijn ouders Thor nog steeds een goede naam vinden voor zo'n klein mannetje, dacht Niels. Misschien hadden ze meteen na de geboorte gezien dat hij een ukkepuk zou worden en geprobeerd om het op die manier te compenseren. Thor Jensen. Niet veel meer dan anderhalve meter lang.

'Oké. Jurassic-computer-park', zei Casper terwijl hij met zijn hand over een van de oude beeldschermen ging. Thor begreep niet wat Casper bedoelde.

'Het is vrijdag, iedereen gaat vroeg naar huis', antwoordde hij.

'Weet jij hoe je dit systeem opstart?'

'Ja.'

'Doe het dan', zei Niels.

Thor zette met een zucht zijn tas op het bureau, liep naar de achterkant van het kantoor en zette de hoofdschakelaar aan. Een elektrische zoemtoon verspreidde zich door de ruimte.

Casper lachte enthousiast: 'Het is net of je teruggaat in de tijd.'

'Het werkt anders prima, hoor. Beter dan het oude systeem.'

'En wat was dat dan? Ponskaarten?'

Thor had geen zin om met Casper in discussie te gaan en haalde zijn schouders op. 'Was er verder nog iets?'

Casper keek naar Niels. Hannah antwoordde: 'Kun je een complete lijst uitdraaien van iedereen die hier werkt?'

'Theoretisch gezien wel.'

'En alle patiënten?' voegde Niels eraan toe.

'Ik was drie minuten geleden al vrij.'

'Wanneer krijg ik te horen wat we gaan doen?' vroeg Casper.

Niels keek van Casper naar Thor. Hij wist dat hij er niet omheen kon. Hij moest het kort en duidelijk uitleggen: 'We gaan de beste mens zoeken die op dit moment, in dit ziekenhuis, aan het werk is.'

Stilte. Thors mond was opengevallen.

Casper deed zijn tas open en haalde zijn laptop eruit. Het logo van het landelijke politiekorps was in het glanzende aluminium gegraveerd: twee leeuwen die op hun achterpoten stonden, met daartussenin een geopende hand met een extra oog erin. Het wakend oog van de politie.

'Hetzelfde systeem als we de vorige keer hebben gebruikt?' vroeg Casper.

'Nee', zei Niels. 'Dit keer moeten we preciezer zijn. We zoeken nu niet meer naar mensen die bekend zijn uit de media.'

Casper keek op. 'Hoe gaan we het dan aanpakken?'

'We zoeken iemand van tussen de vierenveertig en vijftig jaar oud.'

Hannah viel in: 'Die geen kinderen heeft.'

'Dat zou ik kunnen zijn', zei Thor. Ze keken hem even aan.

Niels ging verder: 'Iemand die veel verschillende contacten heeft met veel verschillende mensen. Iemand die levens redt.'

'Daar zijn er hier vast wel een paar van.'

'Daarom ben jij hier, Casper.'

'Wat bedoel je?'

'Jij moet ze sorteren.'

Hannah ging achter een van de oude computers zitten.

'Hannah, jij zoekt de kandidaten.'

Thor kuchte: 'Sorry dat ik jullie onderbreek.'

Niels keek hem ongeduldig aan. 'Ja?'

'Waar gaat dit eigenlijk om?'

'We moeten een moord voorkomen die om 15.48 uur in dit ziekenhuis zal worden gepleegd. Dat is over minder dan een uur.'

Casper stond ongerust op. 'Misschien moeten jullie iemand anders zoeken.'

Niels pakte hem gebiedend bij zijn arm. 'Rustig, Casper, ga zitten.' Casper bleef staan.

'We hebben een kans om het te voorkomen. We hebben jouw hersens nodig. Dit is iets wat alleen jij kunt, Casper.'

'Maar als ik het nou niet kan?'

'Nee. Zo is het niet. We falen alleen als we het niet proberen. Ga zitten.'

Eindelijk ging hij weer zitten. Niels merkte dat zijn handen een beetje trilden. Hannah legde een geruststellende hand op zijn schouder.

'Ik zei dus: Hannah zoekt samen met Thor de kandidaten in het computersysteem van het ziekenhuis.'

'Maar ik ben vrij.'

Niels ging er niet op in. 'Thor? Heb jij het eten in de Vestregevangenis weleens geproefd? Goulash uit blik.'

Stilte. Het kleine IT-mannetje knoopte zijn jas weer open en ging naast de anderen zitten.

'We zoeken een persoon van tussen de vierenveertig en de vijftig jaar oud.'

'Dat moet kunnen.'

Niels ging verder: 'En jij, Casper, zoekt uit of ze voldoen aan de criteria.'

Hannah zuchtte. 'Wanneer voldoen ze niet aan de criteria? Hoe vlieg je van de lijst af?'

Niels dacht na. 'Veelvuldig of ernstig contact met justitie; dan ben je niet goed. Je zult verbaasd staan hoeveel mensen een dossier bij ons hebben.'

Casper knikte.

'Maar hoe zit het dan met die Rus?' vroeg Hannah. 'Die had in de gevangenis gezeten.'

'Ja, maar die was in de gevangenis gegooid omdat hij het systeem tegensprak. Hij had geen mens iets misdaan. Integendeel.'

'En die man uit Israël, die gevangenen had vrijgelaten.'

'Zelfde verhaal. Die is veroordeeld vanwege een goede daad die in strijd was met de wet.'

Casper had ingelogd. 'Waar beginnen we? Artsen? Verpleegkundigen?'

'En de beddenrijders?' vroeg Hannah. 'Kunnen die ook goed zijn?'

'Zeker. Maar we moeten van bovenaf beginnen.'

Hannah schudde haar hoofd. 'Dat is te onsystematisch, Niels, het kan ook iemand zijn die in het ziekenhuis ligt.'

'Thor? Kun jij zien wie er op dit moment in het ziekenhuis liggen?'

'Natuurlijk.'

'Oké. Maar we beginnen met de mensen die hier werken. Artsen, verloskundigen, onderzoekers. Tussen de vierenveertig en vijftig jaar oud en kinderloos.'

'Dat kan ik nakijken in het bevolkingsregister', zei Casper.

'We hebben geluk. Het is vrijdagmiddag. De vrijdag voor Kerst. Veel mensen zijn al met vakantie en nog meer zijn vroeg naar huis gegaan. Nietwaar, Thor?'

'Ja.'

'Oké. Jullie geven mij de namen en afdelingen door, dan ga ik met de kandidaten praten.'

'Hoe wil je dat aanpakken? Wil je die mensen gewoon vragen of ze goed zijn?'

Hij keek Hannah een poosje aan.

'Ja.'

'Niels ... dat is onmogelijk.'

Niels dacht na. Toen knikte hij. 'Ja, dat is onmogelijk. Bijna. Normaal gesproken zouden we een moordenaar moeten zoeken, maar bij deze zaak weten we niets over de moordenaar. Dan zou het het meest logisch zijn om het ziekenhuis te ontruimen, maar dat kan niet.' Hij stopte even. 'Gelukkig weten we wel het een en ander over het slachtoffer. Hij of zij is tussen de vierenveertig en vijftig jaar oud, heeft geen kinderen en heeft de bijzondere gave om plotseling, bijna zonder het te willen, precies daar te zijn waar hulp nodig is. Het is een persoon die veel contacten heeft met veel verschillende mensen. Hij of zij maakt deel uit van een netwerk.'

Nu keek hij alleen Hannah aan. Hij glimlachte. 'Het lijkt wel of deze mensen als een spin in een web zitten: ze hebben overal voelsprieten. Ze voelen het als er iemand in valt. En dan staan ze klaar om te helpen.'

Ze keken hem alle drie afwachtend aan. Niels ging verder: 'Waarom zou het onmogelijk zijn? Ik ben al twintig jaar op zoek naar het kwaad. Dat vindt niemand vreemd. Waarom zou ik dan niet een paar uurtjes kunnen besteden aan het zoeken naar een goed mens? Is goedheid moeilijker te vinden dan het kwaad?'

Hij wees naar de ondergaande decemberzon. Hij hing precies boven de kale boomtoppen van het Amorpark.

'Over een uur gaat de zon onder. En ja, het lijkt inderdaad onmogelijk, bijna belachelijk. Maar is het het waard om er een uurtje aan op te offeren? Ondanks de statistische onwaarschijnlijkheid dat we zullen slagen?'

Gedurende een paar seconden dachten ze na. Het enige wat je hoorde, was het zoemen van de computers. Verrassend genoeg was Thor de eerste die antwoordde. 'Ja.'

'Mee eens', zei Casper, die het geloof in zichzelf had hervonden.

'Oké, aan de slag dan. Check de registers van het ziekenhuis. Begin maar met de mensen die hier werken.' Hij draaide zich om naar de IT-man, die een beetje in de war was.

Hannah logde in op een van de computers. Niels ging verder: 'En check dan in het bevolkingsregister of ze kinderen hebben. Bel me als jullie een naam hebben.'

Thor keek op van zijn beeldscherm: 'Hier heb ik er een. Tanja Munck, verloskundige. Ze heeft avonddienst, dus ze is aan het werk. Ik kan zien dat ze is ingeklokt.'

'Persoonsnummer?'

Thor las het voor. Caspers vingers vlogen over het toetsenbord. 'Tanja Munck heeft drie kinderen. Ze is in 1993 gescheiden voor de rechtbank in Lyngby.'

Niels onderbrak hem. 'Prima. Volgende.'

Hannah had er een gevonden: 'Thomas Jacobsen, achtenveertig jaar. Hoe zie je wat voor werk hij doet?' Ze richtte zich tot Thor.

'Persoonsnummer?' vroeg Niels.

‘Hier.’ Casper had hem gevonden in het bevolkingsregister. ‘Geen kinderen. Geregistreerd partnerschap met een andere man.’

Hannah glimlachte. ‘En wat zou dat? Voldoet hij dan niet aan de criteria?’

‘Natuurlijk wel. Zoek uit waar hij is en bel me.’

‘Is hij aan het werk?’

Thor belde. Niels keek op de klok en ging de deur uit. Het laatste wat hij hoorde, was Thors ijverige, opgewonden stem.

‘Receptie? Met de salarisadministratie. Is Thomas Jacobsens dienst al begonnen?’

* * *

Witte gangen, Rigshospital 14.48 uur

Over een uur zou er een mens sterven.

Er stierven voortdurend mensen. Vooral hier. Gemiddeld kozen er dagelijks twintig mensen voor om juist hier hun lichaam te verlaten, maar er kwamen evenveel nieuwe bij. Niels’ telefoon ging.

‘Ja?’

Het was Hannah. ‘Thomas Jacobsen was een losse flodder.’

‘Wie heb je dan?’

‘Ga maar naar de operatiegang.’

Een verpleegkundige passeerde Niels.

‘De operatiegang?’ vroeg hij.

‘Dan moet je met de lift naar de vijfde. Aan je linkerhand.’

‘Bedankt.’

Hij hoorde Hannahs stem in de telefoon. ‘Wil je wat statistiek horen terwijl je in de lift staat?’

‘Kom maar op.’

‘Er werken hier ruim 7500 mensen. De helft daarvan werkt elke dag, maar we zoeken de mensen die tussen de 44 en 50 jaar oud zijn. Dat zijn er 1100.

‘Hoeveel daarvan zijn er nu aan het werk?’

‘Ongeveer de helft.’

‘555?’ zei Niels optimistisch.

‘We kunnen de mensen met kinderen snel isoleren. Dat is misschien een derde, ongeveer 180.’

‘En van ongeveer een derde daarvan kan Casper vast wel iets vinden.’

'Dan zijn er nog 120 over. Statistisch gezien.'

'Wie zoek ik nu?' vroeg Niels.

'Peter Winther. Arts in opleiding.'

Het was stil op de gang. Ergens stond een televisie aan, het geluid stond uit en niemand sloeg er acht op. Een verpleegkundige keek op van haar papieren. Niels liet zijn politielegitimatie zien.

'Ik zoek dokter Winther.'

'Die is op zaalronde.'

'Waar?'

Ze wees de gang in. Niels zag een arts met een klein gevolg achter zich aan uit een zaal komen.

'Dokter Winther?' Niels liep naar hem toe en liet al van grote afstand zijn legitimatie zien. De arts werd bleek.

'Jullie wachten in de zaal op me', fluisterde hij streng tegen de verpleegkundigen.

'Politie Kopenhagen.'

Verder zei Niels niets. Hij zag dat de arts in opleiding van plan was om het zelf te vertellen. En inderdaad, hij keek Niels strak aan en kreeg vlekken in zijn hals.

'U weet vast wel waarom ik hier ben.'

De arts in opleiding keek over zijn schouder en kwam een stap dichterbij.

'Gaat u me arresteren?'

'Nee. We willen alleen uw kant van het verhaal horen, voordat we onze mening bepalen.'

'Mijn kant?' De arts snoof. 'Mijn kant van het verhaal is dat ze volkomen krankzinnig en gestoord is.'

Niels zag de spuugbelletjes in zijn mondhoeken.

'En dat zal iedere psychiater bevestigen. Ze maakt geen enkele kans in een rechtszaal. Begrijpt u mij? Bovendien was het zelfverdediging. Ik kan u de littekens laten zien om dat te bewijzen.'

Peter Winther maakte zijn bovenste knoopje los en ontblootte zijn hals. Lange krabsporen liepen van de hals naar beneden. 'Eigenlijk zou ík naar jullie toe moeten gaan. Wat zou jij doen als je vrouw ...' Hij kwam nog wat dichterbij, nu was hij op dreef. 'Ja, ik heb haar geslagen. Eén keer, en dat had ik drie jaar geleden al moeten doen.'

Niels keek op zijn telefoon. Er was een sms binnengekomen: 'Ida

Hansen. Obstetrie. Verloskundige'.

'Jezus, dat zij naar jullie toe is gegaan. Echt onbegrijpelijk. Moet ik een advocaat zoeken?'

Niels schudde zijn hoofd.

'Nee. Bedankt voor uw tijd.'

Hij liet dokter Winther staan met zijn verbroken relatie en zijn vertwijfeling.

* * *

'Zeg het maar, Hannah.'

Niels rende.

'Ze is verloskundige, maar ze is nu aan het lunchen. De kantine ligt op de begane grond.'

Hij drukte driftig op het liftknopje.

'Kunnen jullie ze niet op geografische volgorde bij elkaar zoeken?'

'Wat bedoel je?'

'Dat ik aan een kant van het ziekenhuis begin en naar de andere toe werk? Als ik steeds van de ene kant naar de andere moet rennen, halen we het nooit.'

Hannah zweeg. De lift liet op zich wachten. Niels keek uit het raam. De zon kleurde niet eens roodachtig, al zakte hij wel snel. Hij hoorde Hannah ademen. Een bordje wees naar de kraamkliniek. Een vermoeide moeder duwde een karretje met haar pasgeboren zoontje voor zich uit terwijl ze afwezig en tegelijk fanatiek een chocoladereep at. De baby keek naar de zon, net als Niels. Wat zou hij denken? Als je niet beter wist, zou je denken dat de beukenbomen in het park de zon op hun schouders droegen. Het leek wel een begrafenisstoet. Een stervende zon die naar het westen werd gedragen.

Met een 'pling' die zelfs een slechthorende zou kunnen waarnemen, meldde de lift zijn komst.

'Ik sta in de lift. Ben op weg naar beneden.'

'Oké. Ida Hansen. 48. Verloskundige. Snel.'

Ze brak het gesprek af.

68

Cannaregio, Venetië

De kleur van zuster Magdalena's kaplaarzen was het best te omschrijven als schreeuwend roze.

Tommaso glimlachte toen hij haar met grote stappen over het Madonna dell'Orto zag waden. Het noordelijke deel van de stad lag iets lager dan de rest en kwam daardoor ook eerder onder water te staan.

Hij riep haar: 'Zuster! U wilde mij iets vertellen. U had een boodschap van mijn moeder.'

Zijn geroep werd overstemd door de sirene. Ze verdween zonder om te kijken in het hospice. Als Tommaso niet over de brug bij dell'Orto wilde gaan en tot zijn knieën nat worden, moest hij teruglopen om helemaal bij de noordkade te komen. Die liep zelden onder. Hij keek op zijn horloge. Als hij via de Fondamente Nove zou gaan, zou het minstens een kwartier langer duren. Over een uur, misschien zelfs nog minder, ging de zon onder. Hij had de gps-coordinaten van de Deense vrouw gekregen: 45,26'30 en 12,19'15. Hij had niet veel verstand van gps-coördinaten, maar op zijn mobieltje kon hij wel lengte- en breedtegraden krijgen. Hij bevond zich nu op 45,26'45 en 12,19'56. Tommaso had geen idee hoelang het zou duren om naar die plek toe te lopen, waar het dan ook was, dus hij kon maar beter opschieten. De overstroming zou de stad nog minstens een paar uur in zijn natte greep houden en hij kon zich niet voorstellen dat zuster Magdalena er in de tussentijd vandoor zou gaan. En trouwens: wat kon er zo belangrijk zijn?

Zijn sokken waren al helemaal doorweekt toen hij in zuidelijke richting begon te rennen, langs de Fondamenta dei Mori. Zijn schoenen plasten door het water. Hij was de enige die nog op straat was. Was het hier? Hij stond voor het huis van Tintoretto. Tommaso hield van de schilder. Niet zozeer vanwege zijn imposante schilderij van de legendarische diefstal van het lichaam van de apostel Marcus, maar omdat Tintoretto eigenlijk nooit uit Venetië weg was geweest. Tintoretto was slechts één keer in zijn hele leven weg geweest uit de lagune en ze zeiden dat hij zich de hele reis ellendig had gevoeld. Ook Tommaso was nooit erg ver uit de buurt van de lagune geweest.

Opeens begonnen de getallen op de gps hysterisch te verspringen. Het signaal was slecht te ontvangen in de smalle straatjes.

Verder in de richting van het Casino en het Canal Grande, in de hoop dat hij bij het brede kanaal betere ontvangst zou hebben. Zijn gedachten waren nog bij Tintoretto. Of nee, bij Marcus. Misschien omdat het makkelijker was om aan de dode evangelist te denken dan aan zijn zojuist gestorven moeder. Hij dacht aan het lijk van de heilige Marcus: dat was het eerste schilderij dat ieder kind uit Venetië bewust leert kennen. Hij was immers de beschermheilige van de stad – degene die het San Marcoplein zijn naam had gegeven. Twee Venetiaanse kooplieden hadden zijn lijk gestolen uit Alexandrië. Zonder hoofd – als je de bevolking van Alexandrië moest geloven. Volgens hen bevond het hoofd zich nog steeds in Egypte.

Lijken zonder hoofd, zijn moeders verschrompelde hand en de kleuren van de dood, bleven door Tommaso's hoofd spoken, terwijl hij in de buurt van de Strada Nova kwam. Het gps-signaal sloeg weer op hol. Toen hij bij het kanaal kwam, zag hij het licht van de ondergaande zon. Zo zou hij het nooit vinden. Venetië was net zo ongeschikt voor het ontvangen van gps-signalen als voor auto's. Hij had een computer nodig.

* * *

De hal stond onder water. Zijn moeders zwarte schoenen, reclamefolders en hondenvoer dreven door elkaar in het kanaalwater. Er lag een dun filmpje olie van de bootmotoren op het water, het probeerde een regenboog na te bootsen. Toen hij het licht aan wilde doen, ging het meteen weer uit. De hoofdschakelaar sloeg af. Maar zijn laptop had een accu, zei hij tegen zichzelf toen hij met drie treden tegelijk de trap op sprong.

Hij schudde zijn hoofd. Dit huis had vierhonderd jaar maandelijkse overstromingen overleefd; de IBM-laptop was nog maar een half jaar oud en meldde nu al dat de accu bijna leeg was. Google Earth. Hij zocht waar hij de coördinaten kon invoeren, maar vond niets. *Low on battery*. Tommaso zocht de lagune op de wereldbol, klikte driftig en zoomde in op Venetië. Hij liet de muis over de stad glijden, kwam langs zichzelf en het getto en ging verder naar het westen. Nu kwam hij in de buurt. *Low on battery. Save documents now*. Hij controleerde nog een keer de getallen op zijn mobieltje en schoof de cursor iets verder naar het noorden. Toen klopte het.

Hij ging achteroverzitten en keek naar het resultaat. Toen ging de computer uit.

69

Salarisadministratie, Rigshospital 14.56 uur

Hannah herkende het van zichzelf: Caspers cerebrale radertjes waren goed gesmeerd, en het waren er veel. Een heel leger aan ongelijksoortige informatie kon simultaan door zijn hoofd gaan en worden verwerkt, gewogen, beoordeeld en gecategoriseerd. In tegenstelling tot Thor. Die kon maar één ding tegelijk.

'Ik heb er nog een gevonden', riep Casper. 'Ik denk dat ze aan het werk is.'

'Denk?'

'Ik bel even de receptie.'

Hannah ging naast Casper zitten. 'Moet je horen: de andere slachtoffers ...'

'Ja. We moeten meer gemeenschappelijke kenmerken hebben. Anders gaat het uren duren. Dagen. En die hebben we niet', zei Casper.

'Precies.'

'Dus behalve de leeftijd en het feit dat ze geen kinderen hebben?'

'Hebben ze dingen gedaan waardoor ze zich onderscheiden hebben. Eén heeft gevangengezeten omdat hij Poetin had tegengesproken. Eén heeft in een Israëlische militaire gevangenis gezeten. Een Canadese heeft een niet-geregistreerd geneesmiddel voorgeschreven en is ontslagen.'

'Je bedoelt dat ze zich hebben geprofileerd?' vroeg Casper.

'Ja. Ze hebben zich op de een of andere manier onderscheiden.'

'Als iemand in Denemarken zich profileert, kun je hem of haar googelen. Alles wordt geregistreerd, zelfs het kleinste regeltje in een plaatselijke krant. Al heb je maar een uurtje als vrijwilliger voor een of andere liefdadigheidsorganisatie gewerkt, dan kom je toch op een lijst. Een lijst die op een website staat. Zelfs als je iets voor je eigen bewonersvereniging doet, staat dat ergens.'

'Dat bedoel ik.'

'Dus we zoeken naar ...' Hij keek Hannah aan.

Ze maakte de zin voor hem af: '... de kandidaten die zich kwalificeren.'

'Precies. Het duurt twee seconden om iemand te googelen. We

googelen alle kandidaten en isoleren de meest waarschijnlijke.'

Thor had de telefoon neergelegd. 'Ze is in ieder geval niet uitgeklokt.'

'Snel, een naam, Thor!' zei Casper.

'Maria Deleuran.'

Thor moest de achternaam spellen, maar nog voordat hij klaar was, had Casper haar gevonden. Maria Deleuran.

'Ze is verpleegkundige', zei hij.

Ze bekeken de foto op haar Facebookprofiel: blond, knap, kleine rimpeltjes die haar alleen maar mooier maakten. Ze leek een beetje op het meisje met wie Gustav ervandoor was gegaan, dacht Hannah.

'Oké. Hier hebben we iets.' Casper ging rechtop zitten. 'Ze is vrijwilligster bij IBIS.'

Via een link kwam Casper op de homepage van IBIS: Hulpverlening in Afrika en Latijns-Amerika. Foto's van Maria Deleuran.

'Rwanda. Hiv/aids. Voorlichting en voorkoming', las hij.

'Ze is daar afdelingshoofd geweest', zei Hannah.

'Twee keer.'

Casper logde uit en daarna logde hij in op de database van de politie.

'Brandschoon. Het enige wat we over haar hebben, is dat ze pas bij de derde poging voor haar rijexamen is geslaagd.'

70

15.03 uur

Ze sprak vriendelijk en geduldig tegen de oude man, al commandeerde hij haar. Niels hoorde hem al van verre snauwen: 'Nee ik wil nog niet naar boven.'

'Maar dat hebben we de dokter toch beloofd. Weet u dat niet meer?'

'Ik heb schijt aan de dokter.'

De verpleegkundige lachte, gaf de oude man een klopje op zijn schouder, haalde de rolstoel van de rem en begon te rijden.

Niels bleef staan. 'Pardon? Ik zoek de personeelskantine.'

'Dan moet u een stukje terug. Bij de kerk rechtsaf.'

De oude man snoof. 'De kerk.'

'Bedankt', zei Niels. 'En wat ik nog vragen wilde. Het is wel een beetje een rare vraag, maar hebt u kinderen?'

'Ja.' De verpleegkundige keek verbaasd. 'Hoezo?'

Personeelskantine 15.08 uur

Niels had het gevoel dat dit niet goed zou aflopen. Hier, op de lager gelegen verdiepingen, kon je de zon niet zien. In plaats daarvan keek hij op zijn horloge. Nog veertig minuten, maximaal. Het werd er niet beter op toen Niels de deur van de kantine opendeed. Mannen en vrouwen in witte jassen. Honderden. Dit was onmogelijk. Nee, we hebben niets te verliezen. Hij klom op een stoel. 'Politie, mag ik even uw aandacht!'

Het werd bijna helemaal stil. Alleen uit de bedrijfskeuken klonk nog lawaai van keukenapparaten. Iedereen keek naar Niels. Gezichten die aan slecht nieuws gewend waren.

'Ik zoek Ida Hansen.'

Niemand antwoordde. Er ging een voorzichtige hand omhoog. Niels sprong van de stoel en liep langs de rijen laminaattafels. Kantine-eten – de dagschotel was kip, aardappelpuree en doperwten. Ze keken naar hem. Vooral de artsen. Gezichten die autoriteit uitstraalden.

'Ida?'

Ze liet haar arm zakken. Het kon haar niet zijn, ze was te jong.

'Nee. Ik wilde alleen even zeggen dat ze net weg is gegaan. Is er iets aan de hand?'

'Weg? Waar naartoe?'

Hij keek op zijn telefoon. Hannah belde voor de derde keer.

'Ze werd opgepiept voor een moeilijke bevalling. Ze is weggerend.'

'Hoelang duurt zoiets?' Niels hoorde zelf hoe dom zijn vraag klonk. Hannah belde nog steeds.

'Moment.'

Hij nam het telefoontje aan en stapte een eindje weg van de tafel. 'Hannah?'

'Niels. We hebben een nieuw systeem bedacht. In plaats van ...' Ze stopte. 'Nee, in het kort komt het erop neer dat we drie kandidaten hebben gevonden die alle kwalificaties hebben. Er komen er waarschijnlijk nog meer. Begin maar bij Maria Deleuran. Die werkt op de kinderafdeling. Ze is hulpverleenster geweest in Rwanda.'

Niels hoorde Casper op de achtergrond: 'En ze heeft artikelen geschreven over het gebrek aan inspanning van het Westen bij de bestrijding van aids in Afrika.'

'Oké. Ik ga haar zoeken.'

Hij brak het gesprek af en ging terug naar Ida Hansens jongere collega.

'Waar zei je dat ze was?'

'Verloskunde.'

Niels aarzelde. Daar kwam hij net vandaan. Het zou vijf minuten duren voordat hij terug was.

'Wat vind jij van haar?'

De jonge verpleegkundige keek Niels stomverbaasd aan.

'Wat ik van Ida vind?' Een ontwapenend lachje.

'Mag je haar? Is ze een aardig iemand?'

'Waarom vraagt u dat? Kunt u niet gewoon wachten tot ...'

Niels onderbrak haar: 'Wat vind je van haar?'

'Heeft ze iets gedaan?'

'Geef antwoord! Wat vind je van haar? Is ze aardig? Is ze goed? Is ze hard? Is ze een goed mens?'

De verpleegkundige keek even naar haar andere collega's. 'Dat weet ik echt niet. Ida is best aardig maar ...'

'Maar?'

Niels keek haar aan. Het was heel stil, toen stond ze op, pakte het blad met de half opgegeten kip en een paar slablaadjes en liep weg.

71

Cannaregio, het Getto, Venetië

In het medicijnkastje van zijn moeder had Tommaso een grote hoeveelheid pijnstillers gevonden. Hij had een deel van de medicijnen meegenomen. Toen hij thuiskwam slikte hij – zonder de uitgebreide informatie van de apotheek te lezen – een cocktail van kleurige pillen met een glas lauw water. Hij herinnerde zich zijn vaders koortstest: 'Doet het pijn als je naar boven kijkt? Als het antwoord "ja" is, heb je koorts.' Tommaso probeerde het. 'Ja', het deed pijn. Hij was duizelig. Hij zocht in zijn geheugen naar de briefing van de afgelopen maandag op het hoofdbureau. De commissaris had verteld wie er behalve de minister van Justitie nog meer kwamen: een paar politici, hij wist niet meer wie, een rechter, een kardinaal. Het kon iedereen zijn. Het volgende slachtoffer kon iedereen zijn, maar hij of zij zat in de trein die over een paar minuten op het station zou aankomen. Daar twijfelde Tommaso niet aan. Als de coördinaten klopten.

Tommaso kon de zon niet zien. Hij zag alleen de gloed achter de huizen in Santa Croce. Er was niet veel tijd meer. Als die vrouw uit Denemarken gelijk had en de moord zou bij zonsondergang worden gepleegd, was de tijd bijna op. Even geloofde hij er niet meer in. Hij keek naar de wand vol vermoorde mensen. De zaak was de vloek van zijn leven geworden. Of de zegen? Tommaso twijfelde nog. Hij dacht aan zijn moeder. Hij had nog steeds haar geld in zijn zak. En hij dacht aan de hond; de licht verwijtende blik in zijn ogen toen Tommaso hem aan een onzeker lot had overgelaten. Hij verjoeg het beeld uit zijn hoofd. Hij moest naar het station.

Zijn rug deed pijn toen hij zich vooroverboog om zijn kaplaarzen aan te trekken. Beneden aan de trap was hij bijna uitgegleden op de gladde treden. Hij ging zitten. Hij moest even rusten. Misschien moest hij gewoon Flavio bellen en hem de situatie uitleggen – zeggen dat ze goed moesten opletten? Nee, het was te laat. Hij moest het zelf doen.

72

Rigshospital 15.15 uur

Weer een andere gang in het ogenschijnlijk oneindige universum van witte gangen, dichte deuren en in ziekenhuisjas gehulde mensen. 'Waar is de kinderafdeling?' vroeg Niels aan een verpleegkundige.

'Rechtsaf', zei ze.

'Bedankt.' Hij rende.

Pediatrie 15.18 uur

De kinderen zaten in een halve cirkel in de gemeenschappelijke woonkamer. Twee waren ernaartoe gereden in hun bed, te ziek om op te staan. Een jongeman in een rood geruit shirt zat op een veel te kleine stoel met een boek in zijn hand. Boven zijn hoofd hing een poster: 'Schrijver van griezelserie voor kinderen op bezoek'.

'Hoe bedenk je dat van al die monsters?' vroeg een van de stemmetjes, vlak voordat Niels hen onderbrak. De verpleegkundige, die met een vijfjarig meisje op schoot op de grond zat, keek geïrriteerd naar Niels.

'Maria Deleuran?'

'Ze hebben allemaal pauze. De kinderen hebben een schrijver op bezoek.'

'Het heeft haast. Politie.'

Nu was de aandacht van de kinderen op Niels gericht.

'Kunt u het niet even in de koffiekamer vragen?'

Ze boog zich naar achteren en wees de gang in.

Niels keek op zijn horloge. Minder dan een half uur tot 15.48 uur.

Hij was even stil en ging met zijn hand over zijn ogen. Hij wist niet of het kwam door de gezichtjes van de kinderen, maar opeens overviel hem een gevoel van onrechtvaardigheid. Zulke kleine mensen mochten niet ziek worden. Er moest iets fout zijn gegaan in het werk van de schepper, het soort fout waardoor je gaat verlangen naar een verklaring van God. Of misschien kwam het door het project. Het zou hem niet lukken, Hannah had gelijk, het was onmogelijk. Een nieuwe gedachte: misschien was dit alles gewoon een gevolg van wat anderen zijn manische depressiviteit noemden? Misschien zat hij midden in een van zijn manische periodes. Niels leunde tegen de muur terwijl hij op adem kwam. Misschien was Hannah gek, zoals Sommersted zei. Maar aan de andere kant: de moorden waren echt. En er was geen verklaring voor.

De deur aan het eind van de gang ging open. Hij zag nog net een blonde vrouw die zich licht over de vloer bewoog en daarna verdween. Hij zag alleen haar rug. Zou zij het zijn? 'Ik moet me concentreren', fluisterde hij tegen zichzelf. De kinderen lachten ergens om en Niels zag door het raam een klein stukje van de zon. De spontane lach van de kinderen gaf hem zijn hoop terug. Hij begon weer te rennen, sloeg de hoek om en hoorde de stemmen van de verpleegkundigen in de koffiekamer.

'Maria Deleuran?' riep hij.

Geen reactie. Drie van hen praatten gewoon door. Niels haalde zijn politielegitimatie tevoorschijn.

'Ik zoek Maria Deleuran.'

Het praten hield meteen op, iedereen keek naar Niels.

'Is er iets?'

'Is ze aan het werk?''

'Ze is hier niet.'

Niels keek naar de andere verpleegkundigen. De oudste kende haar het best. Zij was degene die het woord voerde: 'Is er iets?'

'Weet u zeker dat ze hier niet is?'

De blik van de verpleegkundige schoot onrustig heen en weer. Niels zag het meteen.

'Kunt u haar bellen?'

'Dat kan ik wel proberen.'

Ze stond traag op. Haar achterste liet een afdruk achter in het imitatieleer van de bank.

'Kan het iets sneller?'

Ze keek Niels boos aan. Het was een oude matrone. Dominant. De andere verpleegkundigen waren bang voor haar.

'We mogen geen mobiele nummers geven.'

'U hoeft helemaal niets te geven, u hoeft haar alleen maar te bellen en te zeggen dat de politie hier is en met haar wil praten.'

'Ze is al naar huis.'

'Waarom heeft ze dan niet uitgeklokt?'

'Dat vergeten we soms. Waar gaat het over?'

'Ik verzoek u haar nu onmiddellijk te bellen!'

Ik hoop niet dat je getrouwd bent, dacht Niels terwijl ze belde. Arme man. Hij keek rond. Een prikbord met ansichtkaarten, roosters, foto's en kleine berichtjes. Een mooi, blond meisje midden in een Afrikaans dorpje met een groep kinderen om zich heen.

'Misschien kan ik u helpen?'

Niels negeerde de matrone en haalde de kaart van het prikbord.

'Is dit Maria?'

Niemand gaf antwoord. De verpleegkundigen keken elkaar aan. 'Dit zijn mijn kinderen. Ik hoop dat alles goed is bij jullie daar in het koude noorden. Ik mis onze gezellige koffiepauzes.' En dan een smiley en daaronder 'Liefs, Maria'.

'Maria Deleuran?'

'Ja.'

'Heeft ze kinderen?'

'Hoezo?'

'Heeft Maria Deleuran kinderen?'

Er viel een onverklaarbare stilte.

'Nee', zei de matrone toen.

'Hoe laat is ze naar huis gegaan? Weten jullie zeker dat ze er niet is? Er hangt daar nog een jas.' Hij wees op een lege stoel waar een jas overheen hing. 'Is die van haar?'

Een van de verpleegkundigen stond op. Ze glimlachte vriendelijk.

'Luister: Maria was om twee uur vrij. Ze had vroege dienst. U kunt het zelf op het rooster zien.'

De verpleegkundige knikte naar het prikbord. 'Misschien heeft ze nog wat overgewerkt, maar ze is hier nu in ieder geval niet. Ik neem graag een boodschap voor haar aan.'

De oude matrone onderbrak haar. 'Ze neemt niet op.'

'Misschien heeft ze een vriendin hier in het ziekenhuis?' opperde Niels. 'Spreekt ze weleens met iemand af na het werk?'

'Ik ben haar vriendin.'

Niels draaide zich om. Het was de eerste keer dat ze iets zei. Hij keek op haar naamplaatje: TOVE FANØ, VERPLEEGKUNDIGE.

'Gaat ze nog met anderen hier om, Tove? Het is een groot ziekenhuis.'

'Dat geloof ik niet.'

'Vrienden, heeft ze hier een relatie, iets in verband met haar werk als hulpverlener misschien?'

Tove dacht na en schudde haar hoofd. Niels keek naar de matrone. Die haalde nijdig haar schouders op.

'Vinden jullie haar aardig?'

'Wat?'

'Hebben jullie kinderen? Heeft iedereen hier kinderen?'

Verwarde blikken.

'Ik vroeg jullie iets.'

Iedereen knikte, behalve Maria's vriendin Tove. Die kon best eens ergens midden veertig zijn. Niels keek naar haar. Ze haalde haar handen weg en onthulde een grote, zwangere buik.

73

Salarisadministratie, Rigshospital 15.27 uur

Hannah hield eigenlijk meer van de uren vlak na zonsondergang. Als je, zoals zij, midden in je leven stil was blijven staan, waren de uren overdag soms moeilijk. Mensen vol levenslust, mensen op weg van en naar hun werk, naar scholen, kinderdagverblijven. Overdag deden andere mensen al die dingen waardoor háár leven eruit kwam te zien als wat het was. *Niets*. Geen werk, geen man en het ergst van alles: geen zoon. Maar dan ging de zon onder en verdwenen de mensen, en dan werd het iets makkelijker om Hannah Lund te zijn. Maar vandaag niet.

Ze stond op, liep naar het raam en keek naar de zon die zich verstopte achter de bomen. Het was niet meer dan een bleke, platte schijf die weigerde zijn warmte met dit deel van de wereld te delen. Maar hij moest nog wel even blijven hangen. Aan de andere kant van de kantoorgang waren nog mensen aan het werk. Er stond een televisie aan. Hannahs aandacht werd onwillekeurig getrokken door de hevige consternatie die zich afspeelde op het televisiescherm. Er was iets gebeurd tijdens de top. Iemand was flauwgevallen. Mensen in pak stonden in een dikke haag om de arme man heen, anderen kwamen aansnellen met water en een deken. Hannah kon het congrescentrum voor zich zien: een afschuwelijke plek. Ongezond klimaat, te veel mensen, te weinig tijd. Wie zou er niet omvallen daarbinnen?

'Jezus.'

Casper keek enthousiast op van zijn beeldscherm. 'Ik heb nog een heilige gevonden.'

Hannah liep terug naar Casper en Thor die met gebogen rug voor hun beeldscherm zaten.

'Laat maar horen', zei ze.

'Centrum voor Medische Parasitologie. Professor Samuel Hviid. Negenenveertig jaar. Geen kinderen volgens het bevolkingsregister. Maar moet je dit horen.' Casper keek Hannah aan voordat hij verderging: 'Hviid doet al vijftien jaar onderzoek naar de bestrijding van malaria. Hij is een van de meest toonaangevende malariaonderzoekers van de wereld. Men schat dat zijn werk al een half miljoen levens kan hebben gered rond de evenaar.'

'Is hij aan het werk?'

'Hij is onderzoeker aan de universiteit. Die hebben kennelijk afdelingen die aan het ziekenhuis verbonden zijn.'

'Maar als hij niet in het gebouw is, is hij niet in gevaar', constateerde Hannah terwijl ze naar de foto keek van de onderzoeker die malaria bestreed. 'Alexander de Grote is overleden aan malaria, de ziekte wordt beschouwd als een van de drie grootste uitdagingen voor de mensheid, meer dan drie miljoen doden per jaar', kon Hannah nog net lezen onder de foto van Samuel Hviid, toen er een gedachte door haar hoofd schoot: 'Bel eens naar zijn onderzoekscentrum en vraag of hij hier in het gebouw is.'

'Yes.' Thor belde.

Casper zocht verder terwijl hij mompelde: 'Gry Libak. Ook niet slecht.'

Thor onderbrak hem: 'Samuel Hviid is in het gebouw. Op de directiegang, sectie 5222. Hij is in vergadering.'

15.30 uur

Maria Deleuran was in het ziekenhuis. Niels wist het zeker. Waarom logen haar collega's? Hij zag dat Hannah belde, maar hij nam niet op. In de koffiekamer stond iedereen op. Niels wachtte tot de chagrijnige oudere matrone weg was, toen liep hij achter Maria's vriendin Tove aan. Ze ging naar het toilet. Niels gooide de deur open.

'Wat doet u?' Ze keek boos naar Niels die vlug de deur achter zich dichtdeed. 'Wilt u dat ik ga gillen?'

'U moet me vertellen waar ze is.'

'Wat hebt u? Waarom is dat zo belangrijk? U kunt toch gewoon wachten tot ze ...'

'Haar leven is mogelijk in gevaar', onderbrak Niels haar.

Tove dacht even na. 'Waarom? Maria is een heilige, niemand wil haar kwaad doen, dat geloof ik gewoon niet.'

'Je moet me geloven.'

Tove woog haar woorden af, Niels zag het aan haar, woorden die bijna naar buiten kwamen. Haar gezicht had dezelfde uitdrukking als dat van een crimineel een paar minuten voordat hij gaat bekennen.

'Ze is weg. Ik weet niet wat ik u verder nog kan vertellen.'

Tove liep resoluut de toiletten uit. Niels' telefoon ging.

'Hannah?'

'Samuel Hviid. Je moet naar sectie 5222. Hij is onderzoeker. Het profiel klopt precies. Hij is op dit moment in vergadering met de directie.'

* * *

De secretaresse keek verbazingwekkend rustig naar Niels' politielegitimatie. Ze was eraan gewend dat mensen met veel autoriteit langs haar bureau kwamen: de minister van Volksgezondheid, hoge ambtenaren, professoren en onderzoekers uit heel Europa. Zij was de slagboom voor de directeur – geen mens glipte zomaar langs haar heen.

'Professor Hviid is in vergadering met de directie. Kan het niet wachten?'

'Nee.'

'Mag ik u vragen waar het over gaat?'

'Ik moet Samuel Hviid spreken. Nu.'

Ze stond onfatsoenlijk traag op – de mensen in dit land konden de politie echt het gevoel geven dat ze lastig waren, dacht Niels – maar de directie van het ziekenhuis behandelde ze alsof ze het orakel van Delphi waren: voorzichtige klopjes op de deur, waarna ze verontschuldigingen prevelend en licht voorovergebogen naar binnen schuifelde. Op de televisie achter het bureau van de secretaresse zag Niels dezelfde beelden als Hannah. De top was in de laatste fase beland en een van de voormannen was vrij ernstig onwel geworden. Al het bloed was uit zijn gezicht weggetrokken en hij hapte naar adem als een kabeljauw op het droge. De wereldpers was ter plaatse om verslag te doen van de gebeurtenissen.

De secretaresse overlegde nog steeds met de directie. De wanden van de vergaderzaal waren helemaal van glas. Transparantie, doorzichtigheid – alsof ze wilden onderstrepen dat hier geen beslissingen werden genomen die het daglicht niet konden verdragen. Niels keek naar hen, en zij keken naar hem. Hij kon niet horen wat ze zeiden. De stilte werd slechts verbroken door het zachte geluid van de televisie: '*we weten nog niet of hij is flauwgevallen ... of erger. Mogelijk een hersenbloeding. Op dit moment is er een ambulance onderweg.*'

De secretaresse kwam terug. 'Hij komt eraan.'

'Mooi zo.'

Samuel Hviid hees zijn broek op en schraapte zijn keel toen hij de deur uit kwam. De rest van de ziekenhuisdirectie probeerde zijn nieuwsgierigheid te onderdrukken.

'Samuel Hviid?'

'Wat kan ik voor u doen?'

'Niels Bentzon. Politie Kopenhagen.'

Niels' telefoon piepte. Een sms van Hannah. 'We hebben er nog een: Gry Libak.'

'Wat is er aan de hand?' De professor keek Niels met vriendelijke, intelligente ogen aan.

Over enkele minuten zou de zon ondergaan. Niels zag de roze lucht door de panoramaruiten van de directiekamer.

'We hebben redenen om aan te nemen dat uw leven in gevaar is.'

Er vertrok geen spier in Samuel Hviids gezicht.

'Ik verzoek u om het ziekenhuis te verlaten. Alleen voor het komende half uur.'

'Het ziekenhuis verlaten? Waarom?'

'Meer kan ik op dit moment niet zeggen. Behalve dat u hier niet veilig bent.'

Hviid schudde even zijn hoofd en wierp een blik over zijn schouder.

'Ik wil me niet langer verstoppen. Die zaak is bijna twintig jaar oud.'

Hij keek Niels aan. Lag er een spoortje verdriet in zijn ogen?

'Het is maar een half uur. Niet eens een half uur.'

'En wat dan?'

'Dan hebben we de situatie onder controle.'

'Nee. Het is mijn leven en ik moet ermee leren leven. Dat lukt niet als ik er steeds met de staart tussen de benen vandoor ga. Wanneer is hij ontsnapt?'

Niels wist om goede redenen niet wat hij moest zeggen. 'Daar kan ik u niets over mededelen.'

'Niets over mededelen? Come on! Ik ben arts. Wij maken fouten. Die man heeft me mijn halve leven bedreigd vanwege iets waar ik niet verantwoordelijk voor was. Ik was toevallig de jonge arts die het laatst contact heeft gehad met zijn vrouw voor haar tragische dood. De hele medicatie ... het was de fout van de anesthesist. Dat soort dingen gebeuren.'

Samuel Hviid keek naar de directie in de vergaderzaal. Niels zag het aan hem: hij was heel ver gekomen en niemand zou dat nu bederven. De directie achter het dikke glas wist niets van de zaak. Als hij nu zou weglopen uit de vergadering, zouden ze nieuwsgierig worden.

Nog een sms van Hannah: *Laat Hviid maar zitten. Concentreer je op Gry Libak, afdeling C, nog maar een paar minuten.*

74

Cannaregio, het Getto, Venetië

Zuster Magdalena was toegetreden tot de Orde van het Heilig Hart omdat ze in God geloofde. Om diezelfde reden hield een beetje water in de straten haar ook niet tegen. Ze moest de boodschap doorgeven aan meneer Tommaso, dat had ze een stervende vrouw beloofd. Een vrouw die een laatste boodschap vanuit het hiernamaals had gekregen. Naar die boodschappen moest je luisteren. Dat wist Magdalena beter dan wie ook. Als zij niet had geluisterd, had ze nu niet meer geleefd. Dan was ze tegelijk met negentien anderen omgekomen bij het Shaw Boulevard Station in Manilla, maar zij was gered door God. In haar tas had ze de kwitantie van de fietsenmaker die ze al die jaren had bewaard. Voor haar was het een soort bewijs. Een concreet godsbewijs, misschien nog het meest voor haarzelf, voor het geval ze ooit zou gaan twijfelen aan haar geheugen.

Ze klopte. De deur stond op een kier, de hal stond onder water.

'Meneer Di Barbara? Tommaso? Ik heb een boodschap van uw moeder.'

Geen geluid. Magdalena ging naar binnen. Ze riep nog een keer. Het druiste tegen haar natuur in om zomaar andermans huis binnen te dringen, maar ze moest dit doen. Het was belangrijk.

Ze liep de trap op. Ze bleef roepen, maar ze kreeg geen antwoord. In de woonkamer zag ze de wand met alle foto's van de slachtoffers. De hele, wereldomvattende moordzaak, die de wand van de vloer tot aan het plafond in beslag nam. Eerst begreep ze niet wat het was. Toen zag ze dat het foto's van dode mensen waren. Haar mond werd droog, ze proefde haar eigen bloed. Zuster Magdalena begreep niet wat het was waar ze voor stond, maar ze had het gevoel dat ze te laat was.

75

Rigshospital 15.32 uur

'Poul Spreckelsen, Hartkliniek', zei Casper terwijl hij opkeek.

'Hij is misschien niet zo spectaculair als Samuel Hviid met zijn malariabestrijding, maar die Spreckelsen heeft iets ontwikkeld wat ...'

Hannah luisterde niet. Ze keek naar de televisie aan de andere kant van de glazen ruit. Helikopterbeelden van twee ambulances die voor het congrescentrum stopten. Artsen en ambulancepersoneel sprongen eruit. Onder in beeld kwamen nieuwsteksten voorbij: *Breaking news. Klimaatonderhandelaar in elkaar gezakt.*

'Luister je?'

Hannah luisterde niet. Ze liep de salarisadministratie uit en ging het kantoor ernaast binnen.

'Kan ik u ergens mee helpen?'

De vrouw staarde Hannah aan.

'Ja. Wilt u het geluid aanzetten?'

De vrouw bleef zitten.

'Het duurt maar twee minuten. Alstublieft.'

De vrouw zuchtte, drukte een paar keer op de afstandsbediening en zette het geluid harder. '*Op dit moment wordt hij door het congrescentrum naar buiten gedragen, zoals we op de beelden kunnen zien*', zei de commentator. Casper was achter Hannah komen staan.

'Denk jij hetzelfde als ik?'

'Misschien.'

De commentator ging verder met zijn nauwkeurige beschrijving van wat je op de beelden zag. '*Nu wordt hij langs het perscentrum gedragen. Er lopen twee artsen naast, het ziet ernaar uit dat hij een infuus heeft gekregen.*'

'Kom nou met een naam', zei Hannah ongeduldig. Op datzelfde moment, als op commando, vatte de presentator de situatie samen. '*Het is dus een heel kritiek moment, midden tijdens de onderhandelingen, waarop de klimaatonderhandelaar van de ngo's, Yves Devort, in elkaar is gezakt. Hij wordt nu overgebracht naar het Rigshospital.*'

Casper en Hannah waren al weg.

Google: *Ngo. Copenhagen en ...* Casper spelde de naam: *Yves Devort.*

'We hebben nog ruim een kwartier', zei Hannah. 'Kan de ambulance hier in een kwartier zijn?'

'Ik denk het niet.'

Casper had Yves Devort al gevonden. Keurige man. Zo Frans als een stokbrood.

'Hij is vijftig. Ik kan niet zien of hij kinderen heeft. En ook niet of de Franse politie iets over hem heeft.' Ze keken naar de televisie: onrust. Chaos. Mensen, demonstranten, ambulances, beveiligingspersoneel en politie.

Niels belde. Hannah nam op: 'Niels?'

Hij klonk buiten adem: 'Ik ben verdwaald.'

'Waar ben je? Zie je ergens een bordje?'

'Orthopedische chirurgie. Sectie 2162.'

Hannah keek naar Thor. 'Hoe kom je het snelst van sectie 2162 naar de Hartkliniek?'

'Zeg maar dat hij naar de dichtstbijzijnde lift moet gaan.'

'Heb je dat gehoord, Niels? Het is 15.33 uur. Je hebt nog precies een kwartier.'

'Hannah?'

'Ja, Niels.'

'Het gaat niet. We halen het niet.'

Hannah aarzelde. Ze keek naar de televisie. De ambulance was nog niet weggereden van het congrescentrum. Ze kwamen naar buiten met Yves Devort op een brancard. Ze overwoog of ze Niels over de flauwgevallen klimaatonderhandelaar zou vertellen.

Hannah verbrak de stilte, haar zelfverzekerde stem klonk schor.

'Niels, wat jij doet ... dat is zo fantastisch.'

Bij dat laatste woord brak haar stem. *Fantastisch*. Haar tranen bleven ergens in haar binnenste steken.

'Het is te veel, Hannah. Eigenlijk wil ik het het liefst opgeven.'

'Nee, Niels. Je probeert een goed mens te vinden. Eén goed mens maar.'

'Maar het enige wat ik vind, zijn hun fouten. Zo was het meteen vanaf het begin: ik zoek het goede, maar vind ... het slechte. De fouten.'

Hannah hoorde Niels' ademhaling door de telefoon. Ze volgde op de televisie wat er gebeurde. Ze had een vervelend gevoel in haar buik dat haar nog het meest deed denken aan de keer dat zij en Gustav van de weg af waren geraakt. Zij had gereden. Dat vond Gustav het prettigst. Zij zat achter het stuur, hij dirigeerde. 'Denk om je snelheid, Hannah. Let op, de afslag komt er zo aan.' Ze hadden ruziegemaakt die dag, zoals ze zo vaak deden en toen Hannah van de snelweg af ging, had ze te hard gereden. Ze waren een heel eind verderop in een akker beland. Gustavs mooie Volvo zat onder de modder. Maar vlak voordat ze die akker in waren gereden, het moment voordat het misging – de seconde dat het tot je doordringt dat dit niet goed af gaat lopen – zo voelde ze zich nu ook.

'Hannah?' vroeg Niels door de telefoon.

'Ja.'

'Wie wordt er hiernaartoe gebracht in die ambulance?'

'Dat zijn we aan het onderzoeken. Gaat het weer?'

'Ja.'

'Je moet naar sectie 2142. De Hartkliniek. Poul Spreckelsen.'

Niels hing op.

Casper keek op van zijn beeldscherm: 'Ik begin nu met de patiënten.'

Ze knikte naar Casper. Hij was niet te stuiten. Ze volgde de rit van de ambulance op de televisie. Hij was van de snelweg afgeslagen en reed in de richting van het Rigshospital. Een escorte van politieauto's maakte de weg vrij.

De telefoon ging weer.

'Niels?'

'Je moet me helpen. Ik weet niet of ik het haal. Jij bent dichterbij.'

Hij was buiten adem. Huilde hij?

'Oké, Niels.'

'Het is Gry ... Dat denk ik echt. In de operatiegang.'

'Oké, Niels. Ik ga erheen.'

'Rennen.'

Hannah hing op. 'Ik ga Niels helpen.'

'Moet ik bellen als ik bij de patiënten mensen vind die in aanmerking komen?' vroeg Casper.

Hannah keek uit het raam. Alleen het allerbovenste stukje van de zon was nog zichtbaar.

'Nee, we hebben geen tijd meer.'

76

Santa Croce, Venetië

Het ambtelijke Venetië was een winkel die vierentwintig uur per dag, het hele jaar door, geopend was. Prinsessen, sjeiks, politici en beroemdheden uit binnen- en buitenland overspoelden de stad. De politie had zo ongeveer alle beschikbare mankracht nodig om hen te ontvangen en van hun hotel naar het San Marcoplein en weer terug te escorteren. Tommaso herinnerde zich niet eens meer waar de laatste prinses vandaan kwam. Hij had haar over het Canal Grande gevaren. Op de Rialtobrug hadden toeristen staan zwaaien. Op zulke momenten was Venetië niets anders dan Disneyland met een betere smaak en goed eten. Gelukkig zou hij die avond gaan voetballen, als hij zich tenminste wat beter voelde. Het stadion lag helemaal aan de rand van de stad, in Arsenale, bij de nieuwbouw en de werf. Daar was het geen Disneyland. Alleen een eeuwig modderige grasmat, de stank van verrotting uit de lagune, fel licht van de schijnwerpers en een muur van sociale woningbouw eromheen.

Tommaso wist heel goed dat hij eigenlijk in bed zou moeten liggen. In plaats daarvan zette hij koers naar het station. Dit keer met kaplaarzen aan. De lagune had een mooie ontvangst voorbereid voor de minister van Justitie! Hij kon onmogelijk het volgende slachtoffer zijn, daar was Tommaso heel zeker van. De minister van Justitie, Angelino Alfano, was niet meer dan een marionet van Berlusconi. De enige reden dat de voormalige secretaris van de corrupte minister-president was aangesteld als minister van Justitie, was dat hij op die manier een netwerk van ondoorzichtige wetten kon creëren om Berlusconi uit de gevangenis te houden.

Tommaso liep over de Ponte delle Guglie naar het station. De verkopers hadden hun spullen allang ingepakt, de straten waren verlaten. De toeristen zaten met natte voeten op hun hotelkamer en keken hun reisverzekering erop na of ze hun geld terug zouden krijgen.

Eindelijk kwam het station in zicht. Santa Lucia. Daar was de extreem brede trap met zijn adelaarsvleugels en rechte lijnen: overblijfselen uit de tijd die Tommaso's vader had gesteund. Een verleden dat voortdurend klaarstond om het heden binnen te dringen.

Op de trap stonden carabinieri, de militaire politie. En van hen hield Tommaso tegen.

'Ik ben van de politie', zei Tommaso.

'Legitimatie?'

Hij zocht in zijn zakken en was verloren. Hij had zijn politielegitimatie moeten afgeven.

'Ik kan hem niet vinden.'

'Dan moet u wachten', zei de man van de militaire politie. 'Over tien minuten komen ze naar buiten.'

Kut-militaire politie! De gewone politieagenten hadden een hekel aan de carabinieri met hun opzichtige uniformen en hun glimmend gepoetste laarzen. Tommaso liep naar de achterkant van het station. De weg langs de kerk voerde naar het goederenkantoor. Dat was niet bewaakt. Hij bleef even staan. Hij hoorde de trein die vlak voor hij het station binnenreed luid loeiend zijn komst aankondigde. Er was weinig tijd. Over enkele ogenblikken zou hier op dit station een moord worden gepleegd. Tenzij hij het kon verhinderen.

77

Rigshospital 15.37 uur

Hannah rende niet, zoals Niels haar had opgedragen. Ze had nog steeds dat voorgevoel: ze proefde de naderende dood.

'Sorry', vroeg ze iemand die voorbij kwam. 'Waar is de operatiegang?'

'Dan moet u een verdieping lager zijn. Maar het is helemaal aan de andere kant', antwoordde de beddenrijder terwijl hij de deur voor haar openhield.

'Bedankt.'

Ze stond in de lift met een beddenrijder. Hannah probeerde een glimlach naar de patiënt die in het bed lag, maar die mislukte. Er viel ook niet zo veel te lachen. Hannah wist dat het systeem klopte – de kans dat haar berekeningen niet klopten, was één op vele miljoenen. Vierendertig coördinaten die met grote precisie waren uitgezet, dat was geen toeval.

'Hier moet u eruit', zei de beddenrijder. 'En dan de andere kant op.'

'Bedankt.'

Hannah begon zachtjes te rennen, maar haar verhoogde hartslag stimuleerde haar innerlijke rekenmachine alleen maar: vierendertig moorden, gepland met goddelijke precisie. Er ontbraken er nog twee. Hannah wist het zeker. Maar ze wist ook zeker dat ze er niets tegen konden doen. Het leek wel of het systeem het zo wilde. Ze had het gevoel dat ze vochten tegen het feit dat twee plus twee vier was. Of dat de auto die keer met Gustav in de akker zou belanden – tegen alle wetten van de natuur in.

* * *

15.39 uur

Niels rende een hoek om. De derde symfonie van Mahler wees hem de weg. De operatiegang lag er verlaten bij, afgezien van een aura van klinische reinheid. Terwijl hij verder rende, flitsten er beelden van de mensen die hij de afgelopen twee dagen had ontmoet door zijn hoofd: Amundsen van Amnesty, die levens had gered en bezig was een leven te verwoesten: dat van zijn vrouw. Niels zag haar onschuldige gezicht voor zich, met de vrolijke, heldere ogen waarmee ze hem had aangekeken toen hij haar een hand gaf. Ze had geen enkel vermoeden. Ze vertrouwde haar man volledig en was hem toegewijd. En dominee Rosenberg. Mocht je één mens offeren om twaalf anderen te redden? Dominee Rosenberg wist het antwoord. Hij had gefaald. Maar Niels mocht hem. Alleen Thorvaldsen had hij geen prettig mens gevonden. Die was een beetje te overtuigd van zijn eigen goedheid. En hij was een ware verschrikking voor zijn medewerkers.

De deuren van de operatiekamers waren dicht. Ooit waren het de kerken die dit gevoel, dat je in contact stond met het hiernamaals, opriepen; nu was de operatiegang het heilige der heiligen. Daarom verraste de mooie muziek hem ook niet. Operatiekamer vijf. Er brandde een rode lamp boven de deur. Verboden toegang.

Niels opende de deur op een kier en zag een glimp van een operatie. Een team van artsen, verpleegkundigen en chirurgen was geconcentreerd aan het werk. Een vrouw stapte resoluut naar Niels toe.

'U mag hier niet komen!'

'Ik ben van de politie. Ik zoek Gry Libak.'

'Dan moet u wachten tot na de operatie.'

'Nee, het moet nu.'

'We zijn bezig met een operatie! Wat denkt u wel?'

'Ik ben van de politie.'

'Er mag hier niemand van buiten komen', onderbrak ze hem. 'Ook de politie niet. Wegwezen!'

'Is ze hier? Bent u het? Bent u Gry Libak?'

'Gry is net weg. En wilt u nu weggaan, anders dienen we morgen een klacht in.'

'Weg? Komt ze nog terug? Is ze naar huis?'

'Ik doe nu de deur dicht.'

'Nog een laatste vraag.'

Niels zette zijn voet tussen de deur.

'Ik bel de bewaking.'

'Haar leven is in gevaar, anders zou ik hier niet zijn.'

De artsen hadden al die tijd niet opgekeken van hun werk. Geen seconde. Nu pas keek een van hen naar Niels. Heel even werd de stilte alleen verbroken door Mahler en het monotone piepen dat vertelde dat de patiënt nog in leven was. Ritme is hoop, een ononderbroken toon betekent dood. Zo hadden wij het besloten. Een arts zei van achter zijn witte mondkapje: 'Misschien kunt u haar nog te pakken krijgen in de kleedruimte. We zijn hier al twaalf uur bezig, dus ze zal wel lang douchen.'

'Bedankt. Waar is de kleedruimte?'

Niels trok zich terug uit de operatiekamer terwijl de verpleegkundige antwoordde: 'Sectie 2141.'

Ze gooide de deur in zijn gezicht dicht.

Hannah kwam hem tegemoet rennen. 'Niels!'

'Spreckelsen was een misser, maar misschien Gry Libak ...'

'Waar?'

'Kleedruimte. 2141.'

Niels keek op zijn horloge. Nog zeven minuten.

* * *

Sectie 2141 15.41 uur

Vrouwenkleedruimte. Lange rijen glimmende metalen kastjes met smalle banken ertussen. Er was niemand te zien.

Niels riep: 'Gry Libak?'

Het enige antwoord dat ze kregen was een echo, en die klonk wanhopig.

'De kastjes zijn op alfabetische volgorde.'

Niels dacht na. Hier hadden ze moeten beginnen. Mensen houden hun privégeheimen en hun zonden verborgen op hun werk, daar waar hun geliefden ze niet kunnen vinden.

'Zoek haar kastje. Gry Libak.'

'En dan?'

'Breek je het open.'

'Niels?'

'Doe het nou maar gewoon!'

De hangsloten aan de kastdeurtjes hadden vooral een symbolische functie. Hannah liep langs de kastjes. Jakobsen, Signe. Jensen, Puk. Klarlund, Bente. Kristoffersen, Bolette. Lewis, Beth. Libak, Gry. Ze voelde aan de deur. Op slot.

Niels begon van de andere kant. Fiola. Finsen. Ejersen. Egilsdottir. Deleuran, Maria.

Hij voelde met zijn vingers. Het ging niet open. Hij draaide zich om. Hij moest iets van gereedschap zien te vinden. Iets waarmee hij ... De bezemsteel! Hij trok de bezem uit de schoonmaakkar die ernaast stond, duwde de steel in het hangslot en maakte een draaiende beweging. Het slot ging gewillig open en viel met een metalig geluid op de grond. Hannah stond met een vertwijfeld gezicht achter hem.

'Ik krijg het niet open.'

'Hier. Breek het slot hiermee open.'

Hannah pakte de bezem. Dit was niet helemaal haar stijl.

'Ze is er nog', schreeuwde Niels.

'Wie?'

'Maria. Degene die we niet konden vinden. Haar kleren hangen hier nog.'

Jas, sjaal, schoenen. Ja, Maria was er nog.

Aan de binnenkant van de kastdeur hingen foto's en ansichtkaarten. Op een plankje lag een handgemaakte Afrikaanse leren portemonnee. Op een van de ansichtkaarten stond: 'You're an angel, Maria. God bless you. Rwinkwavu Hospital Rwanda'. Niels bestudeerde een van de foto's. Een knappe, blonde vrouw stond met haar zij naar de camera.

'Ik heb je gezien', fluisterde hij. 'Ik heb je gezien.'

Hij draaide zich om naar Hannah. 'Zij is het! Alles klopt.'

'Maar de tijd. Nog vijf minuten.'

Niels hoorde de rest van Hannahs protest niet. Hij rende al.

Zij bleef staan en keek hem na. Wat had hij ook alweer gezegd? Dat ze van hem zeiden dat hij manisch-depressief was? Manisch was op dit moment in ieder geval een passende beschrijving voor hem.

78

Santa Lucia-station, Venetië

Het eerste wat Tommaso zag, waren de gelovigen. Volwassen mannen en vrouwen in hun religieuze kledij. Helemaal in het wit of helemaal in het zwart. Monniken en nonnen uit de kloosters van Venetië.

'Wie zit er in die trein?' vroeg Tommaso aan een van de nonnen.

Hij was schor. Het station was afgesloten voor gewone reizigers. Al het verkeer was stilgelegd in de tijd die nodig was om het gezelschap uit de trein en naar het Canal Grande te loodsen.

'Pardon, op wie wachten jullie?'

De non keek Tommaso boos aan. Hij merkte dat hij haar arm had vastgepakt.

'Wilt u zo vriendelijk zijn?'

'Sorry.'

Hij liet haar los. De zuster naast haar kreeg medelijden. 'Onze kardinaal. Ze noemde een naam, maar die verdronk in het lawaai. Op hetzelfde moment reed de trein bulderend het station binnen. Tommaso leunde tegen de muur. Het volgende slachtoffer kon in die trein zitten. Het móést kloppen. Hij moest de commissaris vinden. Iemand waarschuwen. Het maakte niet uit wie. De deuren gingen open. De eerste die tevoorschijn kwam, was de kalende minister van Justitie. Hij zwaaide gemaakt naar de omstanders. Achter hem zag Tommaso de kardinaal. Hij herkende hem van de televisie. Was hij niet degene die voorzichtig had gezegd dat de katholieke kerk in Afrika toch voorbehoedsmiddelen moest aanbevelen – waarmee een kleine tien miljoen levens per jaar zouden kunnen worden gered?

Iemand applaudisseerde. Of was het de regen op het dak? Tommaso zag de commissaris.

79

Pediatrie, Rigshospital 15.43 uur

'Sorry!'

Niels had geen tijd om de moeder overeind te helpen. Hij was tegen haar op gebotst toen hij de hoek van de afdeling pediatrie om rende. Hij keek de zalen in. De gezichten, de verpleegkundigen. Hij vond haar op de gang. Tove Fanø, Maria's vriendin. Hij pakte haar bij haar arm en sleurde haar een voorraadhok in.

'Laat me los!'

Hij gooide de deur achter hen dicht. Wegwerphandschoenen, spuugbakjes, lakens, hij zocht een slot dat er niet was.

'Waar is ze?'

'Ik heb toch gezegd dat ze hier niet ...'

'Ik weet dat Maria er nog is!'

De verpleegkundige aarzelde. Hij ging nog dichter bij haar staan.

'Weet je wat de straf is voor obstructie van een politieonderzoek? Wil je medeschuldig zijn aan haar dood?'

Ze dacht even na. Niels pakte zijn handboeien. 'Tove Fanø. Ik arresteer u wegens obstructie van ...'

'In de kelder onder de A-vleugel', onderbrak ze hem. 'Daar zijn een paar rustkamertjes voor de chirurgen. Die worden nooit gebruikt.'

'Wat staat er op de deur?'

* * *

15.45 uur

Niels kwam Hannah tegen toen hij de trappen af rende. 'Ze is hier, Maria, in de kelder.'

Hannah bleef staan. Niels had een waanzinnige blik in zijn ogen. Ze wilde hem eigenlijk tegenhouden, zorgen dat hij tot rust kwam. Op dit moment geloofde ze nergens meer in.

'Hoelang nog?' vroeg hij hijgend.

Hannah keek moedeloos op haar horloge.

'Drie minuten.'

'Kom mee!'

'Niels ... Dit is echt te manisch.'

Hij keek haar aan. Toen grijnsde hij en schudde zijn hoofd. 'Jij ook al?'

'Wat?'

'Ben ik ziek? Is dat wat je wilt zeggen?'

Hij pakte haar bij haar arm en trok haar mee de lift in.

'Jij gaat naar links. We zoeken een deur waar "Rustruimte" op staat.'

De lift landde op de bodem van het ziekenhuis en de deuren gleden open.

Kelder 15.46 uur

'Wat moet ik doen als ik die deur vind?'

Niels hoorde Hannahs vraag niet. Hij was al een heel eind de gang in gerend. Het geluid van zijn wanhopige voetstappen vermengde zich met het zachte zoemen van de ventilatieschachten.

Hannah haalde diep adem. God, wat miste ze de theorie. Gedachten. Dat je het hele universum kon berekenen zonder dat je je ooit verder hoefde te verplaatsen dan naar beneden, om sigaretten te halen.

Op de meeste deuren stond niets. Sommige beloofden dat er voorraad achter zat. *Opslag B2. Röntgen afd./reserve.* Nergens 'Rustruimte'. Hannah dacht aan Søren Kierkegaard. Die had ook zijn hele leven heen en weer gelopen op een paar vierkante meter vloer. Misschien had hij af en toe een klein wandelingetje op straat gemaakt, helemaal verdiept in zijn eigen gedachten. Je hebt niet zo veel ruimte nodig om de hele wereld te berekenen – het kon zelfs in een ton. *Opslag. Voorraad/Anesthesie.* Ze hoorde Niels' voetstappen niet meer en ging de hoek om, verdiept in haar gedachten over filosofen in tonnen. De Griekse Diogenes, de uitvinder van het cynisme. Cynisme komt van het Griekse woord voor 'hond'. Diogenes dacht dat wij veel van honden konden leren. Een hond kan instinctief vriend van vijand onderscheiden. Dat kunnen mensen niet. Wij kunnen gaan samenwonen met onze ergste vijand zonder dat we het in de gaten hebben. Waarom dacht ze daar nu aan? Soms werd ze helemaal gek van haar eigen associaties ... Opeens wist ze waarom Diogenes in haar hoofd was opgedoken: omdat hij een heel enkele keer zijn ton verliet en door de straten van Athene zwierf op zoek naar een 'echt mens', een goed mens. Diogenes schoot Hannah te hulp. Net als hij was ook zij uit haar ton gekropen om een goed wezen te zoeken.

Niels en zij kwamen tegelijk de hoek om.

'Iets gevonden?' vroeg ze. 'Het is tijd. Zonsondergang. Het is 15.48 uur.'

Hij fluisterde: 'Hier is het. "Rustruimte".'

Hij haalde zijn pistool uit de schouderholster, keek er even naar en stopte het toen weer terug. Ik ben benieuwd wat we zullen aantreffen, kon ze nog net denken voordat hij met veel geweld de deur in trapte.

* * *

Rustruimte 15.48 uur

Het donker kwam Niels tegemoet. De duisternis werd alleen onderbroken door een zacht televisiesignaal en een verschrikte gil.

'Maria Deleuran?' riep hij.

Zat er een vrouw op het bed? Niels deed een stap naar voren, zijn hand zocht een schakelaar aan de muur.

'Maria?'

'Ja.'

'Ben je alleen?'

'Ja', antwoordde ze. Niels knipperde met zijn ogen. Langzaam kwamen de contouren van de kamer naar voren. Ze lag op het bed. Hij deed nog een stap naar binnen en toen zag hij de ander. Een schaduw die zich veel te snel naar hem toe bewoog.

'Blijf staan!'

'Wat gebeurt er?' schreeuwde Maria.

Niels ontgrendelde zijn pistool.

'Shit, wat gebeurt er?' schreeuwde Maria weer.

Niels wachtte niet. Hij tastte in het donker en kreeg een kraag te pakken. De ander rukte zich los en sloeg.

Niels werd in zijn gezicht geraakt. Maria huilde. Niels raakte met zijn linkerarm haar been toen hij viel. De ander stortte zich op hem en probeerde Niels bij zijn hoofd te pakken.

'Doe het licht aan!' Niels pakte de man bij zijn pols, draaide hem om en probeerde overeind te krabbelen. Weer kreeg hij een klap tegen zijn achterhoofd, nog voordat hij had kunnen opstaan.

'Bel de bewaking', klonk een stem.

Dat was de stem van de andere man. Hij hield Niels' arm stevig vast.

'Hannah! Doe het licht aan.'

Niels slaagde erin zich los te rukken en pakte zijn handboeien. Eindelijk wist hij de hand van de ander te pakken te krijgen. Een snelle draai, een kreet van pijn, toen smeet Niels de man met alle kracht die hij in zich had tegen de grond. Op hetzelfde moment deed Hannah het licht aan. De halfnaakte man schoof een halve meter over de grond toen Niels hem naar het bed trok en hem vastketende aan het ijzeren frame.

Nu pas keek Niels naar de angstige Maria, die probeerde haar naakte lichaam met een laken te bedekken.

'Wat ... Wat is dit allemaal?'

Niels ademde zwaar. Er liep bloed uit zijn neus op zijn overhemd. Zijn blik schoot heen en weer. Hij keek naar Maria, naar de bijna naakte, gespierde man van ergens in de veertig die hij had vastgeketend, naar de witte jas van de man die over een stoel hing, naar het naamplaatje: MAX ROTHSTEIN – specialist, naar de geopende fles wijn die op een tafeltje stond en ten slotte naar Maria die haar tranen de vrije loop liet.

'Geef antwoord!' snikte ze. 'Wat is er aan de hand?'

'Niet zij', mompelde Niels. 'Zij is het niet.'

'Wat heeft dit allemaal te betekenen?'

Uitgeput liet Niels zijn politielegitimatie zien. Hij hijgde. Hannah deed een stap naar achteren, terug de gang op.

'Hoe laat is het?'

'Niels ... dit is waanzin.'

'Wil iemand mij uitleggen wat hier in vredesnaam aan de hand is?' Nu schreeuwde de man.

Opeens zag Niels de kleine televisie die in de rustruimte stond. 'Live' stond er boven de helikopterbeelden van een ambulance die met zwaailicht en sirene door de stad reed.

'Zet het geluid eens wat harder.'

De arts wilde alweer verontwaardigd protesteren, maar Niels onderbrak hem. 'Zet harder!'

Niemand reageerde. Toen kroop Niels zelf naar de televisie en draaide aan de volumeknop. '*Tijdens de slotfase van de onderhandelingen is een van de klimaatonderhandelaars van de ngo's hevig onwel geworden. Bronnen in de buurt van de klimaatonderhandelaar zeggen dat de oorzaak misschien ligt in de bijna onmenselijke druk om tot een akkoord te komen. Het duurt nu al veertien dagen ... Zoals we op de beelden kunnen zien, komt hij op dit moment aan bij het Rigshospital.'*

'O mijn god', zei Hannah.

De helikopter van TV2 News maakte prachtige beelden van de ondergaande zon boven de stad. De allerlaatste zonnestralen.

'Tijd?'

'Dit is het moment, Niels. Of ...'

'Waar komt die ambulance aan?'

'Ik wil nú weten wat er aan de hand is', zei de arts.

'WAAR!'

Maria antwoordde: 'Bij de spoedeisende hulp. Je moet de lift nemen naar de begane grond.'

15.51 uur

Niels liep mank. Hannah probeerde hem bij te houden. Niels was lang voor haar bij de lift. Hij drukte driftig op het knopje, maar daar kwam de lift niet sneller door. Hannah ging naast hem staan.

In de lift wisselden ze geen woord. Ze durfde hem nauwelijks aan te kijken. Toen ze de lift uit kwamen, zag ze hoe de andere mensen op hem reageerden. Verbaasd, geschokt. Niels liep mank en hij had zijn pistool getrokken. Hij deed geen enkele poging om het bloed dat uit zijn neus kwam te verbergen.

'Politie! Spoedeisende hulp?'

Ze wezen allemaal dezelfde kant op. Niels hinkte weg. Hannah liep hem achterna. Ze waren net op tijd om de ambulance te zien aankomen. Er stond een team artsen klaar. De twee politiemotoren die de weg door de stad hadden vrijgemaakt, reden weg en maakten plaats voor ziekenhuispersoneel. Een glazen ruit hield Niels tegen.

'Hoe kom je daar?'

'Niels!' Hannah probeerde hem vast te pakken. Hij rukte zich los. De patiënt op de brancard werd uit de ambulance geschoven en de artsen bogen zich over hem heen.

'Nee!'

Ze konden Niels' geschreeuw niet horen. Glas en ramen scheidden Niels van de ambulance. Niels sloeg op de ruit.

'Waar is de deur?'

'Niels.' Hannah trok aan hem.

'Hier!' riep iemand.

Niels wilde wegrennen, maar ze hield hem tegen. 'Niels!' Hij keek haar aan.

'De tijd. Het moment was een paar minuten geleden. De zon is ondergegaan.'

Niels keek naar de klimaatdirecteur op de brancard. Hij kwam overeind en glimlachte naar de artsen. Hij voelde zich alweer wat beter. Niels kende dat fenomeen wel. Als de ambulance aankwam, voelde je je meteen een stuk beter. Helaas stond Sommersted ernaast. Zijn haviksblik landde op Niels – natuurlijk.

80

Santa Lucia-station, Venetië

De militaire politie versperde de weg. Langzaam schuifelden de officiële gasten langs de rijen ambtenaren en politie.

'Commissario!'

Tommaso probeerde te roepen. Zijn geroep verdronk in het lawaai – de kardinaal was in gevaar.

Opeens zag hij Flavio. Hij riep hem. Eindelijk iemand die hem kon horen. Maar Flavio reageerde niet. Hij bleef in het gelid staan terwijl de minister van Justitie de politiecommissaris een hand gaf, het zweet van zijn gezicht veegde en zijn gezelschap voorstelde. Nog meer nerveuze handdrukken, kussen op wangen en uitwisseling van ingestudeerde zinnen. De kardinaal stond in het midden. Tommaso keek om zich heen. Geen verdachte personen. Alleen een man die zich achter een zonnebril verstopte. Er was geen zon op het station, waarom dan die zonnebril?

'Flavio!'

Eindelijk reageerde Flavio. Hij stapte uit de rij en liep naar Tommaso toe.

'Wat doe jij hier?' vroeg hij.

'Het leven van een van deze mensen is in gevaar', zei Tommaso.

'Waar heb je het over?'

'Je moet me geloven ...'

Flavio onderbrak hem: 'Je ziet er beroerd uit. Je bent ziek. Je hoort hier helemaal niet te zijn. Waarom ben je niet bij je moeder?'

Tommaso duwde hem weg. De man met de zonnebril was in de menigte verdwenen. Nee, daar stond hij, niet ver van de kardinaal. Zijn hand rustte op een tas.

'Hij daar, Flavio', riep Tommaso wijzend.

De commissaris had Tommaso in het oog gekregen. Flavio pakte hem bij zijn arm. 'Je moet weggaan. Je verpest het voor jezelf. Hoor je me?'

Het gezelschap liep het station uit. De man met de zonnebril liep erachteraan.

81

Kelder, Rigshospital, Kopenhagen

Een eenzame druppel bloed landde op de grond. Een seconde daarvoor had hij Niels' neus verlaten. Dokter Max Rothstein nam Niels op terwijl die de handboeien losmaakte.

'De politie maakt ook weleens een fout, net als jullie', mompelde Niels in een poging de vele vragen en boze beschuldigingen van Maria Deleuran en Max Rothstein, haar geheime minnaar, af te kappen.

'Dat kun je wel zeggen.'

'Het spijt me.'

Maria was allang weer aangekleed.

'En hoe zit het met ...'

De arts keek onzeker naar Maria. 'Wordt er een rapport gemaakt van deze zaak?'

Niels keek hem gedesoriënteerd aan. Welk antwoord zou hij het liefst willen horen?

'Rapport?'

De arts kuchte. 'Luister: ik heb een gezin. Jullie hebben een fout gemaakt. Ik hoef toch niet ook nog eens gestraft te worden doordat u hier een rapport over schrijft?'

'Nee. Natuurlijk niet. Geen woord.'

Rothstein probeerde Maria's aandacht te trekken, maar de beschermende toon waarmee hij zojuist over zijn 'gezin' had gesproken, liet haar koud. Hannah vroeg zich af of Maria zojuist was afgeschreven, of dat ze nog steeds 'het goede mens' kon zijn, nu ze een verhouding bleek te hebben met een getrouwde man. Rothstein wendde zich tot Hannah.

'En u bent?'

'Hannah Lund.'

'Gustavs vrouw.'

'Ja ...' Ze was verbaasd.

'Wij woonden in hetzelfde studentenhuis.'

'Aha.'

Rothstein voelde aan zijn polsen. Ze waren rood en gezwollen.

'Zal ik even naar die neus kijken?'

Rothstein liep naar Niels toe en bekeek zijn neus. Met een voorzichtige beweging duwde hij Niels' hoofd iets naar boven zodat hij in zijn neus kon kijken. De machtsverhouding tussen de twee mannen was omgedraaid. Misschien was dat precies wat Rothstein wilde: iets van zijn verloren waardigheid terugwinnen.

Maria rolde een plukje watten op en gaf het aan Rothstein. Hij stopte het in Niels' neus en zei: 'Nou, zullen we dan maar zeggen dat we het hierbij laten?'

Rothstein liep de deur uit. Hij knikte even naar Hannah. Waarschijnlijk een blijk van erkenning van de ene academicus voor de andere. De verpleegkundige en de politieman moesten het verder zelf maar uitzoeken.

* * *

Centrale hal, Rigshospital
Niels wilde per se nog even wachten. Misschien was er in diezelfde tijd ergens anders in het ziekenhuis iemand onverwacht overleden. Ze bleven een half uur zitten zonder een woord te zeggen. Ten slotte stond Hannah op.

82

Santa Lucia-station, Venetië

In Venetië was de zon bijna onder. Tommaso stond op het station en keek hoe de crème de la crème van het Italiaanse rechtswezen in de politieboten verdween. Er was niemand doodgegaan. De man met de zonnebril had hem eindelijk afgezet en was verdwenen in de richting van het Getto.

Tommaso voelde zich niet goed. Het snot liep uit zijn neus. Toen hij hem snoot, zag hij dat het bloed was.

Hij had moeite om zijn evenwicht te bewaren. Hij moest even wat drinken – even een paar seconden rustig zitten zonder dat iemand hem zag. Flavio liep terug. Hij zwaaide naar Tommaso. Tommaso liep snel weg. Hij botste tegen een kussend stelletje op. 'Sorry', mompelde hij.

Er stond een rij voor het damestoilet. Hij ging het herentoilet binnen. Een ijzeren stang versperde de doorgang. Het kost geld, hoorde hij achter zich iemand zeggen. Tommaso was duizelig. Hij zocht in zijn zakken naar kleingeld. De man achter hem was ongeduldig. Eindelijk vond Tommaso drie muntjes. Hij gooide er vijftig cent in. De ijzeren stang bewoog niet. De man achter hem snauwde: 'Het kost tachtig cent!'

Tommaso gooide de laatste twee muntjes erin. 80 CENT stond er op de display en de ijzeren stang zwaaide opzij.

83

Kongens Nytorv, Kopenhagen

Een kerstboom op een slee. Een vader en een zoon trokken de slee over het dunne laagje sneeuw. Niels keek naar hen door de beslagen voorruit van de auto. Eigenlijk zou hij nu in Afrika moeten zitten en Kerst vieren aan het zwembad, een leeuw zien op Eerste Kerstdag en voelen hoe de Indische Oceaan zijn voeten streelde. In plaats daarvan voelde hij de kou die van de vloer van Hannahs auto omhoogkroop.

'Zal ik rijden?' vroeg ze.

'Nee, het gaat wel.'

Rood, oranje, groen. Eerste versnelling. Hij liet de koppeling opkomen, de voorbanden gleden weg in de sneeuw. Een paar seconden was hij de macht over het stuur kwijt, maar hij kreeg de auto weer onder controle en reed verder. Controle. Op dit moment had hij het gevoel dat er van alles zou kunnen gebeuren zonder dat hij daar ook maar enige invloed op had: dat zijn handen hysterisch zouden gaan trillen als hij het stuur losliet, dat hij jankend zou instorten als Hannah hem aanraakte, maar dat deed ze niet. Niels klemde het stuur stevig vast. Zo reden ze. Over de brug bij Søerne, langs Kongens Have. Toen ze in de buurt van Kongens Nytorv kwamen, hadden ze nog geen van beiden een woord gezegd. Ze keken allebei naar de kerstman die vlak langs hen liep met een hele sliert kinderen achter zich aan.

Op het plein stonden manshoge borden met foto's van honderd plaatsen op aarde die op het punt staan te verdwijnen door de klimaatverandering. In de auto hoorden ze vaag de stem die door een luidspreker een bescheiden publiek toesprak: 'Er leven ruim zevenhonderdduizend arbeiders van de theeproductie op Sri Lanka. Droogte zal die productie kapotmaken.'

Het verkeer stond stil. Mensen zeulden hun kerstcadeautjes over het plein – langs de foto's van de Salomonseilanden waar de plaatselijke bevolking leeft van kokosnoten en vis, slechts twee meter boven het zeeoppervlak, verder in de richting van de antiekwinkels in de Bredgade, langs de verlichte foto's van het Tsjaadmeer dat langzaam verdampt, waardoor er weer een deel van Afrika zal veranderen in stof en zand. Eindelijk kwam het verkeer weer in beweging. Aarzelend en onzeker, alsof het verzamelde verkeer hier op het plein overwoog of het voorop zou gaan in de strijd en de motoren zou uitzetten, de sleutels weggooien en proberen de Salomonseilanden te redden. Maar nee, in de laatste seconde bedacht het verkeer zich en trok verder, zoals altijd. Als je heel stil was, kon je misschien horen hoe de laatste kokosnoot zich losmaakte van zijn tak en in de zee viel, die van plan was om alles op te slokken.

Hannah verbrak de stilte: 'Waar gaan we naartoe?'

Ze keek uit het raampje toen ze het vroeg. Alsof de vraag niet aan Niels was gericht, maar aan de hele mensheid.

'Dat weet ik niet.'

Ze keek hem aan en glimlachte.

'Sorry voor deze hele dag, Hannah.'

'Je hoeft geen sorry te zeggen.'

'Ik wil je nog één ding vragen.'

'Ja?'

Hij aarzelde.

'Ik denk niet dat ik alleen kan zijn vannacht.'

Hij schraapte zijn keel. Het klonk helemaal verkeerd. Als een uitnodiging.

'Eh,' mompelde hij, 'ik bedoel niet ...'

'Nee, nee. Ik begrijp het.'

Hij keek haar aan. Ja, ze begreep het.

'Vind jij dat oké? Ik heb een goede slaapbank. We kunnen een glas wijn drinken.'

Ze glimlachte. 'Zal ik je eens wat zeggen? Ik bedacht net dat Gustav altijd drie dingen zei: "Dat weet ik niet", "sorry", en "vind jij dat oké?"'

84

Carlsbergsilo, Kopenhagen

'Mijn vrouw is architect', zei Niels toen de liftdeuren opzij schoven en het appartement zich openbaarde. Hannah zei geen woord over de afmetingen van het appartement. Ze liet zich op de bank vallen alsof ze er woonde. Andere mensen waren altijd diep onder de indruk van het uitzicht van 360 graden, maar Hannah niet. Misschien had ze veel heftiger dingen meegemaakt in haar leven, dacht Niels terwijl hij een fles rode wijn opentrok. Als astronoom heeft ze vast onder de sterrenhemel gelegen in het Andesgebergte en zonnen zien exploderen in de Gordel van Orion, dat soort dingen. Daarbij vergeleken stelt dit uitzicht natuurlijk niet veel voor. Hij gaf haar een glas.

'Je mag hier roken.'

Hij voelde zich opeens een beetje schuldig, alsof hij Kathrine bedroog. Hannah stond bij het raam.

'Het valt me altijd op ...'

'Wat?' Hij liep naar haar toe.

'Als je een stad van boven bekijkt, zoals hier, of als je 's nachts neerkijkt op Europa. Al die lichtjes. Ken je dat gevoel?'

'Nee. Ik kan niet goed tegen vliegen.'

Ze was even verbaasd. 'Echt niet?'

Ze keek hem aan. Alsof haar opeens iets duidelijk werd.

'Wat wilde je zeggen?'

'Dat de lichtjes van de steden precies lijken op de manier waarop het licht in de ruimte zich groepeert. Als wij naar melkwegstelsels kijken, zien die er precies zó uit, Niels.'

Ze wees naar de verre lichtjes aan de horizon. 'Enorme gebieden niets, en dan opeens een verzameling lichtjes. Leven. Bijna zoals een stad.'

Niels wist niet wat hij moest zeggen. Hij vulde hun glazen. 'Misschien moeten we Tommaso bellen en vragen of hij iets heeft gevonden.'

'Iets gevonden? Ik ben eigenlijk een beetje op.'

'Dan bel ik zelf wel. Ik wil alleen weten of hij opneemt. Wil jij vertalen als ik hem te pakken krijg?'

Niels belde. Geen antwoord. Hij probeerde het nog eens. 'Hello? English? Is this Tommaso Di Barbara's phone?'

* * *

Hannah schonk zichzelf nog wat wijn in. Ze hoorde Niels in de slaapkamer. Wat had hij daarnet gezegd? Hannah kreeg de woorden niet meer uit haar hoofd. *Ik kan niet goed tegen vliegen. Reizen.* Ze hoorde hem schreeuwen in de slaapkamer: 'What? Can I talk to him? I don't understand.'

Niels liep van de slaapkamer naar de badkamer. Ze ving zijn verwarde blik op. 'Ik geloof dat ze hem zoeken. Ik begrijp niet precies wat er aan de hand is.'

Hannah volgde hem. Op een afstandje. In de badkamer gooide hij zijn overhemd op de vloer. Ze keek naar hem. Er zat bloed op het overhemd. Hij draaide zijn rug naar haar toe. Hannah wist wat ze te zien zou krijgen – maar toch kwam het als een schok.

'Wat? No? Tommaso?'

Niels probeerde meer te weten te komen, maar de persoon aan de andere kant van de lijn had de verbinding verbroken. Hij leunde met beide handen tegen de wastafel. Hannah bleef gebiologeerd naar hem kijken. Eindelijk draaide hij zich om.

'Het ... hij ...' Niels kwam niet uit zijn woorden.

'Hij is dood', zei ze.

'Hoe wist je dat?'

'De vraag is: waarom heb ik het niet veel eerder gezien?'

'Wat bedoel je?'

'Hij was nummer 35, Niels.'

Hij kon haar niet volgen. Dat kon ze duidelijk merken. Ze stapte over de drempel van de badkamer en pakte voorzichtig Niels' hand.

'Wat gaan we doen?'

'Draai je eens om.'

Ze draaide hem voorzichtig om voor de spiegel, pakte een zakspiegeltje van de rand van de wastafel en gaf het hem.

'Kijk.'

Eerst zag hij het niet. Toen ontdekte hij het. Er was een teken verschenen op zijn rug. Het was nog heel vaag, het leek een soort uitslag. Maar je kon je niet vergissen in de vorm. Hij liet het spiegeltje vallen. Het viel kapot op de tegelvloer. Zeven jaar ongeluk. Hij rende de badkamer uit.

'Niels?'

Maar hij was al weg. Hij gooide de deur van de slaapkamer dicht. Ze riep hem achterna. 'Jullie hebben jezelf gevonden. Het is overduidelijk: jullie zijn de enigen die luisteren.'

Ze hoorde hem driftig heen en weer lopen aan de andere kant van de slaapkamerdeur. 'Jullie zijn de enigen die luisteren', herhaalde ze zacht in zichzelf. Niels rukte de deur open. Hij had een schoon overhemd aan en een koffer in zijn hand. De koffer die hij een hele tijd geleden al had gepakt, maar die niet had willen vertrekken. Nu wilde hij het wel.

85

Ospedale dell'Angelo, Venetië

Commissario Morante had Tommaso's mobiele telefoon in zijn hand.

Zwaar. Dat was precies hoe verantwoordelijkheid voelde: zwaar. Een verantwoordelijkheid die hij niet had waargemaakt. Het voelde als een klomp in je longen, die het vermogen om zuurstof op te nemen belemmert. Verantwoordelijkheid kon worden gewogen op een echte weegschaal, dacht de politiecommissaris toen Flavio zijn gedachtenstroom onderbrak: 'Ik had naar hem moeten luisteren.'

De commissaris keek Flavio aan. Hij zat op een van de roze plastic ziekenhuisstoelen. Ze wachtten tot de arts hen zou komen halen zodat ze antwoord konden krijgen op een paar vragen. Tommaso was door een Zweedse toerist gevonden in de toiletten. Dood. Ze zeiden dat het geschreeuw van de toerist door het hele station te horen was.

'Hij zei dat we in gevaar waren. Dat er iemand in gevaar was', legde Flavio uit.

'Wanneer?'

'Op het station. Ik dacht dat hij ziek was. Ik had gehoord dat hij was geschorst.'

'Heb ik het gedaan? Is het mijn fout? Is dat wat je bedoelt?'

Flavio keek verbaasd naar de commissaris. Hij had hem nog nooit horen schreeuwen.

De commissaris probeerde zijn rug recht te houden en er beheerst uit te zien, ondanks zijn uitbarsting. Er zou een onderzoek komen, dat wist hij. Hij zou verhoord worden: waarom had hij Tommaso geschorst? Had hij niet beter naar hem moeten luisteren? Het ambulancepersoneel had nog geprobeerd om Tommaso te reanimeren in de toiletten. Toen hadden ze zijn rug gezien. Ze hadden zijn jas opengeknipt om hem stroomstoten te kunnen geven en toen hadden ze het bizarre teken op zijn rug gezien dat zich uitstrekte van schouder tot schouder. Gezwollen huid, een patroon. 'Het was warm, alsof het brandde', had een van hen gezegd.

De arts stak zijn hoofd om de hoek van de deur. Hij riep: 'Kom!'

Zo sprak anders nooit iemand tegen de politiecommissaris van

Venetië, maar misschien was dit nog maar een voorproefje van alles wat hem te wachten stond. Degradatie, vernedering, spottende stukken in de media.

Zelfs nu een van zijn medewerkers was overleden, dacht commissario Morante allereerst aan zijn eigen positie.

* * *

Het mortuarium

Een eenzame slinger hing boven de deur. Ook bij de patholoog-anatoom was het Kerst.

Het lijk van Tommaso Di Barbara lag met het hoofd naar beneden op de ijskoude metalen tafel. Maar er lag niet zomaar een lijk op die tafel, het was een lijk met een decoratie.

De politiecommissaris deed een stap naar voren en bekeek Tommaso's rug. 'Wat is dit?'

'Ik hoopte dat jullie mij dat konden vertellen.' De arts bleef beschuldigend bij het raam staan, alsof het allemaal de schuld van de commissaris was.

'Hoe zou ik dat moeten weten?'

De arts haalde zijn schouders op.

'Dit is waar Tommaso het over had.' Flavio's stem was bijna niet te horen. Hij keek naar de grond en ging verder. 'Hij had het over mensen die doodgingen met een teken op hun rug. Die zaak waar hij maar over bleef doorgaan, dat pakje uit China, al zijn knipsels, we geloofden hem alleen niet.'

Er viel een stilte in de klinische ruimte.

'Wat is de doodsoorzaak?' vroeg de commissaris.

De arts haalde zijn schouders op. 'Totdat iemand mij kan vertellen wat dát is, houd ik het op moord.'

'Moord?'

'Gifmoord. Ik zou niet weten waardoor dit anders gekomen zou zijn.'

Diepe zucht. Flavio had zich teruggetrokken. 'Flavio', riep de commissaris.

'Ja, commissaris?'

'Bel Tommaso's secretaresse. Die weet heel veel van de zaak. Tommaso heeft haar gebruikt om te vertalen.'

'Oké. Dat zal ik doen.'

'En we moeten contact opnemen met Interpol.'

De politiecommissaris keek naar de arts en daarna naar Flavio. 'Het is belangrijk dat we op tijd in actie komen. En dat is nu.'

DEEL II

Het boek van de rechtvaardigen

Abraham ging dichter naar hem toe en zei:
'Wilt u dan behalve de onrechtvaardigen ook de rechtvaardigen het leven benemen?
Misschien dat er in de stad vijftig rechtvaardigen zijn.'
De Heer antwoordde:
'Als ik in Sodom vijftig rechtvaardigen aantref,
zal ik omwille van hen de hele stad vergeving schenken.'

GENESIS 18

1

Vesterbro, Kopenhagen

De sneeuw knerpte onder zijn voeten toen Niels zich over de parkeerplaats naar de auto haastte. Hij hoorde Hannah niet, maar hij wist dat ze er was.

'Niels!'

Hij gaf zijn pogingen om de koffer door de verse sneeuw te trekken op en droeg hem verder in beide armen. De zware koffer had iets beschermends. Als een groot formaat kogelvrij vest.

'Je wist het al die tijd al, Niels.'

Ze was vlak achter hem.

'Ik weet niet waar je het over hebt.'

'Jij bent het, Niels.'

'Hoor je zelf niet hoe belachelijk dat klinkt?'

'Belachelijk?'

'Ja. De hele toestand is volkomen belachelijk.'

Hij ging langzamer lopen.

'Komt dat doordat het nu over echte mensen gaat? Is het dan opeens belachelijk?' Ze haalde hem in en pakte hem bij zijn arm. 'Was dat niet wat je tegen mij zei?'

Niels gaf geen antwoord. Ze waren bij de auto.

'Wanneer ben je voor het laatst op reis geweest?'

Niels keek haar niet aan. Hij weigerde te antwoorden. Hannah verhief haar stem: 'Geef antwoord! Je kunt toch gewoon antwoorden als het zo belachelijk is.'

Niels zocht in zijn zakken.

'Zoek je deze?' Ze hield de autosleutel omhoog.

'Verdomme. Het is jouw auto.'

'Precies. Zullen we gaan?'

Ze deed de auto open. Niels ging achter het stuur zitten. Hannah kwam naast hem zitten. Hij trok de deur dicht en gooide de koffer op de achterbank, naast de doos waarin alle rapporten over de moordzaak zaten.

'Oké, Niels Bentzon', zei ze. 'Waar gaan we naartoe?'

Hannah keek hem aan. Ze wachtte tot hij iets zou zeggen. Eindelijk kwam het.

'Ik ben geen arts,' zei hij verbeten, 'maar ik heb weleens gehoord van psychosomatische reacties: verstoorde zintuiglijke waarnemingen, abnormale bewustzijnstoestanden, denk bijvoorbeeld aan stigmatisering.'

Niels' hersenen werkten koortsachtig. Er schoot hem een televisieprogramma te binnen: 'Franciscus van Assisi.'

'Wat was er met hem?'

'Die heeft de laatste jaren van zijn leven rondgelopen met bloedende handen en voeten. Dat kwam vanuit hemzelf. Of die andere, hoe heet hij ook alweer?' Niels drukte zijn handen tegen zijn gezicht terwijl hij het televisieprogramma voor zijn innerlijk oog afspeelde. 'Die kleine, dikke monnik. Was het geen Italiaan? Ze hebben zelfs een beeld van hem gemaakt. Pater Pio! Heb je daar nooit van gehoord? Die is uit onze tijd. Hij heeft meer dan vijftig jaar lang bloedingen aan zijn handen gehad. Het menselijk lichaam kan de meest onverklaarbare fenomenen voortbrengen. Dat is waar we hier mee te maken hebben. Anders kan ik het niet verklaren.'

'Waarom zou je het moeten verklaren?'

Niels gaf geen antwoord. Ze hield aan: 'Wie zegt dat je het moet kunnen verklaren? Kun jij verklaren waarom de planeten zich in een ellips om de zon bewegen? Of waarom ...'

'Ik ben niet gelovig, Hannah. Ik denk dat er een natuurlijke verklaring voor dit alles is.'

'Ja, we hebben de natuurlijke verklaring gevonden, we begrijpen hem alleen niet. Zo beginnen alle ontdekkingen.'

Hij schudde zijn hoofd.

'Je moet het zien alsof het fenomeen zich gedraagt als een natuurwet.'

'Een natuurwet?'

'De definitie komt erop neer dat er een op feiten gebaseerd verband bestaat tussen natuurkundige grootheden. Daar wordt mee bedoeld dat een natuurwet onveranderbaar is. Je kunt hoog en laag springen, Niels, maar je kunt er niets aan doen. Kijk me aan.'

Hij gehoorzaamde. Hij zei niets.

'Waarom is het zo ondenkbaar dat het fenomeen een bepaald patroon volgt?'

'Hoe zou dat kunnen?'

'Het is net als in de wiskunde. Op het eerste gezicht heerst er chaos. Je kunt er geen touw aan vastknopen, maar opeens – als je afstand neemt en de code kraakt – ontstaat er een systeem. Het systeem komt voort uit chaos. De toevalligheden lossen voor je ogen op. De dingen ... de getallen komen bij elkaar en kunnen in een formule worden gezet. Dat weet iedere wiskundige.'

'Hannah.'

Ze onderbrak hem onmiddellijk: 'Het lijkt allemaal toeval, Niels: de manier waarop jij bij de zaak betrokken bent geraakt, Tommaso, je ontmoeting met mij, maar het klopt allemaal. Het is allemaal onderhavig aan het systeem. De natuurwet.'

'Het is allemaal té onwaarschijnlijk.' Niels praatte hardop in zichzelf en schudde zijn hoofd.

'Jullie kunnen geen van allen reizen', ging ze verder. 'Jullie zijn als masten die staan te wachten tot ze worden geactiveerd. En dan opeens doen jullie iets. Jullie handelen. Een daad die samenhangt met iets groters.'

'Iets groters?'

'Zoals die Israëlische militair die een gevangene vrijliet en er daardoor voor zorgde dat die gevangene ging geloven in ...'

'Dat is maar één voorbeeld', onderbrak Niels haar. 'Hoe zit het met die Rus?'

'Hij heeft die moeder en haar kinderen in het theater gered. Wie weet wat zij zullen uitrichten in de toekomst? Of die jongen die de niet-geregistreerde medicijnen kreeg en in leven bleef.'

Niels zweeg. Hannah ging verder: 'Jullie zijn als eilandjes, Niels. Jullie zijn gebonden aan een bepaalde plaats en daar blijven jullie om te beschermen.'

'Beschermen!' Niels keek haar spottend aan. 'Ik kan mezelf niet eens beschermen.'

'Dat is niet waar. Je hebt het zelf verteld. Jij bent degene die ze bellen als iemand er genoeg van heeft en zelfmoord wil plegen. Je bent net als de andere vijfendertig. Artsen, mensenrechtenactivisten; denk maar aan die Rus in het theater die bereid was om een kogel te ontvangen in plaats van die jonge moeder en haar kinderen. Wat jij doet is precies hetzelfde. Je hebt de dreiging van het begin af aan serieus genomen. Je was de enige.'

Opeens merkte hij dat ze zijn hand hard vastklemde. Ze ontspande haar greep, maar liet hem niet los. 'Het is een oud gezegde: De slimste zet van de duivel was ...'

Niels maakte de zin af. '... dat hij mensen ervan heeft weten te overtuigen dat hij niet bestond.'

'De grootste fout die we kunnen maken, is denken dat we alles weten. De mensen die ik ken, die het meest twijfelen en het meest onzeker zijn over hoe de wereld en het universum in elkaar zitten, zijn tegelijk ook de intelligentsten en de grootste genieën.'

Hij keek haar weer aan.

'God bestaat niet. Het is begonnen met de oerknal. We kunnen de temperatuur van de aarde omhoog- en omlaagdraaien als een thermostaat ...' Ze schudde haar hoofd en glimlachte naar hem. 'Absolute zekerheid is voor domme mensen. Er is een zekere intelligentie voor nodig om in te zien hoe weinig wij weten.'

'Daarom weten we ook niet wat er met mij aan de hand is.'

'Nee. Maar we kunnen wel een systeem zien. Zo zit het ook met de zwaartekracht. We hebben geen idee waarom hij werkt zoals hij werkt, maar we weten dat een bal weer naar beneden valt als we hem in de lucht gooien. Het maakt niet uit wat je doet, Niels, het maakt niet uit wát, over zes dagen zul je in het Rigshospital zijn. Op vrijdag.'

Niels zei niets. Hij startte de auto. Het doorbreken van de stilte had iets bevrijdends.

'Waar gaan we naartoe?' Ze liet zijn hand los.

Eindelijk keek hij haar aan: 'We gaan op vakantie. Dat heb ik nodig.'

* * *

Naar het westen

Toen ze Kopenhagen uit reden stak er een sneeuwjacht op. Eerst reden ze in noordelijke richting. De flatgebouwen maakten plaats voor huizen, de huizen maakten plaats voor villa's, die weer plaatsmaakten voor paleizen, waarna de natuur het overnam.

'Nee. We gaan naar het westen.'

Niels nam de afslag naar Odense. Ze moesten zo ver mogelijk weg. Op de radio werd met opgewonden stemmen gediscussieerd over het klimaatfiasco. Obama was vertrokken. Sommigen van de ondervraagden waren het erover eens dat de aarde zou vergaan – en misschien verdienden wij het ook helemaal niet om hier te zijn. Mensen. Vernielers. De woorden op de radio vlogen met grote snelheid door de lucht, net zoals de sneeuw buiten.

'Moet je kijken', zei Hannah zacht, bijna in zichzelf. Ze staarde als betoverd naar de miljarden sneeuwvlokjes waar ze tussendoor reden. 'Zou het zo zijn om in de ruimte te zweven?'

De met sneeuw bedekte velden lichtten op in het schijnsel van de koplampen. 'We zetten er een muziekje bij op.' Niels zocht in de stapel cd's. Milli Vanilli, Nina Hagen in een gebarsten hoesje.

'Let je wel op de weg?'

'Heb je niet iets van de Beatles? Of Bob Dylan? Iets van vóór 1975.'

'Ik heb alleen muziek waar ik niet naar luisterde toen Johannes nog leefde.'

Hij keek haar aan. 'Het project?'

'Precies. Let nou maar op de w ...'

De auto slipte. Even – heel even maar – had Niels geen controle meer over het stuur.

'Ik zei toch dat je op de weg moest letten.'

Niels glimlachte. Hannah stak twee sigaretten tegelijk op en gaf hem er een. Ze draaide het raampje open.

'Dank je.' Hij zette de muziek aan. Een eentonig popritme dat op de een of andere manier bij het moment paste. 'Maar eigenlijk maakt het niet uit.'

'Wat?'

'Als de auto slipt, als ik van de weg raak. Jij zegt toch dat het een natuurwet is dat ik vrijdag in het Rigshospital zal zijn, wat ik ook doe.'

'Dat zeg ík niet. Dat zegt het systeem. Dat zegt de wiskunde. Maar het systeem zegt niets over mij. Het is natuurlijk niet zeker dat ik er al klaar voor ben om ...' Ze aarzelde.

Niels keek haar aan. 'Ik ook niet.'

* * *

Ze reden door gehuchten die er allemaal precies hetzelfde uitzagen. Als ze uit het raam keken, zagen ze steeds hetzelfde: straatlantaarns, een stationnetje, een supermarkt, een pizzeria, een kiosk, allemaal ontworpen door dezelfde architect die alle provinciestadjes van het land had ontworpen. Die moet het druk hebben gehad.

Ze stonden voor een rood stoplicht. Er was geen mens te zien. Er brandde zelfs geen licht achter de ramen. Ook niet in de dierenwinkel en de huisartsenpraktijk en de apotheek en het café.

'Het is groen.'

Niels bleef staan.

'Niels?'

Hij stuurde de auto naar de kant van de weg.

'Wat is er? Waar zijn we?'

'Ergens.'

'*Ergens*?'

'Goede naam voor dit stadje, toch?'

'Niels, wat gaan we hier doen?'

Hij keek haar aan.

'We gaan winnen van jouw wiskunde.'

2

Ergens op Sjælland

Kathrine zei altijd dat er twee soorten mensen waren. De ene voelt zich gerustgesteld als ze naar een dokter moeten, de tweede wordt doodsbang. Niels hoorde bij die laatste categorie. Het gold voor alle artsen: huisartsen en alle artsen in ziekenhuizen en klinieken. Hij deed alles om ze te vermijden. Hij stelde de ontmoeting met een arts altijd uit tot het uiterste. Zes jaar geleden was het bijna fout gegaan. Een onschuldige longontsteking, die met een lichte antibioticakuur in een paar dagen genezen had kunnen worden, was hem bijna fataal geworden. Omdat hij er niets aan had gedaan, had de infectie zich uitgebreid naar zijn longvlies, longweefsel en longzak. Toen Niels eindelijk naar het ziekenhuis was gegaan, was hij zo verzwakt dat de artsen dachten dat het om een zeer agressieve vorm van longkanker ging. Kathrine was woedend op hem geweest. Waarom was hij niet eerder naar de dokter gegaan? 'Ik hoor bij de tweede categorie', was het enige wat hij daarop kon antwoorden.

* * *

Het alarm wachtte een seconde toen Niels met zijn elleboog de ruit insloeg, toen ging het af. Er klonk een afgrijselijk hoog, doordringend gegil. Zijn hand bloedde. Hij aarzelde even. Toen begon hij de kasten en laden te doorzoeken. Hij probeerde in het donker te lezen wat er op de etiketten stond. Prednisolon, Salbutamol, Acetylsalicylzuur, Terbasmin. Wat was de naam voor morfine? Hij scande vlug de informatie op de verpakkingen: *Kalmerend. Slaapmiddel. Laxeermiddel. Tegen allergie*. Het grootste deel belandde op de grond, maar alles wat ook maar het geringste verdovende effect beloofde, ging in zijn zak. Hoeveel tijd was er voorbij gegaan? Het zou wel een minuut of tien duren voordat de politie er was. Minstens. Dit soort inbraken had geen prioriteit. Niels kon wel ongeveer bedenken wat ze op het bureau zouden zeggen als ze het telefoontje kregen dat het alarm was afgegaan: 'Stomme rotjunks!' en daarna zouden ze eerst hun koffie nog opdrinken. Want wat had het voor zin en welke agent vond het leuk om in het donker, door een sneeuwstorm, achter een met hiv besmette, wanhopige junk aan te gaan. Er was altijd wel een of andere zielenpoot die bereid was om een handje pillen – het maakte niet uit welke – te slikken in de hoop dat zijn ontwenningsverschijnselen wat minder hevig zouden worden. Bijnierschorshormoon, Baclofen, Broomhexine. Een deel op de grond, een deel in zijn zak. Eindelijk vond hij iets wat hij kon gebruiken: morfinesulfaat, morfine.

'Hé, verdomme, wat doe jij daar?'

Het licht ging aan. Fel, onvriendelijk licht. Niels was even verblind.

'Ik zei: verdomme, wat doe jij daar?'

De man was jonger dan Niels, maar hij was groot en breed en woedend.

Niels had geen idee wat hij moest zeggen. Zo ging het vaak bij een aanhouding. Het bleef helemaal stil; je dacht dat degene die je aanhield in shock was, maar dat was niet altijd het geval. Soms viel er gewoon niets te zeggen.

'Blijf daar staan! Ik heb de politie gebeld.'

De man stond in de deuropening. Niels keek rond. Hij kon er nergens anders uit, hij moest langs de man. Nu. Niels liep naar hem toe.

'Blijf staan!'

Niels stond nu vlak voor hem. De man wilde Niels vastgrijpen. Niels reageerde instinctief en sloeg zijn armen weg, maar daardoor werd de man agressief. Hij haalde uit naar Niels, maar raakte hem alleen oppervlakkig. Niels wilde niet slaan, hij wilde er alleen langs. Hij probeerde zich langs de man te wringen, maar de man pakte hem vast en een paar onplezierige seconden wankelden ze rond als twee amateurworstelaars. De man was sterker dan Niels, maar hij had de wanhoop niet aan zijn kant. Met een brul wierp Niels hem van zich af. De man trok Niels mee en ze vielen tegen een losstaande kast. Even – of was dat alleen maar in Niels' hoofd? – leek het alsof het alarm stopte om plaats te maken voor het lawaai van de omvallende kast. Toen was het alarm weer terug.

Niels was als eerste overeind. Hij duwde de man opzij en registreerde dat er vlak onder zijn oog een glasscherf in zijn wang stak. Bloed in zijn gezicht en zijn haar.

Niels was weg.

Hij rende naar de auto. Hij gleed bijna uit over de besneeuwde stoep. Hannah had het autoportier al opengedaan. In de verte klonk een politiesirene.

'Verdomme, Niels!'

Hij startte de auto.

'Wat is er aan de hand, Niels?'

En reed weg uit het gehucht Ergens.

* * *

Ze stonden ergens langs de kant van de weg. Het sneeuwen was even opgehouden, maar vermoedelijk hergroepeerde de sneeuwstorm alleen zijn troepen om daarna met hernieuwde kracht terug te keren. Je hoorde geen enkel geluid.

Niels staarde door de voorruit in het donker. Het klokje in de auto zei dat het iets over drieën was. Halverwege de nacht.

'Ik heb nog nooit eerder zoiets gedaan', zei hij.

'Als je zo doorgaat, haal je vrijdag misschien niet eens.'

'Wat bedoel je?' Niels draaide zijn hoofd en keek haar aan.

'Misschien is dat wat je moet doen. Iets slechts. Zodat je geen goed mens meer bent.'

Niels gaf geen antwoord. Hij haalde zijn zakken leeg en las de informatie op de verpakking van de gestolen goederen. 'Ik geloof dat ik alles wel zo'n beetje heb.'

'Wat heeft het voor zin?'

'Injectiespuiten, alcohol, genoeg morfine om een olifant te verdoven.'

Hij merkte dat zijn woorden langs haar afgleden. Ze hoorde ze niet. Maar dat hield hem niet tegen: 'We hebben een week. Iets minder dan een week. Dus ...'

Hij stopte.

'Dus wat, Niels?'

'Dus ik neem morfine, verstop me op een boot en vaar weg.'

'Je vaart weg?'

'Ja.'

'Waar naartoe?'

Hij haalde zijn schouders op.

'Waar zou je graag naartoe willen varen, Niels?'

'Argentinië, denk ik.'

'Argentinië?' Glimlachte ze? 'Dat is nogal een eindje varen.'

'Buenos Aires.'

Hannah zei niets.

'Ik heb daar een vriendin. Ze heeft me over de groene meren in Patagonië verteld. Die zijn smaragdgroen.'

'Wie is dat?'

Hij aarzelde. 'Dat weet ik niet. Ik heb haar nog nooit gezien.' Hij keek Hannah aan. Ze was mooi. Vrolijk, bang en droevig. Was dat een traan in haar ooghoek? 'Nee, ik wil samen met jou gaan, Hannah.'

'Je kunt niet reizen.'

'Misschien wel. Als ik diep genoeg in slaap ben.'

'Je begrijpt het niet, Niels. Je begrijpt het echt niet.' Het was inderdaad een traan. Nu zag hij hem. Ze veegde hem vlug weg. 'Natuurwetten trekken zich er niets van aan of jij slaapt.'

3

De Grote Belt

Niels kon zich nog herinneren dat de brug over de Grote Belt werd geopend. Dat was in 1998. Kathrine zat jaloers aan de televisie gekluisterd. Ze was hevig gefascineerd door de 18 kilometer lange kolos van een hangbrug, die zich uitstrekte zover het oog kon kijken. Ze kende alle cijfers: 70 meter boven het zeeoppervlak, ruim anderhalve kilometer tussen de twee pylonen die zich 250 meter naar de hemel uitstrekten, 19 brugpijlers van 6000 ton elk. Niels begreep haar enthousiasme niet. Hij vond de brug geldverspilling. En wat erger was: de brug betekende het einde van de veerponten. Daarmee verdween de mogelijkheid om andere mensen te ontmoeten en een praatje te maken met vrachtwagenchauffeurs, politici en allerlei verschillende personen uit alle uithoeken van het land. Kathrine wilde heel graag ooit een brug ontwerpen. Ze kon hele avonden surfen langs de Golden Gate Bridge, de Ponte Vecchio, de Karlsbro, de Akashi Kaikyo en de South Congress Bridge in Austin, waarvandaan elke avond tegen de schemering anderhalf miljoen vleermuizen wegvlogen om voedsel te zoeken. Ze zei dat hij zich vergiste, en dat de brug over de Grote Belt juist mensen met elkaar zou verbinden en ervoor zou zorgen dat ze met elkaar praatten.

Niels keek naar het verkeer dat stagneerde bij de betaalautomaten aan de voet van de brug. Niemand praatte met een ander. Mensen suisden sneller langs elkaar heen dan ooit. Achter hen kwam de zon op.

Zaterdag 19 december

De eerste zonnestralen kleurden de zee oranje. De rij wachtende auto's voor het loket stond al tien minuten onbeweeglijk stil. Hannah sliep. Niels keek naar haar. Haar gezicht was vredig, zorgeloos. Een bijna onzichtbare trilling onder de fijne oogleden. Ze droomde.

Hij kwam bij het loket.

'Goedemorgen.' Niels gaf zijn bankpas aan de man in uniform.

'Rijdt u voorzichtig, het kan glad zijn.'

'Dank u.'

Niels zette koers in de richting van het eiland Fyn.

'Niels?' Hannah sliep half. Haar stem klonk ver weg.

'Slaap maar door.'

Hij zette de radio aan. Kerstmuziek, gevolgd door het nieuws. Het grootste deel ging over de klimaattop. De regering legde het uit als een groot succes, de oppositie als een daverend fiasco. De Chinezen waren de boosdoeners, daar was iedereen het over eens. Een politicus zei dat het wel leek of de Chinezen dachten dat ze op een andere aardbol woonden dan alle anderen, anders kon het klimaat hen toch onmogelijk zo onverschillig laten. Nieuwe onderwerpen: een politicus eiste belastinghervormingen, een andere klaagde over fraude met voedingswaren, gevechten bij de grens van Gaza, een olielek voor de kust van Canada. Niels zocht een andere zender. Alles behalve dit. Toen hij het opsporingsbericht hoorde, duurde het even voordat hij begreep over wie het ging. 'Europees uiterlijk, circa een meter vijfentachtig, spijkerbroek, donkere jas, gevaarlijk.' Vooral dat laatste maakte indruk op hem. 'Gevaarlijk'. Niels was in zijn leven heel veel genoemd: naïef, conflictschuw, diplomatiek, vaag, wereldvreemd, wijs, dom, manisch-depressief – maar hij was nog nooit gevaarlijk genoemd.

'Gevaarlijk'. Het woord bleef nog een paar kilometer lang door zijn hoofd spoken terwijl hij over de snelweg reed. Hij betrapte zichzelf erop dat hij paranoïde blikken in de achteruitkijkspiegel wierp. Had iemand de auto gezien toen hij uit de apotheek was weggerend? Niels speelde de situatie nog eens voor zijn ogen af. Eerst was hij ervan overtuigd dat er geen andere getuigen waren behalve de man in de apotheek en die had de auto niet gezien. Maar toen begon hij toch te twijfelen. Zou de man opgekrabbeld zijn en naar het raam zijn gerend? Had hij snel gereageerd en het kenteken van de auto genoteerd? Niels wist het niet zeker. Hij wist helemaal niets zeker, behalve dat hij zich fysiek ongemakkelijk voelde door de hele situatie. Ten slotte – toen hij van de snelweg afsloeg en secundaire wegen op reed – was hij er bijna zeker van dat de man voor het raam had gestaan. Niels dacht dat hij zijn silhouet had gezien. Als hij het kenteken had genoteerd, zou het snel gaan. Een gezochte auto waarvan de politie het kenteken wist, was snel gevonden. Binnen enkele uren. Vooral nu Niels als 'gevaarlijk' was aangemerkt. Zijn benen trilden, hij moest ze even strekken. Hij besloot zich nergens iets van aan te trekken en te stoppen. Hij besloot ook nog iets anders: hij zou Hannah niet vertellen dat ze werden gezocht.

Ze kwamen uit bij het water. Een haventje. De haven van Kerteminde of zo.

'Niels?' Hannah werd wakker toen de auto stopte. 'Waar zijn we?'

'Goedemorgen. We gaan een kop koffie drinken. En een beetje nadenken.'

Hannah rekte zich uit met een zeker geluksgevoel. Hij wist niet of ze blij was met het vooruitzicht dat ze koffie kreeg of omdat ze zouden gaan 'nadenken'.

Er was een klein havenkantoor met een kiosk. Hannah wachtte buiten terwijl Niels koffie haalde. Het meisje in de kiosk staarde hem achterdochtig aan. Misschien verbeeldde hij het zich gewoon. Benzinestations kregen altijd informatie over gezochte personen, maar een kiosk als deze? Had het meisje zijn signalement al onder de toonbank liggen? Of op de laptop die bij het raam stond? Niels ving haar blik op. Mat ze zijn lengte met haar ogen? En zijn gewicht? Niels probeerde zich te ontspannen. Hij bedacht dat hij zijn schouders en zijn gezicht moest ontspannen. Het resultaat was voorspelbaar: hij leek op een robot met een zwak zenuwgestel. Toen hij de kiosk uit liep, zag hij voor zich hoe het meisje de telefoon zou grijpen en het dichtstbijzijnde politiebureau bellen. Hij verjoeg die gedachte uit zijn hoofd en liep naar Hannah toe.

'Gaan we niet verder?' Ze klonk vermoeid.

'Heb je geslapen?' Hij gaf haar het plastic bekertje koffie.

'Een beetje.' Ze maakte een beweging met haar hoofd waaruit bleek dat haar nek stijf was.

'Is het te koud om hier te staan?'

'Het is prima.'

Ze keken uit over het water. Het zou niet lang duren voordat de waterdamp die boven het wateroppervlak hing zou veranderen in ijskristallen en de baai zou dichtvriezen. Niels zette zijn telefoon aan. Geen berichten.

'Ik had een collega op het instituut.' Hannah keek naar een groepje vissers die voorbereidingen troffen om uit te varen terwijl ze praatte. Een van de vissers zwaaide. Hannah zwaaide terug. 'Die kon geen "nee" zeggen. Het leek wel of "nee" niet in zijn woordenboek voorkwam. Als iemand hem iets vroeg, zei hij altijd "ja".'

Ze was een hele tijd stil. 'Dat werd een probleem voor hem. Hij kon het allemaal niet aan. Hij kon nooit alles waarop hij "ja" had gezegd, waarmaken. Commissies, vergaderingen, congressen, presentaties. En uiteindelijk ...' Ze stopte en keek hem aan. '... uiteindelijk keerde de stemming zich tegen hem.'

'Waar wil je naartoe?'

'Goedheid als probleem, Niels. Dat is waar ik naartoe wil. Zijn goedheid werd een probleem voor het hele instituut. We gingen al snel zonder hem vergaderen, gewoon om hem te sparen, zodat hij ons en zichzelf niet teleur hoefde te stellen. Begrijp je dat?'

'Ik geloof het niet.'

'Wat is goedheid, Niels?'

Niels schudde zijn hoofd en bestudeerde het grind.

'De filosofe Hannah Arendt heeft het over de banaliteit van het kwaad. *The banality of evil*. Zij denkt dat de meeste mensen een latente slechtheid in zich hebben. Alles wat ervoor nodig is om die boven te laten komen, zijn de juiste – of liever gezegd de verkeerde – omstandigheden. Maar hoe zit het dan met goedheid? De banaliteit van de goedheid. Als ik aan mijn collega en aan jou denk, kun je bijna zeggen dat jullie geen vrije wil hebben. Jullie hebben geen keus. Jullie zíjn goed. Is goedheid dan nog steeds goed?'

'Hannah.'

'Nee, wacht even, dit is echt van wezenlijk belang. Jij hebt er niet zelf voor gekozen. Bij onze interpretatie van het woord 'goedheid' en 'de goede daad', denken we existentieel gezien dat we een keus hebben. Maar jij hebt helemaal geen keus. Denk maar aan het verhaal van Job! Jij bent een pion in een veel groter spel waarvoor anderen ... of liever gezegd *iets anders* de regels heeft ontworpen. Het paradoxale in het verhaal van Job is dat God eigenlijk vooral aan Job denkt, ook al neemt hij hem alles af. Zo is het ook met jullie. Met jou, Niels. Jij bent ook beroofd van je vrije wil – en van de mogelijkheid om je te verplaatsen.'

'Hou op!'

'Ze zeggen dat de meeste mensen die nu in de gevangenis zitten het DAMP-syndroom of ADHD hebben. Dat zijn vormen van autisme. Neuropsychologische stoornissen die we nog maar net beginnen te begrijpen. Stel nou dat we veel minder baas in eigen huis zijn dan we denken? Stel dat het grootste deel van onze handelingen biologisch bepaald is?'

'Hannah!' Niels onderbrak haar en keek om zich heen.

'Ja.'

'Het is heel moeilijk om er niet aan te denken als jij er steeds maar over door blijft gaan.'

Ze glimlachte.

'We zijn op vakantie. Goed?'

'Goed.' Ze glimlachte.

'Laten we verder gaan.'

Ze liepen naar de auto en stapten in. Ze bleven even zitten, blij dat ze uit de ijzige wind waren. Niels wilde de motor starten toen Hannah opeens zei: 'Wie is dat?' Ze keek langs hem heen.

'Wie?'

'Achter je. Ze komen hierheen.'

Hij draaide zich om. Twee politieagenten. Een boog zich naar voren en klopte hard op het autoraam.

4

Nyborg
De plek had echt potentie. Eerst had Niels het niet gezien, maar nu drong het tot hem door.

De cel deed denken aan een studentenkamer, deze ruimte was alleen iets groter. De sfeer was niet bepaald 'Alcatraz'. Er werden geen traliedeuren dichtgegooid, er werd niet met sleutelbossen gerammeld en er klonk geen militair gestamp van laarzen van sadistische gevangenbewaarders. Er waren geen psychopathische medegevangenen met tatoeages in hun gezicht, die vastzaten voor viervoudige roofmoord en gewoon wachtten tot hij in slaap zou vallen en ze zich op hem konden storten. Er klonk geen angstig gemompel op de gang als een ter dood veroordeelde gevangene de zware gang naar de elektrische stoel maakte. Het was een heel gewone studentenkamer die naar braaksel stonk. Niels keek rond in de politiecel. Het zag er schoon uit. Maar hoe grondig er ook was schoongemaakt, de geur van overgeefsel was niet zo makkelijk weg te krijgen. Waarschijnlijk een plaatselijke alcoholist die een stinkend visitekaartje had willen achterlaten, of een uit de hand gelopen vrijgezellenavond. Een politiecel was net een hotel. Mensen kwamen aan, checkten in, logeerden er een poosje en vertrokken weer. De gast van vandaag was Niels Bentzon.

Niels keek rond: een brits, een stoel, een tafel, een kast, vier kale wanden. Iemand had met watervaste stift DE POLITIE SUKS op de muur geschreven, met spelfout en al. Ondanks ijverig boenen hadden ze het er niet af gekregen. Maar de plek had potentie: *ingesloten*. Ze hoefden alleen maar een doos met voedsel in blik voor hem neer te zetten en de sleutel een week lang weg te gooien.

Waar was Hannah? In een andere cel? Werd ze verhoord? Misschien hadden ze haar laten gaan. Niels' gedachten gingen terug naar hun arrestatie. Hij vroeg zich af hoe ze hem zo snel hadden kunnen vinden. Misschien toch het meisje van de kiosk? Voorzover hij wist was er normaal geen bewaking bij de brug. Hij gaf het op om te proberen erachter te komen. Het was te lang geleden dat hij had meegewerkt aan het opsporen van mensen – de laatste paar jaar was er zo veel nieuwe technologie bij gekomen. Misschien waren ze wel door een satelliet gevonden, dacht hij ten slotte.

Het was koud in de cel. Het politiebureau bezuinigde op warmte. Of het was onderdeel van hun tactiek; als je de gevangenen het leven niet zuur mocht maken door ze uit te hongeren of in elkaar te slaan, kon je altijd in de winter de verwarming een beetje lager zetten. Niels kende de trucjes.

Hij hoorde het geluid van de deur, die van het slot werd gehaald. Er kwam een vrouw binnen. Lisa Larsson. Het kon de naam van een pornoactrice zijn, bedacht Niels toen ze zich voorstelde. Of van een Zweedse thrillerschrijfster. Ze glimlachte even, maar haar stem had niets vriendelijks toen ze vroeg of hij haar wilde volgen.

* * *

'U bent politieman?' Lisa Larsson – jong, knap, koele blik – klonk oprecht verbaasd. Niels liet zijn ogen langs de slinger van kerstmannetjes voor het raam gaan.

'Ja, ik ben politieonderhandelaar bij gijzelingssituaties en als mensen met zelfmoord dreigen.'

'Waarom hebt u dat niet gezegd?' De andere agent, Hans, was een oudere man die Niels deed denken aan een leraar die hij in een ander leven had gehad. Hij keek verward in zijn papieren en krabde in zijn korte, keurig getrimde baard die bedoeld was om hem iets van de autoriteit te geven die hij van nature ontbeerde.

Niels haalde zijn schouders op. 'Hoe hebben jullie me zo snel gevonden?'

Ze negeerden zijn vraag.

'U werkt in Kopenhagen?'

'Ja.'

Ze keken elkaar aan. Er gingen enkele pijnlijke seconden voorbij. Niels zou niet verrast zijn geweest als ze hem ter plekke hadden vrijgelaten. Er moest sprake zijn van een misverstand, dat was voelbaar. Het was duidelijk dat ze, net als zo veel anderen, in de veronderstelling leefden dat politiemensen nooit in de problemen kwamen met de wet. Ze vonden het ongemakkelijk om onder deze omstandigheden tegenover een politieman te zitten. Niels zag het aan de blikken die ze elkaar toewierpen. Hij begreep hen goed. Ze voelden zich oncollegiaal, verraders; niemand anders vond de politie aardig. Wat moest er wel niet van komen als ze elkaar gingen arresteren?

'In Kopenhagen.' De man zette zijn bril recht. 'Bij Sommersted?'

'Ja. Kent u Sommersted?'

'Een beetje. We zijn geen dikke vrienden, maar we zijn elkaar bij verschillende gelegenheden tegengekomen.'

'Sommersted heeft geen vrienden.' Niels probeerde te glimlachen.

'Wat is er gebeurd in die apotheek?' Lisa voelde zich minder in verlegenheid gebracht door Niels' status.

Niels keek haar aan. Ze kwam vers van de opleiding, hield zich aan de regels. Kon zich de regels nog herinneren. Op dat moment besloot hij dat hij alleen haar zou aankijken tijdens het gesprek. Hij wilde zich graag aan de regels houden en hij had geen zin in smalltalk met Hans.

'Wat heeft hij gezegd? Die man tegen wie ik ben op gebotst.'

'Allan ...' Ze zocht in haar papieren. Ze was effectief en goed. Ze wilde verder komen – ze was niet van plan om hier op Fyn te blijven en het risico te lopen dat ze over twintig jaar nog bij het plaatselijke café zou staan om mensen te laten blazen als ze op onvaste benen naar buiten kwamen na de jaarlijkse kerstlunch van de zaak. 'Dat u om ongeveer half twee vannacht hebt ingebroken in de apotheek, hem hebt neergeslagen en ervandoor bent gegaan. Met dit alles.' Ze wees naar de tafel waarop de morfine lag en een paar injectiespuiten en de andere pillen die Niels bij elkaar had gegraaid. Het sprak voor zich: de man die tegenover hen zat, was een junk. Niels was niet van plan om hen tegen te spreken. De waarheid was te gecompliceerd – dat is hij bijna altijd.

Stilte. Hans stond op.

'Ik bel Sommersted even.'

Hij ging naar het kantoor ernaast en kwam bijna meteen weer terug. 'Je baas wil je graag spreken.'

De politieman knikte naar de deur van het kantoor ernaast.

Niels hoorde het meteen toen hij de telefoon had opgepakt; zo klonk Sommersted als hij probeerde zich van zijn vriendelijke, begrijpende kant te laten zien, maar daar niet zo goed in slaagde. Zijn hectische, schokkende ademhaling verried hem.

'Bentzon?'

'Ja.' Niels ergerde zich aan de zwakte in zijn stem.

'Wat is er aan de hand?'

'Ik weet het.'

'Wat weet je?'

'Ik weet dat ik ben aangehouden voor inbraak in een apotheek.'

'Wat is er aan de hand, Niels?' Hij gooide zijn laatste, kunstmatige poging om begrijpend over te komen overboord. Wat overbleef was een razende Sommersted. 'Wat doe je verdomme op Fyn?'

Niels zei niets. Hij vond opeens dat stilte te prefereren was boven onmogelijke verklaringen. Wat moest hij zeggen?

'Ik wacht, Bentzon.' Sommersted liet zijn stem een beetje zakken.

'De zaak van de goeden die worden vermoord.'

'Die zaak weer?' Een moedeloze, theatrale zucht.

Stilte. Sommersted nam een aanloopje, Niels voelde het. En inderdaad: 'Dus het klopt wat ze zeggen.'

'Ze?'

'Dus daar had je die medicijnen voor nodig. Het was voor jezelf. Je bent niet in orde, Niels.'

'Nee.'

'Ik geloof niet dat je in orde bent.'

Sommersted dacht na. Niels hoorde het door de telefoon.

'Je komt nu meteen terug naar Kopenhagen. Ik vraag Rishøj of hij je tot de brug wil brengen en dan komt Leon je daar halen.'

'Rishøj?' Niels maakte oogcontact met Hans, die glimlachte. Niels begreep het.

'Precies. Jullie vertrekken nu meteen en dan zien we elkaar op het bureau als ... bel maar als jullie er bijna zijn. We kunnen niet om een vooronderzoek heen.'

Niels luisterde niet. Hij hoorde maar één zinnetje in zijn hoofd. *Je komt nu meteen terug naar Kopenhagen.*

'Ik kom niet terug naar Kopenhagen.'

'Wat bedoel je?' Sommersted klonk dreigend.

'Ik kom niet terug naar Kopenhagen.'

Niels hing op. Hij keek even om zich heen. Het plaatselijke politiebureau: *Het kleine huis op de prairie* onder de politiebureaus. Er stonden een paar computers, de wanden waren versierd met foto's van kinderen en kleinkinderen en er hing een knipsel uit een plaatselijke krant aan de muur: 'Politie bindt de strijd aan met overgewicht'. Niels vroeg zich af waar het over ging, maar hij had geen zin om het artikel te lezen. Hoe zou dat in zijn werk gaan? Zouden ze boetes uitdelen aan mensen die zich niet hielden aan hun wekelijkse uurtje hardlopen?

'We moeten gaan.' Rishøj klonk verontschuldigend.

Niels bleef staan.

'Niels? Je vrouw wacht al in de auto.'

'Dat is niet mijn vrouw.'

Rishøj trok zijn jas aan.

'Rishøj? Dit klinkt misschien heel raar, maar als ik jullie nou eens vroeg om mij tot zaterdagochtend op te sluiten?'

5

Fyn

Het leverde geen fraai schouwspel op, wat de sneeuw met noord-Fyn had gedaan. De witte kristalmassa rond het bureau had zich vermengd met opwaaiend zand. Dit deel van de wereld was lichtbruin geworden in plaats van wit.

Ook de politieauto zat onder de sneeuw en de derrie. Hannah zat voorin. Niels was verbaasd. Dat was duidelijk tegen de regels, maar misschien was dat omdat Rishøj hen eerder als vrienden beschouwde dan als vijanden. Hannah zei niets toen Niels en Rishøj in de auto stapten. Niels ging op de achterbank zitten. De achterportieren konden van binnenuit niet worden geopend.

Rishøj stak de sleutel in het contact. Lisa was nog in het bureau. Het was ook tegen de regels dat zij niet meeging. Eén agent voor twee gevangenen. *Gevangenen.* Dat woord voelde helemaal verkeerd.

De al wat oudere politieman draaide zich om zodat hij Hannah en Niels allebei kon aankijken. Hij was net een leraar die met zijn klas op schoolreisje ging en even een paar mededelingen wilde doen. Niels verwachtte half en half dat hij zou zeggen: 'Over een uurtje zijn we bij het huis van Hans Christian Andersen. Heeft iedereen zijn lunchpakketje en zijn schoolmelk meegenomen?' Maar in plaats daarvan zei hij: 'Ik zal eerlijk zijn: ik heb nog nooit eerder zoiets meegemaakt.'

Niels en Hannah hoopten allebei dat de ander iets zou zeggen, maar het leek Rishøj niets uit te maken dat ze niets terugzeiden.

'Hier gebeurt natuurlijk niet zo veel. Jonge knullen die een beetje herrie schoppen, kroeggevechten, dat soort dingen. Een enkele keer moeten we bijstand verlenen als de moslimjongeren in Vollsmose zich misdragen. En zal ik jullie eens wat zeggen?'

'Nee', zei Hannah vlug.

'De meeste zijn echt best goeie jongens. Begrijp me niet verkeerd, sommige zijn totaal ontspoord, maar de meeste lopen zich gewoon te vervelen. Geef ze een jeugdhonk, of een trapveldje. Maar goed, daar hadden we het niet over.'

Niels keek hem aan. Rishøj glimlachte. Hij zag eruit als een man die al heel lang elk contact met de wereld om hem heen was kwijtgeraakt. Een warrige, ietwat afwezige oudere man die zijn uniform aan de wilgen zou moeten hangen en inzien dat hij zijn strijd voortaan beter kon strijden op het lapje grond rond zijn vakantiehuisje, waar de vijand niet 'die moslimjongeren' was, maar zwaluwtong, uitstaande melde en ander onkruid.

Als Rishøj niet praatte, was het stil. Het ging weer harder sneeuwen. De sneeuw wervelde over de velden en het verkeer bewoog zich langzaam vooruit. Rishøj praatte. Over zijn dochter, die kapster was. Hannah knikte af en toe. Niels luisterde niet. Hij probeerde te bedenken wat er zou gebeuren als ze in Kopenhagen waren. Hij zag het al voor zich: een woedende Sommersted, de minachting van Leon en het allerergste: het geestelijk onderzoek in de psychiatrische afdeling van het Rigshospital. Hij wilde het liefst schreeuwen: *Ik wil niet dood*! Maar het leek wel of er iets – *iets* – aan hem trok.

'Een van je collega's staat te wachten aan de andere kant van de brug', legde Rishøj uit. 'Hij neemt jullie verder mee.'

Hannah draaide zich om en keek Niels aan. 'Zie je nou, Niels? Het maakt niet uit wat je doet, we zijn nu toch op de terugweg.'

'Precies zoals jij zei.'

'Maar bekijk het eens van deze kant, Niels: er is iets wat groter is dan wij. Iets wat wij niet weten. En jij voelt dat nu.'

'Probeer je me te troosten?'

'Ja.'

'Oké.'

Rishøj keek haar vragend aan.

Niels wilde het liefst in elkaar kruipen in de foetushouding. Over minder dan twee uur zouden ze terug zijn in Kopenhagen. Ze konden de rij voor de brug over de Grote Belt al zien. Ik ga die brug niet over, beloofde hij zichzelf. Als ik aan de overkant kom, is het afgelopen.

Voor de brug stond een lange rij auto's.

'Wat is er aan de hand?' Rishøj sprak hardop tegen zichzelf.

'Misschien is de brug gesloten vanwege het weer?' opperde Hannah.

De agent knikte. Hij trommelde een poosje ongeduldig op het stuur. Toen mompelde hij: 'Mijn pijp roept me', en hij deed de deur open. 'Nog iemand roken?' Hij draaide zich om.

Niels knikte.

Hannah had gelijk: de brug was tijdelijk afgesloten vanwege het slechte zicht. Toen zij ook uitstapte, maakte Niels oogcontact met haar.

'Ik bel je collega's aan de overkant even, anders denken ze misschien dat we ze vergeten zijn.' Rishøj liep een paar meter weg en belde.

'Ben je er klaar voor?' fluisterde Niels tegen Hannah.

'Wat bedoel je?'

'Ik ga die brug niet over.'

'Niels, het maakt niet uit wat je ...' Meer kon Hannah niet zeggen, want Rishøj kwam alweer aanlopen.

'Ze zeggen dat de wind gaat liggen.' Hij haalde zijn pijp tevoorschijn en wilde hem aansteken, maar zijn aansteker waaide steeds uit. Niels reageerde snel. 'Ik heb een aansteker in mijn koffer in de achterbak.'

Rishøj knikte en haalde zijn autosleutels uit zijn zak. De kofferbak ging met een klikje open. Niels maakte zijn koffer open.

'Daarvandaan komt nog meer sneeuw', beweerde Hannah. De oudere politieman keek vertwijfeld naar het noorden. Toen hij zich omdraaide, stond hij recht voor de loop van Niels' Heckler & Koch, maar hij zag het niet en ging gewoon verder. Hij was zijn vermogen om een situatie te beoordelen lang geleden al kwijtgeraakt. Het was een geluk dat het landelijke politiekorps nog iets voor hem had kunnen vinden. 'In de Belt is het altijd het ergst', mompelde hij. 'Ik heb een boot in Kerteminde, en die ...'

Niels moest zijn pistool een beetje optillen en ermee op zijn schouder tikken. Eindelijk kreeg de politieman het pistool in het oog. Hij was niet bang, zelfs niet verrast. Hij begreep gewoon niet wat er aan de hand was.

'Ga in de auto zitten.' Niels tilde zijn koffer uit de achterbak en gaf hem aan Hannah.

'Wat?'

'Je moet op de achterbank van de auto gaan zitten.'

'Waarom?'

'Je moet achter in de auto gaan zitten.'

'Waarom?' Rishøjs stem was bijna niet te horen.

Niels gaf geen antwoord. Hij opende het portier.

'Geef mij de sleutels.'

'Maar ...'

'Nu!' Niels verhief zijn stem. Dat was nodig om door het dikke pantser dat Rishøj tijdens zijn jarenlange ontkenning van de werkelijkheid had opgebouwd, heen te breken.

Op het moment dat hij het klikje hoorde waarmee Niels het achterportier opendeed, veranderde Rishøjs blik. Niels zag het meteen. Opeens was hij gefocust. En opeens drong het tot Niels door dat hij Rishøj een dienst had bewezen. Dit moment zou voor de agent van doorslaggevende betekenis zijn. Het beeld dat hij zich in de loop van tientallen jaren had gevormd, van de wereld als één grote Duckstad waar iedereen diep van binnen eigenlijk goed was, spatte voor hun ogen uiteen. Wat overbleef was teleurstelling. 'Ik dacht dat we aan dezelfde kant stonden', zei zijn blik.

'Je gaat nu in de auto zitten.' Niels sprak rustig en afgemeten.

'Maar waarom?'

'Omdat ik niet terugga naar Kopenhagen. Ik ga weg.' Niels boog zich over de voorstoel en ramde de kolf van zijn pistool tegen de radio. Er hingen een paar draden uit de kapotgeslagen radio. 'Geef me je mobiel.'

De klap kwam geheel onverwacht voor Niels en hij was goed raak. Hij voelde de pijn door zijn hele schedel trekken en hij hoorde een harde fluittoon in zijn linkeroor.

'Waar ben jij in godsnaam mee bezig?' brulde Rishøj. 'Probeer je me op te sluiten?'

Weer een klap, dit keer nóg harder. Niels wankelde en liet zijn pistool vallen. Rishøj probeerde het zijne te pakken. Niels draaide zich om en sloeg terug.

'Niels!' Hannahs kreet leek uit een andere wereld te komen, ook al stond ze vlak naast hem. Het duurde een seconde voordat Niels zijn gedachten had geordend. *De morfine en de spuiten* – die lagen in het handschoenenkastje. Hij registreerde dat Rishøj huilde van pijn en vertwijfeling. Niels vond de morfine die keurig in een klinisch schone plastic zak voor politiebewijsmateriaal was verpakt.

'De koffer!'

'Wat?'

Hij pakte de koffer in zijn ene hand en Hannah in zijn andere en toen begon hij te rennen.

Ze klommen over de vangrail, staken een dichtgevroren waterplasje over en renden de koude velden in. Toen hij over zijn schouder keek, zag Niels in een flits de oude politieman staan die zijn pistool op hen richtte. 'Hannah, ik geloof dat hij ...'

Het geluid van een droog knalletje op de bevroren grond. Nog een knalletje. Het klonk als knalerwten.

'Hij schiet op ons', riep Niels hijgend terwijl ze rennend in de sneeuwjacht verdwenen.

* * *

Hun schoenen zakten diep weg in de losse sneeuw tussen de bomen.

'Komt hij ons achterna?' Hannah draaide zich om.

'Verderop is een weg.'

Ze huilde. 'Waar?'

Niels was buiten adem. In Denemarken was er altijd een weg verderop. 'Loop maar gewoon door.'

Ze lieten de bomen achter zich en kropen over de brave poging van de landschapsarchitect om open veld en picknickplaats te verenigen.

'Wat nu? Welke kant op?' Ze begon te lopen. 'Misschien kunnen we een lift krijgen van een auto, of ...'

Ze werd onderbroken door het geluid van een naderende bus.

'De cavalerie', mompelde Niels terwijl hij zijn hand opstak.

De bus stopte, zoals ze alleen op het platteland doen.

'Heeft jullie auto het begeven door de kou?' riep de chauffeur in zijn zangerige Fynse dialect. 'Ik ga maar tot het station. Daar kunnen jullie de trein naar Odense nemen.'

'Bedankt.' Niels stapte eerst in en probeerde de blik van de chauffeur te ontwijken.

Ze gingen helemaal achterin zitten en keken uit het raam. De gladde wegen dwongen de chauffeur om langzaam te rijden, in tegenstelling tot Niels' hartslag, die op hol was geslagen. De chauffeur reed in een rustig tempo door. Dat was goed. Je moest de rust bewaren. Hetzelfde tempo rijden als alle anderen.

Niels had professionele misdadigers gezien die heel goed doordachte overvallen hadden gepleegd op banken, geldtransporten of goudsmeden om vervolgens, nadat de overval was gepleegd, in paniek te raken. Het was diep geworteld in de menselijke natuur: als je een misdaad had begaan, wilde je zo snel mogelijk weg. Ver weg.

De bus stopte bij een klein busstationnetje en de chauffeur stapte tegelijk met de passagiers uit.

Hannah en Niels gingen een microscopisch klein wachthuisje binnen. De koffieautomaat deed het niet. Het rook er naar oude urine.

'Het station is daar.' Niels wees. 'We kopen gewoon een kaartje. Waar zullen we naartoe gaan?'

Ze raakte zijn bovenlip aan. 'Je bloedt.'

Niels knikte. Hij was duizelig, de politieman had hem hard geraakt.

'Jij hoeft eigenlijk niet ...' Hij stopte.

'Wat? Samen met jou te vluchten?'

'Ja. Achter jou zit niemand aan.'

'Iets', zei ze met een glimlach. 'Niet "iemand". Als het iemand was geweest, had ik hier niet gezeten. Maar nu het iets is, is het veel interessanter.'

'Is dat het zelfs waard om de gevangenis voor in te gaan? Als het zover komt.'

'Ik zeg gewoon dat je me gekidnapt hebt.'

* * *

De trein stopte telkens als er twee huizen dicht genoeg bij elkaar stonden om een gehucht te worden genoemd, maar dat gaf niet. Ze zaten tegenover elkaar. Het was prettig om zo te zitten. Niels probeerde af en toe ongemerkt naar haar te kijken, maar ze onderschepte elke keer zijn blik. De situatie werd een beetje ongemakkelijk. Niels richtte zijn blik naar buiten en probeerde hem daar te houden. Toen ze een tunnel in reden, zag hij Hannahs spiegelbeeld in het raam. Ze keek naar hem. Op een manier die hij leuk vond.

'Kijk me eens aan.'

Hij gehoorzaamde. Zo bleven ze zitten. De tunnel leek opeens heel lang. Vlak voordat ze weer in het licht kwamen, moest hij aan Kathrine denken. Dat was zijn slechte geweten dat tegen hem sprak. Hij probeerde zich voor te stellen dat het Kathrine was die tegenover hem zat, maar hij zag alleen Hannah.

Een jeugdherinnering redde hen uit de ongemakkelijke situatie. Niels bleef maar praten, alsof Hannah hem zou overvallen en hem de kleren van het lijf zou rukken als hij stopte. 'Ik was zes jaar en ik zat met mijn moeder in de bus op weg naar de Costa Brava. Vlak na de grens ging het al mis. Het was laat in de avond. De meeste andere passagiers sliepen. Ik werd wakker met een misselijk gevoel, of eigenlijk meer het gevoel dat ik stikte. Mijn moeder was ongerust en ze vroeg de chauffeur of hij wilde stoppen. De andere passagiers werden boos. Ze gingen op vakantie en ze wilden zich niet laten tegenhouden door een wagenziek kind. Maar toen ze dat kind – mij – zagen liggen in het middenpad, happend naar adem, met hevige spiertrekkingen, hielden ze hun mond.'

Niels keek naar Hannah en ging verder: 'Er werd een ambulance gebeld. Het was heel ingewikkeld, omdat de ambulance eerst Duitsland niet in mocht. Uiteindelijk heeft de bus me teruggebracht naar de grens. Ik ben eroverheen gedragen. Ik geloof niet dat ik bij kennis was, ik kan me er in ieder geval niets meer van herinneren. Een paar uur later werd ik wakker in het ziekenhuis van Aabenraa. Ik voelde me weer prima.'

'Je kunt je gebied niet uit. Het is echt fantastisch.'

Hij keek naar de grond.

'Sorry, ik bedoel fascinerend. Als fenomeen.'

'Misschien.' Niels wist niet goed wat hij ervan moest vinden dat hij als fascinerend fenomeen werd beschouwd.

'En jullie vakantie?' vroeg Hannah ten slotte toen het menselijke aspect van het verhaal haar te binnen schoot.

Niels haalde zijn schouders op. 'We hebben een week in een zomerhuisje gezeten en krabben gevangen in de fjord. Het was je reinste massamoord.' Hij grinnikte bij de herinnering.

'Het is later wel iets beter geworden', ging hij verder. 'Misschien komt het door mijn leeftijd. Nu kan ik met veel moeite tot Berlijn komen. Maar dan word ik niet goed.'

In Odense stapten ze over en ze gingen verder in westelijke richting, naar Esbjerg. Niels ging naast Hannah zitten, niet tegenover haar. Ze zaten met hun rug tegen de rijrichting in.

'Stel je eens een heel lange trein zonder coupés voor', zei ze opeens. 'Dus eigenlijk gewoon een lange ruimte – je kunt in het midden staan en van de ene kant naar de andere kijken.'

'Ik sta in een trein?'

'Nee, jij staat op het perron. Ik sta in de trein.'

Ze stond op. De andere passagiers staarden naar haar. Ze trok zich er niets van aan.

'Stel je voor dat ik in allebei mijn handen een zaklantaarn heb.'

Hannah stond in het middenpad en hield in elke hand een denkbeeldige zaklantaarn. 'Kun je me volgen? De zaklantaarns wijzen elk een kant op; de ene naar de voorkant van de trein, de andere naar de achterkant. Het is een lange trein.'

De drie andere passagiers deden niet langer alsof ze niet meeluisterden. Ze hadden hun krant of laptop weggelegd en keken naar Hannah. En zij naar hen. 'Jullie staan op het perron. De trein rijdt hard. Hij is heel lang. Kunnen jullie me volgen?'

'Ja.'

'De trein raast voorbij en jullie staan op het perron. Op het moment dat ik precies voor jullie ben, doe ik de twee zaklantaarns tegelijk aan.'

Ze liet het beeld even tot hen doordringen. 'Welke lichtkegel komt het eerst aan?'

Ze dachten na. Niels wilde antwoorden, maar een jongeman die vlak bij de uitgang zat, was hem voor: 'De lichtkegel die je op de achterkant richt.'

'Precies. En waarom?'

'Omdat de trein hem inhaalt. De voorkant rijdt er vandaan', antwoordde hij.

'Precies!'

Hannah was in haar natuurlijke habitat: de collegezaal. Theorieën, gedachten, het overdragen van kennis.

'Nu moeten jullie je voorstellen dat jullie in de trein staan en dat jullie de zaklantaarns vasthouden. De trein raast voort. Jullie doen ze precies tegelijk aan. Welke lichtkegel komt het eerst aan? Die op de achterkant van de trein is gericht of die op de voorkant is gericht?'

Het bleef een paar seconden stil. Niels verbrak de stilte. 'Ze komen tegelijk aan.'

'Juist. Ze komen tegelijk aan.'

'Optisch bedrog?' stelde een stem achter Niels voor.

'Nee. Het is geen bedrog. Beide resultaten zijn correct. Het hangt ervan af vanuit welke positie je ernaar kijkt. Het is dus ... *relatief.*' Ze glimlachte.

De relativiteitstheorie werd hun brug naar Jutland. Hannah wilde Niels leren dat wij vergeten hoe weinig we eigenlijk begrijpen. Einstein heeft de theorie honderd jaar geleden ontwikkeld en hij heeft ons wereldbeeld op zijn kop gezet, ook al begrijpen maar heel weinig mensen hem echt goed. Niels merkte dat ze niet meer te stoppen was. Ze zag het kennelijk als haar missie om hem ervan te overtuigen hoe ongelooflijk weinig wij begrijpen.

Ze vergaten de tijd en toen ze eindelijk weer uit het raam keken, zagen ze hoge witte hekken in echte ranchstijl. Ze waren in Jutland.

Het was onmogelijk te zeggen wanneer ze zouden worden gevonden, maar Niels hoopte dat het een paar dagen zou duren, misschien zelfs een paar weken. Hij zou waarschijnlijk niet zo'n hoge prioriteit krijgen en ze hadden de tijd aan hun kant. Er zouden al snel nieuwe zaken komen, dringender opsporingsberichten en zij zouden langzaam maar zeker zakken op de lijst van prioriteiten. Maar natuurlijk zouden ze gevonden worden. Dat was slechts een kwestie van tijd.

6

Jutland

Op het station stonden vaders en moeders van middelbare leeftijd. Ze kwamen hun volwassen kinderen van de trein halen die thuiskwamen om Kerst te vieren. Keken er mensen naar hen? Zodra ze het perron op stapten, voelde Niels zijn paranoia toenemen. Tussen Odense en Esbjerg konden ze wel honderd keer zijn gespot.

Niels zag de man voordat hij Niels zag. De kille blik, een vel papier in zijn hand, speurend tussen de reizigers. Niels trok Hannah mee het toilet in.

'Wat is er?' vroeg ze.

Hij gaf geen antwoord. Hij probeerde zijn gedachten te ordenen. Hoe hadden ze hem zo snel kunnen vinden? In de haven op Fyn waren ze ook al zo snel ontdekt. Het was veel te snel, iemand moest hen hebben ingelicht. Zou Hannah de politie bellen? Niels keek naar haar en zocht in zijn herinnering. In de haven was hij de kiosk binnengegaan om koffie te halen – toen had ze kunnen bellen. En in de trein was hij naar de wc geweest.

'Waarom kijk je zo naar me?'

Niels keek naar de grond.

'Er staat een man op het perron. Een politieman in burger. Hij zoekt ons.'

'Hoe weet je dat nou?'

'Dat zie je.'

Niels dacht na. Het kon zijn dat Hannah hem verlinkte. Of misschien was het ... Hij haalde snel zijn telefoon uit zijn zak. Hij stond aan. 'Shit!'

'Wat is er?'

'Niets.'

'Sporen ze je op via je telefoon?'

'Ja.'

Niels wachtte nog een paar minuten en keek toen uit het raampje van de toiletten. Er stapten nog steeds reizigers in en uit. De hoeveelheid bagage was enorm, mensen sjouwden en zeulden om alles mee te krijgen. De wereld was vast aanzienlijk zwaarder rond Kerstmis, dacht hij. Op hetzelfde moment zag hij de man weer – aan het eind van het perron.

'Is hij er nog?'

Niels aarzelde en keek uit het raam. Hij deed de deur dicht. Het was niet eens zozeer de manier waarop de man staarde. Hij had een vel papier in zijn hand en elke keer als er een man van middelbare leeftijd langsliep, keek hij daarop.

Niels trok Hannah mee in een van de wc-hokjes. Ze was een flinke meid, ze zeurde niet over de pislucht. Iemand ging de wc ernaast binnen om te plassen. Hannah moest lachen en hield haar adem in. De muren waren vol gekladderd met wanhopige uitnodigingen: 'Jongen zoekt jongen'. 'Jongeman zoekt rijpe man'.

'Ik denk niet dat het makkelijk is om buiten de gebruikelijke seksuele normen te vallen als je hier woont', zei Niels toen ze weer alleen waren.

'Nee. Dat is nooit makkelijk.' Ze klonk alsof ze uit ervaring sprak.

'Jij gaat eerst naar buiten. Kijk goed naar de uitgang. Het is een man van middelbare leeftijd, een meter tachtig, licht suède jack. Hij zoekt ons. Als hij er nog staat, hoest je.'

'En dan?'

'Dan draai je je om en gaat rustig het toilet hiernaast binnen. Alsof je gewoon de verkeerde deur hebt genomen.'

Ze ging naar buiten. Het duurde even, toen hoorde hij haar verrassend natuurlijk hoesten. Daarna hoorde hij de deur van het damestoilet dichtvallen. Hij wachtte nog vijf lange minuten. Toen keek hij weer naar buiten. De man liep de trap af. Hij had het opgegeven.

Buiten voor het station, voordat ze in de bus stapten, schold Niels zichzelf uit. Het was jaren geleden dat hij had meegedaan aan een mensenjacht. Hij was onderhandelaar – hij was niet gewend om aan dat soort dingen te denken. Tracking, satellieten, gps-signalen en mobiele telefoniemasten. Eerst haalde hij de simkaart uit zijn telefoon en vervolgens trapte hij hem zorgvuldig kapot. Het voelde lekker.

'Mag ik jouw telefoon ook?' vroeg hij.

Hannah gaf hem zonder protest. Een ouder echtpaar keek vanaf de overkant van de straat hoofdschuddend toe, toen Niels Hannahs mobiel op de stoeptegels gooide en erop trapte.

* * *

Het eerste stuk reden ze over de snelweg, toen sloeg de bus af en reed verder over kleinere landwegen.

'Ik geloof dat ik het herken.' Hannah keek naar de omgeving. 'Ik ben hier dertig jaar niet geweest. Toen was het zomer.'

'En is er een hotel?'

'Dat zal toch wel?'

Ze reden het stadje in. Net als de meeste andere Deense steden begon het fantasieloos: een supermarkt, rode bakstenen gebouwen en bungalows, maar dan kwam je uit in het schattige oude vissershaventje. De bus stopte.

Hannah stond op. 'Hier is het.'

Bij de bushalte stonden twee oude mannetjes met hun fiets.

'Goedemiddag.' Niels liep op hen af. 'Weet u of het hotel open is?'

Wantrouwige blikken en het soort zwijgzaamheid dat alleen in heel kleine gemeenschappen wordt beoefend. Niels wilde zijn vraag net herhalen, toen het mannetje met de meeste tanden een restje pruimtabak uitspuugde en antwoordde: 'Het is gesloten voor toeristen. Kom van de zomer maar terug.'

'Is het geslóten, of alleen gesloten voor toeristen?'

Ze gaven geen antwoord. Hannah mengde zich in het gesprek: 'Weet u heel zeker dat je hier in de stad nergens kunt overnachten?'

Het tandeloze mannetje zei: 'Helemaal doorlopen tot aan het strand en dan naar het noorden. Maar pas op voor de goederentrein, de slagboom doet het niet.'

'Bedankt.'

Ze volgden het spoor van zand dat steeds breder werd naarmate ze dichter bij het strand kwamen. Bovendien konden ze op het geluid af gaan. Het bombardement van de kust; Niels had nooit begrepen waarom mensen het zo geweldig vonden om aan de kust te wonen. Het was er nooit stil.

'Kijk uit!'

Niels greep Hannah vast en trok haar naar achteren. De trein denderde voorbij. Nu pas gebruikte de machinist zijn hoorn, als een standje in plaats van een waarschuwing.

'Idioot', zei Niels.

‘Ze hebben ons toch gewaarschuwd dat de slagboom kapot was.’

‘Ja, heel fijn. En wat gebeurt er met de mensen die niet gewaarschuwd zijn?’

De spoorwegovergang was bijna helemaal verdwenen onder het zand en de sneeuw en het geraas van de zee overstemde het geluid van de dieselmotor van de trein. De slagboom probeerde nog steeds omlaag te gaan, maar hij kwam geen centimeter van zijn plek. Even waren ze stil. Niels voelde de diepgewortelde afkeer die alle politiemensen van onveilige verkeerssituaties hebben. Op een dag zou een van zijn collega’s hier staan om de nabestaanden te troosten, de ambulances en de brandweer te coördineren en uit te zoeken wie er verantwoordelijk was.

Het brede Noordzeestrand was hard. Kleine stroompjes hadden zich een weg gebaand door het zand en er waren binnenmeertjes ontstaan. Ze moesten eroverheen springen terwijl de wind probeerde hen omver te blazen. Hannah lachte.

‘Waar lach je om?’

Ze kon niet meer ophouden.

‘Wat? Waar lach je om?’

Ze hield haar hand voor haar mond als ze lachte. Ze liepen verder. Ze bleef in zichzelf giechelen.

Misschien zag hij er gewoon gek uit.

7

De Noordzee

In het hotel rook het naar kinderkolonie, lunchpakketjes en natte kleren. De vloeren en de wanden waren betimmerd met hout en er hingen alleen maar schilderijen van de zee, terwijl die toch vlak voor de deur lag. Er was niemand in de receptie. Niels zocht een bel waar hij met zijn ijskoude hand op kon rammen. Achter hem verscheen de receptioniste.

'Goedenavond', zei ze.

'Goedenavond.' Niels' gezicht was stijf van de kou. 'Zijn jullie open?'

'Het hele jaar door. Hoeveel overnachtingen?' Ze ging achter de receptiebalie staan.

'Eh ...' Hannah keek Niels aan.

'Voorlopig vijf', zei hij. 'Misschien meer.'

De receptioniste zocht met haar ogen op een computerscherm.

'Een tweepersoonskamer?'

'Nee.' Niels maakte oogcontact met Hannah. 'Twee eenpersoons.'

Het raam had uitzicht op de zee. Een stoel, een primitieve tafel, een kast en dik, rood tapijt op de vloer. Niels ging even op het bed liggen. Het kraakte en het was zacht. Het leek wel of je in een hangmat lag. Het gaf niet. Hij deed zijn ogen dicht, rolde op zijn zij, trok zijn benen een beetje op en legde zijn handen onder zijn hoofd. Hij stelde zich voor dat iemand van bovenaf naar hem keek. Hijzelf misschien, of een vogel. Eigenlijk moest hij naar de badkamer gaan om het teken op zijn rug te bekijken, maar hij verdrong die gedachte weer net zo snel als zij was opgekomen. Hij zakte nog een halve centimeter verder weg in de matras. Andere gedachten hielden hem uit zijn slaap: gedachten aan zijn moeder, aan de klimaattop en aan Abdul Hadi. Hij dacht aan de woorden van de dominee: '*Maar mamma, als dat monster nou ook een mamma heeft*?'

'Niels?'

De stem kwam van heel ver. Was hij toch in slaap gevallen?

'Niels.'

Het was Hannah. Ze stond op de gang: 'We kunnen eten. Zullen we over tien minuten in het restaurant afspreken? Het is op de eerste verdieping.'

'Ja.' Hij richtte zich op op zijn ellebogen. 'Ik ben er over tien minuten.'

* * *

Het restaurant was van binnen geheel in witgelakt hout uitgevoerd. Gedroogde Noordzeebloemen aan de muren, kerstversiering voor de ramen. Er waren geen andere gasten. Hannah verscheen aan de andere kant van het restaurant.

Niels kreeg het gevoel dat ze er al lang was, maar dat ze in de coulissen had staan wachten om een grootse entree te maken. Ze was veranderd.

'Heb je al besteld?' vroeg ze.

'Nee. Die vrouw van de receptie is ook de serveerster en waarschijnlijk is ze ook de kok.'

'En de directeur.'

Ze lachten. De receptioniste kwam naar ze toe.

'Hebben jullie een keuze kunnen maken?'

'We nemen eerst iets te drinken.'

'Witte wijn', zei Hannah meteen.

'Hebt u een voorkeur?'

'De beste die jullie hebben.' Niels glimlachte naar de receptioniste. 'Als de wereld toch vergaat komend weekend, kunnen we net zo goed de beste nemen.'

'Ik begrijp het niet.' De receptioniste keek hem in de war gebracht aan.

'Ik ook niet.'

Een onzeker glimlachje. De receptioniste verdween weer.

'Je hoeft haar toch niet zenuwachtig te maken', zei Hannah.

'Ze kan het maar beter weten, misschien wil ze graag nog iets doen voordat het zover is.'

'Op het instituut hadden we het daar ook weleens over.'

'Over de ondergang van de wereld?'

'Natuurlijk. Wij zitten in de ruimte te staren en zien voortdurend zonnen uitdoven en melkwegstelsels op elkaar botsen.'

'En meteoren?'

'Die zijn iets moeilijker te zien. In mijn werk word je voortdurend herinnerd aan de ondergang, maar gelukkig ook aan de geboorte van nieuwe plaatsen.'

De receptioniste kwam terug en schonk in. Toen ze weg was, ontstond er een aangename stilte.

Niels bedierf die stilte: 'Jouw zoon.'

'Ja, mijn zoon. Mijn allerliefste zoon.'

Hij had meteen spijt van zijn opmerking, maar nu was het te laat. Ze kreeg een afwezige blik in haar ogen, maar ze zei toch: 'Hij heeft zelfmoord gepleegd.'

Niels keek naar de tafel.

'Johannes was een wonderkind. Hij was echt uitzonderlijk begaafd.'

Ze nam een klein slokje van haar wijn.

'Hoe oud is hij geworden?'

Ze deed alsof ze hem niet hoorde. 'Maar hij vertoonde tekenen van een persoonlijkheidsstoornis. Hij was schizofreen. Begrijp je dat?'

'Ja.'

'De dag dat we die diagnose kregen, leek het wel of mijn en Johannes' wereld instortte.'

'En je man?'

'Gustav was ergens anders – als het emotioneel te moeilijk werd, moest hij altijd ergens een gastcollege geven. Weet je wat hij door de telefoon zei toen ik hem vertelde wat de diagnose was?'

'Nee.'

'"Nou, dan kunnen we zijn gedrag tenminste verklaren, Hannah. Ik moet ophangen, ik heb een vergadering."'

'Dat spijt me.'

'Misschien was het wel goed dat hij zo reageerde. Zijn manier om ermee om te gaan, was gewoon verder leven alsof er niets aan de hand was. Daardoor bleef er ook nog iets hetzelfde. Eén ding was niet veranderd: Gustav.'

'En toen werd Johannes opgenomen?'

Ze knikte. Er viel zo'n lange stilte dat Niels dacht dat het onderwerp afgesloten was.

'Ik heb hem overgeleverd aan het ziekenhuis en aan mijn zondagse bezoekjes. En daar zat hij dan.'

Weer een stilte. Nog langer dan de voorgaande. Dit keer was het geen aangename stilte.

'Weet je op welke dag hij zich heeft opgehangen?'

Niels keek naar de tafel.

'Op de dag dat Gustav de Nobelprijs kreeg. Een duidelijker boodschap kan een zoon zijn ouders niet geven: Gefeliciteerd, jullie hebben mij in de steek gelaten. Maar dat verhaal krijg je niet te zien als je ons opzoekt via Wikipedia.'

'Zo moet je het niet bekijken.' Niels hoorde zelf hoe vaag het klonk.

'In het begin dacht ik aan niets anders dan hoe ik hier weg kon komen.'

'Je bedoelt ... zelfmoord?'

'Ik had het niet verdiend om te leven. Ik had de pillen zelfs al in huis, alles was gepland.'

'Waardoor ben je van gedachten veranderd?'

'Ik weet het niet. Ik heb het gewoon niet gedaan. Misschien omdat ik ...' Ze stopte.

'Wat, Hannah?'

'Omdat ik jou dan kon ontmoeten, Niels.' Ze keek hem aan. 'En iets goeds doen.'

Niels wilde iets zeggen – hij moest wel – maar Hannah legde haar handen op de zijne en dat maakte alle verdere woorden overbodig.

8

De wind die vanuit de Noordzee kwam, rukte aan het oude hotel. Toen Niels en Hannah de gang in liepen om naar hun kamer te gaan, stelde Niels zich voor dat de wind in de loop van de nacht zo hard tegen het hotel aan zou beuken dat het in Kopenhagen zou belanden. Misschien had hij het hardop gezegd, want Hannah giechelde en zei: 'We moeten een beetje stil zijn, ik geloof dat het al laat is.'

'Waarom?' Niels merkte nu pas hoeveel hij had gedronken. 'Wij zijn toch de enige gasten.'

Hannah bleef staan en pakte haar sleutel.

'Bedankt voor de fijne avond.'

'Ik moet jou bedanken.'

De manier waarop ze hem de rug toekeerde, had bijna iets demonstratiefs. Zonder hem aan te kijken vroeg ze: 'Wil je mee naar binnen?'

'De laatste wens van een ter dood veroordeelde?'

Ze draaide zich om. 'Het zou gewoon gezellig zijn. Of fijn. Je weet best wat ik bedoel.'

Niels streelde haar over haar wang. Het was een beetje raar; als hij een paar seconden langer de tijd had gehad, had hij minstens tien andere dingen kunnen bedenken die hij beter had kunnen doen.

'Het kan niet. Welterusten.'

Hij bleef staan. Alles in zijn lichaam was klaar om naar zijn eigen kamer te gaan, behalve zijn voeten.

'Je zou af en toe eens iets verkeerds moeten doen.' Haar stem hield hem tegen.

'Wat bedoel je?'

'Je zou eens iets slechts moeten doen.'

'Misschien. Maar met jou mee naar je kamer gaan, is helemaal niet slecht.'

Niels ging naar zijn eigen kamer. Op de gang hoorde hij Hannah nog hardop tegen zichzelf praten. '*Iets slechts doen*', herhaalde ze twee keer voordat ze haar deur openmaakte, haar kamer binnenging en de deur achter zich dichtdeed.

* * *

Het teken was duidelijker geworden. Niels bekeek zijn rug in de badkamerspiegel. Hij draaide zijn hoofd zo ver als zijn lichaam het toeliet. Hij bestudeerde zijn gezwollen, rode huid. Het was gewoon uitslag. Uitslag met een eigen wil. Hij zag nog geen getallen. Nog geen?

Niels liep naar de tafel en ging zitten. Hij kon niet slapen. Halfdronken plus halfmoe maakte niet heel rustig. Hij negeerde de 'No smoking'-sticker op de deur, stak een sigaret op en telde hoeveel er nog in het pakje zaten. Hij keek de kamer rond en dacht aan Hannah. Aan haar verdriet. Aan Kathrine en hoeveel hij voor haar voelde als ze duizenden kilometers ver weg was. Meer dan als ze vlak voor hem stond. Hij probeerde het gevoel uit zijn hoofd te verjagen, maar het had zich stevig vastgehecht. Twee sigaretten later speelde hun laatste ruzie zich woord voor woord voor hem af. Hij zag hen haarscherp voor zich. Als twee dilettantische toneelspelers stonden ze vlak voor zijn neus tegenover elkaar te schreeuwen. Hij wilde bijna tussenbeide komen, als een scheidsrechter in een boksring, en 'break' roepen en ze ieder naar hun eigen hoek sturen; hij naar de Noordzeekust, zij naar Kaapstad.

Om de een of andere reden trok hij de la van het bureau open en vond daar een regionaal telefoonboek, een nooit verstuurde ansichtkaart die was gericht aan iemands oma in Gudhjem en een bijbel. Hij pakte het boek met de zwarte kaft uit de la en bladerde erin. *Abraham, Isaak, Rebekka*. Het was heel lang geleden dat hij dit in handen had gehad. Hij hing zijn schouderholster met het pistool over de stoelleuning – het voelde verkeerd om die twee dingen zo dicht bij elkaar te hebben: een pistool en een bijbel. De Beatles schoten hem te hulp, zoals alleen popmuziek dat kan als je last hebt van tegenstrijdige gevoelens. Hij was halfdronken – meer dan half – anders zou hij nooit zachtjes voor zich uit hebben gezongen:

Rocky Raccoon, checked into his room
Only to find Gideons Bible
Rocky had come, equipped with a gun

Niels ging op zijn rug op het bed liggen, deed zijn ogen dicht en neuriede nog een hees couplet. Toen was hij vertrokken.

9

Niels deed het badkamerkastje open. Iemand had muggenspray en een fles zonnebrandcrème factor 25 achtergelaten. Niels smeerde een beetje crème op zijn hand en rook aan de oude muggenspray. De geur van zomer. Gek, dacht Niels, het was kunstmatig gefabriceerd – waarschijnlijk vijf winters geleden in Polen – maar toch kwamen de herinneringen boven. Zon, muggen, water, ijsjes en vlierbessen.

Hij ging op de rand van het bad zitten. Het gevoel zat in zijn borst. Hij wilde leven. Hij wilde niet dood. Hij wilde nog zo veel dingen doen.

Zondag 20 december

Natuurlijk moest het kunnen, dacht Niels toen hij de douche aanzette. Hij had een plan. De morfinetabletten lagen klaar op de wastafel. Het waren er heel veel. Hij zou op een boot stappen, zichzelf verdoven en heel ver en heel lang wegblijven.

'Niels?'

Het was Hannah. Ze stond in zijn kamer.

'Niels?'

'Moment.' Hij zette de douche uit, deed een handdoek om en stak zijn hoofd om de hoek.

'Ga je mee ontbijten? Het ontbijt is tot negen uur.'

Nu pas zag hij dat ze zijn pistool in haar hand had. 'Hannah. Hij is geladen!'

'Sorry, hij lag op de grond en ... Hier.' Ze gaf hem het pistool.

Hij haalde het magazijn eruit en gaf haar het pistool terug. 'Zo, nu kun je niemand verwonden.'

'Echt niet?'

'Ja, nu is hij vergrendeld, maar als je dit doet ...' Hij gaf haar het magazijn en liet haar zien hoe je het in het pistool moest duwen. '... kun je schieten.'

'Ik vond hem eerst leuker. Heb jij weleens iemand doodgeschoten?'

Hij schudde zijn hoofd en glimlachte. 'Ben je vergeten dat ik goed ben?'

'Lees je dat daarom?' Ze wees op de bijbel die op het onopgemaakte bed lag.

'Misschien.'

Ze glimlachte. 'Ik zie je zo in de eetzaal.'

Toen ze weg was, kleedde Niels zich aan. Hij maakte het bed zorgvuldig op en legde de bijbel terug in de la. Hij ging naar de badkamer en bekeek zichzelf in de spiegel. Hij trok zijn overhemd omhoog. Het teken was er nog; het strekte zich uit van schouder tot schouder en kwam tot bijna halverwege zijn rug; fijne lijntjes kwamen omhoog onder zijn huid. Hij ging nog iets dichter bij de spiegel staan. Zag hij getallen? Misschien zou het vanzelf weggaan als hij er niet meer aan dacht.

* * *

Na het ontbijt maakten ze een strandwandeling. Hier aan de westkust ging de wind nooit liggen, maar de storm hield even pauze.

'Ik herinner me nog dat we in een bunker zijn geweest', zei Hannah.

'Toen je een kind was?'

'Denk je dat we er een kunnen vinden?'

Niels keek langs de kustlijn naar het noorden. Zeemist. Er reden auto's over het strand. Zijn blik kwam weer terug bij Hannah. Hij zag haar haren wapperen in de wind. Het haar raakte haar gezicht, kwam voor haar ogen.

'Wat is er?'

'Niks', zei hij. 'Wat bedoel je?'

'Je kijkt zo naar me.' Ze gaf hem een duwtje. 'Kom, oude man, laten we het duin op rennen.'

Hannah begon te rennen. Niels ging achter haar aan. Zand in zijn schoenen, in zijn haar, in zijn ogen. Hij struikelde op weg naar boven en hoorde Hannah lachen.

'Lach je me uit?'

'Je bent zo onhandig.'

Hij rende nog vastberadener het duin op en deed zijn uiterste best om als eerste boven te zijn. Ze kwamen tegelijk aan en lieten zich hijgend en zanderig in de struikheide en het wintergras vallen. Hier lagen ze beschut.

Zo bleven ze een poosje liggen, zonder iets te zeggen.

'Je zei dat je in de Bijbel had gelezen', zei ze.

Hij draaide zijn hoofd en keek haar aan.

'Een beetje.'

'Wat heb je gelezen?'

'Het verhaal van Abraham en Isaak.'

'God vraagt Abraham om zijn enige zoon, Isaak, mee de berg op te nemen en te offeren', vatte ze samen.

'Ik heb eens een priester op de radio horen zeggen dat dat verhaal verboden moest worden in de Deense kerk.'

'Er zit een belangrijke boodschap in', zei ze. 'Iets wat wij zijn vergeten.'

'Maar jij gaat het me nu vertellen?'

Ze lachte. 'Ik ben altijd aan het lesgeven, sorry.' Ze richtte zich op. 'Ik denk dat de boodschap in het verhaal van Abraham is, dat we moeten luisteren. Gewoon af en toe.'

Niels zei niets.

'Maar je hebt gelijk, het is een akelig verhaal. Had hij het echt niet op een andere manier kunnen zeggen?'

'Geloof jij erin?'

'Waarin?'

'Nou ... je weet wel.'

'Je kunt het woord niet eens zeggen', zei ze.

'In God.'

Hannah ging weer in het zand liggen en staarde naar de lucht. 'Ik geloof in datgene wat we nog niet weten en dat is zo oneindig veel – veel meer dan we begrijpen.'

'Die vier procent?'

'Precies. Vier procent. We weten waar vier procent van het universum uit bestaat, maar probeer dat maar eens aan een politicus uit te leggen en vervolgens geld voor onderzoek te vragen. Je kunt veel beter schreeuwen dat je er absoluut zeker van bent dat het zeeoppervlak tweeënhalve meter zal stijgen in de komende ...' Ze onderbrak zichzelf. Ze ging zitten en keek hem ernstig aan. 'Polykrates. Herinner je je het verhaal van Polykrates?'

'Ik geloof niet dat ik dat ooit heb gehoord.'

'Hij was een Griekse koning. Succesvol in alles wat hij deed. Hij wentelde zich in succes: vrouwen, rijkdom, militaire overwinningen. Polykrates had een vriend – een of andere Egyptische heerser geloof ik – en die schreef hem dat hij, Polykrates dus, iets moest offeren. Het dierbaarste wat hij bezat. Anders zouden de goden jaloers worden. Polykrates dacht heel lang na en roeide ten slotte de zee op en gooide zijn allerdierbaarste ring in zee. Een paar dagen later kwam een visser een vis brengen die hij had gevangen. Hij wilde hem aan zijn koning, Polykrates, schenken. Toen ze de vis opensneden om hem op te eten – wat denk je dat ze toen vonden?'

'De ring.'

'Precies. De ring. Polykrates schreef onmiddellijk naar zijn vriend in Egypte en die antwoordde dat hij hun vriendschap verbrak. Hij durfde niet in de buurt van Polykrates te zijn als de toorn van de goden hem op een goede dag zou treffen.'

Hannah ging op haar knieën zitten. De wind begon meteen met haar haren te spelen. 'Het is hetzelfde thema als bij Abraham en Isaak. Het thema dat je iets moet offeren.'

'Wat moeten wij offeren, Hannah?'

Ze dacht even na. 'Ons ongebreidelde zelfgeloof. Bestaat dat woord?' Ze glimlachte. 'Ik bedoel, het is één ding om in jezelf te geloven, maar het is iets anders om jezelf te koesteren alsof je een kleine god bent.'

Ze lachte een beetje verdedigend, alsof ze iets geks had gezegd. Ze keek hem aan, toen boog ze zich net zo snel als de vorige keer naar hem toe en kuste hem.

* * *

Hij voelde de kus nog steeds in zijn lichaam toen ze even later terugliepen langs de kust. Ze hadden het strand voor zich alleen. Niels genoot van de kou op zijn gezicht en de frisse lucht, die zout smaakte. Hij wilde later die dag naar de haven gaan om een visser te zoeken die vlak voor Kerst zou uitvaren. Dat zou vast niet moeilijk zijn, had hij bedacht. Er moesten duizenden kabeljauwen worden gevangen voor het traditionele oudejaarsgerecht. Hij zou een paar duizend kronen bieden voor een plekje in een van de kooien en zichzelf verdoven tot een toestand van bewusteloosheid.

'Waar denk je aan?' vroeg Hannah.

'Niets.'

'We moeten drank kopen', riep ze opeens. 'We hebben vakantie. Ik vergeet helemaal hoe het hoort.'

'Gin en tonic?'

'En dan een middagdutje. Of is het andersom?'

'Ik geloof niet dat er formules bestaan voor dat soort dingen.'

'Dat moet je niet zeggen.' Ze glimlachte. 'Laten we de stad in gaan.'

Niels stopte bij een telefooncel met een munttelefoon. Precies ertegenover was een ouderwetse kruidenierswinkel. 'Ik moet even bellen.'

'Heb je muntjes?'

Hij knikte. Zij verdween in de winkel en hij ging de telefooncel binnen, gooide er wat muntjes in en toetste het ellenlange Zuid-Afrikaanse nummer in, maar bij het laatste getal stopte hij. Hij zag Hannah in de winkel. Ze zwaaide naar hem. Hij zwaaide terug en draaide zich om. Het winterse licht kleurde de zee voorzichtig wit. De grond onder hem trilde een beetje, of verbeeldde hij zich dat maar? De trillingen verspreidden zich door zijn lichaam. Een lichte elektrische schok of een klein aardbevinkje. Hij schudde zijn hoofd en weet het aan zijn gespannenheid. Hij belde nog een keer; Kathrine, dacht hij, maar hij kreeg dominee Rosenberg aan de telefoon: 'Hallo?'

Niels verbaasde zich erover. Wist hij het nummer van de dominee uit zijn hoofd?

'Hallo, met wie spreek ik?' De stem van de dominee klonk iets lager dan Niels zich herinnerde.

Niels aarzelde. Hij wilde iets zeggen, maar kon geen woorden vinden.

'Is daar iemand?'

Hannah zwaaide weer. Ze stond bij de toonbank en kocht sigaretten. Zijn blik ving ook nog iets anders op: verderop kwam een auto aanrijden. Niels keek naar de spoorboom. Hij probeerde omlaag te komen, net als de vorige dag. Of was het gewoon de wind die hem heen en weer schudde?

'Ik weet niet wie je bent, maar ik denk dat je belt omdat je bereid bent om te luisteren', zei de dominee.

Nu zag Niels de trein. Had de automobilist hem ook gezien?

Daar was de dominee weer, zijn stem klonk bijna een beetje plechtig: 'Misschien heb je iets meegemaakt, iets wat je aan het twijfelen heeft gebracht, iets waardoor je bereid bent om te luisteren.'

Stilte. De dominee wilde hem de mogelijkheid geven om iets te zeggen, maar Niels zweeg.

'Je hoeft niets te zeggen.'

Twee kleine meisjes kwamen uit de winkel. Ze lachten en hadden ieder een zak snoep in hun hand. Hun wangen waren rood van de kou, ze droegen gebreide mutsen. Ze liepen onbezorgd naar hun fietsen die naast de winkel stonden.

Dominee Rosenberg schraapte zijn keel en zei: 'Het is genoeg dat je bereid bent om te luisteren. Het is genoeg dat je laat zien dat je luistert.'

Niels hoorde zijn ademhaling. Hij ademde een beetje zwaar.

'Ben je daar nog?'

Niels brak het gesprek af en ging de telefooncel uit. De auto kwam dichterbij. Niels zag dat het een Volvo was, zo'n oude, vierkante. Hij minderde geen vaart. De meisjes stonden met hun fiets vlak voor de winkel. Een van hen probeerde haar sjaal goed te doen. Niels deed een paar stappen naar voren en zwaaide naar de auto.

'Hallo!' Niels stak zijn hand op om de auto te waarschuwen, maar hij reed gewoon door. 'Stop!' Al het geluid werd opgeslokt door het bulderen van de zee en de ijzige wind. Ze konden hem niet horen. Toch riep hij nog een keer: 'Stop!'

Een van de meisjes schrok van Niels' harde geschreeuw en draaide zich om. Op hetzelfde moment gleed ze uit in de sneeuw en liet haar fiets los, die tegen de deur van de winkel viel. Niels keek naar Hannah. Die had niets in de gaten. Hij keek achterom: de trein, de Volvo, de kapotte slagboom, de meisjes, de fietsen, Hannah die in de winkel stond, de geblokkeerde deur. Niels rende in de richting van de auto en zwaaide met zijn armen om hem te laten stoppen.

'Stop!' Even dacht Niels dat de automobilist zijn geschreeuw had gehoord. Hij minderde vaart. Niels bleef staan. Hij stond halverwege de winkel en de rails. Eén seconde had Niels hetzelfde gevoel als toen hij op de achterbank van de politieauto zat, op de terugweg naar Kopenhagen. Het gevoel dat er iets aan hem trok.

Toen de automobilist de trein zag en hard remde, was het te laat. De remmen blokkeerden, de auto gleed met een gierend geluid door over de rails. De sneeuw werkte als glijbaan en gaf hem nog meer vaart. De trein ramde de achterkant van de Volvo met een akelig, dof geluid dat niet te vergelijken was met enig ander geluid dat Niels ooit had gehoord. Hij keek achterom naar de winkel. Hannah trok aan de deur om naar buiten te komen. De meisjes! De Volvo kon de meisjes raken. 'Weg daar! Rennen!' De meisjes deden precies het tegenovergestelde. Ze bleven als versteend staan en staarden met stomheid geslagen naar Niels die naar ze toe kwam rennen. Ergens achter zich hoorde hij de auto, de bestuurder was de macht over het stuur volledig kwijt.

'Rennen! Ga weg daar!'

Eindelijk begreep een van de meisjes wat er aan de hand was. Als hij maar op tijd bij ze was. Hij schreeuwde naar de meisjes en maaide wild met zijn armen: 'Wegwezen! Rennen!' Niels keek om, om te zien waar de auto was. Hij zag nog net de dodelijk verschrikte blik van de chauffeur, voordat hij werd geraakt. Voordat de auto tegen Hannah, de winkel en hemzelf aan knalde.

10

Donker

Hij hoorde iets druppelen in de verte, of heel dichtbij. Het betekende niets. Weldadige rust. Het donker beschermde hem, als een deken die hij kon weghalen wanneer hij dat wilde, maar dat wilde hij niet. Hij lag daar goed in het donker.

Stemmen. Iemand riep. Gehuil. Geschreeuw. Iets drong zijn neus binnen: de geur van benzine. De geur van alcohol: gin. Hij proefde bloed. Hij wilde het buitensluiten. Hij wilde dat alles weer weg zou gaan, maar iemand trok de deken weg. Vreemde ogen keken hem aan.

'Gaat het?' De stem trilde, Niels kon hem bijna niet horen.

'De slagboom was niet dicht ...'

'Ik heb een ambulance gebeld.'

Niels bewoog zijn mond. Of niet?

'Ik weet het niet', zei de man. Hij huilde.

'Wat?'

'De meisjes? Dat vroeg u toch?'

Donker.

Dit keer duurde het heel lang. Of was het maar een paar seconden? Hij was onder water. Hij ging weg. Hij dook onder in het donker. Hij wilde verdwijnen, zich laten opslokken, verdwijnen. Nee. Hij moest weg. Hij moest een vissersboot zoeken. Hij dacht aan kabeljauw.

Opnieuw stemmen. Een zwaardere stem dit keer. Konden ze hem niet gewoon met rust laten?

'Blijft u maar heel stil liggen. U moet niet proberen te praten.'

Had de stem het tegen hem?

'Haal maar gewoon rustig adem. Heel rustig. Wij zorgen voor de rest.'

Een andere stem. Luid en duidelijk dit keer: 'Hebben ze een helikopter gestuurd?'

Hij hoorde het antwoord niet.

Hij hoorde wel zijn eigen stem: 'Nee ... ik wil niet. Ik wil niet ...'

'Blijf maar heel stil liggen. We gaan u helpen.'

Nog steeds geen pijn. Niels voelde zijn lichaam niet. Wat was er gebeurd? Hij zag Hannah voor zich. En de zee. En uitgestrekte stranden, hard van de vorst. En twee kleine meisjes met snoepzakken en gebreide mutsen. Twee kleine ...

'De meisjes?' Daar was zijn stem weer. Hij leidde een eigen leven.

'Ja?'

Het geluid van draaiende rotorbladen. Droomde hij dat?

'Er waren twee kleine meisjes.'

De andere mannenstem kwam ertussen: 'Hij moet hier weg.'

'Die meisjes.'

Iemand tilde hem op. Het was als in een droom uit zijn vroegste kindertijd. Zijn moeder tilde hem op en droeg hem tegen haar borst. Kathrine. Hij zag haar voor zich. Ze stapte naar voren uit het donker, boog zich over hem heen en fluisterde: 'Niels. Moet jij niet op het vliegveld zijn nu?'

'Een, twee, drie.'

Was hij dat, dat geschreeuw?

'Morfine. Nu meteen', zei een stem die van heel ver kwam. Ja, morfine. En dan op een boot, een kooi, ver weg van Kopenhagen. De Doggersbank, dacht hij, of nog verder ...

'U krijgt een zuurstofmasker.' De stem ging dwars door hem heen. Bijna onaangenaam hard. 'Uw longen ...'

Hij hoorde iemand zeggen: 'Zijn longen zijn ingeklapt'. Warmte. Hij draaide zijn hoofd om.

'We moeten uw overhemd openknippen.'

Het geluid van scheurende stof.

'Hannah?' Ze lag naast hem. Haar ogen dicht, infuus, zuurstofmasker. Het zag er komisch uit. Hij wilde bijna lachen en vragen: 'Waarom lig je dáár?' Maar in plaats daarvan hoorde hij een geluid in zijn hoofd dat alleen maar kon betekenen dat de wereld om hem heen instortte. Het werd gevolgd door een onheilspellende stilte.

'Kunt u mij horen?'

Een nieuwe stem.

'Ik ben arts.'

'Hannah ...'

'Uw vrouw is bewusteloos. We vliegen jullie naar het Academisch ziekenhuis in Århus, daar krijgen jullie de beste ...'

Hij werd onderbroken. Iemand corrigeerde hem. Een korte discussie. '*Brandwonden op de rug.*' Toen was de arts er weer: 'We vliegen jullie naar het Rigshospital, dat duurt maar een paar minuten langer. Daar is het enige brandwondencentrum van het land.'

'Het Rigshospital ...'

'Kopenhagen. Begrijpt u wat ik zeg? Kunt u mij horen? Het ziet ernaar uit dat u ernstige brandwonden hebt op uw rug.'

'Het Rigshospital ...'

De arts fluisterde met iemand. De stemmen gleden weg en kwamen weer terug. 'Heeft de auto in brand gestaan?'

'Dat geloof ik niet.'

'Ik begrijp het niet.'

Een gezicht vlak bij het zijne. Een paar grijze ogen, ze keken heel ernstig.

'Hij is helemaal weg.'

Een andere stem: 'Raken we hem kwijt?'

'Hij is er weer.'

'Niet het Rigs... hospi... Niet ...'

Het drong tot Niels door dat hij zijn mond niet kon bewegen. Hij praatte, maar er kwam niets uit.

Toen legde iemand de deken weer over hem heen.

DEEL III

Het boek van Abraham

'Vader,' zei Isaak, 'we hebben vuur en hout, maar waar is het lam voor het offer?'
Abraham antwoordde: 'God zal zichzelf van een offerlam voorzien, mijn jongen.'
En samen gingen zij verder.

GENESIS 22

1

Rigshospital, Kopenhagen
Niels was weg, maar als hij bij bewustzijn was geweest, had hij de helikopter zien landen op het platform van het Rigshospital, gezien hoe artsen en beddenrijders hem opvingen en gevoeld hoe hij op een brancard werd getild en over het dak door een verbindingsgangetje naar de lift werd gereden.

* * *

Hij reed naast Hannah. Misschien werd hij wel wakker, hij hoorde tenminste af en toe een stem; halve zinnen, losse woorden: '*Aangereden door een trein ... Nee, aangereden door een auto op een spoorwegovergang ... Waarom niet naar Århus ... Vanwege het slechte weer ... brandwondencentrum ... Traumacentrum ...*'

Eén zin drong heel duidelijk tot hem door: '*Ik heb geen pols bij haar.*'

Iemand antwoordde, het klonk als een discussie. Niels wist het niet zeker. Hij zag zichzelf terwijl hij zijn hand naar haar uitstrekte, hij hoorde zichzelf fluisteren: 'Hannah.'

'We zijn er bijna.'

'Hannah.'

'We raken haar kwijt. We moeten beginnen met ...'

Ze stonden stil, dacht Niels, totdat het door een waas van morfine tot hem doordrong dat alleen Hannah stilstond. Hij ging verder. Dat was het allerergste moment. Erger dan het ongeluk zelf, erger dan het moment dat de auto tegen hem aan knalde. Niels had het gevoel dat hij in tweeën werd gescheurd. Uit zijn ooghoeken zag hij – of dacht hij te zien – dat artsen over haar heen stonden gebogen en ...

Hij was weer weg.

Het maakte niet uit. Het was voorbij. Het was goed. Maar dat duurde slechts kort. Want het volgende moment ...

Woensdag 23 december
... kwam het licht hem tegemoet. Hij dacht: dat was het dan. Hij voelde geen angst, hij reageerde slechts met een berustend schou-

derophalen op het licht dat hem tegemoetkwam aan het einde van het donker, op het feit dat het leven langzaam uit hem wegvloeide, op een gezicht dat zich over hem heen boog, een mooie vrouw, misschien een engel die ...

'Is hij wakker?'

De engel praatte tegen hem.

'Ja. Hij wordt wakker.'

Twee verpleegkundigen keken naar hem. De jongste – de engel – oprecht nieuwsgierig, de andere koel registrerend.

'Hannah', fluisterde hij.

'Ik haal een dokter.'

Niels kon onmogelijk bepalen wie van de twee dat had gezegd. Het kostte hem de grootste moeite om hun woorden van zijn eigen gedachten te onderscheiden. Hij draaide zijn hoofd en keek uit het raam: sneeuwvlokken lichtten op in het eeuwig brandende schijnsel van het ziekenhuis. Hij probeerde zich iets te herinneren en de brokstukken van zijn herinneringen aan elkaar te plakken tot een beeld van wat er was gebeurd.

'Meneer Bentzon?'

Niels draaide zijn hoofd en onderdrukte een misplaatste glimlach die waarschijnlijk voortkwam uit de banale blijdschap over de constatering dat hij zijn eigen naam nog wist.

'U bent wakker. Daar ben ik blij om. Asger Gammeltoft, specialist. Ik ben een van de artsen die u hebben geopereerd. We zijn bijna acht uur met u bezig geweest.'

'Hannah?' Niels kon zijn eigen stem niet horen. 'En de kinderen?'

'Kunt u iets harder praten?' De arts boog zich over Niels heen.

'Zijn ze ongedeerd?'

'U vraagt naar de kinderen?' De arts richtte zich weer op en overlegde even op fluisterende, samenzweerderige toon met de verpleegkundigen. Hij kwam terug. 'De kinderen zijn ongedeerd. Volkomen ongedeerd. U hebt hen gered.' Hij zette zijn bril recht. Een vriendelijke, licht arrogante blik, een man die een oprechte poging deed om betrokken te zijn, maar andere dingen aan zijn hoofd had. 'Ik zal u eerlijk zeggen dat u zeer ernstig gewond bent. De meeste van uw verwondingen komen veel voor bij mensen die bij een verkeersongeval betrokken zijn geweest: beschadigingen aan heupen en rug, inwendig letsel, gebroken ribben en nekwervels, bloedstolsels in de longen. Ik zal u nu niet lastigvallen met al te veel details. Het belangrijkste is dat u het hebt gehaald.'

Hij veegde het zweet van zijn voorhoofd en stopte de zakdoek terug in zijn zak. 'De eerste uren na de operatie waren we er niet zeker van of u het zou redden.' Hij zuchtte en keek naar Niels.

'Hebt u dorst?'

Voordat Niels de kans kreeg om te antwoorden, stond er een verpleegkundige naast hem. Ze duwde een rietje in zijn mond. 'Drinkt u maar, het is limonade. U moet heel veel drinken.'

Aardbei en framboos. Zoet spul. Het rietje in zijn mond bracht binnen enkele seconden een verloren herinnering boven. Zijn jeugd. De wilde rabarberplanten achter de voetbalvelden en de tomatenplanten met hun harige stelen, die leken op spinnenpoten.

'Heel goed. Misschien kunnen we morgen wat vast voedsel proberen.'

Misschien kwam het door de gedachte aan vast voedsel, dat Niels naar zijn lichaam keek. Zijn armen lagen op de deken, met infuus en verband.

'Wat is er met me gebeurd?'

'Misschien kunnen we beter op een ander moment verder praten.'

'Nee! Ik wil het nu weten.'

De verpleegkundige fluisterde iets in het oor van de arts. Asger Gammeltoft knikte.

'Meneer Bentzon, u hebt veel bloed verloren, maar uw toestand is stabiel en we zijn optimistisch.' Hij corrigeerde zichzelf: 'Ik bedoel: we zijn zeer optimistisch. We hebben ook enkele zeer aparte bloeduitstortingen op uw rug gevonden. De artsen op de plaats van het ongeval dachten dat er sprake was van brandwonden, dat is de reden dat u hiernaartoe bent gevlogen. Het Rigshospital heeft het enige brandwondencentrum van het land. Maar het is geen brandwond.'

Hij schraapte zijn keel. 'Eerst dachten we dat het een oude tatoeage was die op de een of andere manier uitslag had veroorzaakt, maar het ziet er eerder naar uit dat de kleine bloedvaatjes in de huid, of liever gezegd ónder de huid, zijn verwijd, of ... nou ja, er moet een dermatoloog naar kijken. Het komt heel vaak voor dat er schimmelinfecties optreden na een operatie. Dat is het immuunsysteem dat de strijd aangaat.'

Hij schraapte zijn keel. 'Voorlopig hebt u vooral veel rust nodig. U moet naar alle waarschijnlijkheid nog een keer worden geopereerd, maar op dit moment denken we dat rust het belangrijkst is. Wij zeggen hier altijd: het lichaam zelf is de beste dokter.' De arts knikte. Dat betekende kennelijk dat het gesprek was afgelopen. Niels probeerde hem tegen te houden, hij fluisterde: 'Hannah.'

'Ik kan u niet verstaan.'

Met een uiterste krachtsinspanning probeerde Niels nog een laatste geluid uit zijn keel te wringen: 'Hannah ...'

Asger Gammeltoft verstond hem nog steeds niet. Haar naam werd niet meer dan een paar onduidelijke klanken die bijna uitsluitend uit lucht bestonden: 'Han...'

'U moet rusten.' De arts wilde weggaan, maar bedacht zich en kwam weer naar hem toe.

'... nah ...'

'U bent bijna drie dagen bewusteloos geweest, u bent zeer ernstig gewond, u moet echt rusten.'

Drie dagen? Niels keek uit het raam. Het leek wel of de datum zijn slapende hersenen wakker schudde. Drie dagen.

'Woensdag?'

'Ja, het is woensdag. 23 december. U bent drie dagen weg geweest.'

'Vrijdag.'

'Wat zegt u?'

'Vrijdag gebeurt het.'

De arts keek naar de verpleegkundige. Hun blikken voerden een gesprek dat Niels niet begreep. Het maakte niet uit. Hij moest daar weg. Zo ver hij kon. Hij keek uit het raam en probeerde te bedenken hoe. Hij kon niet lopen. Of wel? Hij keek rond. De arts was de kamer uit gelopen.

De jonge verpleegkundige kwam naar Niels toe.

'U moet begrijpen dat het heel normaal is dat je gaten in je geheugen hebt na een ernstig ongeluk. Uw geheugen zal langzaam terugkomen, er is niets wat op ernstige hersenbeschadiging wijst, u wordt vast weer helemaal de oude.'

'Hannah?'

De andere verpleegkundige legde uit wat hij bedoelde. Niels hoorde het niet helemaal duidelijk: 'Hij heeft het over zijn vriendin.'

'Hannah!'

'Blijft u rustig, meneer Bentzon, u moet proberen om uw lichaam te ontspannen.'

'Zeg het.' Ze keek naar iets ter hoogte van zijn buik. Met een uiterste krachtsinspanning draaide hij zijn hoofd zo dat hij kon zien waar ze naar keek. Hij zag dat hij haar pols hard vastklemde. Zijn nagels hadden zich in haar hand geboord.

'We doen één ding tegelijk. Het belangrijkste is dat u weer op krachten komt ...'

'Zeg het!'

'We halen een arts, meneer Bentzon. Een momentje.'

De oudere verpleegkundige ging weg. Niels vocht om niet weer weg te glijden. Hij zou wachten totdat er een nieuwe witte jas kwam die vriendelijk tegen hem zou praten en hem misschien iets kalmerends zou geven. Hij zou voelen dat de verpleegkundige zijn hand pakte en er een medelijdend kneepje in gaf, terwijl de arts hem het bericht overbracht waarvan hij zeker wist dat het zou komen – het bericht dat hij allang in de heen en weer schietende blik van de jonge verpleegkundige had gelezen: het bericht dat Hannah dood was.

2

Traumacentrum, Rigshospital
Ze voelde zich beter dan ooit tevoren. Het was een explosief gevoel van vrijheid. Ze kon heel helder denken, volkomen onbegrensd. Hier was ruimte voor al haar gedachten.

Donderdag 24 december
Een kiertje donker in het overweldigende licht. Hannah wendde zich af. Het kon haar niets schelen. Totdat ze opeens aan Niels dacht. Toen opende het donker zich. Ze kon niets doen, ze liet zich er gewoon door opslokken.

Ik heb zojuist iets ongelooflijks meegemaakt.

Wazige, droomachtige gedaantes in een witte ruimte. Een van de gedaantes kwam dichterbij en boog zich over haar heen, scheen in haar ogen met ...

'Ze is terug!'

'Wat?'

'Kom maar kijken.'

Om haar heen klonk gemompel. *Geweldig*. Eén stem lachte opgelucht. *Taaie vrouw*.

De stemmen drongen duidelijk tot haar door. Vooral één, een vrouwenstem. De andere gedaantes kwamen dichterbij. Ze maakten dingen vast aan haar lijf, waren in de weer met apparaten, praatten rustig en geconcentreerd.

'Ongelooflijk', hoorde ze iemand zeggen.

Iemand anders zei dat *ze* gestabiliseerd moest worden. Wie was *ze*?

Ze schenen in haar ogen en prikten naalden in haar handen. Ergens in de ruimte hoorde ze vaag iets piepen.

'Waar ...'

Was het Hannah die fluisterde? Er kwam geen reactie. Ze probeerde haar keel te schrapen. Nu pas voelde ze haar lichaam. Het was een onplezierig weerzien: brandende pijn in haar borst en keel, een prikkelend gevoel in haar benen. Haar stem werd langzaam luider. 'Waar ben ...' Ze werd onderbroken door het geluid van een helikopter. Ze keek uit het raam en zag hem wegvliegen. 'Het Rigshospital. Natuurlijk.'

'Ze probeert iets te zeggen.'

Gezichten staarden haar aan. Ze probeerde kracht te verzamelen om haar benen over de rand te slaan, ze moest Niels zoeken en hem waarschuwen, maar het ging niet. Ze kon zich niet bewegen. Ze had niet heel veel pijn. Haar lichaam was nog steeds verdoofd.

'Kunt u mij horen?'

Ze praatten tegen haar. Een opgewonden mannenstem die probeerde vriendelijk te klinken: 'Mevrouw Lund? Kunt u mij horen?'

'Ja.'

'U bent een paar dagen bewusteloos geweest. U bent ... méér dan bewusteloos geweest. Weet u waar u bent?'

Het Rigshospital. Het woord wilde niet van gedachte naar spraak transformeren. Het bleef in haar mond steken.

'Weet u dat u in het Rigshospital in Kopenhagen bent? U bent betrokken geweest bij een ernstig ongeval in Jutland en u bent hier in een helikopter naartoe gebracht.'

Hannah zei niets. De arts – of van wie die stem ook was – praatte tegen haar alsof ze een kind was.

'Kunt u alles horen wat ik zeg?'

'Ja.'

'Goed zo, het is namelijk belangrijk dat u ...'

'Welke dag is het vandaag?'

'Donderdag 24 december, het is bijna Kerstmis.' Het gezicht werd duidelijker, Hannah zag vaag een glimlachje. Het was een jonge man met een zwarte bril.

'Morgen ...'

'Wat?'

'Waar is Niels?'

'Ze heeft het over haar vriend. De man die ook bij het ongeluk betrokken was', zei een stem.

'Waar is Niels?'

Pas toen de standaard met het infuus omviel, drong het tot Hannah door dat het haar was gelukt om haar benen over de rand van het bed te slaan. Hevige pijn in haar hoofd. Ze was ergens tegenaan gestoten. Waarschijnlijk de vloer of de infuusstandaard. De deur ging open, witte jassen kwamen aansnellen. Nog meer anonieme, goedbedoelende gezichten. Een stem zei: 'Ze is in shock. We geven haar ...'

Hannah verstond de naam van het kalmerende middel dat ze

haar wilden geven niet, maar ze begreep dat de stem gelijk had. Ze was in shock. Haar hersenen waren een wirwar van onafgemaakte gedachten. Heel even voelde ze elke ader in haar lichaam en het bloed dat door haar hart stroomde. Ze hoorde zichzelf zeggen: 'Ik ben niet in shock.'

Ze werd terug in het bed getild, ze kon er niets tegen doen. Een geruststellende, bijna lijzige stem zei: 'U bent betrokken geweest bij een ernstig auto-ongeluk. Een auto is met zeer hoge snelheid op u ingereden.'

'Morgen ...'

'U moet rusten, mevrouw Lund.'

'Als de zon ondergaat ... Niels.'

'Luister, mevrouw Lund: uw man, of uw vriend, heeft het ook overleefd. U moet beiden rusten.'

'Welke dag is het vandaag?'

Weer die fluisterende stem: 'Kan het alsjeblieft wat sneller?'

'Jullie mogen me niet ...'

Een warm gevoel in haar hand. 'Welke dag is het vandaag?'

'Dat hebben we u al verteld. Het is donderdagochtend, de dag voor Kerst. Maar nu moet u even nergens anders aan denken dan aan rusten. U hebt allebei heel veel geluk gehad. We hebben u iets gegeven om te ontspannen.'

De stem werd wazig. Ze hoorde hem wel, maar de woorden hadden geen betekenis. De medicijnen hadden haar lichaam overgenomen. Ze verzette zich, maar het was een oneerlijke strijd. Het donker kwam terug. Het verlossende donker.

3

Intensive care, Rigshospital
Elke keer dat hij wakker werd, had hij het gevoel dat hij oneindig ver moest opstijgen, van de dood naar het leven. Het licht deed pijn aan zijn ogen. Het leek wel of zijn lichaam onderworpen was aan de zwaartekracht van het dodenrijk, die veel sterker was dan die op aarde. Zo moet Lazarus zich hebben gevoeld toen Jezus hem had opgewekt uit de dood, dacht Niels. Hij knipperde met zijn ogen en voelde dat zijn lichaam werd neergedrukt op de matras, op de grond, op de aarde.

Hij ademde zwaar en keek rond. Het ziekenhuis, nog steeds het ziekenhuis. Hij deed zijn ogen weer dicht en liet zich vallen.

* * *

Donderdag 24 december
'Niels?'

Hij herkende de stem.

'Niels.'

Het kale hoofd en de vriendelijke ogen die hem deden denken aan die van zijn vader.

'Kun je me horen? Ik ben Willy, je oom.'

'Oom Willy?'

'Ik ben hier al een paar keer geweest. Je bent lang weggeweest, jongen. Het is maar goed dat je vader en moeder dit niet meer hoeven mee te maken. Ze hadden het vast niet overleefd.'

Niels glimlachte. Willy was zo'n beetje de dichtstbijzijnde familie die hij nog had en de enige die hij kon verdragen.

'Kun je me vertellen waar Kathrine werkt? Zit ze in het buitenland? Dan kan ik haar bellen.'

Niels schudde zijn hoofd. 'Nee. Ik bel haar zelf wel als het wat beter gaat.'

'Oké, jongen, dat is goed. Je komt er wel weer bovenop. De artsen zeggen het ook. Je bent sterk, je bent altijd een sterke jongen geweest. Een echte zoon van je vader.'

Niels wilde terug naar het donker en de zwaarte. Weg. Hij hoorde Willy nog praten terwijl hij zich liet vallen. Iets over bloemen, en chocola, en over alle dode familieleden. Het was een prettige stem om hem te begeleiden op de weg terug naar het donker.

'Vrolijk Kerstfeest', zei iemand, of zong iemand. Misschien droomde hij al.

* * *

'Meneer Bentzon?'

Een man in een witte jas. Weer een andere man. Kennelijk waren die hier in onbeperkte hoeveelheden. Waar was oom Willy? Was hij er echt geweest? De treurige bos bloemen die op de tafel stond, was het bewijs. Willy was de enige die je in het ziekenhuis kwam opzoeken met een begrafenisboeket.

'Kunt u mij horen?' vroeg de man in de witte jas.

'Ja.'

'Ik heb goed nieuws.'

Niels probeerde zich te concentreren. Er lag een waas over zijn ogen en dat gaf hem het gevoel dat hij zijn ogen onder water open had. 'Goed nieuws?'

'Uw vriendin.'

'Hannah?' onderbrak Niels de man.

'Ze is niet dood.'

'Niet dood?'

'Ze haalt het wel, meneer Bentzon.' De man glimlachte. 'Het komt maar heel zelden voor dat iemand twee keer met succes wordt gereanimeerd. Ik ben arts en ik neem het woord "wonder" zelden in de mond, maar als ik ooit getuige ben geweest van een wonder, dan is het dat uw vriendin een paar uur geleden wakker is geworden. Bovendien zal ze er waarschijnlijk geen blijvende gevolgen aan overhouden.'

Vriendin. Het woord irriteerde Niels. De arts zei nog iets, maar Niels luisterde niet.

'Ik wil haar zien.' Hij sprak de woorden luid en duidelijk uit.

'Daar zullen we voor zorgen. Zodra het kan.'

'Ik moet haar zien.'

'U moet hier nog een poosje blijven.' De arts keek om zich heen en maakte oogcontact met een verpleegkundige. Hij zei het niet hardop, maar Niels wist precies wat hij bedoelde: ik kan echt geen tijd verspillen aan discussies met patiënten, ik heb wel wat beters te doen. Jij moet hem maar uitleggen dat hij hier moet blijven.

De verpleegkundige kwam dichterbij: 'Dat zal helaas niet gaan, meneer Bentzon. Jullie liggen allebei op een andere afdeling. Uw vriendin is naar de hartkliniek gebracht, helemaal aan de andere kant van het gebouw.'

Ze wees uit het raam. Door de vorm waarin het ziekenhuis was gebouwd, een onvolledige H, kon je heel ver van elkaar af zijn, ook al was je in hetzelfde gebouw. De overkant was zo ver dat je niet eens mensen achter de ramen kon zien.

'Elke keer als een patiënt wordt vervoerd, neemt het risico op te veel inspanning en complicaties toe. U moet nog even wachten, meneer Bentzon. Het is voor uw eigen bestwil. We hebben uw families op de hoogte gebracht.'

'Het is belangrijk.'

'Misschien kunnen we iets regelen met een telefoon, wat dacht u daarvan?' Ze glimlachte en raakte het verband om zijn hoofd aan.

'Goed.'

Ze ging weg. Niels keek nog een keer uit het raam naar de overkant. Even liet hij zijn herinneringen het overnemen: de zee, de goederentrein, de kruidenierswinkel, het ongeluk. – *Het maakt niet uit wat je doet, Niels, over een week zul je in het Rigshospital zijn*. Dat was wat Hannah had gezegd. *Het systeem.*

'Meneer Bentzon?'

Niels werd ruw weggerukt uit zijn gedachten. Hoeveel tijd was er voorbij gegaan? De man stelde zich voor: 'Jørgen Wass, dermatoloog. Deze jongeman is een student die met mij meeloopt.'

Nu pas zag Niels de bebrilde jongeman die naast de arts stond.

'Er is mij gevraagd om even naar uw rug te kijken.'

'Nu?'

'Ik ben hier nu.' Hij glimlachte. 'Ik werk hier niet, begrijpt u. Het Rigshospital heeft geen dermatologische afdeling meer. We vonden het beter om u niet te vervoeren. Ik ga u nu niet uitgebreid onderzoeken, alleen even kijken, zodat ik kan zien of er een behandeling nodig is en zo ja, welke. Kunt u op uw buik gaan liggen?'

Zonder antwoord af te wachten – de klank in zijn stem zorgde ervoor dat Niels zich een klein kind voelde – keek de dermatoloog naar de verpleegkundigen en vroeg: 'Ja? Zullen we meneer even helpen?'

Jørgen Wass trok latexhandschoenen aan. Niels had besloten dat hij niet zou piepen toen ze hem beetpakten en hem op zijn buik draaiden. De verpleegkundige schoof zijn hemd omhoog. De dermatoloog ging zitten. Hij nam ruim de tijd. Niels vond het wachten vernederend.

'Hebt u iets nodig?' De student kwam dichterbij.

'Nee, dank je, het duurt niet lang. Ik hoop dat het niet vervelend voor u is.' Dat laatste was tot Niels gericht.

Niels zei niets terwijl de dermatoloog zijn rug betastte.

'Is het gevoelig? Jeukt het?'

'Niet echt.'

'Wanneer hebt u hem laten maken?'

'Wat?'

'Die tatoeage. Of ...' De dermatoloog aarzelde. 'Is het eigenlijk wel een tatoeage?'

'Ik heb geen tatoeage.' Niels merkte dat de dermatoloog niet luisterde.

'Weet u het zeker? Een hennatatoeage misschien? Bent u op reis geweest?'

'Ik wil het zien.'

'Dat moet het wel zijn.'

De student mengde zich nu ook in het gesprek. Hij praatte zacht tegen de dermatoloog: 'Is het pathomimie, of Mongolian Spot?'

'Ik heb geen tatoeage op mijn rug.' Niels probeerde harder te praten, maar dat was moeilijk door de ongemakkelijke houding waarin hij lag, met zijn gezicht in het kussen.

'En u hebt er ook nooit een laten weghalen?' vroeg de dermatoloog. 'Hebt u weleens een schimmelinfectie gehad?'

'Nee.'

Niels wist niet of de dermatoloog het tegen de student, de verpleegkundigen of tegen zichzelf had, toen hij mompelde: 'Lichte zwelling van de epidermis, tekenen van pigmentvariatie en ontsteking.'

'Ik wil het zien.' Niels probeerde zich om te draaien.

'Als u even wilt wachten.'

Jørgen Wass schraapte met een scherp voorwerp over Niels' huid. 'Ik neem een huidmonster. Doet dit pijn?'

'Ja.'

'Er is niet zo veel te zien. Zullen we hem weer omdraaien?'

'Nee! Ik wil het zien.'

Stilte. De arts was ertegen. Dat kon Niels duidelijk merken. 'Goed, dan moeten we spiegels halen.'

Niels bleef heel stil liggen terwijl de verpleegkundigen twee spiegels binnenreden. Ze waren een poosje bezig om ze in de juiste positie neer te zetten.

'Het ziet er vrij heftig uit', waarschuwde de dermatoloog. 'U moet niet schrikken, maar met de juiste behandeling, een cortisonencrème misschien, bent u zo weer in orde.'

Niels zag zijn rug. Het teken had nu dezelfde vorm aangenomen als dat van de anderen. Het strekte zich uit van zijn ene schouder tot zijn andere. Het patroon begon zichtbaar te worden. Hij kon de getallen niet zien, maar hij wist dat ze er waren: 3 en 6; 36.

De arts richtte zich op en keek naar de student.

'Ik heb dit eerder gezien', zei hij.

'Waar?' vroeg de student.

'Wat bedoelt u?' Niels keek hem aan. Hij hield zijn blik vast. 'Hebt u dit eerder gezien? Waar?'

'Het is lang geleden. Maar ...'

'Maar?'

De arts stond op. 'Ik zal het nader onderzoeken en dan kom ik terug.'

Hij knikte naar de student. Zonder nog een woord tegen Niels te zeggen, liepen ze de kamer uit.

4

Hartkliniek, Rigshospital

Hannahs ouders zeiden 'ja, graag', toen de verpleegkundige het eten bracht. Hannah had de geur al urenlang in haar neus: fricandeau met pepersaus. Haar vader had eerst zijn eigen portie opgegeten en terwijl haar moeder nog een beetje huilde en niets zei, at hij ook de hare op. *Het was toch zonde om het weg te gooien.* Dat was zijn lijfspreuk. Als je naar zijn buik keek, kon je je afvragen of dat nou eigenlijk wel zo verstandig was.

Hannah vond het altijd een beetje gênant als haar vader meekwam. Ze herinnerde zich vol afgrijzen dat haar ouders opeens waren verschenen tijdens de verdediging van haar proefschrift. Ze waren op de achterste rij gaan zitten. Haar vader had luidruchtig gesnoven en was zo dik dat hij anderhalve stoel in beslag nam. Haar moeder had geen woord gezegd. Nu ook niet.

Het was een lang bezoek met heel weinig woorden. Hannah had eigenlijk de indruk gehad dat ze haar hadden opgegeven. De ziekte en het overlijden van Johannes, Gustav die haar had verlaten, het was allemaal te veel voor hen, te vreemd. Hannah was als kind al vreemd voor hen geweest.

Eindelijk gingen ze weg. Nog een laatste vraag in de deuropening: 'Moeten we nog wat langer blijven?'

'Nee, echt niet. Ik moet veel rusten.'

Hannahs ouders zouden bij haar halfbroer logeren, maar haar vader had problemen met zijn rug en kon alleen in zijn eigen bed slapen, dus hij bleef de hele nacht in een stoel zitten en zou daar een paar uurtjes slapen. Morgen gingen ze weer naar huis.

'Meisje van me', had haar moeder vlak voordat ze wegging gefluisterd, maar Hannah was niemands meisje meer. Niet van Gustav en niet van haar ouders.

'Weet u zeker dat u niets wilt hebben?' vroeg de verpleegkundige, terwijl ze de resten van het bezoek van Hannahs ouders weghaalde.

'Ik wil graag met Niels praten.'

De verpleegkundige keek haar niet-begrijpend aan.

'Niels Bentzon! De man die ook bij het ongeluk was.'

'Is hij hier in het ziekenhuis?'

Hannah schudde haar hoofd. Het kwam waarschijnlijk doordat het Kerst was, dacht ze. Het vaste personeel was vrij en een minder ervaren reserveteam had het overgenomen. Eindelijk verscheen er een bekende verpleegkundige. Goedgevulde wangen, glimlachende ogen. Heette ze niet Randi? Ja, Hannah wist het zeker. Ze probeerde het. 'Randi?'

'Bent u wakker?'

'Ik wil graag met Niels praten.'

'Ik weet het, maar hij slaapt heel veel, net als u. Hij krijgt zware pijnstillers en daar word je ook suf van. Hij is steeds tien minuten wakker en dan slaapt hij weer drie of vier uur.'

'Kunnen we elkaar bellen? Het is heel belangrijk.'

Randi glimlachte. 'Het belangrijkste is dat jullie er weer bovenop komen. Zijn we het daarover eens?' Ze pakte Hannahs hand. 'Ik moet toch die kant op. Zal ik even bij hem langsgaan en proberen een afspraak te maken, zodat jullie elkaar kunnen bellen?'

'Ja, graag.'

Randi ging weg. Hannah keek uit het raam. Het werd donker. Kerstavond in het Rigshospital. Hannah deed haar ogen dicht. Totdat ze voorzichtige voetstappen in haar kamer hoorde. Eerst dacht ze dat de oudere dame verdwaald was. Ze droeg geen witte jas en haar onrustige blik had iets verwards en wereldvreemds.

'Hannah Lund?' vroeg de vrouw en ze stapte naar haar bed toe. 'Bent u dat?'

Hannah zei niets. Ze voelde zich zwaar en krachteloos.

'Ik ben Agnes Davidsen.' De vrouw stak een magere hand uit naar Hannah. Toen veranderde ze van gedachten en gaf een voorzichtig kneepje in Hannahs hand. 'Mag ik even met u praten?'

Ze was over de zeventig. Haar huid leek van perkament en haar haar deed denken aan een verlepte kamerplant, maar ze had levendige, intelligente ogen.

'U hebt een auto-ongeluk gehad?'

'Ja.'

'U zat in een auto die tegen een andere auto is gebotst?'

'Ik zat niet in een auto. Ik ben aangereden door een auto.'

'Vijf dagen geleden?'

'Waar gaat dit over?'

'Ik ben hier om naar uw bijna-doodervaring te vragen.'

Hannah glimlachte en schudde haar hoofd. 'Moet het hart daarvoor niet hebben stilgestaan?'

Agnes keek haar verbaasd aan.

'Hebben ze u niets verteld?'

'Jawel. Dat het ... ernstig was.'

'Mevrouw Lund.' Agnes schoof wat dichter naar haar toe, 'u bent dood geweest. Twee keer.'

'U vergist zich.'

'Ik begrijp niet dat ze u niets verteld hebben. Dat is typisch het Rigshospital. Tijdens de feestdagen valt de communicatie met de patiënten volledig uit. Geloof me, ik kan het weten, ik werk hier al mijn hele leven.'

'Ik begrijp het niet.'

De verpleegkundige kwam net op tijd binnen om Hannah uit het bed te zien klimmen. Ze gooide de infuusstandaard om, iemand protesteerde.

'Wat is er met mij gebeurd?' Ze wilde schreeuwen maar het werd niet meer dan een schorre kreet: 'Kan ik nu eindelijk fatsoenlijk antwoord krijgen?'

* * *

'Spontane pneumothorax.'

De arts had begrepen dat Hannah 'een van ons' was. Niet alleen een academicus, maar ook een gerespecteerd onderzoekster. Een astrofysicus. Hij probeerde zijn uitleg dus niet minder ingewikkeld te maken: 'Er ontstaat een scheur in de blaasjes aan de bovenkant van de long, waarbij er lucht ontsnapt naar de pleuraholte en de long in elkaar wordt gedrukt. Een dergelijke scheuring sluit vaak spontaan, waarna de long zich weer uitvouwt.'

Hij keek haar aan. 'Wilt u rusten?'

'Ik wil de rest horen.'

'In uw geval is er als gevolg van de botsing een ventielfunctie ontstaan in het lek, zodat er wel lucht naar de pleuraholte kon ontsnappen, maar niet meer terug de long in stromen. Daardoor ontstond er een toestand die we spanningspneumothorax noemen, waarbij zich steeds meer lucht ophoopt in de pleuraholte. Dat is een zeer ernstige en potentieel levensbedreigende situatie, maar ...' hij glimlachte, '... we hebben uw longen nu weer onder controle. En uw hartcontusie.'

'Die oude dame zei dat ik dood ben geweest.'

'Ik heb geprobeerd om uit te zoeken wat er mis is gegaan in de communicatie. Het ziet ernaar uit dat we wat strenger moeten toezien op de procedures tijdens de feestdagen.'

'Is het waar?' onderbrak Hannah hem. 'Ben ik dood geweest?'

Hij haalde diep adem, alsof het zijn schuld was dat haar hart was opgehouden met kloppen: 'Ja. En dat had u al veel eerder moeten horen. Het spijt me. Uw hart heeft stilgestaan. Twee keer zelfs. De eerste keer hebben we uw hart na een paar minuten weer op gang gekregen, maar toen we u op de tafel hadden ...'

'Op de tafel?'

'De operatietafel. Toen hield uw hart er opnieuw mee op. We dachten eigenlijk ...'

Hij glimlachte en schudde zijn hoofd. 'We dachten eigenlijk dat u dood was.'

'Hoelang?'

'Bijna tien minuten. Dat is heel ongebruikelijk.'

Stilte. 'Dus ik ben tien minuten dood geweest?'

Hij schraapte zijn keel en keek op zijn horloge. 'Agnes is een prima mens. Misschien wilt u met haar praten? Als u dat niet wilt, moet u haar gewoon vragen om weg te gaan. Ze heeft hier al die tijd op de gang zitten wachten totdat u wakker zou worden.'

'Welke dag is het?'

'Vierentwintig december. Nog steeds.'

Een medelijdende glimlach. 'Ik denk dat de kerstviering voor u niet veel zal voorstellen dit jaar, maar ik weet dat ze er in de keuken extra werk van maken.'

'Hoelang moet ik hier nog blijven?'

'Laten we afwachten hoe het gaat.'

Hij stond op en trok een wonderlijk gezicht dat waarschijnlijk was bedoeld als een glimlach.

5

Intensive care, Rigshospital

'Meneer Bentzon.'

Niels werd met een schok wakker. Hij keek verwilderd om zich heen. Deze verpleegkundige had hij nog niet eerder gezien.

'Hoe gaat het met u?' vroeg ze.

'Wie bent u? Welke dag is het vandaag?'

'Ik heet Randi. Ik werk in de hartkliniek. Uw vriendin Hannah ligt daar.'

'Hoe gaat het met haar?'

'Ze komt er waarschijnlijk wel weer bovenop. Ze vraagt naar u. Misschien wilt u haar bellen?'

'Welke dag is het vandaag?'

Randi lachte vriendelijk en zei: 'Dat vragen jullie allebei wel heel vaak. Moeten jullie iets doen?'

Niels probeerde overeind te komen, maar dat deed zo veel pijn in zijn heup en borst dat hij het moest opgeven.

'Blijft u maar liggen. Ik zal een telefoon halen. Een seconde.' Ze liep de kamer uit.

Niels probeerde opnieuw overeind te komen. Hij moest zijn lichaam onder controle krijgen en erachter zien te komen hoe hij de ledematen die nog wél functioneerden goed genoeg kon bewegen om hier weg te komen, weg uit het ziekenhuis. Hij dacht aan de deelnemers aan de Paralympics. Die misten armen en benen en konden toch de ongelooflijkste dingen doen. Dan moest hij zijn eigen omhulsel toch wel in een taxi kunnen krijgen.

Randi kwam binnen met een telefoon. 'Zo. Nu zijn we er klaar voor.' Ze glimlachte terwijl ze het nummer draaide. 'Met Randi. Ik sta bij Hannahs vriend. Is ze wakker? Weggereden? Met wie?' Randi luisterde ongerust. 'Oké.'

Ze verbrak de verbinding en keek Niels aan. 'Iemand heeft haar meegenomen.'

'Ik begrijp het niet.'

'Ik ook niet. Behalve als ze slechter is geworden.'

'Hoezo slechter?'

Randi ging weg met de belofte dat ze snel terug zou komen. Op de gang hoorde Niels een stem die hij maar al te goed kende.

Zelfverzekerd, lomp, charmant als hij wilde. Niels deed zijn ogen dicht en deed alsof hij sliep. Dat was niet moeilijk. Hij hoorde voetstappen dichterbij komen. Hugo Boss aftershave en een vleugje damesparfum dat was achtergebleven op zijn jasje.

'Bentzon?' Sommersted fluisterde. 'Bentzon, kun je me horen? Nee. Je ziet er ook niet best uit.'

Sommersted was een paar minuten stil. Hij bleef gewoon zitten. Niels deed alsof hij heel ver weg was.

'Nou, ik kom morgen wel terug, Niels. Ik hoop dat je het haalt. Ik ...' Sommersted stopte. Toen boog hij zich over Niels heen en fluisterde: 'Je had toch gelijk, met Venetië, ik weet niet hoe je het hebt geflikt, maar je had gelijk.'

Sommersted stond op. Hij mompelde iets wat Niels tegen hem had gezegd: dat het Rigshospital de volgende plek was. Toen werd het heel stil. Niels was er zeker van dat hij weg was. Hij was weggegaan, óf hij was in slaap gevallen.

6

Witte gangen, Rigshospital

Zou ze nergens anders naartoe kunnen op Kerstavond? Hannah kon het niet laten om zich dat af te vragen, terwijl Agnes haar bed de lift in reed.

'So far, so good. Je moet het zeggen als het niet gaat.' De oude dame lachte naar Hannah. Een hese, bijna geluidloze lach, die een lang leven als roker verried, kwam over haar gebarsten lippen. 'Ik ben gepensioneerd verloskundige en ik heb tot tien jaar geleden, toen er kanker bij mij werd geconstateerd, hier in het Rigshospital gewerkt. Op de afdeling verloskunde. De artsen gaven me hoogstens twee jaar en die heb ik benut om me op mijn grote interesse te storten. Die interesse heeft me ook bij jou gebracht.'

'Auto-ongelukken?'

'Niet helemaal. Bijna-doodervaringen.'

'Bijna ... dood?'

De oudere vrouw knikte. 'Misschien komt het doordat ik me zo veel met de dood heb beziggehouden, dat ik er nog steeds ben. Misschien kun je zelfs wel zeggen dat de dood de kanker heeft afgeschrikt.' Ze glimlachte. 'Hij heeft me er in ieder geval nog niet onder gekregen. Klinkt dat morbide? Zeg maar gewoon wat je denkt hoor: raar oud wijf.'

'Nee.'

'Ook goed. Voor mij is het bestuderen van bijna-doodervaringen een vrij logisch vervolg op het werk als verloskundige. Het eerste deel van mijn leven heb ik mensen op de wereld geholpen, het tweede deel probeer ik te begrijpen wat er gebeurt als we hem weer verlaten. Leven en dood.'

Hannah keek naar de vrouw, die kuchte. Misschien wachtte ze totdat Hannah iets zou zeggen.

'Ik heb geen bijna-doodervaring gehad.'

'Ik wil je toch graag laten zien waar het is gebeurd; waar je bent doodgegaan. Misschien kunnen we je herinnering op gang helpen.'

De lift kwam aan op de begane grond en Agnes reed het bed eruit. Ze was hier duidelijk thuis. Met beide handen op het hoofdeinde duwde ze het bed door de gangen. Hannah keek naar haar kaak.

Na een poosje keek Agnes haar aan, glimlachte en begon: 'Laten we beginnen met het fenomeen bijna-doodervaring. Wat is het? Wat is een bijna-doodervaring?' Ze haalde diep adem. 'Het fenomeen heeft altijd al bestaan: mensen die dood zijn geweest, maar weer wakker zijn geworden en vertelden wat ze hadden meegemaakt.'

'De laatste stuiptrekkingen van de hersenen?'

'Misschien. Ze zijn door weinig mensen serieus genomen, er is heel vaak om hen gelachen, maar nu de geneeskunde steeds verder komt en steeds meer mensen met succes worden gereanimeerd, weten we meer. Artsen en onderzoekers zijn het fenomeen serieus gaan nemen. Heb je weleens van Elisabeth Kübler-Ross en Raymond Moody gehoord?'

'Dat zou best kunnen.'

'Dat zijn twee artsen die in de jaren zeventig baanbrekend onderzoek hebben gedaan naar het fenomeen. Ross en Moody denken dat er negen basiselementen zijn die vaak optreden bij bijna-doodervaringen. Praat ik te snel?'

'Ik ben astrofysicus.'

Agnes grinnikte. 'Die negen elementen zijn: een zoemend of rinkelend geluid; pijn verdwijnt; een ervaring van uittreding waarbij de stervende als het ware wegzweeft uit zijn eigen lichaam; het gevoel dat je met razende snelheid door een donkere tunnel wordt getrokken; het gevoel alsof je boven de aarde uit wordt getild en hem ziet alsof je er vanaf een andere planeet naar kijkt; de ontmoeting met mensen die een innerlijk licht uitstralen, vaak overleden vrienden en familie; de ontmoeting met een geestelijke kracht ...'

'God?'

'Misschien. Op die ontmoeting volgt een korte samenvatting van het hele leven van de stervende. "Je ziet je hele leven aan je voorbijtrekken", noemen we dat. En ten slotte – en dat is misschien het meest bijzondere element – het aanbod om terug te keren naar het leven, of te blijven waar je bent.'

'Of je wilt leven of sterven?'

'Zo kun je het noemen.'

'En op dat moment kiest het grootste deel dus voor die nieuwe plek?'

'Kennelijk wel.'

'Dat is me nogal wat. Leven na de dood.'

'Volgens Ross en Moody wel, ja. Voor hen bestond er geen twijfel.

Zij beschouwden het als een bewijs dat zo'n groot aantal patiënten allemaal over precies dezelfde ervaringen kon vertellen. De sceptici stonden natuurlijk in de rij. Onder hen was de gerespecteerde cardioloog dokter Michael Sabom. Sabom besloot een eigen onderzoek naar het fenomeen bijna-doodervaring op te zetten. Dat onderzoek wees tot zijn eigen grote verbazing uit dat bijna zestig procent van de met succes gereanimeerde patiënten in de hartkliniek waar hij werkte over bijna-doodervaringen kon vertellen. In sommige gevallen zeer gedetailleerd.'

Ze keek Hannah aan en ging verder: 'Maar er is ook een meer fysiologische verklaring. Als het lichaam sterft, worden de pupillen aanzienlijk vergroot. Er zou dus sprake zijn van een zeer reële visuele waarneming. Je zou het een vorm van geraffineerd gezichtsbedrog kunnen noemen. Een andere fysieke verklaring gaat ervan uit dat het lichaam op het moment van sterven een soort kooldioxidevergiftiging ondergaat. Kooldioxidevergiftiging staat erom bekend dat het mensen het gevoel kan geven dat ze door een tunnel worden getrokken. Weer anderen denken dat er gewoon sprake is van hallucinaties. Een soort mentaal verdedigingsmechanisme.'

Agnes Davidsen haalde haar tengere schouders op. 'Misschien probeert het onderbewustzijn gewoon het voor sommige mensen bijna ondraaglijke feit dat ze doodgaan te verhullen en probeert het daarom het gevoel te creëren dat het zo gek nog niet is, dat je naar een plek met licht en warmte en liefde gaat. Maar dat verklaart niet alles.'

'Ik dacht wel dat u dat ging zeggen.'

'Er zijn voorbeelden van mensen die dood zijn geweest en toen ze terugkwamen konden vertellen dat ze in de dood mensen hadden gezien van wie ze op dat moment onmogelijk konden weten dat ze dood waren. Is dat niet fascinerend? En nu gaat zelfs de VN zich ermee bemoeien.'

'Wat bedoelt u?'

Agnes reed Hannah door een deur naar binnen, draaide het bed om en zette het op de rem.

'In 2008 is onder leiding van de VN een groot congres georganiseerd over bijna-doodervaringen. Eindelijk konden onderzoekers openlijk hun twijfels uiten over onze opvatting van het bewustzijn en de vele ervaringen die we niet kunnen verklaren zonder te worden bespot.'

'De wetenschap kent geen genade.'

'Ja. Om diezelfde reden is een groep artsen een jaar later een wetenschappelijk onderzoek gestart. Een onderzoek naar bijna-dood.'

'Je zou denken dat het niet makkelijk is om geloofwaardige feiten te verzamelen.'

'Nee en ja. Een Engelse arts heeft een bijna lachwekkend eenvoudige methode bedacht.'

'En die houdt in?'

'Men heeft in een aantal landen, op afdelingen voor spoedeisende hulp en in traumacentra, kleine plankjes onder het plafond bevestigd. Heel hoog, zodat geen mens kan zien wat erop ligt. Op die plankjes hebben ze een afbeelding gelegd.'

Langzaam begon het tot Hannah door te dringen waarom ze hier was. Ze keek omhoog. Eerst zag ze het niet, maar toen keek ze naar de andere kant van de kamer. Ja. Helemaal bovenin, tien centimeter onder het plafond, was een klein, zwart plankje bevestigd.

Agnes keek haar aan.

'Niemand weet wat er op die afbeelding staat. Zelfs ik niet. Hij is in een verzegelde envelop uit het hoofdkantoor in Londen gekomen.'

Hannahs mond was droog. Ze voelde haar hart bonken. Ze wilde weg.

7

Intensive care, Rigshospital

De verpleegkundige kwam de kamer binnen.

'Kijkt u eens, meneer Bentzon.' Ze had een boek in haar hand. 'Van de dermatoloog. Hoe heette hij ook alweer?'

'Jørgen Wass?'

Ze glimlachte. 'U bent goed in namen.'

'Ik ben politieman.'

Ze gaf hem het boek. 'Dit heeft Jørgen Wass voor u gevonden. Ik geloof dat hij de pagina zelfs heeft gemerkt. Hij zei dat hij na de Kerst nog een keer langs zou komen om u te onderzoeken.'

Niels keek naar het boek. Er stond niets op de voorkant, het had alleen een zwartleren omslag.

'Ik geloof dat het over huidziektes gaat.'

Er stak een geel papiertje uit het boek.

'Hij wilde u iets laten zien.'

Ze zei nog iets, maar Niels hoorde het niet. Hij staarde naar een oude zwart-witfoto van een rug.

'Wat is dat?' Ze kon haar nieuwsgierigheid niet bedwingen. 'Een tatoeage?'

Niels gaf geen antwoord. Even kreeg hij bijna geen lucht. De rug op de foto leek als twee druppels water op zijn eigen rug. 36. Het getal 36 in een oneindig aantal variaties, zo virtuoos gevormd dat het hem de adem benam als hij er alleen maar naar keek.

'Is er iets niet in orde?'

Hij staarde.

'Meneer Bentzon?'

'Wie is die man op deze foto?' Nu pas had Niels zichzelf weer zo ver onder controle dat hij naar de tekst onder de foto kon kijken. 'Patiënt. Rigshospital. 1943. Worning Syndrome.'

'Is het een Deen?'

Niels bladerde in het dikke boek. Worning. Was het een naam? Was er meer informatie? Ten slotte moest hij het opgeven. 'Er staat verder niets in.' Hij keek op. 'Waar komt dit boek vandaan?'

'Van de dermatoloog. Ik weet niet waar hij het vandaan heeft.'

'Ik moet weten waar dit boek vandaan komt. Ik moet weten wie die patiënt is. Ik moet alles weten. Je moet de dermatoloog bellen en het hem vragen.'

'Maar het is Kerstavond.'

'Nu!'

'Moment.' Ze pakte het boek uit Niels' handen. Hij wilde boos worden, maar beheerste zich.

Ze liep de kamer uit. Toen de deur achter haar dichtviel, deed ze automatisch het licht uit. In het donker lag hij aan Hannah te denken.

Licht.

Ze stond in de deuropening.

'Heb ik het licht uitgedaan? Sorry.' Ze liep naar zijn bed toe.

Niels probeerde zijn ademhaling weer onder controle te krijgen.

'Voelt u zich niet goed? Wilt u wat water hebben?'

'Heb je hem te pakken gekregen?' Niels keek naar het boek in haar hand.

'Ja. Hij zei dat u zich nergens druk over hoefde te maken; het is niet iets waar je dood aan gaat.'

Ze glimlachte. Niels betwijfelde of ze de dermatoloog zelfs maar had gesproken. 'Hij komt na de Kerst.'

Ze gaf hem het boek weer. 'Wilt u nog meer lezen?' Niels keek nog een keer naar de foto en hoopte dat hij dit keer iets anders zou zien. Een mager lichaam, de armen naar opzij gestrekt. De man stond toen de foto werd gemaakt. Het was een zwart-witfoto. Worning Syndrome. Misschien was Worning de naam van de patiënt.

Niels voelde de vermoeidheid.

'Is er een archief in het ziekenhuis?'

'Ja. Het is heel groot.'

'Ben je er weleens geweest?'

'Twee keer in vijftien jaar. Maar daar gaan we nu niet naartoe. We gaan nu slapen en Kerst vieren. Toch, meneer Bentzon?'

Ze pakte het boek uit zijn handen. Niels ging verder: 'De man op die foto is hier patiënt geweest. Bij dermatologie. Hier in het Rigshospital, dat staat er.'

'Maar we weten niet eens hoe hij heet.'

'Worning. Het is het Worning Syndrome.'

'Worning kan ook de arts zijn die het voor het eerst heeft ontdekt.'

Ze trok de dekens op tot aan zijn schouders. Als een bezorgde moeder.

8

Traumacentrum, Rigshospital

Agnes haalde een klein notitieboekje tevoorschijn en las daaruit voor. Het waren verhalen van andere mensen met bijna-doodervaringen.

'We nemen deze. Dit is de verkorte versie van een goed gedocumenteerde Amerikaanse bijna-doodervaring. Ik heb het zelf vertaald, dus als het taalgebruik een beetje vreemd is, is dat niet de schuld van Kimberly Clark Sharp.'

'Kimberly ...'

'Kimberly Clark Sharp. We gaan terug naar de jaren negentig, toen ze opeens een acute hartstilstand kreeg en midden op de stoep in elkaar zakte. Geen ademhaling, geen pols. Dit is wat ze vertelt: 'Het eerste wat ik me herinner, was een vrouw die paniekerig riep: "Ik heb geen pols. Ik heb geen pols." Maar ik voelde me prima. Echt prima. Ik bedacht zelfs dat ik me nog nooit van mijn leven beter had gevoeld. Ik voelde een rust en een samenhang die ik nog nooit eerder had gevoeld. Ik kon niets zien, maar ik kon alles horen. Ik hoorde stemmen van mensen die over mij heen gebogen stonden. Toen kreeg ik het gevoel dat ik naar een andere plaats ging. Ik wist dat ik daar niet alleen was, maar ik kon nog steeds niet helder zien door de donkere mist die me nu volledig omhulde.'

Agnes keek op. 'Zal ik verdergaan?' Voordat Hannah de kans kreeg om te antwoorden, las ze door. Hannah had het idee dat de oude vrouw een eenvoudige psychologische truc met haar uithaalde. Door Hannah te laten luisteren naar de bijna-doodervaringen van anderen, zou ze het gevoel krijgen dat het niet zo abnormaal was als je zoiets meemaakte, en misschien zou Hannah daardoor over haar eigen ervaring willen vertellen. Het werkte.

'Opeens klonk er onder mij een hevige explosie. Een explosie van licht, ik zag niets anders meer dan licht. Ik was in het centrum van het licht en alle mist werd weggeblazen. Ik kon het hele universum zien, dat zich in oneindig veel lagen weerspiegelde. Dat was de eeuwigheid die zich aan mij openbaarde. Het licht was sterker dan honderd zonnen, maar ik brandde me er niet aan. Ik had God nog nooit eerder gezien, maar ik herkende dit licht als Gods licht.

Ik begreep het licht, ook al had ik er geen woorden voor. We communiceerden niet in het Engels of in een andere taal. De communicatie ging op een heel ander niveau dan wat je met iets banaals als taal kunt bereiken. Het leek eerder op muziek of wiskunde.'

Hannah richtte moeizaam haar hoofd op van het kussen. 'Staat dat daar?'

'Ja.'

Agnes keek haar aan, aarzelde, toen las ze door: 'Het was een non-verbale taal. Nu wist ik de antwoorden op alle belangrijke vragen, de vragen die het zuivere cliché benaderen: waarom zijn wij hier? Om te leren. Wat is de zin van het leven? Liefhebben. Het leek wel of ik werd herinnerd aan iets wat ik eigenlijk al wist, maar was vergeten. Toen begreep ik dat ik terug moest gaan.'

Agnes hield een korte pauze. Ze moest even ademhalen.

'Kimberly Clark Sharp eindigt haar verhaal zo: "Ik kon de gedachte bijna niet verdragen. Moest ik echt – nadat ik dat alles had gezien, nadat ik God had ontmoet – teruggaan naar de oude wereld? Maar er was niets aan te doen. Ik moest terug. Op dat moment zag ik mijn lichaam voor het eerst en begreep ik dat ik niet langer deel uitmaakte van dat lichaam. Ik had er geen verbinding mee. Ik begreep nu dat mijn 'zelf' geen deel van mijn lichaam was. Mijn bewustzijn, mijn persoonlijkheid en mijn herinneringen bevonden zich heel ergens anders, niet in die gevangenis van vlees die mijn lichaam was."'

Ze keek op.

'Gaat het nog verder?' vroeg Hannah.

'Dit was haar verhaal. Hier heb ik een foto van haar.'

Ze gaf Hannah het notitieboekje. Hannah bekeek de foto van een typisch Amerikaanse huisvrouw, ze kon zo zijn weggelopen uit een aflevering van Oprah Winfrey.

'Het lichaam als een gevangenis.' Hannah dacht hardop.

'Dat is een veelvoorkomend gevoel bij bijna-doodervaringen. Het gescheiden zijn van lichaam en geest. Wil je mee naar India?'

'Sorry?'

'Bijna-doodervaringen zijn er in alle streken en culturen. Deze heb ik nog niet opgeschreven, maar ik kan hem me nog wel herinneren. Hij is van de Indiase jongen Vasudev Pandey. Toen hij tien was, kreeg hij een mysterieuze ziekte waaraan hij overleed.'

'Ik ben altijd een beetje wantrouwig als verhalen beginnen met "een mysterieuze ziekte".'

'Hij noemde het een "paratyphoid disease". Hoe vertaal je dat? Nou ja, hij ging in ieder geval dood. Toen was geconstateerd dat hij overleden was, werd zijn lijk naar het crematorium gebracht, maar opeens vertoonde hij zwakke tekenen van leven. Grote consternatie. Stel je voor: een dode jongen die opeens tekenen van leven vertoont. Pandey werd snel naar het ziekenhuis gebracht en door verschillende artsen onderzocht. Ze probeerden hem te reanimeren, onder andere met injecties. Uiteindelijk slaagden de artsen erin om zijn hart weer op gang te krijgen, maar hij was nog steeds buiten bewustzijn. Pas na drie dagen van diepe bewusteloosheid werd hij weer wakker.'

'Wat had hij meegemaakt?' onderbrak Hannah haar.

'Zie je wel.' De oude dame glimlachte. 'Je bent nieuwsgierig geworden. Als ik lezingen geef over dit onderwerp, zeg ik altijd dat bijna-doodervaringen onder je huid kruipen. Dat klinkt misschien belachelijk, maar het is waar. Vasudev Pandey beschreef later de ervaring, of liever gezegd, het gevóél dat twee mensen hem optilden en meenamen. Pandey werd al snel moe en de twee personen moesten hem meeslepen. Algauw kwamen ze een enge man tegen.'

Hannah lachte: 'Een enge man?'

'Ik weet best dat het een beetje komisch klinkt. Maar zo heeft hij het beschreven. Die enge man was woedend en schold de twee mannen die Pandey waren komen halen uit. "Ik vroeg om de tuinman Pandey", zei hij. "Kijk eens om je heen. Ik heb een tuinman nodig. En nu komen jullie aanzetten met de jongen Pandey."'

'Dat klinkt als een komedie.'

'Misschien. Pandey vertelde verder dat er, toen hij bij bewustzijn kwam, een grote groep familie en vrienden om hem heen stond. Ze dachten dat ze rond het sterfbed van een kind stonden. Een van die mensen was de tuinman Pandey. De jongen vertelde de tuinman wat hij had gehoord, maar de tuinman en de anderen lachten erom. De tuinman Pandey was een jonge, sterke man. Maar de volgende dag ...'

Agnes laste een kunstmatige pauze in.

'Was hij dood', fluisterde Hannah.'

'Ja.'

De stilte legde zich als een geluiddichte stolp over de kamer.

'Het is een zeer goed gedocumenteerd verhaal. Pandey – de jongen dus – dacht later dat die enge man de hindoeïstische doodsgod Yamraj was geweest. De jongen vertelde ook dat dezelfde twee mannen hem terug hadden gebracht toen duidelijk werd dat ze de verkeerde Pandey hadden meegenomen.'

De oude dame haalde diep adem. Het was duidelijk erg inspannend voor haar om zo veel te praten. 'Het verhaal van Vasudev Pandey komt waarschijnlijk ook in het boek.'

'Het boek?'

Ze glimlachte. 'Bedenk hoeveel de dood voor ons allemaal betekent. Het is het enige wat we zeker weten: we gaan allemaal dood. Het is het enige wat ons mensen werkelijk met elkaar verbindt. Het enige wat we allemaal met elkaar gemeen hebben, over landsgrenzen en cultuurverschillen en verschillen in godsdienst heen. Er zijn psychologen die beweren dat alles wat wij doen op de een of andere manier in relatie staat tot het feit dat we doodgaan. Daarom hebben we lief, daarom krijgen we kinderen, daarom uiten we ons. De dood is, met andere woorden, altijd aanwezig. Waarom zouden we er dan niet zo veel mogelijk over willen weten? Ik bedenk weleens – en dat klinkt misschien wel absurd, je mag me best uitlachen, daar ben ik aan gewend – dat veel mensen reisgidsen lezen voordat ze op reis gaan. Ze willen graag iets weten over Parijs of Londen, of waar ze ook naartoe gaan. Dan zijn ze voorbereid. De dood is de ultieme reisbestemming en ik wil graag de reisgids schrijven. Klinkt dat krankzinnig?'

Hannah schudde haar hoofd. 'Niet als je het zo zegt.'

Agnes Davidsen boog zich een stukje naar voren en keek Hannah recht in de ogen. 'Wil je me nu vertellen wat je hebt meegemaakt toen je dood was?'

Hannah aarzelde. Ergens klonk kerstmuziek uit een radio. *I am driving home for Christmas*.

'Hannah ... Men spreekt over het *moment van sterven*, maar er is eerder sprake van een proces. De ademhaling stopt, het hart houdt op met kloppen en de hersenen stoppen al hun activiteit, maar zelfs als dit proces is afgerond, ontstaat er een periode – voor sommige mensen duurt die zelfs een uur – waarin reanimatie misschien nog mogelijk is. De vraag is: wat ervaart een dode in die tijd? Dáár doen wij onderzoek naar. Ze legde haar hand op Hannahs arm. 'Hoelang ben jij dood geweest?'

'Ik weet het niet.' Hannah haalde moeizaam haar schouders op.

'Ongeveer negen minuten.' Agnes hielp haar. 'Dat heb ik tenminste begrepen.'

Hannah gaf geen antwoord.

'Je kunt helemaal vrijuit praten. Ik gebruik jouw ervaring niet als jij het niet wilt. Ik wil in eerste instantie gewoon je verhaal horen. Vergeet niet: veel elementen keren steeds terug in de afzonderlijke bijna-doodervaringen, maar er zijn er geen twee hetzelfde. Er zijn altijd subtiele verschillen. Wil je mij erover vertellen?'

... driving home for Christmas.

Hannah keek naar het plankje onder het plafond.

'Misschien niet.'

'Waarom niet?'

Ze aarzelde. 'Misschien wil ik niet het bewijs zijn ...'

Agnes' hese lach. 'Het bewijs van leven na de dood? Zo is het niet. We noemen het een "studie van het bewustzijn", dan schrikt het niet zo af.'

Stilte. Ten slotte vroeg Agnes: 'Hannah ... weet jij wat er op dat plankje ligt? Heb je het gezien?'

... get my feet on holy ground ... so I sing for you ...

Agnes probeerde een andere invalshoek: 'Geloof je in God?'

'Dat weet ik niet.'

'Ik vraag het omdat ik heb gemerkt dat veel mensen hun bijna-doodervaring – de glimp die ze hebben opgevangen van wat misschien het leven na de dood is – interpreteren als een definitief bewijs van het bestaan van God. Ik denk dat je die twee dingen gescheiden moet houden. In dat opzicht ben ik het niet eens met veel van mijn collega's. In mijn wereldbeeld is een leven na de dood dat niets met God te maken heeft, heel goed mogelijk.'

'Hoe dan?'

Agnes aarzelde.

'Het belangrijkst voor mij is dat ik kan bewijzen dat er een bewustzijn bestaat dat vrij is van het lichaam. Wij geloven steeds meer dat alles verklaard, geanalyseerd en gecategoriseerd kan worden.'

... driving home for Christmas ...

Hannah deed haar ogen dicht. Ze dacht aan Johannes. Hoe hij was. Hoe hij eruitzag. De laatste maanden had ze een paar keer moeite gehad om zich zijn gezicht voor de geest te halen. Er hadden details ontbroken en ze had er foto's bij moeten pakken. De eerste keer dat ze dat meemaakte – in de nazomer van dit jaar – was ze heel erg overstuur geweest. Ze had zich een moordenaar gevoeld. Ze had vaak gedacht dat Johannes dan wel dood was, maar dat hij op een bepaalde manier ook voortleefde. In haar herinnering. Ze hoefde alleen haar ogen maar dicht te doen of hij stond springlevend voor haar. Dat had haar getroost. Zo hield ze hem levend. Maar nu dat niet langer lukte, had ze hem definitief het donker in geduwd.

'Hannah?'

De stem kwam van ver. Hij klonk een beetje galmend. 'Houd je ogen maar dicht als dat goed voelt voor je.'

... Driving home for Christmas ... I'm moving down that line ...

Ze zei niets. Ze hield haar ogen dicht en probeerde te wennen aan het donker dat haar nu heel dicht omsloot. 'Ik bevond me in een ondoordringbaar donker.'

Hannah hoorde dat Agnes haar tas opende en er iets uit haalde. Een voicerecorder misschien. Of een pen.

... It's gonna take some time, but I'll get there ...

'Overal om me heen was lucht. Maar toen groeide er vanuit het donker een kiertje licht. Eerst was het alleen een witte streep, als een eenzame krijtstreep op een gigantisch groot voetbalveld. Een zwart veld. Het was plat. Begrijpt u dat?'

'Ja.'

'Maar toen ging die kier langzaam iets verder open en werd het een soort ingang. Het licht stroomde helemaal door me heen, het voelde zacht en prettig.'

Agnes ademde heel stil. Hannah hield haar ogen dicht. Nu moest het eruit.

'Ik liep niet. Ik werd opgetild en meegetrokken. Alsof er draden aan me vastzaten. Ik kon ze alleen niet zien. Het was er zo stil als ik nog nooit eerder heb meegemaakt. En zo rustig ... nee ... ik was me heel erg bewust van alles. Ik dacht zo helder!'

Hannah glimlachte bij de herinnering. Agnes raakte moederlijk haar arm aan.

'Wat gebeurde er toen?'

'Ik dacht opeens aan Niels.'

'Je man?'

Hannah dacht na. Is Niels mijn man?

'Je ging terug.'

'Ja. Maar niet langs dezelfde weg. Het was donkerder.'

'Wat gebeurde er toen?'

Er klonken tranen door in Hannahs stem. 'Toen hing ik boven mezelf. Ik zag dat de artsen fanatiek met mijn lichaam bezig waren. Het was zo vreemd. Naar. Wit en kapot. Lelijk.'

'Je hing boven jezelf.'

'Ja.'

'In deze kamer?'

'Ja.'

'Heb je iets gezien wat je verbaasde?'

Hannah zweeg.

'Hannah?'

'Ja.'

'Wat?'

'Een plaatje. Een plaatje van een blote baby. Een illustratie. Een gestreepte baby.'

'Gestreept?'

'Ja, u weet wel: flowerpower – rood, geel, blauw, groen, alle kleuren van de regenboog. Schreeuwende kleuren.'

'En toen werd je wakker?'

'Nee. Toen werd alles zwart en was ik weg.'

Hannah opende haar ogen en veegde er met haar hand overheen. Agnes glimlachte naar haar.

'Snel. Ik ben astrofysicus, ik weet wat het is om te moeten wachten op het bewijs.'

Agnes liep de kamer uit. Hannah was een minuutje alleen. Toen kwam Agnes terug met een ladder. Ze klom erop. De ladder gleed een paar centimeter weg op het linoleum en Agnes keek angstig naar beneden.

'Misschien moet u iemand halen om de ladder vast te houden?'

'Het lukt wel.'

Agnes Davidsen klom de laatste treden van de ladder op en pakte het vel papier dat op het plankje lag. Zonder ernaar te kijken klom ze weer naar beneden en ging voor Hannah staan.

'Ben je er klaar voor?'

9

Intensive care, Rigshospital

Eerst had Niels de nachtverpleegkundige gesmeekt of hij een computer kon krijgen, het was per slot van rekening Kerstavond, toen had hij gedreigd. Hij had haar gevraagd zijn kast open te doen en zijn pistool en handboeien te pakken. Ze had gelachen en haar hoofd geschud, maar ze was teruggekomen met een oude laptop. Het kostte hem moeite om zijn vingers op de kleine toetsen te krijgen. 'Worning Syndrome'. *Enter*. Heel veel resultaten voor 'syndrome', maar heel weinig voor 'Worning Syndrome'. Niels klikte er een aan. Dezelfde foto als in het boek. De magere man. Kort, donker haar. Dunne benen. Hij was helemaal naakt en stond met zijn rug naar de fotograaf. Niels las.

Rare skin disease usually connected to religious hysteria. Worning Syndrome begins as depressed lines or bands of thin reddened skin, which later become white, smooth, shiny, and depressed, occurring in response to changes in weight or muscle mass and skin tension.

Hij miste zijn leesbril. Hij zette het beeldscherm lichter en las verder: Eerste bekende geval in Zuid-Amerika in 1942. Daarna een paar in Amerika en dan nog het geval in het Rigshospital in Denemarken, Thorkild Worning, telegrafist. Vreemd, meestal wordt een syndroom genoemd naar de eerste bekende patiënt. Of naar de arts die het heeft ontdekt. Niels' hart sloeg een slag over. Hij las het nog een keer: In de meeste gevallen dodelijk – *affecting the organ system* – maar niet voor Thorkild Worning. Hij was ontslagen uit het ziekenhuis. Hij had het overleefd.

* * *

Donderdag 24 december, 23.15 uur

De afdelingsverpleegkundige trok haar jas recht en keek Niels afkeurend aan.

'Waarom niet? Ik heb een naam. Thorkild Worning. Hij is toch allang dood.'

'Mensen worden beschermd door de wet.'

Niels keek haar met zijn allerdoordringendste blik aan. De verpleegkundige wankelde heel even.

'En als jij meegaat? Of misschien kunnen we een arts zover krijgen dat hij er voor ons naartoe gaat.' Niels veranderde van tactiek, hij verhief zijn stem een beetje. 'Luister eens: Ik moet naar dat archief. Dat is van het allergrootste belang.'

'Ik heb de regels niet bedacht', zei ze. 'Een verpleegkundige mag alleen in het archief als een arts een bepaald dossier nodig heeft. Dat komt maar heel zelden voor. Bovendien is het al heel laat en het is Kerstavond. Het archief is dicht!'

Niels zuchtte. Zijn pogingen om haar onder druk te zetten hadden geen succes. Natuurlijk niet. Hij hield zich gewoon van den domme. Natuurlijk mocht niet zomaar iedereen naar binnen in het archief met patiëntendossiers dat onder het Rigshospital lag. Ziektes, behandelingen en doodsoorzaken waren natuurlijk de meest gevoelige persoonlijke informatie die je kon bedenken. Hij dacht aan wat Casper op het hoofdbureau zou zeggen als een of andere toevallige voorbijganger toegang tot de politierapporten zou verlangen.

'Kun je geen sleutel te pakken krijgen?'

'Meneer Bentzon. U begrijpt het niet. Van al die duizenden mensen die hier in het ziekenhuis werken, hebben er maar twee of drie toegang tot het archief. Dat is Bjarnes afdeling.'

'Bjarne?'

'De archivaris. Alle patiënten die hier de afgelopen zeventig jaar zijn opgenomen, zijn geregistreerd in het archief. Elk bloedonderzoek dat hier is gedaan, is geregistreerd, elk pilletje dat een patiënt heeft geslikt, staat genoteerd in een ingewikkeld systeem dat maar heel weinig mensen begrijpen.'

'En Bjarne is daar een van?'

'Zelfs in zijn slaap.'

'Heb je een wachtwoord nodig? We hebben het toch over een computerdatabase, neem ik aan?'

'Pas vanaf 2000.'

'Wat? Vanaf 2000?' Niels hoorde zelf hoe ongeduldig hij klonk.

'Ja. Vanaf het jaar 2000 zijn de dossiers elektronisch ingevoerd. De rest is ouderwets archief. Papieren en mappen.'

'Dat moet toch een heleboel ruimte in beslag nemen?'

'Vijftien kilometer. Ruim vijftien kilometer. Ik geloof dat het te duur is om het allemaal in de computer in te voeren. Ze zeggen dat het wel tien jaar zou duren voordat alles ingevoerd zou zijn. Het archief bestaat dus uit stalen kasten, stellingen, hangmappensystemen, opnameregisters, cartotheken en patiëntendossiers. Het is een wereld binnen een wereld. Geheimen over alles en iedereen. Astrid Lindgren is hier in het diepste geheim in het ziekenhuis bevallen. Daar zul je zeker iets over kunnen vinden.'

Hij keek haar aan. Opeens was er een zekere spanning in haar ogen verschenen. 'Dus helaas.' Ze haalde haar schouders op. 'Kan ik verder nog iets voor u doen?'

'Nee, bedankt. Mag ik dat boek nog even houden?'

'Natuurlijk.'

Ze ging weg en liet hem alleen in de witte kamer. Hij sloeg het boek open en keek naar de foto van Thorkild Wornings rug. Opnieuw ging er een steek van spanning door Niels' buik. 36. In de tekst naast de foto stond niets over Thorkild Worning. Niels bladerde verder. Hij liet zijn blik over de pagina's gaan, in de hoop dat hij iets zou vinden wat hij kon gebruiken. Er stond heel veel in over brandwonden. Akelige foto's: de kinderen van de Franse school in Frederiksberg Allé die in het voorjaar van 1945 per ongeluk was gebombardeerd door de Royal Air Force. Honderdvier mensen waren omgekomen in de vlammen, onder wie zesentachtig kinderen. En er waren heel veel gewonden met afschuwelijke brandwonden.

Er waren artikelen over de meest uiteenlopende huidziektes. En ten slotte, onder 'zeldzame huidaandoeningen', het Worning Syndrome.

Niels kon niet meer. Zijn lichaam wilde niet meer. Met een laatste krachtsinspanning verstopte hij het boek onder zijn kussen. 'Worning', mompelde hij. 'Worning is uit het ziekenhuis ontslagen. Hij heeft het overleefd.'

Hij heeft het overleefd.

10

Donderdag 24 december, 23.22 uur

Misschien had ze het gedroomd. Hannah opende haar ogen. Ze had in ieder geval geslapen. Ze keek langs haar lichaam naar beneden, naar haar hand die zo koppig het velletje papier vasthield. Er stonden namen en websites op. Agnes wilde dat Hannah die zou bekijken als ze zich beter voelde. YouTube: ***Dr. Bruce Greyson*** die de VN toespreekt. Ook YouTube: ***Dr. Sam Parnia on MSNBC.***

Het was echt. Over de hele wereld werd onderzoek gedaan naar bijna-doodervaringen. Hannah had het bewijs gezien. Het bewijs dat het bewustzijn los van het lichaam kon bestaan. Hannah wás het bewijs.

Ze wilde terug. Dat was het enige wat ze wist. Terug naar de plek waar het bewustzijn buiten het lichaam bestond. De plek waar ze Johannes kon ontmoeten. De gedachten kaatsten heen en weer binnen de dikke schil die al die jaren haar uiterst problematische intelligentie bijeenhield. Een intelligentie die van haar een vreemde had gemaakt voor haar eigen familie, voor haar vrienden, voor het leven en pas op het Niels Bohr Instituut een veilige haven had gevonden. Dat waren goede jaren geweest, vooral de eerste, voordat ze Gustav had leren kennen. Ze hadden nooit samen een kind moeten krijgen. Te veel van dezelfde handicap in één mens. Precies, *een handicap*, intelligentie was in hoge mate een handicap, daar bestond voor haar geen twijfel over. Ze had er geen enkel probleem mee om de fysieke wereld te verlaten.

Toen viel alles op zijn plaats. Als een vergelijking. Waarden die ogenschijnlijk niet met elkaar verenigbaar waren, kwamen opeens voor haar ogen bij elkaar. Hannah lag in het ziekenhuisbed en klemde het papiertje met de namen van de Amerikaanse en Britse onderzoekers in haar hand. Ze zag alle elementen voor zich: *Johannes. De zelfmoord. Het bewustzijn. Niels. Het systeem. De zesendertig.* Ze wist dat ze verder moest, weg uit dit lichaam.

En ze wist hoe ze Niels kon redden.

'Hoe erg is het?' fluisterde ze in zichzelf terwijl ze de deken van zich af duwde en haar zwaargehavende lichaam bekeek. Daar werd ze niet veel wijzer van. Het meeste werd aan het oog onttrokken door verband. Misschien kwam het door de kerstversiering die een zorgzame verpleegkundige in haar kamer had opgehangen, of door de chemische stoffen waarmee ze was volgepompt, maar toen ze naar haar in verband gewikkelde lichaam keek, kreeg ze kinderlijke associaties met een kerstcadeautje. Er hoefde alleen nog een strik omheen, dan kon ze zo onder de kerstboom.

Ze probeerde haar benen over de rand van het bed te slaan, maar ze stribbelden tegen. 'Kom op!'

Tweede poging. Dit keer legde ze al haar kracht erin. Het zweet brak haar uit. Het volgde het patroon van de pijn: van haar nek, naar haar rug, naar haar dijen. Maar ze ging door en wist haar benen uit het bed te krijgen. Even bleef ze staan. Toen trok ze met een snelle beweging het infuus uit haar hand. Ze voelde het warme bloed langs haar vingers lopen en drukte haar andere hand er stevig op in een poging het bloeden te stelpen. Toen liep ze naar de deur.

Ook in het Rigshospital werd er bezuinigd op energie. Het licht ging pas aan toen Hannah langs een sensor hinkte. Aan de andere kant van de afdeling liep een verpleegkundige haastig voorbij, verder was er geen mens. Hannah liep heel moeilijk. Haar ene been trok zo erg dat het leek of de vloer haar vast probeerde te houden. Ze had geen idee waar in het ziekenhuis ze zich bevond. Twee artsen kwamen haar tegemoet vanaf het andere eind van de gang. Hannah glipte een kamer binnen en deed de deur achter zich dicht. Ze wachtte.

'Dat is snel.' Hannah schrok hevig van de stem.

Het was een meisje van een jaar of twintig. Ze had gips om haar nek en ze sprak moeilijk. 'Ik heb heel veel pijn, dus ik moest wel bellen.'

Hannah deed een stap naar haar toe. Het meisje had haar hals gebroken, of haar nek. Ze kon haar hoofd niet zelf omhooghouden.

'Ik ben geen verpleegkundige. Ik ben patiënt, net als jij.'

'Heb je de verkeerde deur genomen?'

'Ja.'

Ze keken elkaar aan en zochten naar woorden die de situatie minder ongemakkelijk zouden maken.

'Beterschap. Ik hoop dat het goed komt met je.' Hannah ging de kamer uit. Ze voelde de teleurstelling van het meisje in haar nek prikken toen ze de deur achter zich dichtdeed, maar er was geen tijd. Ze moest Niels vinden.

'Wat doet u hier?'

Hannah botste tegen een verpleegkundige op. 'U hoort in bed te liggen.' De stem probeerde vriendelijk te klinken, maar vlak onder de oppervlakte lagen boosheid en vermoeidheid op de loer.

'Maar ik moet iemand zoeken ...' Hannah merkte dat ze de hand van de verpleegkundige vasthield. Ze leunde op haar en zou misschien wel vallen als ze haar losliet.

'Nee, u moet in bed blijven. U hebt een ernstig ongeluk gehad en u moet rusten.'

'Ik moet Niels zoeken. Je moet me helpen.'

Hannah rukte zich los. Ze had geen idee waar ze de kracht vandaan haalde, maar ze slaagde erin om op een soort van holletje de gang door te rennen. Achter zich hoorde ze roepen: 'Kan iemand mij misschien even komen helpen?'

Hannah viel. Toen de verpleegkundige bij haar was, sloeg ze. Het was geen harde klap, maar ze raakte de verpleegkundige op haar wang. Overal waren mensen in witte jassen. Hannah had geen idee waar ze vandaan kwamen of waar ze enkele ogenblikken geleden waren geweest.

'Ze heeft me geslagen.' De verpleegkundige huilde bijna.

Hannah werd door sterke armen opgetild. Ze pakte de hand van de verpleegkundige en fluisterde: 'Sorry', maar ze wist niet of de boodschap overkwam.

Ze legden haar terug in bed. Ze kreeg een nieuw infuus. Hannah stribbelde tegen.

'Laat me los!'

Kalmerende stemmen herhaalden telkens weer: *u moet rusten, het komt allemaal goed, probeert u rustig te blijven.*

'Laat me los', schreeuwde ze. 'Niels! Niels!'

Maar haar stem echode. Ze begon te twijfelen en dacht dat ze het misschien allemaal droomde.

11

Donderdag 24 december, 23.40 uur

Misschien was het nog steeds Kerstavond. Niels staarde naar de sneeuw buiten. Hij wist niet hoelang hij wakker was geweest. De deur ging open.

'Meneer Bentzon? Er is telefoon voor u. Het is Hannah.'

Randi stond in de deuropening met de telefoon in haar hand. 'Bent u daartoe in staat? Ik geloof dat ze heel graag met u wil praten. Ze heeft geprobeerd uit bed te komen om u te zoeken.'

Hij probeerde 'ja' te zeggen, maar het woord bleef steken als een kikker in zijn keel. Ze gaf hem de telefoon. 'Hannah?'

'Niels?'

'Je leeft nog.'

Hij hoorde dat ze glimlachte. 'Ja, ik leef nog. Niels, er is echt iets ongelooflijks gebeurd.'

'Heb jij het ook gezien?'

'De gestreepte baby?'

'Baby? Waar heb je het over?'

'Niels. Ik ben dood geweest. Twee keer. Ik ben negen minuten weggeweest.'

Niels keek uit het raam terwijl Hannah hem vertelde over haar dood en hoe ze weer was teruggekomen. Dat ze had gezien wat er op het plankje onder het plafond lag. Daarna genoten ze een paar lange seconden van de stilte en van elkaars ademhaling.

'Ik wou dat ik je kon zien.'

Hij kon haar verlangen door de telefoon horen. Toen kreeg ze een idee: 'Richt je lamp eens op het raam. Kun je dat? Kun je je armen bewegen?'

'Ja.'

'Dan doe ik het ook.'

Niels draaide de bureaulamp naar het raam en richtte de lichtbundel op de sneeuw buiten. Op hetzelfde moment zag hij aan de overkant, achter een raam dat bijna op dezelfde hoogte lag, een lamp die naar hem scheen. 'Kun je mijn lamp zien?'

'Ja.'

Stilte.

'Niels, ik ben heel blij dat ik jou heb ontmoet. Ook al liggen we nu hier.'

Niels onderbrak haar: 'Er zijn eerdere gevallen bekend, Hannah.'

'Van wat?'

'Hier in het ziekenhuis. In 1943. Ik heb een foto van hem gezien. Thorkild Worning. Hij had precies hetzelfde teken op zijn rug. 36. De dermatoloog heeft het me laten zien.'

De deur ging open. Het was Randi. 'Ik denk dat het zo wel genoeg is geweest. Gaan jullie afronden?'

'Hannah, hoor je me? Hij heeft het overleefd. Het is niet zeker dat het morgen zo afloopt.'

De verpleegkundige ging voor Niels staan. 'Nog twee minuten!' Ze schudde haar hoofd en ging weer naar buiten.

'Kun je lopen, Hannah?'

Er klonk gekletter, alsof de telefoon viel. Hij wachtte tot hij weer gebeld zou worden. Er gebeurde niets. Behalve dat de verpleegkundige binnenkwam, de telefoon meenam en weer wegging.

Hij pakte de lamp. Deed hem twee keer achter elkaar aan en uit. Kort daarna, in precies hetzelfde ritme, deed de lamp aan de overkant hetzelfde. Daar lagen ze dan. Niels en Hannah.

12

Vrijdag 25 december 2009

Niels probeerde zijn benen te bewegen. Het deed pijn, maar na een poosje had hij de macht over zijn voeten terug veroverd. Hij voelde zijn dijspieren niet. Hij spande zich tot het uiterste in om ze weer in beweging te krijgen, eerst zonder resultaat, maar langzaam, heel langzaam, slaagde hij erin om ze een klein stukje op te tillen.

De vraag was of dat genoeg was om de hele weg naar het archief te kunnen lopen.

00.12 uur – 15 uur en 40 minuten voor zonsondergang

Toen hij een schreeuw hoorde, bleef Niels stilstaan. Kon het Hannah zijn? Onmogelijk. Ze was te ver weg.

Niels bewoog zich als een oude man. Door de pijn in zijn enkels kon hij alleen maar met piepkleine stapjes vooruitkomen. Zijn hoofd was zwaar, het was een last om het rond te sjouwen; hij wilde dat hij het onder zijn arm kon nemen. Een paar van zijn gekneusde ribben wilden weg uit zijn lichaam. Het voelde als een lichaam dat je uit elkaar zou moeten kunnen schroeven en in losse onderdelen wegleggen, in afwachting van betere tijden.

Hij stond een eeuwigheid op de lift te wachten en toen hij eindelijk kwam, ontmoette hij de blik van een slaperige beddenrijder, die het totaal niet raar leek te vinden dat een zwaargewonde patiënt uit bed was.

De lift landde bijna zonder vaart te minderen op de kelderverdieping. Niels verloor bijna zijn evenwicht.

Hij stapte uit en keek rond. SLECHTS TOEGANKELIJK VOOR PERSONEEL stond er op een bordje. In een hoek lag een stapel in plastic verpakte matrassen. Een stukje verderop in de gang zag hij de contouren van een schoonmaakkar. Een rij oude stalen kasten langs de muur deed denken aan een Amerikaanse highschool. En dan de deuren. Een ogenschijnlijk oneindige rij deuren, als geheimen die keurig in het gelid stonden. Niels voelde een paar keer aan een deurknop, maar ze waren allemaal op slot. De enige ruimte waar hij naar binnen kon – en dat kwam waarschijnlijk doordat iemand vergeten was om hem op slot te doen – was een soort werkplaats. Ondanks het feit dat er bijna geen licht was, kon hij gereedschapskisten, werkbanken, zagen, hamers en schroevendraaiers onderscheiden. Niels ging weer de gang op. Was hij zelfs maar in de buurt van het archief? Hij probeerde het zich te herinneren. Het was nog maar een week geleden dat hij hier door het ziekenhuis had gerend. Had hij toen ergens het archief gezien?

Stemmen.

Vanuit zijn schuilplaats achter een rechtop tegen de muur staande matras, hoorde Niels twee mannen langs lopen. De een – die een iets hogere stem had – zei dat zijn vrouw 'een seksfobie' had. De ander lachte. Ze verdwenen in de lift. Niels wachtte nog even en liep toen de andere kant op. Het deed nog steeds pijn als hij bewoog. Hij kon alleen heel langzaam lopen, maar hij begon te wennen aan de pijn. Hij had vooral veel last van zijn ribben. Zijn enkels waren gevoelloos geworden. Hij zocht steun tegen de muur.

Centraal archief.

Het bordje met de pijl gaf hem een klein stootje nieuwe energie. Hij liep verder de gang door, ging een hoek om en stond voor een deur. Er stond geen 'Archief' op, maar het was de enige deur waar de pijl naar kon verwijzen. De deur was op slot. Natuurlijk. Wat nu? Zou hij hem kunnen intrappen? Misschien als zijn fysieke conditie optimaal was geweest, maar nu niet. Bovendien zou het lawaai maken. De werkplaats.

Niels' benen kwamen nog voor zijn hersenen in actie. Hij was al op weg terug door de gang. De deur was nog open. Hij waagde het erop en deed het licht aan. Er hingen posters van blote vrouwen aan de muren. Over een stoelleuning hing een F.C. Kopenhagen-sjaaltje. Niels trok een la open en pakte er een grote schroevendraaier uit. De hamer hing op twee spijkers aan de muur. Iemand had zelfs met stift de omtrek van de hamer op de muur getekend. Het deed Niels denken aan de plaats delict van een moord waar de politietechnici sierlijke strepen rondom het lijk op de grond hadden getrokken.

De punt van de schroevendraaier paste precies in het kleine kiertje tussen de deur en de deurpost, net boven het slot. Meteen bij de eerste klap wist hij dat hij de deur snel open zou krijgen. De schroevendraaier groef zich een paar millimeter in de kier. Tien harde klappen later gleed het stalen slot uit de sponning. Niels moest even stilstaan om bij te komen. Hij haalde diep adem en probeerde zich te concentreren.

Toen stapte hij het Centraal Archief onder het Rigshospital binnen.

* * *

Vijftien kilometer patiëntendossiers. Niels herinnerde zich de woorden van de verpleegkundige.

Hoeveel dossiers zouden dat zijn? Honderdduizenden? Miljoenen? Mannen, vrouwen en kinderen in alle leeftijden. Iedereen die de afgelopen zeventig jaar in het Rigshospital was behandeld, figureerde in deze dossiers.

Er hing een vage salmiakgeur. Niels bleef staan en luisterde. Hij hoorde het zachte, constante trillen van elektrische installaties en buizenstelsels dat je normaal gesproken pas opmerkt als het ophoudt. Hij deed het licht aan. Hij hield zijn adem in en keek uit het veld geslagen naar de ogenschijnlijk eindeloze rijen archiefkasten, hangmappen en stellingen die zich uitstrekten zover zijn ogen reikten. Hij herinnerde zich de woorden van de verpleegkundige: *Maar heel weinig mensen weten de weg in het archief.* Ja, dat geloofde hij graag. Als de archivaris – zei ze niet dat hij Bjarne heette? – met pensioen ging, moesten ze bijtijds beginnen met het zoeken naar een opvolger, zodat er genoeg tijd zou zijn om die persoon in te werken.

Niels hoorde een geluid en besloot het licht uit te doen.

Stemmen. Misschien had iemand gezien dat de deur openstond. Misschien hadden ze het licht gezien en zich afgevraagd waarom er op dit tijdstip nog iemand in het archief was. Of bestonden die geluiden alleen in zijn hoofd? Kwamen de stemmen voort uit de groeiende paranoia die bezig was zijn geest over te nemen. Niels besloot de gok te wagen en verder te gaan. Hij deed het licht weer aan en begon te lopen, steun zoekend tegen de rijen stellingen en archiefkasten. Hij wist het niet zeker, maar hij had het gevoel dat hij via de achterdeur was binnengekomen. Misschien was het allemaal makkelijker te overzien als hij aan de andere kant begon. Toen hij bij de deur aan de andere kant kwam, zag hij een tafel staan. Het was een oud, versleten stalen bureau met roestige poten. Er stonden koffiekopjes, halfvolle glazen water en een doosje salmiakpastilles op. Niels keek rond. Er moest een systeem zijn. Het moest mogelijk zijn om overzicht te krijgen.

Zijn blik viel op een rij in leer gebonden boeken die naast elkaar op een plank onder in een van de stellingkasten stonden. De rij ging verder op andere planken. Niels pakte er een uit. 'Opnameregister'. Hij had oktober-november 1971 gepakt. Die had hij niet nodig. 1966, 1965. Hij liep naar de andere kant van het gangpad. 1952, 1951, de jaren veertig. Niels' hart begon sneller te kloppen. 1946, 1945, 1944. Eindelijk: 1943. Er waren meerdere boeken. Hij bladerde in een ervan. Pagina's zo dun als vloeipapier. Ze waren bijna aan elkaar geplakt; het was heel lang geleden dat ze open waren geweest. Hij keek bij de 'W'. Worning. Maar hij vond niets. Waarom niet? Waren de namen van de patiënten niet in alfabetische volgorde opgeschreven? Nu zag hij het. Ze stonden wel in alfabetische volgorde, maar ze begonnen elke maand opnieuw. Dit boek was alleen van januari, februari, maart 1943. Hij zette het boek terug en pakte het volgende. April, mei, juni 1943. Er waren er twee met de naam Worning. Julia en Frank. Geen Thorkild. Volgende boek. Er zaten een paar pagina's los. Juli, augustus, september. Geen in juli. Geen in augustus. In het opnameregister voor december stond, helemaal onder aan de pagina, 'Thorkild Worning'. Niels zocht een pen in een lade en schreef het over uit het boek op zijn hand, vlak boven de pleister die over het gaatje van zijn infuus zat: 'Afdeling H, cartotheek nr. 6.458'. Toen liep hij het gangpad weer in.

Wat was de volgende stap? Nu pas zag hij de kleine, met de hand geschreven briefjes die aan de zijkant van de stellingkasten hingen. Het waren letters. A, B, C, D, E, F, G, H. Niels keek naar de stelling voor hem. Hij stond zo dicht tegen de andere aan dat je er onmogelijk tussen kon komen. Hoe ...? Toen zag hij opeens het handvat dat uit de stellingkast stak. Hij pakte het stevig vast en trok. De stelling gleed opzij. Niels stapte tussen de stellingkasten. Dozen met indexkaartjes, die ook weer op jaartal stonden. Ook hier waren verschillende dozen per jaartal. 1940, 1941, 1942, 1943. Niels trok een van de dozen met 1943 uit de kast. Januari, februari, maart. Volgende doos. September, oktober, november. En toen eindelijk: december. Niels liet zijn vingers langs de indexkaarten gaan. Het waren gele kartonnen kaarten. Rosenhøj, Roslund, Sørensen, Taft, Torning, Ulriksen. Dáár! Thorkild Worning. Niels haalde de kaart eruit en staarde ernaar. 'Thorkild Worning, opgenomen op 17 december 1943. Dermatologie. Dossiernummer 49.452'. Niels zag alleen het nummer. 49.452. Hij stopte de kaart in zijn zak en ging terug naar het gangpad. In de stellingkasten aan de andere kant stonden de patiëntendossiers. 26.000-32.000. Hij liep door het lange gangpad. 35.000-39.000. Hij dacht aan sigaretten. 48.000-51.000. Hij bleef staan. Hier was het. Hij trok aan het handvat en de stellingen gleden uit elkaar.

Niels ging even zitten. Hij haalde diep adem en voelde dat zijn lichaam zo gespannen was als een veer. Hij had een vieze, chemische smaak in zijn mond. Hij wierp een snelle blik op de kaart. Dat was niet nodig, hij wist het nummer uit zijn hoofd: 49.452, het patiëntendossier van Thorkild Worning.

Algauw vond Niels de rij waar hij moest zoeken. Beschrijvingen van het ziekteverloop en de behandeling van patiënten, sommige slechts een halve pagina, andere een heel verhaal. 49.452. 'Thorkild Worning' stond er bovenaan. Opgenomen op 17 december 1943. Er zaten twee foto's bij, allebei zwart-wit. Een was de foto die in het boek stond, de foto van Thorkild Wornings rug. Het was hetzelfde teken als bij alle andere doden, alleen een ander getal. 36, net zoals op Niels' rug. De andere foto was van het gezicht van de patiënt. Op het eerste gezicht had Thorkild Worning iets bijna opvallend gewoons. Hij zag eruit als een man die je in 1943 achter de balie van een bank zou kunnen aantreffen. Donkere, onberispelijke pommadescheiding – er zat geen haartje verkeerd – smal, harmonisch gezicht, rond stalen brilmontuur. Maar er was iets met zijn ogen. De blik van de man had iets manisch, bijna demonisch. De tekst onder de foto's was teleurstellend kort en geschreven in een kille, registrerende stijl:

Opname 17-12-1943

Objectief:

Patiënt heeft dd. preliminair Onderzoek ondergaan. Klachten over hevige Pijnen in de Rug. Hem is Pijnstilling aangeboden in de Vorm van koude Omslagen. Effect blijft uit. Patiënt heeft een opvallende Zwelling op de Rug. Komt vijandig en verward over. Patiënt zegt dat het Teken uit zichzelf is ontstaan. Pijnen worden heviger. Patiënt omschrijft de Pijn als 'een brandend, bijtend Gevoel'. Later als 'het voelt alsof mijn Huid van binnenuit in brand staat'. Hij verklaart dat de Pijn niet alleen in de Huid optreedt, maar binnen in de Rug zelf. 'In mijn Bloed' zoals Patiënt zegt. Patiënt wordt behandeld met Acetylsalicylzuur zonder het gewenste Effect. Patiënt komt over als zeer onevenwichtig en scheldt de Artsen uit.

Onderzoek van de Rug van Patiënt wijst op een zeer ernstige Vorm van Eczeem, het Effect van een bijtende Stof of mogelijk een onbekende Infectie. Opm. Testen op Metaalallergie. De Rug scheidt geen Vloeistof af, maar de Huid is rood en gezwollen. In de Huid is een opmerkelijk Patroon ontstaan. Toenemende Agressiviteit van de Kant van Patiënt. Hij spreekt verward en geeft opzettelijk bloederig Braaksel op.

Sociaal:

Telegrafist. In '33 gehuwd met huidige Echtgenote. Eenkamerwoning aan Rahbeks Allé.

Tabak en Alcohol:

Matig.

Overige Organen:

Geen Bijz. Afgezien van Klachten over lichte Jicht in de Schouder. Waarschijnlijk niet gerelateerd.

23-12-'43

Psych. Onderzoek: Toestand wordt toegeschreven aan geestelijke Onevenwichtigheid. Patiënt wordt in de ochtend van 23 december overgebracht naar Afdeling Psychiatrie van het Rigshospital.

Specialist: W.F. Pitzelberger.

Niels las het dossier een paar keer door en stopte het toen in zijn zak. Hij wist niet wat hij had verwacht, maar wel meer dan dit. Hij ging terug naar het gangpad en probeerde de teleurstelling van zich af te schudden en zichzelf ervan te overtuigen dat dit slechts een noodzakelijke tussenstap was. Op de psychiatrische afdeling zou hij het antwoord vinden op ... ja, op wát? Was dat niet precies wat Hannah hem duidelijk had geprobeerd te maken: dat de wetenschap allang had vastgesteld dat onze onwetendheid monumentaal was? En dat er, telkens als er op het gebied van onderzoek een stuk terrein werd gewonnen, alleen maar nieuwe, nog diepere lagen van onwetendheid werden blootgelegd? Ten slotte schoot Niels de vraag te binnen: hoe heeft Worning het overleefd?

* * *

Net als iedere andere politieagent in Kopenhagen kende Niels de afdeling psychiatrie van het Rigshospital, die schuin tegenover het ziekenhuis lag. Daar werden de gekken naartoe gebracht, de mensen die het in de cel niet redden. Er waren veel mensen die telkens terugkwamen. Veel te veel. Op het bureau hadden ze het weleens over de bedden op de psychiatrische afdelingen die werden wegbezuinigd. Als de politici wisten hoe vaak psychiatrische patiënten, wier behandeling ze wegbezuinigden, in de criminaliteitsstatistieken belandden, zouden ze er waarschijnlijk wel anders over denken.

Niels ging het archief uit. Hij kreeg de deur niet achter zich dicht.

Hij hoorde stemmen. Ze kwamen dichterbij. Ze kwamen van de kant van de lift. Het kon ook bijna niet anders; natuurlijk zouden ze hem zoeken.

'Dáár is hij!'

Iemand riep hem. Niels ging een hoek om; nog een gang, weer een hoek om en een smallere, bijna helemaal donkere gang in. Zaten ze hem nog achterna? Hij bleef staan en luisterde.

Een stortvloed van goedbedoelde, op harde toon uitgesproken woorden achtervolgde hem: 'Hé daar, vriend! Patiënten hebben hier niets te zoeken.'

Niels stopte niet. Nog een gang. Zijn voet stootte ergens tegenaan en hij viel bijna. Maar hij wist op de been te blijven en ging verder. Ze waren met meer dan twee, dat kon hij horen. Hij draaide zich niet om, dat zou onnodige krachtverspilling zijn, maar ze zouden hem snel inhalen.

Niels rende bijna recht de lift in. Hij moest in een cirkel zijn gelopen.

De beddenrijder probeerde hem te grijpen. Niels kon zijn gezicht niet zien, maar hij had een ziekenhuisjas aan en probeerde Niels bij zijn armen vast te houden. Even dacht Niels dat hij zijn pols zou breken. De anderen stonden iets achter hem. Waar wachten ze op? dacht Niels.

'We gaan terug naar bed, vriend.'

De beddenrijder probeerde hem de lift uit te trekken. Niels maakte gebruik van zijn irritatie om zijn laatste krachten te mobiliseren. Hij draaide zich om en stootte zijn knie hard in het kruis van de man. De beddenrijder vloekte en liet los. Heel even, maar lang genoeg om Niels de tijd te geven om hem de lift uit te duwen. Het laatste wat Niels zag voordat de deuren dichtschoven, was de beddenrijder die op de betonnen vloer viel.

13

02.30 uur – 13 uur en 22 minuten voor zonsondergang

De kou was kwaadaardig en persoonlijk. Hij achtervolgde Niels waar hij maar ging. Op zijn sokken rende hij door de sneeuw, dwars over de parkeerplaats in de richting van de afdeling psychiatrie. Hij trok zijn sokken uit en gooide ze weg. Ze hadden geen enkel nut. Een taxichauffeur die net uit zijn auto wilde stappen, keek verwonderd naar hem. Niels wist wat hij dacht: het is maar goed dat die idioot naar het gekkenhuis rent. Even bleef Niels staan. Hij zou in de taxi kunnen stappen, naar huis rijden, geld halen in het appartement en de chauffeur betalen en dan zijn paspoort zoeken en ...

De spoedeisende psychiatrische hulp was vierentwintig uur per dag geopend. Plotselinge angstaanvallen, ziekelijk gedrag, depressie, paranoia of zelfmoordneigingen trokken zich niets aan van openingstijden. Een niet-begrijpend ouderpaar uit een van de dure buitenwijken probeerde hun anorectische tienerdochter te kalmeren, terwijl het meisje schreeuwde dat ze 'fucking dood wilde'. De moeder huilde. De vader zag eruit alsof hij het meisje het liefst een draai om haar oren wilde geven. Vlak bij de deur lag een man te slapen. Of was hij ... Niels verjoeg de gedachte. Natuurlijk was hij niet dood. Niels trok een nummertje en ging tussen de andere patiënten zitten om niet op te vallen. Toch keken een paar mensen naar zijn blote voeten. Ze waren rood en nu ze in de warmte van de wachtruimte waren, kwam er een beetje stoom vanaf. Hij voelde ze niet. De vrouw achter de balie stuurde de meeste mensen na een kort gesprekje naar huis. Dat was haar werk. Zij was de eerste verdedigingsmuur van het systeem. Een menselijk bolwerk. Sommige mensen huilden. Het was hartverscheurend, maar Niels wist dat er een reden was dat die vrouw daar zat. Meer dan welke andere plaats ook, trok de vierentwintig uur per dag geopende spoedeisende psychiatrische hulp eenzame zielen aan, die alles zouden beweren om een beetje aandacht van een ander mens te krijgen. 'Vergeet niet dat de Denen het gelukkigste volk van de wereld zijn', had een grappenmaker met stift op de muur geschreven. Het anorectische tienermeisje mocht door het oog van de naald kruipen en werd toegelaten tot het systeem. De vrouw achter de balie stond op en liep even naar het meisje en haar ouders toe. Dat was het moment waarop Niels had gewacht. Hij liep achter de balie langs een lange gang in. Hij bleef staan en keek om zich heen. De gang had lichte muren en hij was op het fanatieke af versierd met kersthartens, kerstmannetjes en slingers. Achter hem ging een deur open.

'Wil je spelen?' In de gang stond een mooie vrouw van ergens in de veertig met manisch heen en weer schietende ogen. Ze giechelde als een schoolmeisje. Ze had lippenstift over de onderste helft van haar gezicht gesmeerd en het was niet zeker dat ze nuchter was. Ze kwam heel dicht bij Niels staan. 'Kom, Carsten, de kinderen slapen en het is al zo lang geleden.'

'Carsten komt zo.' Niels liep vlug verder de gang in.

Het archief was waarschijnlijk niet op de gesloten afdeling, dacht hij. Archieven waren altijd in de kelder, zo was het gewoon.

* * *

Stenen muren. Een oude, uitgewoonde kelder die jarenlang het vocht had binnengelaten. De gangen van deze kelder waren aanzienlijk korter dan die waar hij net vandaan kwam. Niels zag een paar lege kantoren en een kamer vol klapstoelen en tuintafels, maar geen archief. Hij ging verder. Het moest hier zijn. Nog meer kantoren. En nog een deur aan het einde van de gang. Er stond niets op, maar er stonden dozen met dossiers voor. Niels keek of hij iets zag waarmee hij de deur kon inslaan. Een lege gasfles. Vlak voordat hij hem tegen de zware deur aan wilde rammen, bedacht hij zich en voelde aan de deurknop. Soms had je geluk.

Het archief stelde niets voor in vergelijking met het grote archief dat hij net had bezocht. Nu kende hij de volgorde: opnameregister met cartotheeknummer, cartotheekkaart met dossiernummer, patiëntendossier. Het kostte hem maar een paar minuten om de kast met patiënten uit 1943 te vinden. Van daaruit was het geen enkel probleem om 'Thorkild Worning, patiënt nummer 40.12' te vinden. Het psychiatrische dossier was veel uitgebreider en gedetailleerder dan het dossier dat Thorkild Worning als dermatologisch patiënt had gekregen.

23 december 1943
Patiënt overgebracht vanuit Eerste Hulp. Patiënt klaagt bij Opname over hevige Pijnen in de Rug.

Objectief:
Patiënt heeft een Huidaandoening op de Rug die voor het Moment niet precies kan worden benoemd. Verondersteld wordt dat het een Vorm van bacteriële Infectie is. Dermatoloog van Finsencentrum geraadpleegd. Patiënt lijdt aan Stemmingswisselingen en kan binnen een Paar Seconden omslaan van Zwijgzaamheid naar Schreeuwen en luidruchtig Gedrag. Hij wordt behandeld met Angstdempende Medicijnen. Geen Effect. Laat duidelijk zijn Ongenoegen blijken over het Onderzoek en niet in de laatste Plaats ten aanzien van mijn Vragen. Tekenen van Schizofrenie. Sommige Momenten is hij helder en begrijpt hij waarom hij is opgenomen.

De eerste Dag ligt Patiënt apathisch in Bed. Hij wil met niemand praten. Vraagt naar zijn Vrouw en verlangt een Radiozender, zodat hij met zijn 'Contacten' kan praten. Weigert Voedsel tot zich te nemen. Als hem in de loop van de Middag wordt gevraagd of hij niet wil opstaan, lokt dat een Woede-uitbarsting uit, waarbij Patiënt zich ten slotte op zijn Knieën werpt en God om vergiffenis smeekt. Later diezelfde Avond verklaart hij echter dat hij niet gelovig is. 's Nachts is hij relatief rustig.

Medicijn: Geen eerdere Behandeling met Medicijnen.

23 december 1943
Spreekt over Stemmen die hem wakker houden:

Patiënt zegt dat hij 's Nachts niet heeft kunnen slapen als gevolg van innerlijke Stemmen die hem wakker hielden. Patiënt wenst niet uit te leggen van wie die innerlijke Stemmen zijn, of wat ze zeiden. Overdag is hij rustig. Hij wordt waargenomen terwijl hij geknield op zijn kamer ligt en Bijbelverzen opzegt. Als hem wordt gevraagd welke Verzen hij citeert, weigert hij antwoord te geven en toont misschien een Aanzet tot dreigend Gedrag. Na een Gesprek met een Psychiater komt hij weer tot Rust. Aan het einde van het gesprek beweert Patiënt nogmaals dat hij niet in God gelooft, maar dat hij het 'zinnig vindt om af en toe te bidden'. 's Avonds klaagt hij over Slaapproblemen en Pijnen.

Medicijn: Relaxans. Verder aanbevolen: Morfine. Scopolamine ¾ ml.

Sociaal: Geen. Opm. Gesprek met Levin aangevraagd.

Specialist G.O. Berthelsen geraadpleegd.

24 december 1943
Patiënt heeft een onrustige Nacht gehad. Hij heeft niet geslapen, hij heeft een Verpleger bedreigd en herhaalde Malen schreeuwend beloofd dat hij 'zal luisteren'. In de ochtend heeft Patiënt een Woede-uitbarsting. 'Ik word gek', schreeuwt hij. Hierbij moet worden opgemerkt dat Patiënt tijdens deze Uitbarsting, evenals tijdens eerdere agressieve Momenten, zijn Woede naar binnen richt. Hij is op geen enkel Moment gevaarlijk voor zijn Omgeving. Hij slaat, bijt en krabt zichzelf in zeer ernstige mate. 'Ik ruk je uit mijn Lijf', schreeuwt hij herhaaldelijk. Het is niet bekend wie deze 'je' is. De zelfdestructieve Neigingen van Patiënt zijn zo duidelijk dat wordt gevreesd dat hij Zelfmoord wil plegen.

De familie heeft een aantal Schriften afgegeven op de Afdeling. In de dagen voor zijn Opname heeft Patiënt deze volgeschreven met zijn Correspondentie met God, in automatisch Schrift; Patiënt heeft in zijn normale Handschrift een Aantal vragen opgeschreven en God heeft die beantwoord in een groot, kinderlijk, verdraaid Handschrift dat in wezen niet meer is dan een simpele Vergroting van Patiënts eigen Handschrift. Hier en daar is Gods Handschrift zo onduidelijk dat het niet te lezen is, ook niet voor Patiënt zelf, die in de volgende Regel een duidelijker Antwoord vraagt. Soms is Gods Antwoord niet meer dan Gekrabbel. De Inhoud is zeer stereotiep, naïef en fantasieloos, en doordrongen van een Gevoel van Onderdanigheid. De Correspondentie bevat Instructies voor de zogenaamde Missie van Patiënt. Verder heeft Patiënt een Aantal plechtige Documenten geschreven die aan de Wereldbevolking zijn gericht. Hij heeft een aantal artikelen in een Noorse krant aangekruist.

Behandeling: Patiënt komt in aanmerking voor de nieuwe Elektroconvulsietherapie.

Opm.: Ondanks een uitvoerige Behandeling met Elektrotherapie is het niet gelukt Patiënt te laten ophouden met zijn zelfdestructieve Gedrag en er wordt besloten tot fixeren.

24 december 1943
Is voor het eerst sinds zijn Opname bereid zijn Echtgenote, Amalie Hjort Worning, te ontvangen. Mevrouw Worning, die zeer aangedaan lijkt door de Situatie, probeert haar Man ook te kalmeren. Ze brengen de Ochtend alleen op zijn kamer door. Als ze tegen de Middag weggaat, zegt ze tegen een van de Verpleegsters dat haar Man rustig lijkt, maar verward praat. Hij wil dat zij zijn Radiozender brengt.

Röntgen: Afspraak maken.

Gesprek onder Toezicht met Stenograaf. Aanwezig Specialist, psych. P.W. Levin.

14

03.45 uur – 12 uur en 7 minuten voor zonsondergang
Niels bladerde door de rest van het dossier. Transcripties van gesprekken met de patiënt. In de linkerbovenhoek stond een stempel: Goedgekeurd voor onderwijsdoeleinden.

Niels las:

Levin: Meneer Worning. De Stenograaf schrijft ons Gesprek op. Het scheelt mij veel Tijd als ik niet zelf een Verslag hoef te schrijven na afloop van mijn Gesprekken met Patiënten. Het is dus uitsluitend voor mijn eigen Gebruik. Begrijpt U dat?

Worning: U mag doen wat U wilt.

Levin: Ik heb voor het Verslag wat algemene Informatie nodig. Waar u bent geboren ...

Worning: Ik ben in Århus geboren.

Levin: In 1897? Meneer Worning. U kunt het best met Woorden antwoorden, anders kan de Stenograaf het niet ...

Worning: JA!

Levin: Kunt u iets vertellen over uw Familieachtergrond? Uw Vader en uw Moeder?

Worning: Mijn Vader werkte in de Haven, mijn Moeder was Huisvrouw.

Levin: Zoudt u uw Jeugd als gelukkig omschrijven?

Worning: Ik ben nooit geslagen of mishandeld.

Levin: Had u Broertjes of Zusjes?

Worning: Twee zusjes. Ze zijn allebei overleden aan Tyfus. Twee Jaar na elkaar. Mijn Moeder is daar nooit overheen gekomen.

Levin: En Uw Vader?

Worning: Die ging meer drinken. Veel meer.

Levin: Maar U ging naar School? Zoudt U Uw Schooltijd omschrijven als normaal?

Worning: Ja.

Levin: U hebt niets ... ongewoons aan uzelf gemerkt?

Worning: Ongewoons?

Levin: Was U net als alle andere Kinderen? Had U Vriendjes?

Worning: Ja.

Levin: Voelde U zich erg depressief, of ...

Worning: Ik denk dat ik net als alle Anderen was.

Levin: Wat ging U doen toen U klaar was met School? Een Vervolgopleiding?

Worning: Ik ging bij mijn Vader in de Haven werken. Dat was een goede Tijd totdat ...

Levin: Totdat wat?

Worning: Tot het Ongeluk.

Levin: Welk Ongeluk?

Worning: Hij is in het Water gevallen. Hij dacht dat het IJs al sterk genoeg was. We konden hem er niet meer uit krijgen. Hij gleed eronder. Twee Weken later overleed mijn Moeder.

Levin: Waaraan?

Worning: Ze is nooit bij een Dokter geweest. Ze hoestte haar Longen uit haar Lijf. Op een Ochtend – precies twee Weken nadat mijn Vader was overleden – hoestte ze Bloed op. Heel veel Bloed. Ik kan het me nog heel duidelijk herinneren. Het was verschrikkelijk. Een Paar Uur later was ze dood.

Levin: Dat spijt me voor U.

Worning: Het was het beste voor haar. Nadat Thea en Anna waren overleden was ze ...

Levin: Uw zusters?

Worning: Krijg ik vandaag mijn Radio?

Levin: Wat?

Worning: Mijn Radiotelegraaf. Daar vraag ik al twee Dagen om.

Levin: Daar heb ik niets over gehoord. Ik zal het onderzoeken als we klaar zijn. Zullen we het even over Uw Vrouw hebben?

Worning: Waarom? Wat heeft zij ermee te maken?

Levin: Uw werk dan? U bent ...

Worning: Ik ben Radiotelegrafist. Ik had eigenlijk geen Opleiding gedaan, maar ik had een Vriend die ... moeten we alle Details doornemen?

Levin: Alleen de belangrijke.

Worning: Goed. Ik werkte voor Defensie. Hitler kreeg steeds meer invloed. Ik geloof ... het was de Bedoeling dat ik Radiotelegrafist zou worden.

Levin: De Bedoeling. Een hogere Bedoeling?

Worning: Is dat een Vraag?

Levin: Ja. Kunt U mij uitleggen wat er is gebeurd?

Worning: Ik ben iets op het Spoor gekomen. Ja, zo zit het. Ik ben iets op het Spoor.

Levin: Wat bent U op het Spoor gekomen?

Worning: Er zijn Mensen doodgegaan. Verspreid over de hele Wereld.

Levin: In de Oorlog?

Worning: Dit gaat niet over de Oorlog. Dat geloof ik niet. Ze zijn gewoon dood.

Levin: Waar hebt U dat gehoord?

Worning: U moest eens weten wat ik allemaal opvang met mijn Radio. Korte Golven, lange Golven. Het zijn net Vangarmen die je de Wereld in stuurt. Flessenpost. En soms komt er wat terug.

Niels hoorde te laat dat de deur openging. Hij was helemaal verdiept in een gesprek dat een halve eeuw geleden had plaatsgevonden. Er was iemand binnengekomen.

15

04.15 uur – 11 uur en 37 minuten voor zonsondergang
Hannah moest zich heel erg inspannen om zelfs maar haar ogen open te krijgen. Haar lichaam voelde zwaar en de kamer draaide rond in trage, ovale bewegingen. Het leek wel een attractie op een goedkope kermis. Ze wist het niet zeker, maar ze had het gevoel dat ze haar een zwaardere dosis pijnstillers gaven. Dat maakte haar sloom. Ze vocht om goed wakker te worden. Ze zei tegen zichzelf dat het vandaag vrijdag was. Ze probeerde of ze de zon kon zien. De gordijnen waren dicht. Was het nog nacht? Ze moest opstaan. Vanavond als de zon onderging ... Ze deed een paar seconden haar ogen dicht. Heel even maar.

'Mevrouw Lund?'

Een onbekende stem.

'Bent u wakker?'

'Wat?'

'U mag deze even innemen.' Een verpleegkundige – misschien had Hannah haar eerder gezien – stopte een pil in haar mond, tilde haar hoofd een beetje op en hielp haar met drinken.

'Nee, alsjeblieft, jullie mogen me niet meer verdoven.'

'U moet gewoon lekker slapen.'

'Je begrijpt het niet.'

Hannah slaagde erin om de pil uit te spugen. Hij landde half opgelost in roze spuug op de arm van de verpleegkundige.

'Kijk nou wat u doet.'

'Ik moet Niels zien.'

'Uw man?'

'Nee, mijn ...' Ze gaf het op om het uit te leggen. 'Ik moet hem zien.'

De verpleegkundige liep naar de deur.

'Wacht', zei Hannah.

'Wat is er?'

'Hoe laat is het?'

'Het is nog nacht, mevrouw Lund.'

De verpleegkundige ging weg. Ze hadden nog maar enkele uren. 'Je moet nadenken', zei Hannah tegen zichzelf. 'Je moet je lichaam onder controle krijgen.' Ze trok de dekens van zich af en onderzocht haar verwondingen. Haar benen konden lopen. Haar bovenlijf was er het slechtst aan toe; haar schouder en haar borst.

'Wat is hier aan de hand?'

De arts die haar kamer binnenkwam, praatte hard en licht geïrriteerd.

'Niets.'

'U moet rusten. U hebt een hartstilstand gehad.'

De verpleegkundige maakte een spuit klaar.

'Nee. Alstublieft. Jullie moeten me niet weer verdoven.'

'Ik begrijp best dat het een beetje vervelend is.'

'U begrijpt er helemaal niets van! U gaat die spuit niet in mij prikken. Ik moet helder kunnen denken.'

Ze wisselden blikken. De verpleegkundige liep weg. De arts gaf haar een klopje op haar arm. 'Rust is absoluut noodzakelijk voor uw herstel, anders stopt uw hart er misschien weer mee. Ik heb begrepen dat u uit bed bent geweest. Dat kan echt niet.'

Er kwamen twee verpleegkundigen binnen. 'Nee, ik smeek jullie, niet doen.'

'Als jullie haar even vastpakken', zei de arts.

De verpleegkundigen pakten haar ieder bij een arm.

'Nee! Horen jullie me niet? Dit is niet goed. Jullie schenden mijn privacy.'

De arts hield de injectiespuit tegen haar arm en zocht een ader. 'Het is voor uw eigen bestwil.'

16

04.27 uur – 11 uur en 25 minuten voor zonsondergang
Niels leunde tegen de dozen die achter hem stonden. Eigenlijk moest hij zijn been even strekken, maar hij was bang dat hij zichzelf zou verraden. Hij deed zijn ogen dicht en bad dat de vrouw snel klaar zou zijn met bellen: '... *ik wil alleen maar naar huis, Carsten, naar jou, en erover praten.*'

Dat had ze nu al vijf keer gezegd. Ze had gehuild en hem verweten dat hij niet eerlijk was. Nu zat ze in de laatste fase: de smeekbede. '*Tien minuutjes maar, Carsten. Je hebt toch wel tien minuutjes om bij me langs te komen.*' Niels wist niet precies hoe het afliep. Opeens was ze stil. Hij hoorde een paar knorrende geluidjes, misschien was dat haar manier van huilen. Toen ging het licht uit en werd de deur dichtgegooid. Hij hoorde haar voetstappen wegsterven in de gang, kroop tevoorschijn, deed het licht weer aan en las verder.

* * *

Levin: Hoe zijn ze doodgegaan? Wie zijn er doodgegaan?

Worning: Ze hebben een Teken op hun Rug. Komt Amalie gauw? Zij heeft mijn Radiotelegraaf.

Levin: Een Teken?

Worning: Komt Amalie?

Levin: Wat voor Teken?

Worning: Hetzelfde als dat van mij.

Levin: U hebt het over de Plek op Uw Rug? Wie heeft die Plek gemaakt?

Worning: Mag ik U vragen of U in God gelooft?

Levin: Nee.

Worning: Waarop zegt U nee?

Levin: Nee, ik geloof niet in God. Maar daar gaan we het nu niet over hebben.

Worning: Ik moet mijn Radiotelegraaf hebben.

Levin: Met wie moet U praten?

Worning: De Anderen.

Levin: Welke Anderen? U moet iets specifieker zijn.

Worning: Degenen die ook gemerkt zijn. De andere Rechtvaardigen.

Levin: Rechtvaardigen? Hebben zij die plek op uw rug gemaakt?

Worning: Ik wil Amalie zien. En nu ben ik ook moe.

Levin: Ik zal U straks met rust laten. Maar wilt U nog een allerlaatste Vraag beantwoorden?

Worning: Ja.

Levin: Wilt U mij vertellen wie volgens U dat Teken op uw Rug heeft gemaakt?

Worning: Dat heeft degene in wie U niet gelooft gedaan.

Levin: God? Zegt U dat God dat Teken op Uw ...

Worning: Niet alleen op mijn Rug. Ook op de Rug van de Anderen.

Levin: God heeft het Teken op Uw Rug gemaakt?

Worning: Ja, God heeft het gedaan. Niemand anders kan het gedaan hebben. Maar misschien kan het nog weg.

Levin: Kan het Teken weg?

Worning: Misschien. Voordat het me doodt.

Levin: Wie gaat U doden?

Worning: Maar dan moet ik iets Slechts doen.

Levin: Wat bedoelt U?

Worning: Meer wil ik niet zeggen.

Levin: Wat bedoelt U als U zegt dat U iets slechts moet doen?

Worning: Meer wil ik niet zeggen.

25 december 1943

Objectief:

Klassiek Voorbeeld van schizofrene Paranoia. Patiënt denkt dat hij het Centrum van de Wereld is en dat hij wordt achtervolgd. Kan zijn uitgelokt door verschillende traumatische Gebeurtenissen tijdens de Jeugd.

Hij heeft Elektroconvulsietherapie gekregen, maar zonder het gewenste Effect. In de Ochtend heeft hij Bezoek gehad van zijn Vrouw en daarna was hij korte tijd rustig. Maar even na de Middag was hij opnieuw hevig gedeprimeerd. Men heeft gezien dat hij met zijn Hoofd op de Grond bonkte en riep: 'Ik kan het niet zijn. Ik kan het niet zijn.' En later: 'Ik zal luisteren. Ik beloof U dat ik zal luisteren.' Angstdempende Medicijnen hebben niet het gewenste Effect. Later op de Middag was Patiënt zo onrustig dat we zijn Vrouw hebben laten komen. Dit bleek een Vergissing te zijn, want even na 14.00 uur ontdekten we dat Patiënt en zijn Vrouw waren verdwenen. Patiënt was erin geslaagd om het beveiligde Raam open te breken en samen met zijn Vrouw langs deze Weg te vluchten. Een half Uur later werd Patiënt gezien terwijl hij voor het Ziekenhuis rondzwierf met een scherp Voorwerp in zijn Hand, vermoedelijk een Mes. Niemand weet waar dat Mes vandaan kwam. Hij probeerde zijn Vrouw te doden, maar de Verplegers konden hem overmeesteren. Zijn Vrouw is opgenomen met diepe Snijwonden in de Hals, maar ze zal het waarschijnlijk overleven.

Patiënt verdoofd en gefixeerd.

28 december 1943
Patiënt is rustig en slaapt het grootste deel van de Dag. Voor het eerst sinds hij is opgenomen, slaapt hij enkele Uren achtereen. Als hij wakker wordt, wil hij met zijn Vrouw praten. Deze Wens wordt niet ingewilligd. 's Avonds wordt er iets ontdekt wat door de erbij geroepen Dermatologen 'hoogst ongebruikelijk' wordt genoemd: de hevige psychosomatische Eczeemaanval op de Rug van Patiënt is duidelijk aan het genezen. De Zwellingen zijn verdwenen en er is alleen nog een vage rode Vlek te zien.

26 januari 1944
Patiënt wordt rond het middaguur ontslagen.

Niels zat tegen een muur aan geleund. Hij kon zich niet herinneren dat hij daar was gaan zitten. Het dossier lag op zijn schoot. Hij hoorde voetstappen op de gang. Stemmen. Was hij in slaap gevallen? Waarschijnlijk had iemand gezien dat hier licht brandde. Hij had de kracht niet meer om nog een keer te vluchten. Twee mannen kwamen het archief binnen.

'Dáár!' zei een van hen en hij wees met een brandende zaklantaarn op Niels, al zat hij in het volle licht.

'Wat doet u hier in godsnaam?' vroeg de ander.

Misschien zeiden ze nog iets, maar Niels hoorde het niet meer.

* * *

Toen ze Niels op het bed legden en hem terugreden, keek hij op zijn horloge. Het was iets na tienen in de ochtend. Buiten was het nog steeds grauw. De lucht was zwaar van de sneeuw. Hij kon de zon niet zien. Misschien was hij helemaal niet opgekomen. Als hij weg zou blijven ... blijf maar weg. 'Blijf weg!' mompelde Niels voordat zijn systeem reageerde op de injectie en hij wegzakte.

17

13.10 uur – 2 uur en 42 minuten voor zonsondergang

Ze was weer even wakker. Het was een soort eb- en vloedbeweging, waarbij haar ogen telkens even opengingen en ze bijna meteen daarna weer wegzakte.

'Ik ...' zei Hannah, maar toen bleef ze steken. Dit keer zou ze met niemand praten. Geen hulp vragen. Ze zou het personeel niet smeken of ze haar alsjeblieft bij bewustzijn wilden houden. Dit was een ziekenhuis; ze zouden alles doen om haar te redden. Maar ze begrepen het niet, dat wist Hannah nu. Het was de bedoeling dat ze doodging. Vandaag. Vóór zonsondergang zou Hannah dood zijn.

Rustige bewegingen – ze bewoog in hetzelfde tempo als haar gedachten, die nog steeds onder invloed van de medicijnen waren. Eerst trok ze het infuus eruit en plakte de tape op de plek waar de naald had gezeten. Toen sloeg ze haar benen over de rand van het bed. Ging staan, onzeker als een klein kind dat zijn eerste wankele stapjes zet. Met haar ene been kon ze bijna niets. Ze had een kruk nodig. Of een rolstoel.

Ze hield zich vast aan de muur en bewoog zich voorzichtig naar de kast toe. Haar jas hing eenzaam op een kleerhanger. Hij zat nog onder de modder van het ongeluk. Hij stonk naar jeneverbessen en alcohol. Ze herinnerde zich de gebroken ginfles. De lichtblauwe glasscherven. Ze trok haar jas aan. Eerst herkende ze de vrouw niet die voor haar stond en haar boos aankeek, toen kwam de pijnlijke herkenning: het was haar eigen spiegelbeeld. Even werd ze heen en weer geslingerd tussen opluchting en afschuw. Haar gezicht was aan een kant helemaal opgezet. Maar het maakte niet uit, nog even en ze zou haar aardse omhulsel voorgoed verlaten.

* * *

14.35 uur – 1 uur en 17 minuten voor zonsondergang

'Nog eentje. Dat is tegen de ergste pijn.'

De verpleegkundige stond over Niels gebogen terwijl hij met veel moeite de twee grote pillen doorslikte. Ze keek hem aan.

'Is het vrijdag?' hoorde hij zichzelf vragen.

'Ja, het is vrijdag. Eerste Kerstdag. U hebt lang geslapen, meneer Bentzon.'

'Vanmiddag.'

'Wat is er vanmiddag, meneer Bentzon?'

'Als de zon ondergaat.'

'Ik heb gehoord dat u vanochtend in alle vroegte hebt rondgezworven.' Ze glimlachte. Misschien kwam het door de uitdrukking die ze gebruikte: 'Rondgezworven'. Dat klonk alsof hij een loopse hond was. 'Het is maar goed dat ze u zo snel hebben gevonden. Ik denk dat u gewoon een beetje in de war bent door alles wat er is gebeurd.'

Niels gaf geen antwoord.

'Zal ik u eens wat zeggen?' ging ze verder. 'Het komt vaak voor dat patiënten helemaal in de war zijn als ze wakker worden. Dat is heel normaal.'

Ze pakte zijn hand. Hij keek uit het raam – keek of hij de zon kon zien. Even dacht hij dat het het felle licht van de zon was dat hem zo erg verblindde dat hij de bomen niet eens zag, maar het was de reflectie van de lamp. Hij probeerde iets te fluisteren, maar ze hoorde hem niet.

'U moet hier blijven, meneer Bentzon. Dan kunnen wij op u passen.' Haar hand lag op de zijne. 'Zei u iets?'

'Doe het licht eens uit.'

'Natuurlijk.'

Ze deed de lamp naast het bed uit en de reflectie in het raam verdween. De zon hing rood en ongeduldig vlak boven de bomen van het park. Hij had niet veel tijd meer. Even wilde hij het opgeven. Hij dacht: neem me dan maar mee naar het land van de doden. Laat de heleboel maar naar de klote gaan.

Ze onderbrak zijn gedachten: 'Er staan twee heren op de gang die u graag even willen spreken. Ze zijn hier elke dag geweest, vanaf het moment dat u bent opgenomen.' Ze stond op.

Sommersted en Leon kwamen de kamer binnen. Leon bleef in de deuropening staan. Alsof hij de bodyguard van een gangsterbaas was. Sommersted kwam naar zijn bed toe.

'Maak het niet te lang', zei de verpleegkundige voordat ze de kamer uit liep.

Niels zag helemaal niets in Sommersteds blik. Geen herkenning, medelijden, kilte of verachting. Als Niels die ene keer niet het spoortje menselijkheid had gezien, in de vorm van jaloezie om zijn vrouw, had Sommersted Niels heel goed kunnen wijsmaken dat hij een robot was die was opgebouwd uit bedrading en fijne mechaniek.

'Ik moet je eerlijk bekennen dat ik er niets van begrijp, Niels,' Sommersted sprak kalm en evenwichtig, als een man die alle tijd van de wereld heeft en weet dat hij niet zal worden onderbroken, 'maar je had gelijk. Afgelopen zaterdag is er in Venetië een vermoorde politieman gevonden. Wat jij zei, klopte precies: hij had een vlek op zijn rug. We wachten nog op het definitieve rapport van de Italiaanse lijkschouwer, maar het ziet ernaar uit dat het om het getal 35 gaat. Het is mogelijk op de huid van het slachtoffer getatoeëerd. Interpol is nu serieus met de zaak bezig.'

Sommersted slaakte een diepe zucht, wat Niels interpreteerde als een soort verontschuldiging. *Sorry dat ik niet naar je wilde luisteren*. Niels keek naar Leon. Het was net of hij in de ogen van een dode vis keek.

'En jij, Niels?' vroeg Sommersted met een plotselinge, ietwat onhandig meelevende klank in zijn stem.

'Wat is er met mij?'

'Hoe gaat het met je? De dokter zei dat het op het randje was. Was het geen trein?'

'Een auto bij een spoorwegovergang.'

'O, ja, dat was het.' Sommersted knikte. 'Dat van die meisjes was echt fantastisch. Ze zeggen dat ze dood zouden zijn als jij er niet was geweest. Eerst dat gezin van die gijzeling en nu die twee meisjes. Je hebt heel wat levens op je geweten.'

'Op mijn geweten?' herhaalde Niels.

'Ja, je goede geweten.'

Sommersted schudde zijn hoofd en keek naar de grond. Toen ging hij verder: 'Ik vind het allemaal heel moeilijk te begrijpen, zoals ik al zei, maar we zullen de komende dagen de bewaking hier in het ziekenhuis verscherpen en het een poosje aanzien.'

'Het hoeft alleen vanmiddag. Bij zonsondergang.'

Niels keek uit het raam. De zon streelde de toppen van de bomen.

'Oké. Dat zal wel lukken. Toch, Leon?'

Leon mengde zich in het gesprek: 'Er is natuurlijk geen sprake van hetzelfde beveiligingsniveau als tijdens de klimaattop, maar we hebben de bewaking van het ziekenhuis ingelicht en gevraagd of ze extra alert willen zijn. Wij bewaken de vier hoofdingangen en houden de parkeergarage in de gaten.' Hij keek alleen Sommersted aan, als een jongetje dat om een goedkeurende blik van zijn vader bedelt. Zijn smeekbede werd verhoord. Sommersted knikte. 'Dat is goed, Leon.'

De chef maakte aanstalten om te vertrekken, maar opeens draaide hij zich om en zei: 'Maar ik kan jou nooit goed inschatten, Niels. Begrijp je waar ik naartoe wil?'

'Niet helemaal.' Hij merkte dat Sommersted bezig was de weg kwijt te raken in zijn eigen woorden.

'Misschien had ik naar je moeten luisteren. Maar met jou weet je het nooit, Bentzon, je lijkt zo ... mag ik het naïef noemen?'

Hij stopte. Niels wist dat er een belangrijke bekentenis kwam.

'Maar ik ben blij dat je er weer bovenop komt. Dat meen ik echt. Ik kan het ziekenhuis niet evacueren, dat begrijp je natuurlijk wel, maar Leon en nog een paar van de andere jongens houden de ontwikkelingen in de gaten.'

Niels knikte. Hij was verbaasd. 'De jongens'. Die uitdrukking had Sommersted nog nooit gebruikt. Hij klonk als een voetbaltrainer van de mini's. Het paste eigenlijk best bij hem. Misschien kwam het ook door die uitdrukking dat Leon zijn vuist balde en opeens riep: 'Jezus, Bentzon, we denken allemaal aan je. Je moet zorgen dat je er snel weer bovenop komt, kerel.'

Niels keek naar hem. Hij wist niet wat hij moest zeggen. Sommersted voelde aan dat de stilte een beetje pijnlijk werd en maakte snel zijn verhaal af: 'Hopenhagen is trouwens heel goed verlopen. We hebben goed op de grote bazen gepast.' Hij haalde zijn schouders op. 'Dus het ziet ernaar uit dat de wereld voor deze keer is gered.'

Leon lachte. Hij kende altijd precies de spelregels. Ook de ongeschreven regels. Een daarvan was dat je moest lachen als je superieur een grapje maakte.

Niels knikte. Hij wist niet waarom.

Er werd ongewoon hard op de deur geklopt. De verpleegkundige stak haar hoofd om de hoek.

'Zijn jullie klaar?'

'Ik geloof het wel.' Sommersted gaf Niels een onhandige, kameraadschappelijke klap op zijn schouder en liep weg.

'Bentzon.' Leon stak zijn hand op in een groet en liep achter zijn chef aan.

De verpleegkundige deed de deur achter hen dicht.

Niels had niet gehoord dat de deur weer open was gegaan, maar hij hoorde wel de stem die zacht fluisterde: 'Niels.'

Hij draaide zich om.

Hannah zat in een rolstoel. Het deed hem pijn om haar zo te zien, maar een enkele blik op haar gezicht gaf hem hoop. Er was iets met haar gebeurd.

'Niels.'

'Hannah.'

Ze reed naar het bed toe en legde haar hand op de zijne.

'Ik ben zo blij om je te zien. Ik heb je gezocht.' Haar stem klonk zwak, maar vitaal. 'Ik heb geprobeerd je te vinden, maar ze hebben me teruggebracht naar mijn kamer.'

'We moeten hier weg, Hannah. We hebben niet veel tijd meer.'

'Er is genoeg tijd, Niels. Ik zal het allemaal uitleggen, maar eerst moet je luisteren.'

'De zon gaat al onder.'

'Toen ik dood was, was het niet alleen maar donker.' Ze gaf zijn hand een kneepje. 'Er is meer dan dit leven en daar is bewijs voor.'

'Bewijs?'

'Dat heb ik je door de telefoon toch al verteld. Was je misschien een beetje in de war?' Ze glimlachte. Hij schudde zijn hoofd.

'Er wordt een groot, wereldwijd onderzoek gedaan, Niels. Ze hebben over de hele wereld afbeeldingen onder het plafond van eerstehulpafdelingen gelegd. Afbeeldingen die je alleen kunt zien als je zweeft. Het is geen hocus pocus, het is strikt wetenschappelijk. Het onderzoek wordt gedaan door artsen en wetenschappers, onder leiding van de VN – het zijn allemaal mensen die zijn grootgebracht met de strenge eisen ten aanzien van wetenschappelijke integriteit. Je kunt het allemaal op internet zien. Nee, voordat je me onderbreekt, moet je ook het laatste nog horen: ik heb gezien wat er onder het plafond lag. Ik kon beschrijven wat er op het plaatje stond dat ik op geen enkele andere manier had kunnen zien dan wanneer mijn bewustzijn uit mijn lichaam was getreden.'

'Bewustzijn.' Niels zuchtte. Hannah had een fanatieke blik in haar ogen die hij niet prettig vond.

'Noem het wat je wilt. Ziel? Ik weet het niet. Ik weet alleen dat we door dit bewijs niet anders kunnen dan alles nog eens goed overdenken.'

'We moeten hier weg voordat de zon ondergaat.'

'Herinner je je dat verhaal nog dat ik je vertelde? Over die collega bij mij op het instituut die geen nee kon zeggen. De jongen wiens goedheid een probleem voor hem werd?'

'We moeten hier weg. Wil je me helpen?'

'Kijk naar jezelf, Niels. Je hebt geprobeerd die kinderen te redden. Je wilde die auto met je blote handen tegenhouden.'

'Ik deed hetzelfde als ieder ander zou hebben gedaan.'

'Het hele ziekenhuis doorkruisen om een goed mens te vinden? Zou ieder ander dat hebben gedaan, Niels?'

'Dat komt doordat ik manisch ben. Manisch-depressief. Ik ben niet normaal.'

'Jawel! Dat soort dingen doe jij.'

'We moeten hier weg.'

'Dan kan niet. En dat weet je. Je begrijpt best waar ik naartoe wil.'

Niels zei niets. Hij hoorde een zin in zijn hoofd: *Maar dan moet ik iets slechts doen.*

'Het is het verhaal van Abraham. God vroeg Abraham om Isaak mee de berg op te nemen. Je hebt het zelf gezegd toen we bij de Noordzee in de duinen lagen.'

'Ik wil het niet horen.'

'Je zult wel moeten.'

Niels duwde de deken van zich af en probeerde zijn benen over de rand van het bed te slaan.

'Je moet ophouden met goed zijn, Niels, dat is je enige kans.'

'Hannah.' Niels stopte. Hij herinnerde zich Wornings woorden: *Maar dan moet ik iets slechts doen.*

Niels schoof een stukje naar voren in zijn bed. Hij keek naar de zon.

'Je moet iets offeren. Iets waar je van houdt. Om te laten zien dat je luistert. Begrijp je wat ik bedoel, Niels? Ik was dood, maar ik ben weer tot leven gewekt. Ik heb met mijn eigen ogen een kier naar ... *iets anders* gezien.'

Niels liet haar praten.

'Wij – *jij, Niels* – zult het moeten accepteren: er is iets wat groter is dan wij. Jij moet laten zien dat je dat begrijpt.'

'Wat moet ik laten zien? Wát moet ik dan precies laten zien?'

'Je moet laten zien dat wij in iets anders kunnen geloven dan alleen in onszelf.'

Niels had zin om over te geven. Om haar te slaan, een klap in haar gezicht te geven, zoals ze vroeger bij hysterische vrouwen deden. Vol medelijden keek hij naar haar opgezette gezicht, haar intelligente ogen. Je kon haar alleen maar bereiken met rationele argumenten. 'En wat dan, Hannah?' hoorde hij zichzelf vragen. 'Wat gebeurt er dan?'

'Dat weet ik niet. Misschien ... misschien gaan we verder. Misschien wordt er een nieuwe generatie geboren. De nieuwe zesendertig.'

Niels schudde zijn hoofd. 'We moeten weg, Hannah', fluisterde hij. Zijn stem klonk niet erg overtuigend.

Hannah zei niets.

'Hoeveel tijd hebben we nog?'

'Het heeft geen zin, Niels. Denk maar aan die Italiaan. Hij was ook onderdeel van het systeem. Je moet ophouden goed te zijn.'

Hij onderbrak haar: 'Hoeveel tijd hebben we nog?' Hij schreeuwde.

'Tien minuten, ongeveer. Dan gaat de zon onder.'

Met een snelle beweging trok Niels het infuus uit zijn arm. Een doelbewuste straal donkerrood bloed spoot omhoog. Op de gang hoorden ze plotseling roepende stemmen en rennende voetstappen. Hannah stond op uit de rolstoel en gaf hem een papieren handdoekje. Ze wankelde even, maar hervond haar evenwicht. Terwijl Niels uit bed klom, zocht Hannah iets in zijn kastje. Niels zag zo wit als een doek toen hij haar bij haar arm pakte en zei: 'Help me, Hannah. Help me, zodat ik tenminste kan proberen om weg te komen.'

Ze draaide zich om. Ze had zijn dienstpistool in haar hand. 'Oké.'

18

15.42 uur – 10 minuten voor zonsondergang
Leon had het een paar minuten geleden over de politieradio gehoord: '*Donkergroene bestelwagen rijdt met hoge snelheid door rood bij Rådhuspladsen. Een patrouillewagen zit er een paar honderd meter achter.*' Het had niets met hem te maken, maar toch was hij opgestaan en naar het raam gelopen.

'Bent u een dokter?' klonk er een stem achter hem. 'Ik heb hulp nodig.'

Leon wilde de patiënt, die in de war was, net antwoorden, toen hij de radio weer hoorde: '*Donkergroene bestelwagen wordt achtervolgd over de Østersøgade. We versperren hem de weg bij Fredensbro.*' Vaag begonnen de alarmbelletjes te rinkelen in Leons hoofd: Eerste Kerstdag, niet helemaal een gewone dag. Eigenlijk meestal een van de saaiere dagen – afgezien van de gezinshoofden die altijd dachten dat ze nog best konden rijden na vier kerstbiertjes en vijf borreltjes. Een autoachtervolging door de gladde, besneeuwde kerststraten was ongebruikelijk. Leon pakte snel de radio. 'Albrechtsen? Heb jij de Fælledvej in het zicht?'

Het antwoord kwam onmiddellijk: 'Uitstekend zicht. Alles rustig.'

Leon staarde uit het raam. Eerst wist hij het niet zeker, maar toen hij de andere auto's aan de kant zag gaan, zag hij hem tevoorschijn komen uit de sneeuwjacht. Hij had getinte ramen, het was een oude bestelwagen. '*Donkergroene Citroën-bestelwagen rijdt over de brug in de richting van het Rigshospital.*'

'Fuck!'

Leon verhief zijn stem en snauwde in de walkietalkie: 'Albrechtsen! Heb je naar de radio geluisterd?'

'Yes! Ik heb de hoofdingang.'

'Team twee? Hebben jullie de inrit van de parkeergarage?'

Hij wachtte op antwoord. 'Team twee? Jensen?' Geen antwoord. 'Albrechtsen? Zie jij team twee?'

'Nee. Daarnet waren ze er nog.'

Nu hoorde Leon de sirenes van de politieauto's die het bestelbusje op de hielen zaten. 'Shit!'

Leon begon te rennen en hij riep: 'Albrechtsen! Ga verderop in de straat staan zodat je de hoofdingang en de inrit voor je rekening kunt nemen.'

Leon bleef staan. Hij geloofde zijn ogen niet toen hij Niels zag komen aanhinken over de gang. 'Bentzon? Wat doe jij hier? Moet jij niet in bed liggen?'

Niels leunde op Hannah, zij leunde op een kruk. Een fraai stel.

'Wat is er aan de hand, Leon?'

'Niets waar jij je zorgen over hoeft te maken. We hebben alles onder controle.'

Ze hoorden allebei Albrechtsens vertwijfelde kreet over de radio: '*Hij is gewoon langs me heen gereden! Hij gaat naar de parkeergarage.*'

Leon begon te rennen. Hij klonk als een generaal in oorlogstijd: 'Niemand komt die auto uit! Begrepen!'

'We moeten naar buiten, Hannah.' Niels' stem klonk zwak. Het uit bed komen alleen al had al zijn kracht gevergd. Zijn rug brandde.

'Dat kan niet, Niels. Wat dacht je van het dak? Daar hebben we overzicht.'

'Naar de lift.' Niels strompelde naar de dichtstbijzijnde lift. Hij kwam langs een raam en keek naar buiten. De bomen langs de weg helden over in de hevige windstoten. Een paar auto's waren weggegleden op de spiegelgladde straten en stonden nu als gestrande walvissen in de hoge sneeuwwallen in de berm – waarschijnlijk omdat ze een botsing met de bestelwagen hadden willen voorkomen. Hoog boven dat alles streden de allerlaatste zonnestralen een ongelijke strijd om door de sneeuw en de invallende duisternis heen te breken. In het oranjerode licht leek het of Kopenhagen in brand stond; de daken, de wegen, de lucht. 'De dag des oordeels', fluisterde Niels. 'Zo ziet die eruit: stil en rustig en rood.'

Nu zag hij een donker bestelbusje dat met hoge snelheid slingerend de inrit van de parkeergarage onder het ziekenhuis op reed. De bestelwagen knalde tegen een paar geparkeerde fietsen aan, die in de lucht werden geslingerd.

'Kom nou, Niels!' Hannah stond bij de liften.

Niels liep naar haar toe. Hij kreeg het beeld van dat donkere bestelbusje niet uit zijn hoofd.

'Niet naar het dak', zei hij terwijl hij half de lift in viel.

'Dat is onze enige kans, Niels. Alle uitgangen zijn afgesloten.

Het gaat gewoon niet. En de parkeergarage is ... je hebt het zelf toch gehoord: vol politieagenten.'

'De uitgang. We wagen het erop. We moeten erlangs zien te komen.' Niels drukte op de knop voor de begane grond en viel om.

'Niels!' Hannah ging naast hem zitten. 'Wat gebeurt er met je?'

'Mijn rug. Het brandt ... Hoelang nog?'

Niels proefde bloed: 'Mijn mond.'

Hij gaf het op.

'Kom op, Niels.' Ze probeerde hem overeind te krijgen.

Hij hoorde haar woorden, maar ze drongen niet echt tot hem door. Hij zat ineengedoken op de vloer van de lift. De pijn in zijn rug was ondraaglijk. Hij had het gevoel dat hij met zijn rug op gloeiende kolen lag.

'Je bloedt uit je neus.'

Als in trance bracht hij zijn hand naar zijn neus. Hannah had gelijk.

'We moeten naar het dak, Niels.'

'Waarom?' wist hij met veel moeite uit te brengen.

'We hebben nog maar een paar minuten.'

'Dan ga ik dood, Hannah. En dan gaat ...'

'Nee, Niels.'

Ze haalde iets uit haar tas. 'We moeten deze gebruiken.'

Hij tilde met veel moeite zijn hoofd op. 'Nee, Hannah.'

Ze had zijn pistool in haar hand.

* * *

15.48 uur – 4 minuten voor zonsondergang

De donkere bestelwagen kwam veel te hard aanrijden over de inrit. Even leek het of hij zou slippen. De remmen blokkeerden en alleen een wonder voorkwam dat hij een van de betonnen pilaren ramde.

Leon en de andere agenten gingen met getrokken pistool om de auto heen staan.

Albrechtsen liep naar de achterkant van de auto terwijl Leon naar het zijportier liep.

'Politie! Doe de deur heel langzaam open.'

Toen hoorden ze het geluid. De stem. Eerst gejammer. Toen een gil. Afgrijselijk hard. De rillingen liepen over hun rug.

Een man stapte uit de auto. Hij was niet veel ouder dan twintig.

Zijn haar stond overeind. Hij keek angstig.

'Ga liggen!' riep Leon.

'Ik ...'

'Hou je mond en ga liggen, of ik schiet!'

Op hetzelfde moment trok Albrechtsen de achterdeur open. In de laadruimte lag een vrouw op een matras. Ze gilde.

'Verdomme, wat gebeurt daar, Albrechtsen?' schreeuwde Leon terwijl hij de jongeman handboeien om deed.

'Chef?' Albrechtsen moest bijna lachen.

'Wat?'

'Dat is mijn vriendin ...' probeerde de jongeman uit te leggen.

Leon was opgestaan. Hij keek in de auto. De vrouw lag met haar benen wijd. Leon wist zeker dat hij een klein hoofdje naar buiten zag komen.

Een paar seconden bleven ze als verlamd staan. Toen gilde de vrouw: 'Blijven jullie daar gewoon staan staren of gaan jullie nog iets doen?'

19

15.50 uur – 2 minuten voor zonsondergang

Van hier kon je over heel Kopenhagen uitkijken.

De zon was geen ronde bal, maar hing vlak boven de horizon, half opgelost in wolken en sneeuw. Niels keek achterom terwijl Hannah doorliep naar het midden van de helikopterlandingsplaats. De jagende sneeuw striemde als kleine projectielen op haar huid. 'Dit is een goede plek', fluisterde ze. Haar woorden werden meteen meegevoerd door de wind.

'Pak aan!' Hannah moest schreeuwen om boven het noodweer uit te komen. 'Pak het pistool.'

'Nee, Hannah.'

'Kijk me aan.' Ze liep terug, pakte hem vast en probeerde hem te dwingen om haar aan te kijken.

'Ik kan het niet.'

'Je moet, Niels.'

'Ga weg.' Hij probeerde haar weg te duwen, maar hij was te zwak en ze liet hem niet los.

'Hier eindigt het, Niels. Begrijp je dat?' Ze drukte het pistool in zijn hand. Hij kon het weggooien – het in een boog het donker in sturen – maar hij deed het niet. 'Hier eindigt het', herhaalde ze.

Hij ontgrendelde het pistool en keek naar de deur. Het was een minimale beweging, maar die vergde al zijn krachten. Hij bracht het pistool omhoog en richtte het op de enige toegang tot het dak: de liftdeur.

'Er komt niemand, Niels.'

'Ga weg!'

Ze bleef staan. Hij schreeuwde: 'Ik zei dat je weg moest gaan!'

Ze stapte een meter bij hem vandaan.

'Verder weg.' Hij wankelde, maar hield zich krampachtig vast aan het pistool, alsof dat kleine voorwerp, gemaakt met als enig doel het nemen van levens, paradoxaal genoeg zijn laatste reddingslijn was.

'Niels.'

Haar kreet was vergeefs. Hij hoorde haar niet.

'Niels!' Ze kwam heel dicht bij hem staan. Ze pakte hem weer vast en liet zich niet wegduwen.

'Ga weg.'

'Luister naar me, Niels. Er komt niemand. Er komt geen moordenaar. Wij zijn de enigen.'

Hij zei niets.

'Je moet ophouden met goed zijn. Je moet mij offeren.'

'Stop, Hannah.'

Hij probeerde haar weer weg te duwen.

'Het is de enige mogelijkheid. Zie je dat dan niet? Je moet iets doen.'

Hij zei niets. Het bloed liep uit zijn neus, over zijn mond. Zijn knieën konden hem niet langer dragen. Hannah dacht dat hij zou vallen, dat het te laat was. Maar een snelle blik op het westen vertelde haar dat de zon nog steeds aarzelend aan de horizon hing.

'Er komt geen moordenaar, Niels. Begrijp je het dan niet? Er is geen terrorist of gestoorde seriemoordenaar. Dit gaat alleen maar om ons.'

'Stop nu.'

'Schiet me neer, Niels.'

'Nee.'

'Je moet iets doen. Laten zien dat je luistert. Daar is het allemaal om begonnen. Je moet iets offeren waar je van houdt.'

Hannah pakte de koude loop van het pistool en richtte hem op haar hart.

'Ik vind het niet erg, Niels. Dat heb ik je geprobeerd te vertellen. Ik was dood toen jij me vond. Ik ben doodgegaan toen Johannes doodging.'

'Hannah ...'

Ze stond dicht tegen hem aan; haar lippen raakten zijn oor toen ze fluisterde: 'We moeten laten zien dat we luisteren. Dat we weten dat er meer is.' Ze legde zijn vinger om de trekker. 'Je moet hem overhalen, Niels. Doe het gewoon. Ik wil terug, ik heb gezien wat ons te wachten staat. Dat is het enige wat ik wil. Terug. Naar Johannes.'

'Nee.'

'Niemand zal jou verdenken. Iedereen zal denken dat het zelfmoord was. Ik ben een psychisch wrak. Je chef had gelijk.'

Er kwam een onverwachte lach over haar lippen: 'Ik heb niets te verliezen. Helemaal niets.'

'Nee. Ik kan het niet.'

Opeens was het geluid weg. Niels zag haar mond bewegen, maar er kwam geen geluid uit. Het lawaai van de wind en het noodweer en de stad ver onder hen was verdwenen. Wat overbleef, was een stilte waarvan hij niet wist dat hij bestond. Een stilte die hem zo diep raakte dat hij zijn ogen dicht moest doen om ervan te genieten.

'Het is zo stil', fluisterde hij. 'Zo stil.'

Een golf van warmte doorstroomde zijn lichaam. Een heerlijke warmte die de pijn in zijn rug liet verdwijnen en hem rust gaf, verlichting, eindelijk. Misschien had Hannah gelijk, misschien was het een voorproefje van wat hem te wachten stond. Warmte, rust, vrede. Even leek het of het noodweer ophield. De sneeuw verdween, de wolken dreven uiteen en gunden hem een blik op de sterren pal boven hem, hij kon ze bijna aanraken. Hij keek weer naar Hannah die schreeuwde, smeekte, maar hij hoorde niets. Ze duwde de loop van het pistool tegen haar hart en vormde de woorden: 'Nu, Niels', maar hij kon haar nog steeds niet horen. Niels deed zijn ogen dicht. Hij wist dat ze gelijk had. Hij wilde niet naar haar luisteren. Hij kon het niet. Toch haalde hij de trekker over. De terugslag zond een hevige schok door zijn hand.

Hannah schokte. Wankelde ze? Niels keek haar aan, toen deed ze een stap naar achteren. Er was geen bloed. Op hetzelfde moment stroomde het geluid zijn oren weer binnen en raakte met een harde klap zijn trommelvliezen.

'Maar ...'

Hannah draaide zich om. Ze keek naar het westen. De zon was verdwenen, weg. Het was donker.

'Je hebt het gedaan, Niels.'

Niels voelde zijn knieën onder zich trillen. Hij zocht nog steeds naar het gat waar de kogel Hannahs lichaam was binnengedrongen. Hij begreep niet waarom er geen bloed uit stroomde. Er gingen kleine krampachtige schokjes door zijn lijf.

Ze stak haar hand naar hem uit en opende hem langzaam. Daar lag het magazijn van het pistool.

Ze knielde naast hem en sloeg haar armen om hem heen. Hij deed zijn ogen dicht.

Hij hoorde voetstappen en stemmen. Leon riep: 'Bentzon? Ben je hier?'

Niels deed zijn ogen open.

'Bentzon?' riep Leon nog een keer.

Maar Niels keek alleen naar Hannah, en misschien naar de zachte sneeuwvlokken die tussen hen in dansten.

20

Maandag 4 januari 2010

Terwijl hij zijn koffer pakte in het ziekenhuis, voelde Niels duidelijk de verandering in zijn lichaam. De pijn in zijn rug was niet alleen verdwenen, hij liep ook makkelijker. Er was iets veranderd in zijn binnenste. Normaal gesproken zou alleen al het pakken van een koffer hem zo veel aan reizen doen denken, dat de angst bezit zou nemen van zijn lichaam en zich als een onoverwinnelijke tegenstander zou klaarmaken om hem te overmeesteren.

Maar nu was het anders. Hij was heel rustig terwijl hij zijn kleren netjes opvouwde en in zijn koffer legde. Zijn politielegitimatie en zijn pistool kwamen bovenop. Hij voelde geen angst toen hij de koffer dichtritste.

'Gaat u vandaag naar huis?' De verpleegkundige was het bed aan het verschonen.

'Ja, nu kan ik het echt niet langer rekken. Ik word ook veel te dik van het lekkere eten hier.' Hij klopte op zijn buik.

'Ik ben blij dat het beter met u gaat.'

'Bedankt voor alles.' Hij stak zijn hand uit, maar tot zijn verbazing kuste ze hem op zijn wangen.

'Veel succes met alles, meneer Bentzon.' Klonk ze een beetje verdrietig, alsof ze hem zou missen? Ze glimlachte.

* * *

Hannah zou pas over een paar dagen worden ontslagen. Niels ging met een bos bloemen in zijn hand haar kamer binnen om afscheid te nemen. Er was geen vaas om ze in te zetten.

'Leg ze hier maar neer', zei ze en ze klopte op de dekens. 'Ze zijn mooi. Wat zijn het?'

Niels haalde zijn schouders op. 'Ik heb geen verstand van bloemen.'

'Ik was ooit van plan om een echte tuin aan te leggen bij het vakantiehuis. Alles opnieuw beplanten, en ... nou ja, je weet wel.'

Hij kuste haar op haar mond. Een korte kus; warme, zachte lippen. Het was misschien een beetje onhandig, maar het werkte – hij voelde het diep in zijn buik.

Hij had een cadeautje voor haar, ingepakt in krantenpapier. 'Wat is het?' Ze bloosde nog van de kus.

'Maak maar open.'

Ze pakte het met kinderlijk enthousiasme uit. Haar stemming sloeg om toen ze zag wat het was. Het magazijn van het pistool.

'Niet schrikken. Ik heb de patronen eruit gehaald.'

Ze pakte het vast en zuchtte terwijl ze het ronddraaide in haar handen.

'Ik wist heel zeker dat ik moest sterven', zei ze. 'Dat dat de bedoeling was.'

'Wanneer ben je van gedachten veranderd?'

Ze keek hem aan. 'Zal ik je eens wat zeggen? Dat ben ik niet. Ik weet nog steeds niet zeker of ík het magazijn eruit heb gehaald, of ...'

De zin stierf weg.

'Ik loop met je mee naar de uitgang', zei ze.

* * *

Ze hadden het er de afgelopen dagen een paar keer over gehad wat er eigenlijk was gebeurd op het dak. Elke keer als Niels vroeg wie het had gedaan, had Hannah hem gecorrigeerd: '*Wat*, Niels – *wat* heeft het gedaan?'

Niels had geen antwoord gegeven.

* * *

Een lange, witte gang. Artsen, verpleegkundigen, patiënten en hun familie krioelden door elkaar. Een geluid klonk boven alle andere geluiden uit: babygehuil. Niels bleef staan en keek rond. En jonge moeder – moe, maar gelukkig – kwam aanlopen met haar pasgeboren baby. Ze kwamen recht op Niels en Hannah af. Toen ze langsliepen, draaide Niels zijn hoofd om en keek naar het kleine wezentje. Misschien kwam het daardoor dat hij tegen de verpleegkundige aan botste.

'Sorry.'

Ze wilde doorlopen, maar hij hield haar tegen.

'Mag ik u iets vragen?'

Ze draaide zich om.

'Hoe kom ik erachter of er afgelopen vrijdag rond zonsondergang een baby is geboren?'

Ze dacht na. 'Dan moet je naar de verlosgang gaan.'

'Bedankt.'

Hannah trok aan zijn mouw.

'Wat?' vroeg hij.

'Niels. Is dat niet een beetje vergezocht?'

'Waarom? Geloof je niet dat het estafettestokje wordt doorgegeven?'

* * *

Niels klopte netjes, maar toen er niemand reageerde, liep hij gewoon de kamer binnen. Hannah wachtte buiten.

Bloemen, bonbons, teddyberen en babykleertjes. De moeder lag te doezelen in het bed, met de pasgeboren baby in haar armen. De jonge vader zat te snurken in een stoel. Het stel voldeed precies aan Leons beschrijving van de mensen die met het donkere bestelbusje waren aangekomen. De moeder keek op.

'Gefeliciteerd', was het eerste wat Niels te binnen schoot.

'Dank u.' Ze keek hem verwonderd aan. Misschien probeerde ze hem te plaatsen in haar geheugen. 'Kennen wij elkaar?'

Niels haalde zijn schouders op en keek naar de baby die wakker werd.

'Is het een jongetje?'

'Ja.' Ze glimlachte. 'En een ongeduldig jongetje ook. Hij was een maand te vroeg.'

'Wilt u mij iets beloven?'

Ze keek hem nieuwsgierig aan.

'Als hij, wanneer hij iets ouder is, problemen krijgt met reizen, wilt u mij dan beloven dat u niet boos op hem zult worden?'

'Ik geloof dat ik niet helemaal begrijp wat u bedoelt.'

'Beloof het maar gewoon.'

Niels liep de kamer uit.

21

Voor het eerst op reis. De meeste mensen kunnen het zich herinneren – het kinderlijke gevoel van avontuur als het vliegtuig opstijgt. Alles is nieuw: de stewardessen, het eten, de plastic bekertjes en bordjes en bestek die op spulletjes uit een poppenhuis lijken. Je laat je zorgen achter en laat de koers en de bestemming over aan anderen.

Venetië

De geur van de lagune was niet te vergelijken met enige andere geur die Niels ooit had geroken. Uitnodigend, al was het ook bedompt. Blauwzwart, brak water dat er toch zo aanlokkelijk uitzag dat Lord Byron in het kanaal was gesprongen – dat had Niels in het vliegtuig in zijn gidsje gelezen.

Maar het grootste deel van de vlucht had hij alleen maar uit het raam gestaard. Toen ze boven de Alpen waren, had hij gehuild, zonder geluid en bewegingloos. Het was maar goed dat Hannah er niet bij was. Zij zou hem hebben verteld dat de Alpen niets anders waren dan twee continentale platen die op elkaar botsten. En dat de Middellandse Zee over een paar honderd miljoen jaar, als het Afrikaanse continent Europa zou hebben ingehaald, verdwenen zou zijn. Zo lang zou Kathrine vast niet kunnen wachten. Daarom had Niels een ticket van Venetië naar Zuid-Afrika geboekt. Hij moest drie keer overstappen en de reis zou een hele dag duren.

Een van de jongemannen bij de watertaxi's hield hem tegen. 'Venice, mister?'

Niels pakte zijn gidsje en wees op het eiland met de begraafplaats.

'San Michele? Cemetery?'

Niels probeerde voorzichtig een 'si'. Daarop volgde onmiddellijk de prijs: 90 euro. Ach, wat maakte het uit. Hannah had hem wel verteld dat hij in Venetië over de prijs moest onderhandelen, zeker in deze tijd van het jaar waarin ze de inkomsten hard nodig hadden.

Toen de bestuurder de gashendel helemaal naar beneden drukte en de boot als een keilsteen wegschoot over het water, begon Niels te lachen. De jongeman keek naar hem. Hij kon het niet laten om mee te lachen en zijn oprechte plezier in de snelheid te delen.

Bij San Michele moesten ze wachten tot een kist op een kleine, zwartgelakte boot was geladen, voordat ze konden aanleggen. De bestuurder hield Niels' arm vast toen hij op de steiger sprong. Hij zwaaide vrolijk toen hij wegvoer. Toen pas bedacht Niels dat hij geen idee had hoe hij weer van het eiland af moest komen.

Als de begraafplaats een voorproefje was van de schoonheid van de rest van de stad, zag het er veelbelovend uit. Kapelletjes, zuilengangen, palmbomen en wilgen, ornamenten, engelengezichten en vleugels: een hoorn des overvloeds van sacrale kunst om ons in de juiste stijl hiervandaan te helpen. Bijna een uur liep Niels rond, onder de indruk en in de war, maar langzaam begon hij een systeem te ontdekken. Hij kwam erachter waar de nieuwere urnen stonden en waar de protestanten werden begraven.

Niels liep door de eindeloze gangen met boven elkaar geplaatste urnen. Gezichten en namen, bloemen en kaarsen in rode glaasjes die de vlammetjes tegen de regen beschermden.

Hij vond Tommaso's stoffelijke resten ingeklemd tussen Negrim Emilio en Zanovello Edvigne. *Tommaso Di Barbara*. Er was ook een fotootje: een gezicht en net genoeg van de schouders om het uniform te zien. Een aardige man. Een vriend.

Niels ging op het bankje onder de treurwilg zitten, vlak naast Tommaso. Hij had niets meegebracht. Geen bloemen, geen kaars. Hij had alleen zichzelf. Niet langer goed. Gewoon zichzelf.

A.J. Kazinski bedankt:

- Voor ideeën, systemen, theorie, geduld en voor het feit dat ze ons de hemeltergende omvang van onze onwetendheid heeft laten inzien: Anja C. Andersen, astrofysicus verbonden aan het Dark Cosmology Centre, Niels Bohr Instituut.

In Venetië:

- Voor onmisbare details over dienstschema's, toeristen en eilandkolder: Luca Cosson van de Politie van Venetië.
- Voor een rondleiding en omdat ze ons om de overstromingen heen heeft geleid: zuster Mary Grace en pater Elisio van de Orde van het Sankt Johannes Hospital in het hospice Ospedale Fatebenefratelli.

In Kopenhagen:

- Voor gesprekken en mails over de Talmoed, de Thora en de zesendertig: Opperrabbijn Bent Lexner.
- Voor een inkijk in de eeuwigheid: Anja Lysholm.
- Omdat ze ons de wereld onder het Rigshospital hebben laten zien: Bjarne Rødtjer, Bent Jensen en Susanne Hansen van het Centraal Archief van het Rigshospital.
- Voor een rondleiding in de mooiste villa van Kopenhagen en hulp bij onze eerste schreden op het Diamantweg-Boeddhisme: Jørn Jensen en Mikkel Uth van het Centrum voor Boeddhisme.
- Voor het bereidwillig laten meedelen in zijn ervaring met politiewerk: Jørn Moos.
- Voor minstens een handjevol religieuze indianenverhalen: Sara Møldrup Thejls, theologiehistoricus, Universiteit van Kopenhagen.
- Voor een duizelingwekkende rondleiding door de raadselachtige wereld van de wiskunde: Professor Christian Berg van het Instituut voor Mathematische Vakken, Universiteit van Kopenhagen.
- Voor het volhardend lezen en de onberispelijke aantekeningen: David Drachmann.
- Voor een gesprek over huid: Professor Jørgen Serup van de Afdeling Dermatologie, Bispebjerg Hospital.

Speciale dank aan de coördinatoren:
Lars Ringhof, Lene Juul, Charlotte Weiss, Anne-Marie Christensen en Peter Aalbæk Jensen.